La forma de las ruinas

Juan Gabriel Vásquez

La forma de las ruinas

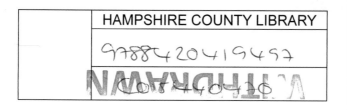
El papel utilizado para la impresión de este libro ha sido fabricado a partir de madera procedente de bosques y plantaciones gestionadas con los más altos estándares ambientales, garantizando una explotación de los recursos sostenible con el medio ambiente y beneficiosa para las personas. Por este motivo, Greenpeace acredita que este libro cumple los requisitos ambientales y sociales necesarios para ser considerado un libro «amigo de los bosques». El proyecto «Libros amigos de los bosques» promueve la conservación y el uso sostenible de los bosques, en especial de los Bosques Primarios, los últimos bosques vírgenes del planeta.

Papel certificado por el Forest Stewardship Council®

MIXTO
Papel procedente de fuentes responsables
FSC® C117695

Primera edición: enero de 2016

© 2015, Juan Gabriel Vásquez
c/o Casanovas & Lynch Agencia Literaria, S. L.
© 2015, de la presente edición en castellano para todo el mundo:
Penguin Random House Grupo Editorial, S. A. U.
Travessera de Gràcia, 47-49. 08021 Barcelona

© Diseño: Proyecto de Enric Satué
© Steve Schapiro, por la fotografía de cubierta
© Fotografía página 45: «Cadáver de Gaitán en la clínica Central»: Archivo fotográfico de Sady González (Bogotá 1938-1949). Biblioteca Luis Ángel Arango.

Printed in Spain – Impreso en España

ISBN: 978-84-204-1949-7
Depósito legal: B-25810-2015

Impreso en Unigraf, Móstoles (Madrid)

AL 19497

Penguin
Random House
Grupo Editorial

*A Leonardo Garavito, que me puso las ruinas
en las manos*

*A María Lynch y a Pilar Reyes, que me mostraron
cómo darles forma*

Eres las ruinas del hombre más noble...

SHAKESPEARE, *Julio César*

I. El hombre que hablaba de fechas infaustas

La última vez que lo vi, Carlos Carballo estaba subiendo laboriosamente a una furgoneta policial, las manos esposadas detrás de la espalda y la cabeza hundida entre los hombros, mientras una leyenda en lo bajo de la pantalla informaba de las razones de su arresto: haber intentado robar el traje de paño de un político asesinado. Fue una imagen fugaz, capturada por casualidad en uno de los noticieros de la noche, después del acoso vocinglero de las propagandas y poco antes de las noticias deportivas, y recuerdo haber pensado que miles de televidentes compartían conmigo ese momento, pero que sólo yo hubiera podido decir sin mentira que no estaba sorprendido. El lugar era la antigua casa de Jorge Eliécer Gaitán, ahora convertida en museo, adonde llegan cada año ejércitos de visitantes para entrar en contacto breve y vicario con el crimen político más célebre de la historia colombiana. El traje de paño era el que Gaitán llevaba el 9 de abril de 1948, el día en que Juan Roa Sierra, un joven de vagas simpatías nazis, que había coqueteado con sectas rosacruces y solía conversar con la Virgen María, lo esperó a la salida de su oficina y le disparó cuatro tiros a pocos pasos de distancia, en medio de la calle concurrida y a plena luz del mediodía bogotano. Las balas dejaron orificios en el saco y en el chaleco, y la gente que lo sabe visita el museo sólo para ver esos oscuros círculos de vacío. Carlos Carballo, hubiera podido pensarse, era uno de aquellos visitantes.

Esto ocurría el segundo miércoles de abril del año 2014. Al parecer, Carballo había llegado al museo a eso de las once de la mañana, y durante varias horas se le vio dando vueltas por la casa como un feligrés en trance, o de pie con la cabeza ladeada frente a los libros de Derecho Penal, o viendo el documental cuyos fotogramas de tranvías en llamas y gente iracunda con el machete en alto se presentan y se vuelven a presentar a lo largo del día. Esperó la partida de los últimos estudiantes de uniforme para subir al segundo piso, donde una vitrina guarda a la vista de todos el traje que llevaba Gaitán el día de su asesinato, y entonces comenzó a reventar el vidrio grueso a golpes de manopla. Alcanzó a poner la mano sobre el hombro del saco azul medianoche, pero no tuvo tiempo de nada más: el vigilante del segundo piso, alertado por el estallido, le apuntaba con su pistola. Carballo se dio cuenta entonces de que se había cortado con los vidrios rotos de la vitrina, y comenzó a lamerse los nudillos como un perro de la calle. Pero no parecía demasiado preocupado. En televisión, una jovencita de camisa blanca y falda escocesa lo resumió así:

«Era como si lo hubieran agarrado pintando en la pared».

Todos los periódicos de la mañana siguiente hicieron referencia al robo frustrado. Todos se sorprendieron, con su hipócrita sorpresa, de que el mito de Gaitán siguiera despertando estas pasiones sesenta y seis años después de los hechos, y algunos compararon por enésima vez el asesinato de Gaitán con el de Kennedy, del cual se había cumplido medio siglo el año anterior sin que su poder de fascinación hubiera disminuido en lo más mínimo. Todos recordaron, por si hiciera falta, las consecuencias imprevisibles del asesinato: la ciudad incendiada por las protestas populares, los francotiradores apostados en las azoteas que disparaban sin orden ni criterio, el país en guerra de los años siguientes. La misma información se repetía por todas partes, con más o menos matices y más o menos melodrama y acompañada de más o menos imágenes, incluidas aquellas en que la turba furiosa, que acaba de linchar al asesino, arrastra su cuerpo semidesnudo por la calzada de la carrera séptima, en dirección al Palacio Presidencial; pero en ningún medio pude encontrar una especulación, por gratuita que fuera, sobre las verdaderas razones por las que un hombre que no está loco decide irrumpir en una casa protegida y llevarse por la fuerza la ropa agujereada de un muerto célebre. Nadie se hizo esa pregunta, y nuestra memoria mediática fue olvidando poco a poco a Carlos Carballo. Ahogados por las violencias de todos los días, que no dan tiempo ni para sentir desánimo, los colombianos dejaron que aquel hombre inofensivo se fuera diluyendo como una sombra en la tarde. Nadie volvió a pensar en él.

Es su historia, en parte, lo que quiero contar. No puedo decir que lo haya conocido, pero tuve con él un grado de intimidad que sólo consiguen quienes han tratado de engañarse. Sin embargo, para emprender este relato (que preveo a la vez prolijo e insuficiente) debo hablar primero del hombre que nos presentó, pues lo que me ocurrió después sólo tiene sentido si refiero las circunstancias en que llegó a mi vida Francisco Benavides. Ayer, caminando por los lugares del centro bogotano donde ocurrieron algunos de los hechos que voy a explorar en este informe, tratando de confirmar una vez más que nada se me ha escapado en su dolorosa reconstrucción, me descubrí preguntándome en voz alta cómo he llegado a saber estas cosas sin las cuales tal vez estaría mejor: cómo he llegado a pasar tanto tiempo pensando en estos muertos, viviendo con ellos, hablando con ellos, escuchando sus lamentos y lamentándome, a mi turno, de no poder hacer nada para aliviar su sufrimiento. Y me maravilló que todo hubiera comenzado con ciertas palabras ligeras, las que ligeramente pronunció el doctor Benavides para invitarme a su casa. En ese instante creí que aceptaba por no hurtarle mi tiempo a quien me había dedicado el suyo en un momento difícil, de manera que la visita sería un mero compromiso, una de tantas intrascendencias en que se nos va la vida. No podía saber cuánto me equivocaba, pues lo ocurrido aquella noche puso a andar una maquinaria de espanto que sólo se detendría con este libro: este libro escrito como expiación de crímenes que, aunque no he cometido, he acabado por heredar.

Francisco Benavides era uno de los cirujanos más reputados del país, un buen bebedor de whisky de malta y un lector voraz, aunque se preocupara por subrayar que le interesaba más la historia que las cosas inventadas, y si había llegado a leer una novela mía, con menos gusto que estoicismo, era sólo debido al sentimentalismo que le provocaban sus pacientes. Yo no era, estrictamente hablando, paciente suyo, pero fue un asunto de salud lo que nos puso en contacto por primera vez. Una noche de 1996, pocas semanas después de haberme instalado en París, yo intentaba descifrar un ensayo de Georges Perec cuando noté una presencia extraña debajo del maxilar izquierdo, parecida a una canica por dentro de la piel. La canica se agrandó en los días siguientes, pero la concentración en mi cambio de vida, en desentrañar las reglas de la nueva ciudad y tratar de encontrar mi lugar en ella, me impidió percatarme de la transformación. En cuestión de días, ya tenía un ganglio tan inflamado que me deformaba la cara; la gente de la calle me miraba con lástima, y una compañera de estudios dejó de saludarme por miedo a contagiarse de alguna enfermedad ignota. Empezaron los exámenes; una legión entera de médicos parisinos fue incapaz de realizar un diagnóstico correcto; uno de ellos, de cuyo nombre no quiero acordarme, se atrevió a sugerir la posibilidad de un cáncer linfático. Fue entonces cuando mi familia acudió a Benavides para preguntarle si eso era posible. Benavides no era oncólogo de profesión, pero durante los últimos años se había dedicado a acompañar a enfermos terminales: una suerte de labor privada que realizaba por su propia cuenta y sin retribución ninguna. De manera que, aunque hubiera sido irresponsable hacer un diagnóstico sobre alguien que estaba del otro lado del océano, y más en aquella época previa a los teléfonos que mandan fotos y a las cámaras integradas a los computadores, Benavides fue generoso con su tiempo, sus conocimientos y sus intuiciones, y su apoyo trasatlántico me resultó casi tan útil como lo hubiera sido un diagnóstico definitivo. «Si usted tuviera lo que están buscando», me dijo una vez por teléfono, «ya lo hubieran encontrado». La enrevesada lógica de la frase fue como un salvavidas que se le tira a quien se ahoga: uno lo agarra sin preguntarse si estará pinchado por dentro.

Al cabo de algunas semanas (que pasé en un tiempo sin tiempo, conviviendo con la posibilidad muy concreta de que se me estuviera acabando la vida a mis veintitrés años, pero tan adormilado por el golpe que ni siquiera podía sentir verdadero miedo o verdadera tristeza), un generalista al que conocí por casualidad en Bélgica, miembro de Médicos Sin Fronteras y recién llegado de los horrores de Afganistán, necesitó una sola mirada para diagnosticarme una forma de tuberculosis ganglionar que había desaparecido de Europa y sólo podía encontrarse (me explicaron sin usar las comillas que ahora usaré yo) en el «tercer mundo». En un hospital de Lieja me internaron, me recluyeron en una sala oscura, me hicieron un examen que hacía arder la sangre, me anestesiaron y me abrieron el lado derecho de la cara, debajo del maxilar, para sacarme un ganglio y ponerlo en cultivo; al cabo de una semana, el laboratorio confirmó lo que había dicho el recién llegado sin necesidad de tantas pruebas tan costosas. Seguí durante nueve meses un tratamiento triple de antibióticos que coloreaban mi orina de un chirriante matiz naranja; el ganglio inflamado se fue reduciendo; una mañana sentí una humedad en la almohada, y me di cuenta de que algo había estallado. Después de eso, los contornos de mi cara volvieron a la normalidad (salvo por dos cicatrices: una discreta y la otra, producto de la cirugía, más notoria) y pude por fin dejar aquel asunto atrás, aunque en todos estos años no haya logrado olvidarlo por completo, pues allí están las cicatrices para recordármelo. La sensación de estar en deuda con el doctor Benavides no me abandonó jamás. Y lo único que se me ocurrió cuando nos vimos por primera vez, nueve años más tarde, fue que nunca le había dado las gracias como correspondía. Tal vez a eso se debió que aceptara con tanta facilidad su entrada en mi vida.

Nos encontramos por casualidad en la cafetería de la clínica Santa Fe. Mi esposa y yo llevábamos quince días internos, tratando de lidiar como mejor pudiéramos con la emergencia que nos había obligado a extender nuestra estadía en Bogotá. Habíamos aterrizado a comienzos de agosto, el día después de la fiesta de la Independencia, con la intención de pasar las vacaciones del verano europeo en compañía de nuestras familias y regresar a Barcelona a tiempo para la fecha del parto. El embarazo había llegado a la semana veinticuatro en total normalidad, lo cual agradecíamos todos los días: sabíamos desde el principio que un embarazo gemelar entraba por definición en la columna llamada de alto riesgo. Pero la normalidad se rompió un domingo, cuando, después de una noche de incomodidades y dolores extraños, visitamos al doctor Ricardo Rueda, el especialista en entuertos reproductivos que nos había acompañado desde el principio. Tras una ecografía cuidadosa, el doctor Rueda nos dio la noticia.

«Váyase para la casa y traiga ropa», me dijo. «Su esposa se queda aquí guardada hasta nueva orden».

Nos explicó lo que ocurría con el tono y las maneras de quien anuncia un incendio en una sala de cine: hay que transmitir la gravedad del asunto, pero no tanto como para que la gente se mate en la estampida. Describió en detalle lo que significaba la insuficiencia cervical, le preguntó a M si había tenido contracciones y terminó comunicándonos la necesidad de operar de urgencia, para retrasar el proceso irreversible en que habíamos entrado sin saberlo. Enseguida dijo —encontrando un fuego, tratando de evitar una estampida— que el parto prematuro era una realidad inevitable; ahora se trataba de ver cuánto tiempo podíamos ganar en medio de una situación tan adversa, y de ese tiempo dependían las posibilidades de supervivencia de mis hijas. En otras palabras: habíamos entrado en una carrera contra el calendario, y sabíamos que los riesgos, si la perdíamos, eran de esos que destruyen vidas. A partir de ahí, cada decisión tuvo por objetivo retrasar el parto. Para cuando comenzó septiembre, M llevaba dos semanas recluida en una habitación del primer piso de la clínica, acostada con prohibición total de moverse y sometida a exámenes diarios que habían puesto a prueba nuestra resistencia, nuestro valor y nuestros nervios.

La rutina de los días se construía alrededor de inyecciones de cortisona para madurar los pulmones de mis hijas nonatas, tomas de sangre tan frecuentes que pronto no le quedaron a mi esposa puntos vírgenes en los antebrazos, ecografías infernales que podían durar hasta dos horas y en las cuales se determinaba la salud de los cerebros, de las columnas vertebrales, de los dos corazones cuyo ritmo acelerado nunca marchaba al unísono. No era menos atareada la rutina de la noche. Las enfermeras entraban en cualquier momento a tomar datos y a hacer preguntas, y la falta de un sueño continuo, además del estado de tensión en que vivíamos, nos volvía irritables. M había comenzado a tener contracciones que no sentía; para reducirlas (nunca supe si en intensidad o en frecuencia) empezó a recibir una droga llamada Adalat, la responsable, según nos explicaban, de que tuviera violentos accesos de calor que me obligaban a abrir de par en par la ventana de la habitación y a dormir bajo el frío inclemente de las madrugadas bogotanas. A veces, ya espantado el sueño por el frío o por las visitas de las enfermeras, me iba a dar una vuelta por la clínica desierta; me sentaba en los sofás de cuero de las salas de espera, si encontraba un lugar iluminado, y leía algunas páginas de *Lolita* en una edición desde cuya cubierta me observaba Jeremy Irons; o me dejaba ir por los corredores penumbrosos, a esas horas en que la clínica apagaba la mitad de las luces de neón, caminando de la habitación a la zona de neonatología y de allí a la sala de espera de las cirugías ambulatorias. En esas caminatas nocturnas por corredores blancos trataba de recordar las últimas explicaciones recibidas de los médicos, y de fijar los riesgos que correrían las niñas si el parto sucediera en ese instante; luego hacía cuentas mentales del peso que las niñas habían ganado en los últimos días y del tiempo que tardarían en ganar el mínimo necesario para la supervivencia, y me desconcertaba que mi bienestar consistiera en ese obstinado conteo de gramos. Trataba, eso sí, de no alejarme demasiado de la habitación, y en todo caso de mantener el teléfono en la mano, no en algún bolsillo, para estar seguro de oír su timbre. Y lo miraba con frecuencia: para confirmar que tenía cobertura, que la señal era buena, que mis hijas no nacerían en mi ausencia por falta de cuatro líneas negras en el pequeño firmamento gris de una pantalla líquida.

Fue durante una de esas excursiones nocturnas cuando reconocí al doctor Benavides, o más bien se hizo él reconocer por mí. Yo revolvía tediosamente mi segundo café con leche, sentado en una de las mesas del fondo de la cafetería siempre abierta, lejos de un grupo de estudiantes que estarían tomándose un descanso en medio del turno de la noche (que en mi ciudad siempre es ajetreado, lleno de pequeñas o grandes violencias); en mi libro, Lolita y Humbert Humbert comenzaban su travesía por Estados Unidos, de Motel Funcional en Motel Funcional, llenando parqueaderos con lágrimas y amores ilícitos, poniendo la geografía en movimiento. El hombre se me acercó, se presentó sin aspavientos y me preguntó dos cosas: primero, si me acordaba de él; luego, en qué había terminado todo lo de mis ganglios. Antes de que yo pudiera contestar, se había sentado con su propia taza de café bien agarrada entre ambas manos, como si alguien fuera a quitársela de repente. No era uno de esos vasos plásticos de campo de refugiados que nos daban a los demás, sino una sólida taza de cerámica pintada de azul oscuro; el logo de una universidad se asomaba desesperadamente tras las palmas pequeñas, tras los dedos entreabiertos.

«¿Y qué hace por aquí a esta hora?», me preguntó.

Le di un resumen apretado: las amenazas de parto prematuro, el número de semanas, los pronósticos. Pero descubrí que no tenía demasiadas ganas de hablar del tema, así que me adelanté a cualquier comentario. «¿Y usted?», le pregunté.

«Visitando a un paciente», me dijo.

«¿Y qué tiene su paciente?»

«Mucho dolor», fue su síntesis brutal. «Vine para ver qué puedo hacer para ayudarlo». Entonces cambió de tema, pero no me pareció que estuviera evitando darme una respuesta: Benavides no era el tipo de persona que rehúye hablar del dolor. «Leí su novela, la de los alemanes», dijo. «Quién me lo iba a decir: el paciente me salió escritor».

«Quién se lo iba a decir».

«Y además escribe cosas para viejos».

«¿Cosas para viejos?»

«Cosas de los años cuarenta. Cosas de la Segunda Guerra. El 9 de abril, todo eso».

Se refería al libro que yo había publicado el año anterior. Su origen se remontaba a 1999, cuando conocí a Ruth de Frank, una mujer alemana y judía que, tras escapar de la debacle europea y llegar a Colombia en 1938, vio cómo el gobierno colombiano, aliado de los Aliados, rompía relaciones diplomáticas con los países del Eje y empezaba a recluir a los ciudadanos enemigos —propagandistas o simpatizantes de los fascismos europeos— en hoteles campestres de lujo convertidos en campos de confinamiento. A lo largo de tres días de interrogatorios, tuve el placer y el privilegio de que esta mujer memoriosa me contara su vida casi entera, y fui anotándola en los cuadrados de papel demasiado pequeños de un bloc de notas: lo único que encontré a mano en el hotel de tierra caliente donde nos conocimos. En el barullo apasionante de la vida de Ruth de Frank, que recorría dos continentes y más de siete décadas, resaltaba una anécdota en particular: el momento en que su familia de judíos escapados, tras una de esas crueles ironías de la historia, había acabado perseguida también en Colombia, *por el hecho de ser alemana*. Ese malentendido (pero *malentendido* es una palabra desafortunada y frívola) se convirtió en el primer pálpito de una novela que titulé *Los informantes;* y la vida y recuerdos de Ruth de Frank se convirtieron, distorsionados como siempre distorsiona la ficción, en los de un personaje fundamental de la novela, una suerte de brújula moral del mundo ficticio: Sara Guterman.

Pero la novela hablaba de muchas otras cosas. Puesto que su centro estaba en los años cuarenta, era inevitable que en algún momento la historia o sus personajes se encontraran con los acontecimientos del 9 de abril de 1948. Los personajes de *Los informantes* hablaban de aquel día nefasto; el padre del narrador, profesor de Oratoria, no podía recordar sin admiración los discursos sobrenaturales de Gaitán; en un par de páginas breves, el narrador iba al centro bogotano y visitaba el lugar del crimen, como he hecho yo muchas veces, y Sara Guterman, que lo acompañaba ese día, se agachaba en un momento para tocar los rieles del tranvía que todavía recorría la carrera séptima en los años cuarenta. En el silencio blanco de la cafetería nocturna, cada uno frente a su taza de café, el doctor me confesó que había sido esa escena —una mujer de edad bajando a la calzada frente al lugar donde Gaitán cayó abaleado y tocando los rieles del tranvía extinto como si le tomara el pulso a un animal herido— la que lo llevó a buscarme. «Es que yo también he hecho eso», me dijo.

«¿Qué cosa?»

«Ir al centro. Pararme frente a las placas. Hasta agacharme para tocar los rieles». Hizo una pausa. Luego: «¿A usted de dónde le viene la vaina?»

«No sé», le dije. «De toda la vida. Uno de mis primeros cuentos fue sobre el 9 de abril. No se publicó nunca, por fortuna. Sólo me acuerdo de que caía nieve al final».

«¿En Bogotá?»

«En Bogotá, sí. Sobre el cuerpo de Gaitán. Sobre los rieles».

«Ya veo», dijo. «Con razón no me gusta leer cosas inventadas».

Así fue como comenzamos a hablar del 9 de abril. Me llamó la atención que Benavides no se refiriera al Bogotazo, el mote grandilocuente que los colombianos le pusimos hace mucho tiempo a aquel día legendario. No: Benavides daba siempre la fecha, y a veces completa con su año, como si se tratara del nombre y apellido de alguien que merece respeto, o como si utilizar el mote fuera un comportamiento de intolerable familiaridad: después de todo, uno no se permitía confiancitas con los hechos venerables de nuestro pasado. Comenzó a contarme anécdotas, y yo traté de no ser menos. Él me habló de los investigadores de Scotland Yard que el gobierno contrató en 1948 para supervisar las investigaciones, y de la breve correspondencia que mantuvo muchos años después con uno de ellos: un tipo muy cortés que recordaba con indignación fresca los días remotos de su visita a Colombia, cuando el gobierno les pedía resultados diarios a los investigadores y al mismo tiempo parecía ponerles todos los obstáculos del mundo. Yo, por mi parte, le hablé de mi conversación con

Leticia González, tía de mi esposa, cuyo marido, Juan Roa Cervantes, fue perseguido por una pequeña banda de liberales con machete que lo confundieron con el asesino homónimo; cuando lo conocí, él mismo me habló de esos días de angustia, pero lo que más recordaba (esforzándose visiblemente por contener las lágrimas) era el castigo que le infligieron los gaitanistas confundidos: el incendio de su biblioteca.

«Qué nombrecito para tener ese día», dijo Benavides.

Entonces me habló del relato que le hizo Hernando de la Espriella, un paciente costeño que se encontraba en Bogotá cuando estallaron los desórdenes, y que pasó la primera noche boca abajo sobre un montón de cadáveres para evitar que lo mataran a él también; y yo le hablé de mi visita a la casa de Gaitán, cuando ya la habían convertido en museo y uno podía ver su vestido azul medianoche, expuesto sobre un maniquí sin cabeza en una vitrina de vidrio, con los huecos de las balas en el paño (dos o tres, ya no recuerdo) a la vista de todo el mundo… Durante quince o veinte minutos nos quedamos allí, en la cafetería de la cual los estudiantes de turno se habían ido, intercambiando anécdotas como los niños intercambian las monas de un álbum de fútbol. Pero el doctor Benavides tuvo en cierto momento la sensación de ser inoportuno o de estar interrumpiendo mi tiempo de silencio. Esa impresión me dio: que Benavides, como todos los médicos que han vivido alrededor del dolor o la preocupación ajenos, sabía que los pacientes o sus allegados necesitan ratos de soledad, de no hablar con nadie y que nadie hable con ellos. Y entonces se despidió.

«Yo vivo cerca, Vásquez», me dijo al estrecharme la mano. «Cuando quiera hablar del 9 de abril, pásese por mi casa, se toma un whisky y le cuento cosas. Yo de ese tema no me canso nunca».

Me quedé un rato pensando que hay gente así en Colombia: gente para la cual hablar del 9 de abril es lo mismo que para otros jugar al ajedrez o al king, o hacer crucigramas o tejido de punto, o acumular estampillas. Ya quedan pocos, todo sea dicho: se han ido extinguiendo sin renovarse ni dejar herederos ni hacer escuela, vencidos por la amnesia irredenta que siempre ha agobiado a este pobre país. Pero existen todavía, y es normal, pues el asesinato de Gaitán —el abogado de origen humilde que había llegado a las cimas de la política y estaba llamado a salvar a Colombia de sus propias élites despiadadas, el orador brillante capaz de mezclar en sus discursos las influencias irreconciliables de Marx y de Mussolini— es parte de nuestras mitologías nacionales, como puede serlo para un norteamericano el asesinato de Kennedy o el 23 de febrero para un español. Como todos los colombianos, yo crecí oyendo que a Gaitán lo habían matado los conservadores, que lo habían matado los liberales, que lo habían matado los comunistas, que lo habían matado los espías extranjeros, que lo había matado la clase obrera al sentirse traicionada, que lo había matado la oligarquía al sentirse amenazada; y muy pronto acepté, como hemos aceptado todos con el tiempo, que el asesino Juan Roa Sierra fue sólo el brazo armado de una conspiración silenciada exitosamente. Acaso sea ésta la razón de mi obsesión por ese día: nunca he sentido la devoción incondicional que otros sienten por la figura de Gaitán, que me parece más penumbrosa de lo que se admite; pero sé que este país sería un mejor lugar si no lo hubieran matado, y sobre todo podría mirarse con más gusto al espejo si el asesinato no continuara impune tantos años después.

El 9 de abril es un vacío en la historia colombiana, sí, pero es otras cosas además: un acto solitario que mandó a todo un pueblo a una guerra sangrienta; una neurosis colectiva que nos ha servido para desconfiar de nosotros mismos durante más de medio siglo. En el tiempo transcurrido desde el crimen los colombianos hemos intentado, sin éxito, comprender lo que ocurrió ese viernes de 1948, y muchos lo han convertido en un entretenimiento más o menos serio y han consumido así sus energías. También hay norteamericanos —yo conozco a varios— que se pasan la vida entera hablando del asesinato de Kennedy, de sus detalles y sus pormenores más recónditos, gente que sabe de qué marca eran los zapatos de Jackie el día del crimen, gente que puede recitar frases enteras del informe Warren. Y sí: también hay españoles —no conozco a muchos, pero sí a uno, y con él me basta— que no dejan nunca de hablar del fallido golpe del 23 de febrero de 1981 en el Congreso de los Diputados en Madrid, y que podrían encontrar con los ojos cerrados los huecos de los tiros en el techo del hemiciclo. Hay gente igual en todo el mundo, me imagino yo, gente que responde así a las conspiraciones de sus países: convirtiéndolas en un relato que se cuenta y se vuelve a contar, como las fábulas de niños, y también en un lugar de la memoria o la imaginación, un lugar virtual al que vamos para hacer turismo, revivir nostalgias o tratar de encontrar algo que se nos ha perdido. El doctor, según me pareció entonces, era parte de esa gente. ¿Lo sería yo también? Benavides me había preguntado *de dónde me venía la vaina*, y yo le había hablado de un cuento que escribí en mis años universitarios. Pero no le hablé de lo que dio origen al cuento ni del momento en que lo escribí. No había recordado nada de eso en mucho tiempo, y me sorprendió que fuera ahora, en medio de un presente acosador, cuando decidieran volver esas memorias.

Eran los días arduos de 1991. Desde abril de 1984, cuando el narcotraficante Pablo Escobar hizo asesinar al ministro de Justicia Rodrigo Lara Bonilla, una guerra entre el cartel de Medellín y el Estado colombiano se había tomado mi ciudad por asalto o la había convertido en su teatro de operaciones. Las bombas estallaban en lugares cuidadosamente escogidos por los narcos con el propósito de matar a ciudadanos anónimos que no hacían parte de la guerra (salvo que todos hacíamos parte de la guerra, y había sido una inocencia y una ingenuidad creer lo contrario). En vísperas de un Día de la Madre, por poner un ejemplo, dos atentados en centros comerciales bogotanos dejaron veintiún muertos; una bomba en la plaza de toros de Medellín —es otro ejemplo— dejó veintidós. Las explosiones marcaban el calendario. Con el paso de los meses empezamos a entender que no estábamos libres de riesgo, ninguno de nosotros, porque a cualquiera le podía tocar una bomba en cualquier momento y en cualquier lugar. Los espacios de los atentados, por una especie de atavismo que apenas descubríamos, quedaban vedados para los caminantes. Trozos de la ciudad se iban perdiendo para nosotros o convirtiéndose, cada uno de ellos, en un *memento mori* de cemento y ladrillo, y al mismo tiempo empezábamos a asomarnos a esa revelación todavía tímida: que un nuevo tipo de azar (del azar que nos separa de la muerte, que es, junto al azar del amor, el más considerable de todos y también el más impertinente) había entrado en nuestras vidas con la forma invisible y sobre todo impredecible de una onda explosiva.

Mientras tanto, yo había comenzado mis estudios de Derecho en una universidad del centro bogotano, un viejo claustro del siglo XVII que sirvió de cárcel para los revolucionarios de la Independencia, por cuyas escaleras bajó alguno hacia el cadalso y cuyas aulas de muros gruesos habían producido varios presidentes, no pocos poetas y, en ciertos casos malhadados, algunos presidentes poetas. En las clases no se hablaba apenas de lo que sucedía afuera: discutíamos si un grupo de espeleólogos, atrapados en una cueva, tienen derecho a comerse unos a otros; discutíamos si Shylock, en *El mercader de Venecia,* tenía derecho a quitarle a Antonio una libra de carne de su cuerpo, y si era legítimo que Portia le impidiera hacerlo mediante un tecnicismo barato. En otras clases (en la mayor parte de las clases) me aburría con un aburrimiento casi físico, una suerte de inquietud en el pecho, similar a un leve ataque de ansiedad. Durante los tedios inefables de Procesal o de Bienes comencé a ocupar los pupitres de la última fila del aula, y allí, protegido por los cuerpos abigarrados de los otros, sacaba un libro de Borges o de Vargas Llosa, o de Flaubert por recomendación de Vargas Llosa, o de Stevenson o Kafka por recomendación de Borges. Muy pronto llegué a la conclusión de que no valía la pena asistir a clase para poner en escena ese elaborado ritual de impostura académica; empecé a faltar, a perder mi tiempo jugando billar y hablando de literatura, o escuchando grabaciones de poesía de León de Greiff o de Pablo Neruda en el salón de los sofás de cuero de la Casa Silva, o caminando por los alrededores de mi universidad, sin rutina ni método ni rumbo fijo, yendo de los emboladores de la plaza al café que había junto al Chorro de Quevedo, de las bancas ruidosas del parque Santander a las recluidas y calladas del Palomar del Príncipe, o del Centro Cultural del Libro, con sus locales de un metro cuadrado y sus libreros hacinados que podían conseguir todas las novelas del *boom* latinoamericano, al Templo de la Idea, una casona de tres pisos donde se empastaban bibliotecas privadas y uno podía sentarse en las escaleras a leer libros ajenos en medio del olor a pegamento y del escándalo de las máquinas. Redacté cuentos abstractos con los desmanes poéticos de *Cien años de soledad*, y otros en que imitaba la puntuación de saxofonista de Cortázar en «Bestiario», digamos, o en «Circe». A finales del segundo año de carrera comprendí algo que llevaba varios meses incubándose: que mis estudios de Derecho no me interesaban ni me servirían de nada, pues mi única obsesión era leer ficción y, con el tiempo, aprender a escribirla.

Uno de esos días, algo sucedió.

En una clase de Historia de las Ideas Políticas, hablábamos de Hobbes o de Locke o de Montesquieu cuando sonaron dos detonaciones en la calle. Nuestra aula quedaba en el octavo piso de un edificio que daba a la carrera séptima; desde nuestra ventana se tenía una vista privilegiada de la calzada y la acera occidental. Yo estaba sentado en la última fila, con la espalda contra la pared, y fui el primero en levantarme para mirar por la ventana: y ahí, en la acera, frente a las vitrinas de la papelería Panamericana, estaba tirado el cuerpo que acababa de recibir los tiros y que ya se desangraba a la vista de todos. Busqué al tirador con la mirada, sin éxito: nadie parecía llevar una pistola en la mano, nadie parecía correr para esfumarse tras una esquina cómplice, y de cualquier manera no había cabezas giradas en la dirección de quien huye, ni miradas curiosas ni dedos que señalan, porque los bogotanos habían aprendido ya a no meterse en asuntos ajenos. El herido llevaba traje de oficina pero no corbata; el saco de paño se le había abierto al caer y dejaba a la vista la camisa blanca manchada de sangre. No se movía. Pensé: está muerto. Entonces dos transeúntes levantaron el cuerpo en vilo; alguien más se encargó de detener en la calzada una camioneta blanca de platón abierto. Pusieron el cuerpo en el platón y uno de los que lo habían levantado subió con él. Me pregunté si lo conocería o si lo habría reconocido en ese instante, si lo estaría acompañando en el momento de los tiros (si era su socio, por ejemplo, en quién sabe qué negocios incómodos) o si lo movían simplemente la solidaridad y la contagiosa lástima. Sin esperar a que cambiara a verde el semáforo de la avenida Jiménez, la camioneta blanca se liberó del tráfico, dobló bruscamente a la izquierda (entendí que llevaban al herido al hospital San José) y desapareció de mi vista.

Cuando acabó la clase, bajé caminando los ocho pisos hasta el claustro de la universidad y luego salí a la plazoleta del Rosario, donde se levanta la estatua del fundador de la ciudad, don Gonzalo Jiménez de Quesada, cuya armadura y cuya espada aparecen en mi memoria eternamente bañadas en mierda de palomas. Caminé por el callejón de la calle 14, que siempre está frío porque el sol le llega sólo en la mañana y nunca después de las nueve, y crucé la carrera séptima a la altura de la Panamericana. La mancha de sangre brillaba en el andén como un objeto perdido; los transeúntes la rodeaban, la esquivaban, y uno hubiera podido creer que la sangre fresca de aquel hombre herido era un accidente del pavimento, y que la gente del centro lo había frecuentado desde tiempos inmemoriales, acostumbrándose a él, evitándolo al caminar sin darse cuenta. La mancha era del tamaño de una mano abierta. Me acerqué hasta tenerla entre mis pies, como para protegerla de las pisadas de los otros, y entonces hice exactamente eso: la pisé.

Lo hice con cuidado, con la puntera apenas de mi zapato, como un niño que mete los dedos al agua para probar la temperatura. El contorno limpio y bien definido de la mancha quedó estropeado. Entonces debí de sentir una súbita vergüenza, porque levanté la cara para ver si alguien me observaba y condenaba en silencio mi comportamiento (que algo tenía de irrespetuoso o profano), y me alejé de la mancha tratando de no hacer movimientos que llamaran la atención. A pocos pasos de allí estaban las placas de mármol que conmemoran el asesinato de Jorge Eliécer Gaitán. Me detuve a leerlas o a fingir que las leía; luego crucé la séptima por el andén de la Jiménez, le di la vuelta a la cuadra, entré al café Pasaje, pedí un tinto y usé la servilleta de papel para limpiarme la punta del zapato. Hubiera podido dejar la servilleta allí, en la mesa del café, debajo del plato de porcelana, pero preferí llevármela conmigo, cuidándome todo el tiempo de no tocar con la mano desnuda los restos secos de la sangre del hombre. Tiré la servilleta sucia en la primera caneca que vi. No le hablé a nadie al respecto, ni ese día ni los días que siguieron.

A la mañana siguiente, sin embargo, regresé al andén. La mancha ya no estaba; apenas quedaba su rastro sobre el gris del concreto. Me pregunté qué habría pasado con el hombre herido: si habría sobrevivido, si estaría ahora recuperándose en compañía de su esposa o sus hijos, o si habría muerto y en este mismo momento se estaría llevando a cabo su velatorio en algún lugar de la ciudad furiosa. Igual que el día anterior, di un par de pasos en dirección de la avenida Jiménez y me detuve frente a las placas de mármol, pero esta vez las leí enteras, cada leyenda de cada una de las placas, y me di cuenta de que nunca lo había hecho antes. Gaitán, el hombre que había formado parte de las conversaciones de mi familia desde que yo tenía memoria, seguía siendo para mí virtualmente desconocido, una silueta paseándose por la vaga idea que yo me hacía de la historia colombiana. Esa tarde esperé al profesor Francisco Herrera a la salida de la clase de Oratoria y le pregunté si lo podía invitar a una cerveza para que me hablara del 9 de abril.

«Mejor a un café con leche», me dijo. «Que yo a mi casa no puedo llegar con tufo».

Francisco Herrera —Pacho, para los amigos— era un hombre delgado, de grandes gafas de pasta negra y fama de excéntrico, cuya voz de barítono no le impedía imitar a la perfección a casi cualquiera de nuestros políticos. Su materia principal era Filosofía del Derecho, pero su conocimiento de la retórica y sobre todo su talento de imitador le habían servido para organizar una clase vespertina en que se escuchaban y se desmontaban los grandes discursos de la oratoria política, desde Antonio en *Julio César* hasta Martin Luther King. No sin frecuencia, la clase acababa sirviendo de proemio para que algunos de sus alumnos lo acompañáramos a un café vecino y le cambiáramos sus mejores imitaciones por un carajillo, para curiosidad y diversión y a veces sarcasmos de las mesas vecinas. Las imitaciones de Gaitán se le daban especialmente bien, pues su nariz aguileña y su negro pelo engominado provocaban la ilusión de un parecido, pero además porque su conocimiento exhaustivo de la vida y obra de Gaitán, que le había permitido publicar una breve biografía en una editorial universitaria, llenaba cada una de las frases que pronunciaba con una precisión que más parecía de médium en una sesión de espiritismo: Gaitán volviendo a la vida por su boca. Una vez le dije eso: que cuando pronunciaba sus discursos, parecía que Gaitán lo hubiera poseído. Lo vi sonreír como sólo sonríe quien le ha dedicado su vida entera a una extravagancia y acaba de darse cuenta, medio sorprendido, de que no ha perdido el tiempo.

En la puerta del café Pasaje —íbamos entrando a la vez que salía un embolador con su cajón de madera bajo el brazo, y nos detuvimos para cederle el paso—, Pacho me preguntó de qué quería hablar.

«Quiero saber cómo fue exactamente», le dije. «Cómo fue el asesinato de Gaitán».

«Ah, entonces ni nos sentemos», dijo él. «Venga y le damos la vuelta a la cuadra».

Eso hicimos, y lo hicimos sin mediar palabra, los dos caminando en silencio, bajando en silencio los escalones que la plazoleta tiene por el costado de la Jiménez, llegando en silencio a la esquina y en silencio esperando el momento para cruzar la séptima por entre el tráfico pesado. Pacho se movía con algo que parecía prisa y yo me esforzaba por seguirlo. Se comportaba como un hermano mayor que se ha ido de su casa y le muestra al menor, que viene a visitarlo, su nueva ciudad. Pasamos frente a las placas de mármol, y me sorprendió un poco que Pacho no se detuviera a mirarlas, que ni siquiera diera constancia de conocerlas con un movimiento de la cabeza, con una mano extendida. Llegamos al espacio que en ese año de 1948 ocupaba el edificio Agustín Nieto (me di cuenta de que estábamos a pocos pasos del lugar donde el día anterior había estado la mancha de sangre y hoy sólo quedaba su fantasma y su recuerdo) y Pacho me condujo a la puerta de vidrio de un local comercial. «Tóquela», me dijo.

Me tomó un instante entender lo que me decía. «¿Que toque la puerta?»

«Sí, toque la puerta», insistió Pacho, y yo obedecí. «Por aquí, por esta puerta, salió Gaitán el 9 de abril», continuó él. «Claro, no era esta misma puerta, porque tampoco era el mismo edificio: hace rato que demolieron el Agustín Nieto para construir este adefesio. Pero en este momento, aquí, para nosotros, esta puerta es la puerta por donde salió Gaitán, y usted la está tocando. Era la una de la tarde, más o menos, y Gaitán se iba a almorzar con un par de amigos. Estaba de buen humor. ¿Sabe por qué estaba de buen humor?»

«No, Pacho», le dije. Una pareja salió del edificio y se quedó mirándonos un instante. «Explíqueme por qué».

«Porque la noche anterior había ganado un juicio. Por eso, por eso estaba contento».

La defensa del teniente Cortés, acusado de haber asesinado a balazos al periodista Eudoro Galarza Ossa, había sido menos un éxito judicial que un milagro en toda regla. Gaitán había pronunciado un discurso estremecedor, uno de los mejores de su vida, alegando que el teniente había matado al periodista, sí, pero que había obrado en legítima defensa del honor. El crimen había ocurrido diez años atrás. El periodista, director de un diario de Manizales, había permitido la publicación de un artículo en que se denunciaban los malos tratos que el teniente daba a su tropa; Cortés llegó un buen día al periódico y protestó por el artículo; cuando el director Galarza defendió a su reportero, que no había hecho más que decir la verdad, el teniente sacó la pistola y le pegó dos tiros. Y eso fue lo ocurrido. Pero Gaitán usó sus mejores armas retóricas para hablar de pasiones humanas, de honor militar, de sentido del deber, de defensa de los valores de la patria, de la proporcionalidad entre la agresión y la defensa, de cómo ciertas circunstancias deshonran al militar pero no al civil, de cómo un militar que defiende su honor está defendiendo también y al mismo tiempo a la sociedad entera. No me sorprendió que Pacho conociera de memoria el final de la defensa. Lo vi transformarse levemente, como lo había visto tantas otras veces, y oí su voz cambiada, la voz que ya no era la grave y densa de Francisco Herrera, sino la voz más aguda de Gaitán, con su honda respiración de metrónomo y sus marcadas consonantes y sus ritmos exaltados:

«Teniente Cortés: ¡no sé cuál será la respuesta del jurado, pero la multitud la espera y la siente! Teniente Cortés: usted no es mi defendido. Su noble vida, su doliente vida puede tenderme la mano, ¡que yo estrecho con la mía por saber que le estrecho la mano a un hombre de honor, de honradez y de bondad!»

«Honradez y bondad», dije yo.

«Qué maravilla, ¿no?», dijo Pacho. «Qué manipulación grosera, pero qué maravilla. O más bien: qué maravilla *precisamente* por ser una manipulación grosera».

«Grosera pero exitosa», dije.

«Exacto».

«Gaitán era un mago en eso».

«Un mago, sí», dijo Pacho. «Era un defensor de las libertades, pero acababa de sacar de la cárcel al asesino de un periodista. Y a nadie se le ocurrió que eso podía ser contradictorio. Moraleja: no hay que creerle nunca a un gran orador».

La multitud estalló en aplausos y sacó a Gaitán en hombros, como a un torero. Era la una y diez de la madrugada. Gaitán, cansado pero contento, acabó aceptando celebraciones obligatorias, brindando con propios y extraños y llegando a su casa a las cuatro de la mañana. Pero cinco horas después estaba ya de regreso en su oficina, impecablemente peinado y vestido con un traje de tres piezas: un traje azul oscuro, casi negro, con rayas blancas y muy delgadas. Recibió a algún cliente; aceptó llamadas de periodistas. Hacia la una de la tarde se habían reunido en la oficina de Gaitán algunos amigos que sólo querían felicitarlo: ahí estaban Pedro Eliseo Cruz, Alejandro Vallejo, Jorge Padilla. Uno de ellos, Plinio Mendoza Neira, invitó a todos los presentes a almorzar, pues lo de la noche anterior había que celebrarlo.

«Aceptado», dijo Gaitán con una carcajada. «Pero te advierto, Plinio, que yo cuesto caro».

«Bajaron en un ascensor que estaba más o menos ahí», me dijo Pacho, señalando la entrada del edificio (del adefesio). «El ascensor no siempre funcionaba, porque no siempre había luz en el Agustín Nieto. Ese día sí. Por ahí bajaron, mire». Yo miré. «Y salieron a la calle. Plinio Mendoza tomó a Gaitán del brazo, así». Pacho me tomó del brazo y me obligó a caminar hacia delante, alejándonos de la puerta del edificio hacia la calzada de la carrera séptima. Desprotegida su voz por la pared entrante del edificio, Pacho tenía que hablar más fuerte y acercarse más a mí para imponerse al ruido del tráfico y de los transeúntes. «Allá, del otro lado de la calle, había un cartel del teatro Faenza. Estaban dando *Roma, ciudad abierta,* la película de Rossellini. Gaitán había estudiado en Roma, y no es imposible que el cartel le haya llamado la atención sólo por una breve asociación de ideas. Pero ya no lo sabremos nunca: no podemos saber lo que ocurre en la mente de un hombre antes de morir: qué memorias subterráneas, qué asociaciones de ideas. Sea como sea, pensando en Roma o no, pensando en Rossellini o no, Plinio Mendoza dio un par de pasos para alejarse de los demás amigos. Como si tuviera algo confidencial que discutir con Gaitán. ¿Y sabe qué? Tal vez lo tenía».

«Lo que tengo que decirte es muy corto», dijo Mendoza.

Entonces vio a Gaitán frenarse en seco, empezar a retroceder hacia la puerta y llevarse las manos a la cara, como para protegerse. Sonaron tres disparos seguidos; una fracción de segundo más tarde, sonó un cuarto. Gaitán se desplomó de espaldas.

«¿Qué te pasa, Jorge?», le dijo Mendoza.

«Qué pregunta tan estúpida», dijo Pacho. «Pero a ver a quién se le ocurre una más original en esos momentos».

«A nadie», dije yo.

«Mendoza alcanzó a ver al asesino», dijo Pacho, «y se le echó encima. Pero el asesino le apuntó con la pistola y Mendoza tuvo que retroceder. Pensó que también le iba a disparar y trató de regresar al edificio, a la puerta del edificio, para esconderse o protegerse».

Pacho me volvió a tomar del brazo. Regresamos a la desaparecida puerta del Agustín Nieto. Nos dimos la vuelta, mirando hacia el tráfico de la séptima, y Pacho levantó la mano derecha para señalar el espacio en el andén donde Gaitán estaba caído. De su cabeza se derramaba un hilillo de sangre sobre el pavimento. «Ahí estaba Juan Roa Sierra, el asesino. Parece que había estado esperando a Gaitán junto a la puerta del Agustín Nieto. Esto no es seguro, claro. Después del crimen los testigos creyeron recordar que lo habían visto al entrar al edificio, subir y bajar por el ascensor más veces de lo normal. Les había llamado la atención, mejor dicho. Pero no es posible que estuvieran seguros: después de un hecho tan grave, uno empieza a creer que vio cosas, que algo le pareció sospechoso… Algunos dijeron después que Roa tenía un vestido gris de rayas, viejo y gastado. Otros, que el vestido era a rayas, pero carmelito. Otros no dijeron nada de ninguna raya. Hay que imaginarse la confusión, los gritos de todo el mundo, la gente corriendo. ¿Cómo iba nadie a darse cuenta de nada? En fin: Mendoza vio al asesino desde aquí, desde donde estamos nosotros. Lo vio bajar el revólver y apuntarle de nuevo a Gaitán, como para rematarlo. Según Mendoza, Roa no disparó. Otro testigo dijo que sí había disparado, que la bala había rebotado en el pavimento, así, y que casi había matado a Mendoza. Roa empezó a mirar para todas partes, a buscar por dónde huir. Ahí, en la esquina», dijo Pacho, moviendo la mano en el aire hacia la avenida Jiménez, «estaba un policía. Mendoza lo vio dudar un segundo, un segundo muy corto, y luego sacar su pistola para dispararle a Roa Sierra. Roa empezó a huir hacia el norte, hacia allá, mire».

«Estoy mirando».

«Entonces se volteó, como para amenazar a los que acompañaban a Gaitán, no sé si me entiende, como para cubrirse en su huida. Y ahí fue cuando la gente de la calle se le echó encima. Algunos dicen que también se le echó encima el policía, el que le iba a disparar o tal vez otro. Otros dicen que el policía se le acercó por detrás y lo encañonó, y ahí fue que Roa levantó los brazos y la demás gente se le echó encima. Otros más dicen que trató de cruzar la séptima hacia arriba, hacia el lado oriental. Lo agarraron ahí, en ese punto del andén, antes de que lo hiciera. Cuando los amigos de Gaitán vieron que habían agarrado al asesino, volvieron junto a Gaitán, para ver si podían ayudarlo. El sombrero se le había caído y estaba a un paso del cuerpo. El cuerpo estaba así», dijo Pacho, trazando líneas horizontales en el aire. «Estaba paralelo a la calzada. Pero la confusión era tal que cada uno de sus amigos dio después una versión distinta. Unos, que Gaitán tenía la cabeza apuntando al sur y los pies al norte; otros, que todo lo contrario. Estaban de acuerdo en una cosa: que tenía los ojos abiertos y horriblemente quietos. Alguien, tal vez Vallejo, notó que le sangraba la boca. Alguien más gritó que trajeran agua. En la planta baja del edificio quedaba El Gato Negro, y de ahí salió una mesera con un vaso de agua. "Mataron a Gaitancito", parece que gritaba. La gente se le acercaba a Gaitán, se agachaba para tocarlo como quien toca a un santo: su ropa, su pelo. Entonces llegó Pedro Eliseo Cruz, que era médico, se agachó junto al cuerpo y le trató de tomar el pulso».

«¿Está vivo?», preguntó Alejandro Vallejo.

«Tú simplemente llama un taxi», dijo Cruz.

«Pero el taxi, un taxi negro, se había acercado sin que nadie tuviera que llamarlo», dijo Pacho. «La gente se peleaba para tener el derecho de levantar a Gaitán y meterlo al carro. Antes de que lo levantaran, Cruz alcanzó a notar una herida en la parte de atrás de la cabeza. Trató de revisar la herida, pero al moverle la cabeza a Gaitán, lo hizo vomitar sangre. Alguien le preguntó a Cruz cómo veía el asunto».

«Está perdido», dijo Cruz.

«Gaitán soltó una serie de quejidos», dijo Pacho. «Ruidos que eran como quejidos».

«Entonces estaba vivo», dije.

«Todavía, sí», dijo Pacho. «Otra mesera de otro de los cafés de por aquí, El Molino o El Inca, juró después que lo había oído decir: "No dejen que me muera". Pero yo no creo. Yo creo más en lo que dice Cruz: que Gaitán ya estaba más allá de toda ayuda. En ese momento apareció un tipo con una cámara y empezó a tomarle fotos».

«¿Cómo, Pacho?», dije. «¿Hay fotos de Gaitán aquí, después de los disparos?»

«Eso dicen, sí. Yo no las he visto, pero parece que sí. Mejor dicho: alguien las tomó, eso se sabe. Otra cosa es que hayan sobrevivido. Uno no se imagina que algo tan importante pueda haberse traspapelado, que se pueda haber perdido en un trasteo, por ejemplo. Pero es muy probable que así haya sido. De otra manera, ¿por qué no han llegado hasta nosotros? Claro, también es posible que alguien las haya destruido. Como sobre ese día hay tantos misterios… En fin: parece que eso fue lo que pasó. El fotógrafo se abrió paso entre la gente a empujones y empezó a tomarle fotos a Gaitán».

Uno de los testigos presentes se indignó. «El muerto no importa», le dijo al fotógrafo. «Retrate más bien al asesino».

«Pero el fotógrafo no lo hizo», dijo Pacho. «Ya la gente levantaba a Gaitán para meterlo al taxi. Cruz se subió con él y en el otro taxi, uno que había llegado detrás, se subieron los demás. Y todos arrancaron hacia el sur, hacia la clínica Central. Cuentan que en ese momento varias personas se agacharon en el lugar donde había estado el cuerpo, sacaron sus pañuelos y los empaparon en la sangre de Gaitán. Después llegó alguien con una bandera de Colombia para hacer lo mismo».

«¿Y Roa Sierra?», pregunté.

«A Roa Sierra lo agarró un policía, ¿se acuerda?»

«Sí. Ahí, al lado del edificio».

«Casi en la esquina. Roa Sierra estaba retrocediendo hacia la Jiménez cuando el policía lo cogió por detrás y le puso su pistola en las costillas».

«No me mate, mi cabo», dijo Roa.

Resultó ser un dragoneante que venía de servicio. Desarmó a Roa (le quitó una pistola niquelada y se la metió al bolsillo del pantalón) y lo tomó del brazo.

«Jiménez, se llamaba», dijo Pacho. «El dragoneante Jiménez de servicio por la avenida Jiménez: a veces pienso que a la historia le falta un poco de imaginación. Bueno, pues el dragoneante llevaba preso a Roa Sierra cuando un tipo de la calle se le echó encima y le pegó, no sé si con el puño o con un cajón, y Roa Sierra se fue contra la vitrina del almacén que quedaba justo aquí». Pacho señaló la puerta contigua al edificio Agustín Nieto. «Este edificio se llamaba Faux, creo, y aquí estaba la vitrina que se reventó: una tienda Kodak, me parece, aunque no estoy seguro. No se sabe si por el golpe que le dieron o por el choque con la vitrina, pero Roa empezó a sangrar por la nariz».

Al ver que la gente empezaba a rodearlos, el dragoneante Jiménez buscó refugio. Caminó hacia el sur, pasando frente a la fachada del edificio. «Ése es», gritaba la multitud, «ése es el asesino del doctor Gaitán». El dragoneante, llevando a Roa del brazo, empezó a moverse hacia la puerta de la droguería Granada, pero en el breve recorrido no pudo evitar que los limpiabotas le lanzaran golpes con sus cajones de madera pesada.

«Roa estaba muerto de miedo», me dijo Pacho. «La gente que lo vio disparar, Vallejo y Mendoza, dijeron después que le habían visto una expresión terrible de odio en la cara: que habían visto el odio de un fanático. Todos dijeron también que en el momento de disparar, Roa se había comportado con total dominio de sí mismo. Pero después, cuando estaba ya rodeado de lustrabotas enfurecidos, cuando estaba ya recibiendo golpes y pensando, me imagino yo, que esa gente lo quería linchar… ahí ya no, ahí ya nada de fanatismo ni de autocontrol. Puro miedo. Fue tan impresionante el cambio que muchos pensaron que había dos tipos distintos, el fanático y el miedoso».

El asesino de Gaitán estaba pálido. Era un tipo de piel aceitunada y cara angulosa; llevaba el pelo lacio demasiado crecido y su afeitado mediocre le dibujaba sombras sucias en la cara. Su aspecto general era el de un perro callejero. Unos testigos dijeron que tenía pinta de mecánico o de artesano, y uno diría incluso que tenía una mancha de aceite en la manga del vestido. «¡Hay que linchar al asesino!», gritaba alguien. Con la nariz rota por un golpe, Roa se dejó llevar a empellones a la droguería Granada. Pascal del Vecchio, un amigo de Gaitán, le pidió al dueño de la droguería que resguardara al asesino para que no lo lincharan. Metieron a Roa, que parecía resignado a su suerte y no oponía la menor resistencia, y lo vieron agacharse en un rincón de la droguería que no era visible desde la calle. Alguien bajó la persiana metálica. Uno de los empleados de la droguería se le acercó entonces.

«¿Por qué mató al doctor Gaitán?», le preguntó.

«Ay, señor», dijo Roa, «cosas poderosas que no le puedo decir».

«Empezaron a tratar de romper la persiana», dijo Pacho. «El dueño se asustó o prefirió que no le dañaran el local, y la terminó de abrir él mismo».

«La gente lo va a linchar», insistió el empleado. «Dígame quién lo mandó».

«No puedo», dijo Roa.

«Roa trató de esconderse detrás del mostrador, pero lo agarraron antes de que llegara al otro lado», dijo Pacho. «Se le echaron encima los lustrabotas y lo sacaron arrastrado. Pero antes de sacarlo a la calle, alguien encontró una zorra, ¿sabe?, uno de esos carritos de hierro que sirven para cargar cajas. Pues alguien agarró esa zorra y se la dejó caer encima a Roa. Yo siempre he creído que ahí Roa ya quedó inconsciente. La gente lo sacó a la calzada. Le seguían pegando: puños, patadas, cajonazos. Cuentan que alguien llegó y le clavó un bolígrafo varias veces. Lo empezaron a arrastrar hacia el sur, hacia el Palacio Presidencial. Hay una foto, una foto famosa que alguien tomó desde un piso elevado, cuando la turba iba más adelante, ya como por la plaza de Bolívar. Se ve a la gente que arrastra a Roa y se ve a Roa, o más bien su cuerpo muerto. En el arrastre ha perdido la ropa y está ya casi desnudo. Es una de las fotos más horribles que quedaron de ese día horrible. Roa ya estaba muerto ahí, y eso quiere decir que murió en algún momento del recorrido desde la droguería Granada. A veces se me ocurre que Roa murió al mismo tiempo que Gaitán. ¿Usted sabe a qué hora murió Gaitán exactamente? A la una y cincuenta y cinco. Cinco minutos para las dos de la tarde. No es imposible que haya muerto a la misma hora que su asesino, ¿verdad? No sé por qué es importante, o mejor dicho, sé que no es importante, pero a veces pienso en eso. De aquí se llevaron a Roa Sierra. Aquí quedaba la droguería Granada y de aquí se lo llevaron. Tal vez al pasar por este punto donde estamos usted y yo ya estaba muerto. Tal vez murió después. No se sabe y no se sabrá nunca».

Pacho quedó en silencio. Abrió una mano y miró al cielo.

«Caray, está lloviznando», me dijo. «¿Necesita saber algo más?»

Estábamos a cinco pasos, no más, del lugar donde había caído un hombre anónimo pocas horas antes. Pensé en preguntarle a Pacho si lo sabía, pero luego me pareció una información superflua e inconducente, y aun irrespetuosa con este hombre que me había regalado sus conocimientos. Pensé que eran dos muertos muy distintos, Gaitán y ese hombre anónimo, y que los separaban además muchos años, y sin embargo sus dos manchas de sangre, la que la gente había recogido con pañuelos en 1948 y la que había ensuciado la punta de mi zapato en ese año de 1991, no eran en el fondo tan diferentes. No las unía nada salvo mi fascinación o mi morbo, pero eso era suficiente, pues el morbo o la fascinación eran tan fuertes como el rechazo visceral que ya comenzaba a sentir por la ciudad de esos años, la ciudad asesina, la ciudad cementerio, la ciudad donde cada esquina tiene su caído. Eso estaba descubriendo en mí con algo de espanto, la fascinación oscura por los muertos que pululaban en la ciudad: los muertos presentes y los pasados también. Ahí estaba yo, en la ciudad furiosa, yendo a buscar los lugares de ciertos crímenes justamente porque me horrorizaban, persiguiendo a los fantasmas de los muertos de muerte violenta justamente por miedo de ser un día uno de ellos. Pero eso no era fácil de explicar, ni siquiera a un tipo como Pacho Herrera.

«Nada más», le dije. «Gracias por todo».

Y lo vi perderse entre la gente.

Esa noche llegué a mi casa y escribí de un tirón las siete páginas de un cuento que repetía o trataba de repetir lo que me había contado Pacho Herrera de pie sobre la carrera séptima, sobre el andén mismo donde la historia de mi país había dado un vuelco. No creo que lograra entender la manera en que el relato de Pacho había capturado mi imaginación, ni creo haberme dado cuenta de que en ello me acompañaban miles de colombianos de los cuarenta y tres años anteriores. El cuento no era bueno, pero era mío: no estaba escrito con la voz prestada de García Márquez ni de Cortázar ni de Borges, como tantos otros intentos que hice y haría por esa época, sino que guardaba, en su tono y en su mirada, algo que por primera vez me parecía propio. Se lo mostré a Pacho —un joven buscando aprobación de sus mayores— y en ese instante comenzó una nueva relación con él, una relación distinta, de más complicidad que antes, más basada en la camaradería que en la autoridad. Pocos días después, me preguntó si quería acompañarlo a la casa de Gaitán.

«¿Gaitán tiene una casa?»

«La casa donde vivía cuando lo mataron», dijo Pacho. «Ahora es un museo, claro».

Y allí llegamos una tarde de sol, a una casa grande de dos pisos a la que no he vuelto desde entonces, rodeada de verde (recuerdo un prado pequeño y un árbol) y ocupada enteramente por el fantasma de Gaitán. Abajo había una televisión vieja donde se repetía un documental sobre su vida, más allá unos parlantes que escupían grabaciones de sus discursos, y arriba, al salir de las escaleras amplias, se encontraba uno con la vitrina cuadrada de vidrio en que se erguía el vestido azul medianoche. Le di la vuelta a la vitrina, busqué los huecos de las balas en el paño, los encontré con un escalofrío. Más tarde busqué la tumba en el jardín y me quedé frente a ella un rato, recordando lo que me había contado Pacho, levantando la cara, viendo las hojas del árbol moverse con el viento y sintiendo en mi cabeza el sol de la tarde bogotana. Entonces Pacho salió, sin darme tiempo a despedirme de él, y se subió a un taxi que pasaba por la carrera. Lo vi cerrar la puerta, vi su boca moverse para dar una dirección y lo vi quitarse las gafas, como hacemos para limpiarnos un polvo que nos ha entrado a los ojos, una pestaña que nos molesta, una lágrima que nos borronea la visión.

La visita al doctor Benavides se dio pocos días después de nuestra conversación. El sábado yo había pasado un par de horas en la rotonda de comidas de un centro comercial vecino, para romper en algo con la rutina alimentaria de la cafetería, y luego había perdido un rato más en la Librería Nacional, donde encontré un libro de José Avellanos que podría serme útil para la novela que estaba tratando de escribir en ratos robados. Era una historia picaresca y caprichosa sobre una posible visita de Joseph Conrad a Panamá, y con cada frase me daba cuenta de que la escritura sólo tenía un propósito: distraerme de mis angustias médicas o alejarme de ellas. Cuando volví a la habitación, M estaba en medio de uno de los exámenes que medían la intensidad de sus contracciones clandestinas: tenía el vientre cubierto de electrodos; de un robot apostado junto a la cama salía un murmullo eléctrico y se oía, sobre el murmullo, el barrido delicado pero frenético de una plumilla que trazaba líneas de tinta en un papel diagramado. Con cada contracción las líneas se alteraban, se sacudían, como un animal cuyo sueño uno interrumpe. «Acaba de tener una», decía una enfermera. «¿Sí la sintió?» Y ella tenía que confesar que no, que tampoco esta vez la había sentido, y lo hacía molesta, como si absurdamente la irritara su propia insensibilidad. Para mí, en cambio, aquel papel rayado era uno de los primeros rastros que dejaban mis hijas en el mundo, y llegué a pensar en preguntarles a las enfermeras si me podía quedar con los diagramas o si me podían hacer una copia. Pero entonces me dije: ¿y si todo sale mal? ¿Y si sale mal el parto y las niñas no sobreviven o lo hacen en condiciones adversas, y no hay en el futuro nada que con-

memorar, mucho menos celebrar? Esa posibilidad no había perdido vigencia todavía; ni los doctores ni los exámenes la habían descartado. Así que las enfermeras se fueron sin que les pidiera nada.

«¿Qué tal el examen?», pregunté.

«Igual», dijo M con media sonrisa. «Estas dos están que se salen, parece que tuvieran una cita». Y luego: «Te dejaron algo. Ahí, en la mesa».

Era una postal que reconocí de inmediato, o más bien una fotografía del tamaño de una postal y con un mensaje escrito en su reverso. Su autor era Sady González, que no sólo había sido uno de los grandes fotógrafos del siglo XX, sino que pasaba ya por ser el testigo por excelencia del Bogotazo. Aquélla era una de sus imágenes más conocidas. González la había tomado en la clínica Central, adonde llevaron a Gaitán para tratar de salvarle la vida. En la foto, ya los esfuerzos de los médicos han resultado inútiles, ya el herido ha sido pronunciado muerto, ya lo han arreglado un poco y han permitido la entrada de extraños, de manera que Gaitán aparece cubierto con una sábana blanca —impecable, perturbadoramente blanca— y rodeado de gente. Algunos de los que lo rodean son los médicos: uno de ellos tiene la mano izquierda, donde lleva un anillo tosco, sobre el cuerpo de Gaitán, como para evitar que se caiga; otro, que podría ser Pedro Eliseo Cruz, está mirando al fondo, tal vez al policía que se asoma para salir en la foto (habrá intuido la importancia del momento). A la izquierda del marco está el doctor Antonio Arias, de perfil, mirando hacia ninguna parte con una expresión de abatimiento especial, o que a mí me resulta especial, porque el doctor Arias es el único que genuinamente parece no fijarse en el fotógrafo, cuya tristeza genuina parece impedirle ver lo que ocurre en la habitación. Entre todos está Gaitán, a quien alguien le alza un poco la cabeza —la posición no es natural— de manera que resulte bien visible en la foto, pues la foto fue tomada para eso, para dar testimonio de la muerte del caudillo, cuando para mí su logro era mucho mayor, pues lo que se veía en la cara de Gaitán era, como dice un verso que me gusta, el llano anonimato del dolor. No sé cuántas veces había visto esa imagen antes, pero allí, en la habitación de la clínica, junto a mi esposa acostada, me pareció ver por primera vez a la niña que está detrás de Gaitán, la que parece encargada de sostenerle la cabeza al muerto. Le mostré a M la foto y ella dijo que no, que era el hombre de gafas quien se la estaba sosteniendo, porque la niña tenía la mano cerrada y en un ángulo imposible y en todo caso inútil para sostener nada. Me hubiera gustado creer que tenía razón, pero no pude: veía la mano de la niña, la veía sosteniendo la cabeza de Gaitán, que parecía flotar sobre la sábana blanca, y eso me inquietaba.

En el reverso de la imagen, en tinta de Kilométrico (para que se adhiriera bien y no manchara la superficie plastificada), el doctor Benavides había escrito:

Estimado paciente:
Mañana domingo hago una comida en mi casa. Muy
petit comité, se lo digo en francés para hacerme el
culto. Lo espero a las 8 con muchas ganas de hablar
de cosas que ya no le interesan a nadie. Yo sé que
usted está ocupado con asuntos más importantes, pero
le juro que voy a tratar de que valga la pena. Aunque
sea a punta de whisky.
Un abrazo,
FB

Así fue como el día siguiente, 11 de septiembre, me
encontré dirigiéndome al norte de Bogotá, donde la ciudad,
deshilachada, comienza a convertirse en una azarosa alter-
nancia de conjuntos cerrados y centros comerciales y luego,
sin previo aviso, en un gran lote baldío, roto aquí y allá por
construcciones de dudosa legalidad. En la radio hablaban
de los atentados del año 2001 en Nueva York, y los locuto-
res y comentaristas hacían lo que después se volvería costumbre con cada aniversario: recordar dónde estaban en
ese momento. ¿Dónde estaba yo cuatro años atrás? En Barcelona, terminando de almorzar. No tenía televisión por
esa época, de manera que no me enteré de nada hasta que
Enrique de Hériz me llamó por teléfono: «Te vienes ya mismo a casa», me dijo. «Se está cayendo el mundo». Y ahora yo
avanzaba por la carrera novena hacia el norte y la emisora
pasaba grabaciones de ese día: la narración de los hechos
mientras estaban sucediendo, las declaraciones llenas de
estupefacción y de cólera tras el desplome de la primera
torre, las reacciones de los políticos incapaces de mostrar
verdadera indignación ni siquiera en un caso como éste.
Uno de los comentaristas dijo que se lo habían ganado.
«¿Quiénes?», dijo otro, tan sorprendido como yo. «Los
Estados Unidos», dijo el primero. «Por décadas de imperialismo y de humillación. Al final, alguien les contestó».
En ese momento yo llegaba ya a la dirección indicada, pero

en mi mente ya no estaban las señas que Benavides me había dado para llegar a su casa, sino mi visita a Nueva York ocho meses después de los atentados, mis entrevistas con gente que había perdido a alguien y mi experiencia del dolor de una ciudad que reaccionó ante los ataques con solidaridad y entereza. El locutor seguía hablando. En mi cabeza se formaban respuestas desordenadas, y sólo atiné a decir, en voz alta pero para nadie: «Pobre hijueputa».

El doctor me esperaba llenando con su figura el vano de la puerta. Aunque apenas me llevara una media cabeza de estatura, sentí que era uno de esos hombres que caminan con la cabeza gacha para no pegarse con los travesaños. Tenía gafas de marco de aluminio y cristales teñidos, quizás de aquellos que cambian de tono dependiendo de la intensidad de la luz, y allí, en el umbral, bajo las nubes veloces que pasaban sobre nuestras cabezas, me pareció un espía de novela, una suerte de Smiley un poco más corpulento y, sobre todo, más melancólico. A sus escasos cincuenta años, mal protegido del frío de las tardes bogotanas con un viejo suéter abierto, Benavides me dio la impresión de un hombre cansado. El dolor ajeno puede desgastarnos de maneras más o menos sutiles; Benavides se había pasado muchos años de su vida lidiando con él, compartiendo con enfermos su sufrimiento y su miedo, y esa compasión le había minado las energías. Fuera de su ámbito de trabajo, los hombres envejecen de maneras repentinas, y a veces achacamos su envejecimiento a lo primero que encontramos a mano: lo que conocemos de su vida, la desgracia que hemos seguido de lejos, la enfermedad de la que alguien nos habló. O, como en el caso de Benavides, los rasgos particulares de su oficio, que yo conocía lo bastante como para admirarlo a él, o más bien admirar su dedicación a los otros y lamentar el hecho de no ser como él era.

«Llega temprano», me dijo el doctor. Me hizo seguir al patio interior, cuya claraboya todavía dejaba entrar la luz ladeada de la tarde; en pocos minutos de conversación emocionada me volvió a hablar de mi novela, me preguntó por mi esposa y por los nombres posibles de mis hijas y me dijo que él, por su parte, tenía dos hijos veinteañeros, un hombre y una mujer; enseguida me contó que la banca donde yo estaba sentado era una traviesa de ferrocarril a la que él mismo le había puesto patas, y luego señaló la pared y me explicó que aquellos ganchos eran los tornillos (ignoro su nombre técnico) que correspondían a esa traviesa. La silla que ocupaba él, contó enseguida, había salido de un hotel de Popayán que se cayó durante el terremoto de 1983, y el único adorno de la mesa de centro era parte de la hélice de un barco mercante. «Todavía no sé cómo me aguantan estas cosas, pero me las aguantan», dijo. Luego he pensado que en ese momento el doctor estaba poniéndome a prueba: averiguando si yo compartía aquel interés irracional por los objetos del pasado, esos fantasmas silenciosos.

«Bueno, vamos para adentro, que nos cogió el sereno», dijeron entonces sus facciones ya invisibles o borroneadas en la media penumbra. «Parece que por fin comenzó a llegar la gente».

Resultó que el *comité* no era tan *petit* como había sugerido Benavides. La casa pequeña estaba llena de invitados, la mayoría de la edad de mi anfitrión; eran, pensé sin ninguna prueba, colegas suyos. La gente se agolpaba alrededor de la mesa del comedor, cada uno con un plato en la mano, guardando el precario equilibrio mientras se servían más carnes frías, o atacaban la ensalada de papa, o trataban de domar unos espárragos indóciles que se caían de los tenedores. Unos parlantes invisibles susurraban la voz de Billie Holiday o de Aretha Franklin. Benavides me presentó a su esposa: Estela era una mujer pequeña, de huesos duros y nariz de árabe, cuya sonrisa generosa compensaba de alguna manera la ironía permanente de su mirada. Después dimos una vuelta por la habitación (por su aire ya enrarecido de humo), pues Benavides quiso presentarme a algunos de los comensales. Comenzó por un hombre de gafas gruesas muy parecido, pensé, al que le sostiene la cabeza a Gaitán en la fotografía, y otro pequeño, calvo y de bigote, que debió esforzarse para soltarle la mano a su mujer de pelo pintado y permitirle que me saludara. «Un paciente mío», decía Benavides para presentarme, y pensé que le divertía lanzar esa mentira sin importancia. Yo, mientras tanto, había comenzado a sentirme incómodo o desasosegado, y no me costó mucho descubrir la razón: alguna parte de mi conciencia había comenzado a preguntarse cómo estaría mi familia todavía futura, esas niñas que crecían con riesgos en el vientre de mi esposa. Allí, dando vueltas en casa de Benavides, comencé a sentir una ansiedad novedosa; me pregunté si en esto —en esta repentina sensación de soledad, esta convicción supersticiosa de que las peores cosas pasan en nuestra ausencia— consistía la paternidad; y lamenté haber venido a decir banalidades en sociedad en lugar de quedarme con M para hacerle compañía y ayudar en lo que pudiera. Alguien, a mis espaldas, estaba recitando unos versos:

> *Esta rosa fue testigo*
> *De ese que, si amor no fue,*
> *Ningún otro amor sería.*
> *¡Esta rosa fue testigo*
> *De cuando te diste mía!*

Era el peor poema de León de Greiff, o en todo caso el que más indigno de su obra fantástica me ha parecido siempre, pero el que conocen invariablemente todos los colombianos y el que no tarda en aflorar —nunca mejor dicho— en ciertas reuniones. Al parecer, la reunión en casa de Benavides era de ese tipo. Y otra vez lamenté haber venido. Debajo de un helecho colgante, junto a la puerta corrediza que daba al pequeño jardín, ya negro en la noche, había dos armarios de puertas cristaleras que me llamaron la atención de inmediato, pues los objetos que contenían estaban dispuestos como piezas en exhibición. Me detuve frente a las puertas, mirándolas sin verlas, con la intención inicial de escapar a las obligaciones sociales que ocurrían a mis espaldas. Pero poco a poco el contenido de los armarios fue ganando mi curiosidad. ¿Qué era todo esto?

«Eso es un caleidoscopio de cobre», dijo Benavides. Había llegado sigilosamente a mi lado y parecía haber oído mis pensamientos, tal vez por estar acostumbrado a que los visitantes primerizos se detuvieran frente al armario y comenzaran a hacer preguntas. «Eso es el aguijón de verdad de un escorpión del Amazonas. Eso es un revólver Le-Mat de 1856. Eso es el esqueleto de una serpiente de cascabel. Pequeñita, es verdad, pero ya sabe usted que el tamaño no importa».

«Su museo privado», dije.

Me miró con evidente satisfacción. «Más o menos», dijo. «Son cosas que he acumulado con el tiempo».

«No, me refiero a la casa entera. La casa entera es su museo».

Aquí Benavides sonrió con una sonrisa amplia y señaló la pared que había encima del mueble: dos marcos la adornaban (aunque ignoro si uno debería hablar de adornos en este caso, pues la intención de aquellos objetos no era estética). «Eso es la cubierta de un disco de Sidney Bechet», dijo Benavides. Bechet había dejado allí su firma y la fecha: 2 de mayo de 1959. «Y eso», dijo señalando un mueble pequeño que estaba casi oculto junto al armario, «eso es una balanza que me trajeron una vez de China».

«¿Es original?», pregunté estúpidamente.

«Hasta la última pieza», me dijo Benavides. Era un aparato bellísimo: tenía un marco de madera tallada, y del travesaño colgaba la *T* invertida con los dos cuencos. «¿Ve esa caja lacada? Ahí tengo los pesos de plomo, la cosa más linda que hay. Mire, le quería presentar a alguien».

Sólo en ese momento me di cuenta de que estaba acompañado. Detrás de mi anfitrión, como oculto por timidez o prudencia, esperaba un hombre de piel pálida que sostenía en la mano izquierda un vaso de agua con gas. Tenía grandes bolsas bajo los ojos, a pesar de que no parecía, por lo demás, mucho mayor que Benavides, y de su rara indumentaria —chaqueta de pana marrón, camisa de cuello alto y almidonado— lo que atraía la mirada era un foulard rojo, de un rojo intenso, un rojo casi refulgente, un rojo como el rojo de la capa de un torero. El hombre del foulard rojo estiró una mano blanda y húmeda y se presentó con voz baja, tal vez insegura, tal vez afeminada: el tipo de voz que obliga a los demás a acercarse para entender.

«Carlos Carballo», dijo aliterativamente el personaje. «Para servirle».

«Carlos es un amigo de la familia», dijo Benavides. «Viejo, viejísimo. Yo ya ni me acuerdo de cuando él no estaba por aquí».

«Es que primero fui amigo de su papá», dijo el hombre.

«Primero alumno, después amigo», dijo Benavides. «Y después amigo mío. Una herencia, mejor dicho, como un par de zapatos».

«¿Alumno?», pregunté. «¿Alumno de qué?»

«Mi padre era profesor en la Nacional», dijo Benavides. «Daba Ciencias Forenses a los abogados. Un día le cuento cosas, Vásquez. El hombre tenía más de una anécdota».

«Más de una», dijo o corroboró Carballo. «Era el mejor profesor del mundo, si viera. Yo creo que nos cambió la vida a varios». Puso una cara solemne y me pareció que incluso se empinaba para decir estas palabras: «Una mente de primer orden».

«¿Cuándo murió?», pregunté.

«En el 87», dijo Benavides.

«Van a ser veinte años», dijo Carballo. «Cómo pasa el tiempo».

Me inquietó que alguien capaz de ponerse ese foulard —esa afrenta de seda fina— fuera también capaz de hablar en frases hechas y en lugares comunes. Pero Carballo era, evidentemente, un tipo impredecible; quizá por eso me interesó más que el resto de los invitados, y no rehuí su compañía ni me inventé una excusa para escapar de esa esquina. Saqué el teléfono del bolsillo, confirmé la intensidad de sus pequeñas líneas negras y la ausencia de llamadas perdidas y lo volví a guardar. Alguien llamó entonces la atención de Benavides. Miré hacia donde él miraba y me encontré a Estela, que movía los brazos en el otro extremo del salón (y las mangas de su blusa suelta se recogían y sus brazos se veían pálidos como el vientre de una rana). «Ya vengo», dijo Benavides. «Una de dos: o mi señora se está ahogando, o hay que ir por más hielo». Carballo estaba hablando ahora de la falta que le hacía el maestro —así lo llamaba ahora, *maestro*, y quizás en su cabeza la palabra venía con mayúscula—, sobre todo en esos momentos en que uno necesita quien le enseñe a leer la verdad de las cosas. La frase fue una joya encontrada en el barro: por fin algo que combinaba con el foulard.

«¿Leer la verdad de las cosas?», pregunté. «¿A qué se refiere?»

«Uf, me pasa todo el tiempo», dijo Carballo. «¿A usted no?»

«Qué cosa».

«No saber qué pensar. Necesitar a alguien que lo oriente. Como hoy, por ejemplo. Yo venía en el carro oyendo radio, usted sabe, los programas de la tarde. Y estaban hablando del 11 de septiembre».

«Yo también lo venía oyendo», dije.

«Y yo pensaba: cuánta falta nos hace el maestro Benavides. Para que nos ayude a ver la verdad oculta detrás de la manipulación política, detrás de la complicidad criminal de los medios. Él no se hubiera tragado el cuento. Él hubiera sabido descubrir el engaño».

«¿Qué engaño?»

«Todo esto es un engaño, no me diga que usted no se da cuenta. Lo de Al Qaeda. Lo de Bin Laden. Pura mierda, con perdón. Estas cosas no pasan así. ¿Alguien cree que unos edificios como las Torres Gemelas se pueden caer así no más, porque se les clava un avión? No, no: esto fue un trabajo desde dentro, una demolición controlada. El maestro Benavides se hubiera dado cuenta a la primera».

«A ver, a ver», dije, a medio camino entre el interés y el morbo. «Explíqueme lo de la demolición».

«Es muy sencillo. Unos edificios como ésos, de líneas perfectamente rectas, sólo se caen como se cayeron las torres si alguien los hace explotar desde abajo. Hay que quitarles las piernas, no pegarles en la cabeza. Las leyes de la física son las leyes de la física: ¿o cuándo ha visto usted que un árbol se caiga cuando se le corta la copa?»

«Pero es que un edificio no es un árbol. Los aviones se estrellaron, el incendio se propagó y afectó la estructura, las torres se cayeron. ¿No fue así?»

«Bueno», dijo Carballo. «Si usted se lo quiere creer». Tomó un sorbo. «Pero un edificio así no se cae entero, no se cae tan perfectamente. El derrumbe de las torres fue como de propaganda, no me diga que no».

«Eso no quiere decir nada».

«No, claro que no», suspiró Carballo. «No quiere decir nada si uno no quiere verlo. Definitivamente no hay peor ciego que el que no quiere ver».

«No me hable con refranes bobos», le dije. No sé de dónde me salió esa rara descortesía. Me desagrada la irracionalidad voluntaria y no soporto a la gente que se esconde detrás del lenguaje, sobre todo si se trata de las mil y una fórmulas que el lenguaje se ha inventado para proteger nuestra tendencia humana a creer sin pruebas. Aun así, trato de controlar mis peores impulsos, y eso fue lo que hice entonces. «Yo me dejo convencer si usted me convence, pero hasta ahora no me ha convencido de nada».

«O sea que no le parece raro todo».

«¿Raro qué? ¿El modo en que se cayeron las torres? No estoy seguro. No soy ingeniero, no sabría…»

«No sólo eso. Que justo esa mañana la Fuerza Aérea no estuviera lista. Que justo esa mañana el sistema de defensa del espacio aéreo estuviera apagado. Que los ataques hayan llevado directamente a una guerra tan necesaria, o que era tan necesaria en ese momento para mantener el *statu quo*».

«Pero son dos cosas distintas, Carlos, no me diga que se lo tengo que explicar», dije. «Una cosa es que Bush haya usado el atentado como pretexto para una guerra que quería lanzar desde hacía rato. Otra cosa es que haya permitido la muerte de tres mil civiles».

«Justamente, eso es lo que parece. Parecen cosas distintas. Éste es el gran éxito de esta gente: hacernos creer que van separadas cosas que en realidad están bien juntitas. Hoy en día, sólo un ingenuo cree que la princesa Diana murió en un accidente».

«¿La princesa Diana? Pero qué tiene que ver…»

«Sólo un ingenuo cree que no hay puntos en común entre su muerte y la de Marilyn. Pero hay algunos que vemos claro».

«Ay, no diga bobadas», escupí. «Eso no es clarividencia, eso es ociosidad».

Benavides se acercaba a nosotros en ese momento, y alcanzó a oír esta última frase. Sentí vergüenza, pero no encontré palabras para disculparme. Era exagerada mi irritación, por supuesto, y no tuve muy claro qué mecanismo la había producido: por más impaciencia que me provocaran los que leen el mundo entero en clave de conspiración, no se justificaba la descortesía. Recordé una novela de Ricardo Piglia en la cual se dice que hasta los paranoicos tienen enemigos. El contacto sostenido con las paranoias ajenas, que son multiformes y yacen agazapadas detrás de las personalidades más tranquilas, nos trabaja sin que nos percatemos de ello, y uno, si se descuida, puede acabar invirtiendo sus fuerzas en discusiones tontas con gente que dedica su vida a conjeturas irresponsables. O quizás estaba siendo injusto con Carballo: quizás Carballo era tan sólo un hábil recitador de informaciones obtenidas en las cloacas de Internet, o bien uno de esos hombres que tienen una adicción involuntaria a la provocación más o menos sutil, al escándalo de gente fácilmente impresionable. O bien todo era todavía más simple: Carballo era un hombre quebrantado, y sus creencias eran mecanismos de defensa contra lo impredecible de la vida: esa vida que de alguna manera insondable le había hecho daño.

Benavides se había percatado del mal ambiente; también de que el mal ambiente podía transformarse, después de mi reacción grosera, en otra cosa. Me alargó entonces un vaso de whisky, disculpándose al entregármelo: «Me demoré tanto atravesando la casa, que ya la servilleta está mojada». Recibí el vaso sin hablar y sentí en la mano su peso macizo, sus duras aristas de cristal. Carballo tampoco decía nada: miraba al suelo. Luego de un silencio largamente incómodo, Benavides dijo: «Carlos, adivine de quién es sobrino Vásquez».

Carballo se prestó de mala gana al juego: «De quién», dijo.

«De José María Villarreal», dijo Benavides.

Los ojos de Carballo se movieron, o eso me pareció a mí. No puedo decir que se hayan abierto, según la expresión convencional de sorpresa o admiración que hemos llegado a aceptar, pero hubo algo en ellos que me interesó: no por lo que demostraba, eso también lo tengo que aclarar, sino por el intento evidente de no demostrarlo demasiado. «¿José María Villarreal era tío suyo?», dijo Carballo. Estaba de nuevo alerta, igual que cuando hablaba de las Torres Gemelas, mientras yo me preguntaba cómo sabía Benavides de ese parentesco. No era demasiado sorprendente, sin embargo, porque mi tío José María Villarreal había sido un miembro importante del Partido Conservador, y en la política colombiana todos conocen siempre a todos. De cualquier forma, ese parentesco era el tipo de información que habría podido o aun debido surgir en el curso de nuestra primera conversación, en la cafetería del hospital. ¿Por qué no lo había mencionado Benavides? ¿Por qué le interesaba ese parentesco a Carballo? No pude saberlo entonces. Era evidente que Benavides, mencionando a mi tío, intentaba neutralizar la hostilidad que había encontrado al llegar. Era evidente, también, que lo había logrado de inmediato.

«¿Y se conocieron?», preguntó Carballo. «Usted y su tío, digo. ¿Lo conoció mucho?»

«Menos de lo que hubiera querido», dije. «Yo tenía unos veintitrés años cuando se murió».

«¿De qué murió?»

«No sé. De muerte natural». Miré a Benavides. «¿Y cómo es que lo conocen ustedes?»

«Cómo no lo íbamos a conocer», dijo Carballo. Ya no estaba encorvado; su voz había recuperado la vivacidad de antes; nuestro choque nunca había tenido lugar. «Francisco, traiga el libro y le mostramos».

«Ahora no, hombre. Estamos en mitad de la reunión».

«Traiga el libro, por favor. Hágalo por mí».

«¿Qué libro?», pregunté.

«Tráigalo y le mostramos», dijo Carballo.

Benavides hizo una mueca cómica, como la de un niño cuando tiene que ir a hacer un recado que es en realidad un capricho de sus padres. Se perdió en la habitación vecina y volvió enseguida: no le había costado mucho encontrar el libro en cuestión, acaso por estar leyéndolo en ese momento, acaso por tener su biblioteca un orden riguroso que le permitía ubicar un título sin recorrer los estantes, sin pasear dedos inciertos por los impacientes lomos. Reconocí la caja de cartón rojo mucho antes de que el doctor se la entregara a Carballo: era *Vivir para contarla*, el tomo de memorias que García Márquez había publicado tres años atrás, y cuyos ejemplares inundarían en esos instantes todas las bibliotecas colombianas y buena parte de las otras. Carballo recibió el libro y comenzó a buscar la página que le interesaba, y antes de que la hubiera encontrado ya la memoria (y el instinto) me habían dictado lo que me mostraría. Habría debido adivinarlo antes: íbamos a hablar del 9 de abril.

«Sí, aquí está», dijo Carballo.

Me pasó el libro y me señaló con el dedo el pasaje: estaba en la página 352 de aquella edición que también era la que yo tenía en mi casa de Barcelona. En el capítulo en cuestión, García Márquez recordaba el asesinato de Gaitán, que lo había sorprendido en Bogotá, estudiando Derecho sin vocación ninguna y viviendo a salto de mata en una pensión de la carrera octava, en el centro de la ciudad, a menos de doscientos pasos del lugar donde Roa Sierra disparó sus cuatro tiros fatídicos. Hablando de las asonadas, las conflagraciones y el caos violento y general que el asesinato provocó (así como de los esfuerzos que hacía el gobierno conservador para preservar el control), García Márquez escribía: «En el vecino departamento de Boyacá, famoso por su liberalismo histórico y su conservatismo ríspido, el gobernador José María Villarreal —godo de tuerca y tornillo— no sólo había reprimido a horas tempranas los disturbios locales, sino que estaba despachando tropas mejor armadas para someter la capital». *Godo de tuerca y tornillo:* las palabras de García Márquez sobre mi tío eran incluso amables, pues se trataba del hombre que, por orden del presidente Ospina, había conformado un cuerpo de Policía cuyos miembros eran escogidos con el único criterio de su filiación conservadora. Poco antes del 9 de abril esa Policía demasiado politizada ya se había salido de madre, y pronto se convirtió en un organismo represor de consecuencias nefastas.

«¿Usted sabía de esto, Vásquez?», me preguntó Benavides. «¿Sabía que aquí se habla de su tío?»

«Sabía, sí», dije.

«Godo de tuerca y tornillo», dijo Carballo.

«Nunca llegamos a hablar de política», dije.

«¿No? ¿Nunca hablaron del 9 de abril?»

«No que yo recuerde. Había anécdotas, eso sí».

«Ah, esto me interesa», dijo Carballo. «¿Verdad, Francisco, que esto nos interesa?»

«Verdad», dijo Benavides.

«A ver, cuente», me dijo Carballo.

«Bueno, no sé. Hay varias cosas. Está esa vez que lo visitó un amigo liberal a la hora de la comida. "Chepe querido", le dijo, "necesito que te vayas a dormir a otra parte". "¿Por qué", preguntó mi tío. Y el amigo liberal le dijo: "Porque esta noche te vamos a matar". Me contó de cosas así, de los atentados que le hicieron».

«¿Y del 9 de abril?», preguntó Carballo. «¿Nunca le habló del 9 de abril?»

«No», dije. «Dio algunas entrevistas, creo, nada más. Yo no hablé con él».

«Pero él seguramente sabía un montón de cosas, ¿no?»

«¿Qué tipo de cosas?»

«Pues él era gobernador de Boyacá ese día. Esto lo sabe todo el mundo. Recibió informaciones y por eso mandó a la Policía a Bogotá. Uno se imagina que después se siguió enterando de lo que había pasado. Habrá hecho preguntas, habrá hablado con el gobierno, ¿no es verdad? Y en su larga vida habrá hablado con mucha gente, se imagina uno, habrá sabido muchas cosas de esas que pasan, cómo decirlo, fuera del ojo público».

«No sé. Nunca me lo dijo».

«Ya veo», dijo Carballo. «Mire, ¿y su tío no le habló nunca del hombre elegante?»

No me estaba mirando cuando me hizo esa pregunta. Lo recuerdo bien porque yo, por mi parte, busqué la mirada de Benavides, y la encontré ausente o más bien escabullida: la encontré esforzándose por fingir distracción, como si la conversación hubiera dejado de repente de interesarle. Luego he entendido que en ese segundo le interesaba más que nunca, pero yo no tenía razones para sospechar intenciones ocultas en aquel diálogo de apariencias casuales.

«¿Qué hombre elegante?», pregunté.

Los dedos de Carballo volvieron a agitarse sobre las páginas de *Vivir para contarla*. No tardaron mucho en encontrar lo que buscaban.

«Lea», me dijo Carballo, poniendo la yema del índice derecho sobre una palabra. «Desde aquí».

Después de asesinar a Gaitán, contaba García Márquez, Juan Roa Sierra fue perseguido por una turba furiosa, y no tuvo más remedio que esconderse en la droguería Granada para evitar que lo lincharan. Lo acompañaban allí algunos policías y el dueño de la droguería, de manera que Roa Sierra debió de creerse a salvo. Entonces comenzó a ocurrir lo imprevisto. Un hombre *de traje gris de tres piezas y modales de duque británico* azuzaba a la multitud, y sus palabras eran tan efectivas, y su presencia tuvo tanta autoridad, que el propietario de la droguería abrió la persiana de hierro y permitió que los emboladores entraran a la fuerza, a golpes de cajón, y se llevaran al asesino aterrorizado. Allí mismo, en plena carrera séptima, ante los ojos de los policías y bajo las arengas del hombre elegante, lo mataron a golpes. El hombre elegante —con su traje de tres piezas y sus modales de duque británico— empezó a gritar: «¡A Palacio!» García Márquez escribe entonces:

«Cincuenta años después, mi memoria sigue fija en la imagen del hombre que parecía instigar al gentío frente a la farmacia, y no lo he encontrado en ninguno de los incontables testimonios que he leído sobre aquel día. Lo había visto muy de cerca, con un vestido de gran clase, una piel de alabastro y un control milimétrico de sus actos. Tanto me llamó la atención que seguí pendiente de él hasta que lo recogieron en un automóvil demasiado nuevo tan pronto como se llevaron el cadáver del asesino, y desde entonces pareció borrado de la memoria histórica. Incluso de la mía, hasta muchos años después, en mis tiempos de periodista, cuando me asaltó la ocurrencia de que aquel hombre había logrado que mataran a un falso asesino para proteger la identidad del verdadero».

«Para proteger la identidad del verdadero», repitió Carballo al mismo tiempo que lo hacía yo, de manera que sonamos como un mal coro en medio del barullo de la reunión. «Qué raro, ¿no le parece?»

«Raro, sí», dije.

«Lo dice García Márquez, no cualquier pendejo. Y lo dice en sus memorias. No me diga que no es raro. No me diga que no hay algo ahí, en ese tipo. En el hecho de que se lo haya tragado el olvido».

«Claro que hay algo», dije. «Un asesinato que todavía no se ha resuelto. Un asesinato rodeado de teorías conspirativas. No me sorprende que esto le parezca tan interesante, Carlos: ya he visto que éste es su mundo. Pero no sé si uno deba tomarse el párrafo suelto de un novelista como si fuera la verdad revelada. Por más García Márquez que sea».

Carballo, más que decepcionado, estaba molesto. Dio un paso atrás (hay desacuerdos tan fuertes que nos sentimos agredidos, y poco nos falta para subir los puños como un boxeador), cerró el libro y, todavía sin soltarlo ni devolverlo a su caja roja, cruzó las manos detrás de la espalda. «Ya veo», dijo en tono sarcástico. «¿Y usted qué opina, Francisco? ¿Cómo hago yo para salirme de este mundo mío donde todos estamos locos?»

«Bueno, Carlos, no se ponga digno. Lo que quiere decir...»

«Yo sé muy bien lo que quiere decir. Ya me lo dijo antes: que soy un ocioso».

«No, no. Perdóneme por eso», dije. «Eso no es...»

«Pero hay quienes piensan lo contrario, ¿verdad, Francisco? Hay quienes pueden ver donde los otros son ciegos. No en su mundo, Vásquez. En su mundo sólo hay coincidencias. Es una coincidencia que las torres se hayan caído cuando no tenían por qué caerse. Es una coincidencia que estuviera presente frente a la droguería Granada un hombre capaz de hacer que la abrieran sin siquiera tener que pedirlo. Es una coincidencia que el nombre de su tío aparezca catorce páginas después de ese incidente».

«Ahora sí que no le entiendo», dije. «¿Qué tiene que ver mi tío con el tipo ese?»

«Yo no sé», dijo Carballo. «Y usted tampoco, porque nunca le preguntó nada. Porque nunca habló con su tío del 9 de abril. Porque no sabe si su tío habrá conocido al hombre que hizo abrir la droguería Granada. ¿No le interesa saber eso, Vásquez? ¿No le interesa saber quién era ese tipo que hizo matar a Juan Roa Sierra a la vista de todo el mundo, que luego se montó en un carro de lujo y desapareció para siempre? Estamos hablando de lo más grave que le ha pasado a su país y a usted parece que no le importara. Un pariente suyo participó en ese momento histórico y pudo saber quién fue el tipo, todo el mundo en esa época se conocía. Y a usted parece que eso le importa un carajo. Todos ustedes son iguales, hermano: se van a vivir a otra parte y se les olvida el país. O tal vez no, ahora que lo pienso. Tal vez usted sólo está protegiendo a su tío. Tal vez no se le olvidó nada, sino que sabe muy bien lo que pasó. Sabe muy bien que su tío organizó la Policía boyacense. Sabe muy bien que esa Policía se convirtió después en una Policía asesina. ¿Qué siente cuando piensa en eso? ¿Se preocupa por informarse bien? ¿Se ha preocupado? ¿O le importa un carajo, piensa que todo eso no es con usted, que todo eso pasó un cuarto de siglo antes de que usted naciera? Sí, seguramente eso es lo que piensa usted, que estas vainas son vainas de otros, problemas de otros y no suyos. ¿Pues sabe qué? Me alegra que el destino los haya obligado a parir aquí. Mejor dicho, a su esposa: me alegra que tenga que parir aquí. Para que su país le dé una lección, por egoísta. Para que de pronto sus hijas le acaben dando a usted una lección de lo que es ser colombiano. Claro, si es que nacen bien, ¿no? Si es que no se le mueren ahí mismo, como unos gatos entecados. Eso también sería una lección, ahora que lo pienso».

Lo que pasó entonces lo recuerdo entre brumas. Recuerdo, sí, que al segundo siguiente ya no tenía yo mi vaso de whisky en la mano; al siguiente, me había dado cuenta de habérselo arrojado a la cara a Carballo, y recuerdo bien el estrépito del vaso al reventarse contra el suelo y recuerdo también a Carballo arrodillado, cubriéndose la cara con las manos, sangrando por la nariz rota y la sangre manchando el foulard, rojo sobre rojo, rojo oscuro (la negra sangre, le decían los griegos) sobre rojo refulgente de muleta de torero, y también bajando por el filo de su mano izquierda, ensuciándole el puño de la camisa y la correa del reloj, que recuerdo de tela blanca y por lo tanto más vulnerable a las manchas que una de cuero. Recuerdo los gritos de dolor de Carballo, o tal vez de miedo: hay gente a quien la vista de la sangre causa esos efectos. Recuerdo también a Benavides tomándome del brazo con una mano fuerte, llena de autoridad y también de decisión (ha pasado casi una década, pero la presión de esa mano en mi brazo sigue viva todavía, es todavía sensible), y conduciéndome a través del salón, cuyos habitantes se apartaban para dejarnos pasar entre miradas de estupefacción o abierta condena, y por el rabillo del ojo alcancé a ver a Estela, mi anfitriona, que corría hacia el hombre herido con una bolsa de hielo en la mano, y a otra mujer, tal vez la empleada de la casa, que llevaba una escoba y un recogedor con expresión de irritación o impaciencia. Tuve tiempo de pensar que Benavides me estaba echando de su casa. Tuve tiempo de lamentarlo, sí, de lamentar el final de una relación que no era de amistad pero que hubiera podido serlo, y en un fogonazo de culpa imaginé la escena de la puerta abierta y el empujón afuera de la casa. Me sentía cansado y tal vez había bebido un trago más de lo conveniente, aunque no lo creo, pero a través de mi entendimiento adormilado estaba dispuesto a aceptar las consecuencias de mis actos, de manera que empecé a redactar rápidamente en mi cabeza frases de excusas o justificaciones, y creo que había comenzado a pronunciarlas cuando me percaté de que Benavides no me estaba conduciendo a la puerta principal de la casa, sino al vano de las escaleras. «Suba, abra la primera puerta de la izquierda, enciérrese y espéreme», me dijo, poniéndome en la mano un llavero. «No le abra a nadie más. Yo lo alcanzo apenas pueda. Creo que tenemos mucho de qué hablar».

II. Reliquias de muertos ilustres

No sé cuánto tiempo esperé en aquella habitación abigarrada donde apenas circulaba el aire. Era un estudio sin ventanas, evidentemente diseñado como territorio de Benavides. Había un sillón de lectura debajo del chorro de luz de una lámpara grande, más parecida a un viejo secador de peluquería que a otra cosa, y allí me senté después de dar varias vueltas sin encontrar un espacio que pareciera destinado a los visitantes: el estudio del doctor no era un lugar hecho para recibir a nadie. Junto al sillón, sobre una mesa pequeña, se acumulaba una docena de libros que me entretuve mirando sin decidirme a hojear ninguno, por miedo a romper algún orden oculto. Vi una biografía de Jean Jaurès y las *Vidas paralelas* de Plutarco, y vi también el libro de Arturo Alape sobre el Bogotazo y otro tomo forrado en cuero, éste más delgado que el anterior, cuyo autor era ilegible y cuyo título me pareció demasiado panfletario: *De cómo el liberalismo político colombiano no es pecado*. El centro de la pared más larga estaba ocupado por un escritorio cuya superficie era un rectángulo de cuero verde, ordenado con tanta meticulosidad que en él cabían sin empujarse dos pilas de papeles: una de sobres cerrados y la otra de facturas desdobladas (una rara concesión a la vida práctica en ese lugar consagrado, al parecer, a diversas formas de contemplación), y que se mantenían en su sitio bajo el peso de un portalápices de aspecto artesanal. Dos aparatos dominaban la superficie: un escáner y la pantalla del computador, un mamotreto blanco de última generación que ocupaba su lugar como un ídolo. No, pensé enseguida: no como un ídolo, sino como un gran ojo: como el ojo que todo lo mira y todo lo sabe. Ridículamente me cercioré de que el computador estuviera apagado, o por lo menos su cámara, no fuera a ser que alguien me estuviera espiando.

¿Qué había sucedido allá abajo? Todavía no lo tenía muy claro. Me sorprendía mi reacción violenta, a pesar de que yo, como buena parte de la gente de mi generación, guardo un fondo de violencia reprimida, consecuencia de haber crecido en un tiempo en que la ciudad, mi ciudad, se había convertido en un campo minado, y la gran violencia de las bombas y los tiroteos se reproducía entre nosotros con sus mecanismos insidiosos: cualquiera recordará la presteza con que nos bajábamos del carro a rompernos la cara por un banal incidente de tráfico, y estoy seguro de no ser el único que ha visto más de una vez el hueco negro del cañón de una pistola apuntándole a la cara; no estaré solo tampoco en mi fascinación por las escenas de violencia, esos partidos de fútbol convertidos en batalla campal, esas cámaras ocultas que registran puñetazos perdidos en el metro de Madrid o en una estación de gasolina de Buenos Aires, escenas que busco en Internet para verlas y sentir la infaltable inyección de adrenalina. Pero nada de eso podía justificar lo sucedido abajo; en cambio, el estado de mis nervios, consecuencia de la situación de tensión extrema y falta de sueño por la que estaba atravesando, podía ayudar como mínimo a explicarlo. A eso me aferré: sí, ése no era yo, pero el doctor Benavides y su esposa tenían que entenderlo: a treinta cuadras de allí, mis hijas nonatas corrían cada día riesgos de vida o muerte, y cada día se jugaba al azar de un parto de alto riesgo mi bienestar y el de mi esposa. ¿No era comprensible que un comentario como el de Carballo me hiciera perder por un momento la cordura?

Por otro lado, ¿cuánto sabía Carballo de mi relación con José María Villarreal? Era evidente que no tenía pormenores concretos, pero también que Benavides y él habían estado hablando de mí con cierto detalle. ¿Desde cuándo? ¿Me habría invitado Benavides a su casa con el propósito secreto de presentarme a Carballo, o de que Carballo me conociera? ¿Por qué? Por ser el sobrino de alguien que vivió de primera mano el 9 de abril y tuvo un papel determinante en lo sucedido tras el asesinato de Gaitán. Sí: eso, por lo menos, era cierto. Era un hecho público y formaba parte de la historia oficial: el gobernador leal al régimen que manda mil hombres para controlar la revuelta. Y claro, yo había leído las memorias de García Márquez como todo el mundo, y como a todo el mundo me había incomodado y aun alarmado la claridad con que el mayor novelista del país, además de nuestro intelectual más influyente, sugería sin maquillajes ni eufemismos la existencia de una verdad oculta. Pues no era nada distinto lo que hacía aquella página: hablando del hombre elegante y sugiriendo su participación en el asesinato del asesino, García Márquez ponía en negro sobre blanco su convicción profunda de que Juan Roa Sierra no era el único asesino de Jorge Eliécer Gaitán, sino que había una elaborada conspiración política detrás del crimen. *Aquel hombre había logrado que mataran a un falso asesino para proteger la identidad del verdadero:* las palabras adquirirían ahora una nueva luminosidad. Pero lo que no se me había ocurrido, desde luego, era que mi tío hubiera podido saber quién era el hombre elegante. La idea era peregrina, por más que en esa época todo el mundo conocía a todo el mundo en las élites políticas. ¿Era peregrina? Lo era. ¿Pero lo era? Cada palabra de Carballo parecía indicar una convicción profunda: mi tío José María hubiera podido estar en posición de saber algo que iluminara, aunque de manera tenue, la identidad del hombre que *había logrado que mataran a un falso asesino para proteger la identidad del verdadero.*

En estas cavilaciones estaba cuando tocaron a la puerta.

Al abrir, me encontré con una versión del doctor Benavides ojerosa y encorvada, como si los sucesos recientes lo hubieran desgastado todavía más. Traía en las manos una bandeja con dos tazas y un termo de tonos fucsias, parecidos a los que usan los deportistas para salir a correr, salvo que el termo del doctor Benavides no contenía agua ni bebidas energéticas, sino un café negro y cargado. «Yo no, gracias», dije, y él respondió: «Sí, usted sí. Gracias». Y me sirvió una taza. «Ay, Vásquez», siguió. «En qué lío me metió usted hoy».

«Yo sé», dije. «Le pido perdón, Francisco. No sé qué me pasó».

«¿No sabe? Yo sí sé. Le pasó lo que probablemente le hubiera pasado a cualquiera en su lugar. A Carballo se le fue la mano, yo también sé eso. Pero eso no quiere decir que para mí no sea un lío». Se dirigió a un rincón del cuarto y oprimió un botón sobre una especie de robot con rejilla: la temperatura del cuarto descendió varios grados y tuve la impresión de que el aire ya no era húmedo. «Se tiró mi reunión, mi querido amigo», dijo Benavides. «Se tiró mi fiesta y la de mi esposa».

«Puedo bajar», ofrecí. «Puedo pedirle perdón a todo el mundo».

«No se preocupe. Ya todos se fueron».

«¿También Carballo?»

«También Carballo», dijo Benavides. «Para la clínica. A ver si le arreglan ese tabique».

Entonces caminó hasta el escritorio, se sentó y encendió el computador. «Carballo es un tipo muy particular», dijo, «y puede pasar por loco. No digo que no. Pero en realidad es un tipo valioso, tan apasionado que a veces se le va la mano. Y a mí la gente apasionada me gusta. Es una debilidad, qué le voy a hacer. Me gusta la gente que cree lo que cree con pasión de verdad. Y sabe Dios que eso es lo que le pasa a Carballo». Mientras hablaba, Benavides iba moviendo el ratón sobre el cuero verde de la mesa, y los elementos de la pantalla cambiaban, se abrían ventanas y se sobreponían, y al fondo se alcanzaba a ver la imagen que Benavides había escogido como fondo de escritorio. No me sorprendió reconocer otra de las fotografías célebres de Sady González: aquella en que un tranvía se incendia durante los disturbios del 9 de abril. Era una imagen cargada de violencia, y algo debía de decir acerca del hombre que la escoge para verla cada vez que enciende el ordenador, pero preferí no pensar demasiado en ello: también era posible dejar de ver en esa imagen una denuncia del peligro y la destrucción de aquel día infausto, y ver solamente un acicate de la memoria, un testimonio histórico. «¿Ya se tomó su cafecito?», me preguntó Benavides.

Le mostré mi taza vacía, su fondo adornado sólo con los anillos marrones que algunos (no yo) saben leer e interpretar. «Entero», le dije.

«Muy bien. ¿Y se siente despierto, o se sirve otro?»

«Estoy despierto, doctor. Lo de abajo fue otra cosa. Fue...»

«No me diga doctor, Vásquez, se lo suplico. Primero, la palabrita está muy devaluada en este país. A todo el mundo, *a todo el mundo,* se le dice así. Segundo, yo no soy su médico. Tercero, usted y yo ya somos amigos. ¿No somos amigos?»

«Sí, doctor. Francisco. Sí, Francisco».

«Y los amigos no se tratan con fórmulas de ésas. ¿O sí?»

«No, Francisco».

«Yo también podría decirle doctor a usted, Vásquez. Usted se ha dedicado a escribir, pero antes se graduó de abogado. Y a los abogados también se les dice doctor en este país, ¿no es cierto?»

«Es cierto».

«¿Y usted sabe por qué no le digo doctor?»

«Porque somos amigos».

«Exactamente. Porque somos amigos. Y porque somos amigos, le tengo confianza. Y usted me tiene confianza a mí, me imagino».

«Sí, Francisco. Le tengo confianza».

«Exacto. Y porque nos tenemos confianza, estoy a punto de hacer algo que sólo hago con la gente a la que le tengo confianza. Lo hago con usted porque le tengo confianza y porque siento que le debo una explicación. Usted me debe un vaso para whisky y una fiesta con amigos, pero yo le debo una explicación. Y aunque no se la debiera, se la daría. Creo que usted puede entender lo que le voy a mostrar. Entenderlo y apreciarlo. No hay mucha gente que pueda hacerlo. Yo creo que usted puede. Ojalá, ojalá no me equivoque tanto. Venga», dijo, señalando con un dedo autoritario el espacio que había al lado de su silla, frente al escritorio con sus papeles. «Párese aquí».

Al obedecer, me encontré con la pantalla del computador transformada. Ocupándola entera, salvo por los íconos de colores que pueblan la parte inferior de todas las pantallas como ésta, había una imagen que reconocí de inmediato como una radiografía de tórax; en medio de la radiografía, abrazada por las sombras de las costillas, descansando sobre la columna vertebral, una mancha negra con la forma de un fríjol. Eso dije yo, «un fríjol», o pregunté «y qué es el fríjol», y Benavides me dijo que no era un fríjol, sino una bala deformada por el impacto en las vértebras: una de las cuatro balas que habían matado, el 9 de abril de 1948, a Jorge Eliécer Gaitán.

Los huesos de Gaitán. La bala que había matado a Gaitán. Yo los estaba viendo: ahí estaban. Sentí el privilegio, el raro privilegio de estar ahí. Pensé en Gaitán, en la célebre foto de su cara ya sin vida y en mi visita a su casa durante mis años universitarios, cuando empezaba a interesarme por su biografía y su muerte y lo que esa muerte y esa

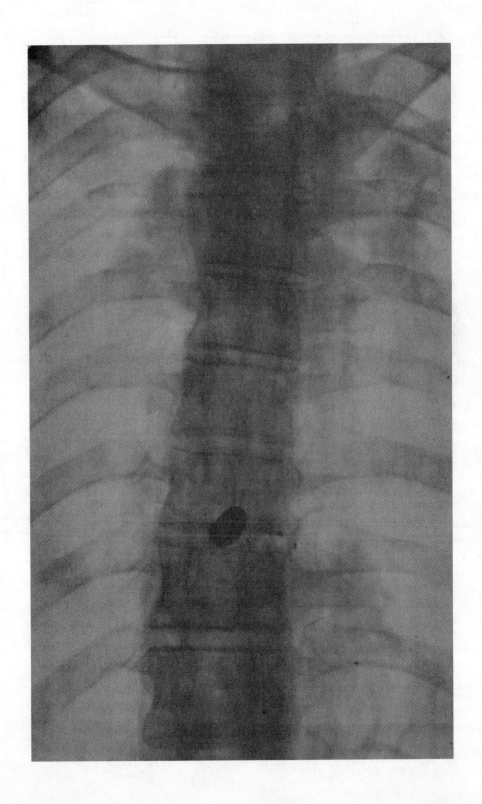

biografía decían sobre nosotros, los colombianos. Recordé la vitrina de vidrio y el traje de tres piezas que Gaitán llevaba cuando lo mataron; recordé las perforaciones causadas por las balas del asesino Juan Roa Sierra en el paño oscuro. Ahora estaba viendo una de esas balas dentro del cuerpo, el cuerpo ya sin vida. Benavides hacía comentarios y anotaciones como un buen profesor, contaba vértebras y señalaba órganos invisibles y recitaba, como si fueran poemas, frases enteras que alguien había escrito sobre la autopsia de Gaitán. Una de ellas, «el corazón intacto sin las señales aviesas de ningún infarto», me pareció digna de mejor destino (sería eso de *señales aviesas,* que me parecía fantástico), pero no era momento de hacer literatura. Sólo podía preguntarme para mis adentros cómo era posible que esto estuviera en sus manos. Hasta que dejé de preguntármelo para mis adentros y lo pregunté de viva voz:

«¿Cómo es posible? ¿Cómo es posible que usted tenga esto?»

«El original está en mi cajón», dijo Benavides contestando a una pregunta que nadie había hecho. «Normal, ¿no? Aunque nadie sabe que está aquí».

«¿Pero por qué está aquí?»

Benavides dejó que apareciera en su cara algo parecido a una sonrisa. «Lo trajo mi padre», dijo. No dijo «papá», como solemos decir los colombianos aunque seamos adultos y aunque nos dirijamos a otros adultos, aun a desconocidos. En otros países de lengua española, que un adulto hable de su *papá* con otro adulto es una señal inevitable de cursilería o infantilismo. No así en Colombia. Y sin embargo, el doctor Benavides se refería siempre a su padre. Eso, por alguna razón, me gustó.

«¿Lo trajo?», dije. «¿De dónde lo trajo? ¿Por qué lo tenía?»

«Me alegra que me lo pregunte», dijo Benavides. «Ahora téngame paciencia, que le voy a echar el cuento bien echado».

Arrastró la silla donde estaba sentado —una silla de ruedas, negra y moderna, con una especie de red elástica a manera de espaldar y llena de palancas y perillas de usos para mí ignotos— y la llevó junto al sillón de lectura. El secador de peluquería se encendió y Benavides me hizo una seña: *usted se sienta aquí*. Él ocupó el sillón, cruzó las manos sobre los botones de su suéter y comenzó a contarme la historia de su padre.

Don Luis Ángel Benavides había estudiado Bacteriología en la Universidad Nacional. La escasa vocación no le había impedido lograr el mejor promedio académico de su disciplina, y durante el último año de estudios recibió una visita que le cambió la vida: por recomendación de su maestro, el legendario doctor Guillermo Uribe Cualla, las autoridades de la universidad lo invitaban a fundar el laboratorio forense. Nunca volvió a abrir un libro de bacteriología. Viajó a Estados Unidos para especializarse en Balística y Ciencias Forenses, y volvió a Colombia listo para convertirse en una celebridad de su campo y en el gran profesor de su tiempo. «Daba clases en el Instituto de Ciencias Penales de la Facultad de Derecho», me dijo Benavides. «Muchas mayúsculas para un par de salones, ¿no le parece? En todo caso, hay veinte promociones de jueces colombianos que sólo saben de ciencias forenses lo que les enseñó mi padre». En el curso de su larga carrera, el primer doctor Benavides fue coleccionando objetos —objetos que usaba para dar sus cursos, pero también objetos raros o curiosos que le regalaban sus incontables discípulos o sus colegas: armas de fuego, espadas viejas, una piedra lunar, el cráneo de un *Homo habilis*—, y un día llegó a sus dominios en la universidad y puso cara de melancolía. «Carajo», dijo. «Esto es como vivir en un museo». Y en ese momento lo decidió: como si fuera la cosa más natural del mundo, declaró fundado y puso en funcionamiento, dentro de las instalaciones mismas de la Universidad Nacional, el Museo de Ciencias Forenses Luis Ángel Benavides Carrasco.

«Durante los años sesenta, cuando los estudiantes de la Nacional se iban a la huelga una vez por mes, mi padre traía a la casa las cosas más valiosas del museo», me contó el doctor Benavides. «Para protegerlas, usted me entiende. Porque uno nunca podía saber lo que iba a pasar en una de esas huelgas: qué pedradas, qué afanes destructivos, qué enfrentamientos con la Policía. Nunca le pasó nada al museo, de todas formas. Los estudiantes tiraban piedras como desquiciados, pero nunca le tocaron un ladrillo al museo. Lo cuidaban, lo querían. Yo lo vi, Vásquez, yo me acuerdo. Bueno, pues ésta era una de las cosas que mi padre traía de vez en cuando. Por esa época tenía un laboratorio en el fondo de la casa, detrás de la cocina, y en ese laboratorio fue armando poco a poco otro museo con cosas que le interesaban a él. Pues ahí ponía lo que traía de la universidad mientras pasaban las huelgas. Por ejemplo, la radiografía, que era muy importante para él. Más de una vez lo vi mirándola a contraluz en el patio de la casa, tratando de encontrar quién sabe qué cosas, y yo sentía eso que siente uno cuando ve a un músico leyendo una partitura. Es uno de los recuerdos más claros que tengo de su vida: mi padre parado a la hora de más luz junto a una ventana, tratando de ver a través de la imagen alguna verdad oculta».

Luis Ángel Benavides había muerto en 1987. «Y un buen día», me dijo el doctor Benavides, «aparece uno de mis hermanos y me dice que hay una póliza de seguros. Me dice que tenemos que cobrarla, que no podemos dejar que se pierda, que hay que movernos con urgencia, que nos la pueden quitar… Para recuperar la póliza, no me acuerdo por qué, teníamos que hacer un inventario del museo. Y en ese momento el museo de mi padre ya tenía un número importante de elementos: mil quinientos, dos mil. ¿Quién se le mide a eso? Era un trabajo para Hércules, pero además un mero trámite administrativo, y ni mis hermanos ni yo teníamos tiempo para perder en eso. Así que contactamos a una alumna de toda la vida de mi padre, una mujer que trabajaba en el DAS. Aceptó ayudarnos y comenzó a hacer el inventario, y en ésas estaba cuando estalló la bomba».

La bomba del DAS. Yo tenía dieciséis años (atravesaba mi penúltimo curso de bachillerato) cuando los narcotraficantes Pablo Escobar y Gonzalo Rodríguez Gacha conspiraron para aparcar un bus cargado con quinientos kilos de dinamita junto al edificio donde funcionaba el Departamento Administrativo de Seguridad. Su objetivo no era, en estricto sentido, el organismo de inteligencia estatal, sino el general que lo dirigía y que simbolizaba, en ese preciso momento, el enemigo al cual le había declarado la guerra el cartel de Medellín. Era el 6 de diciembre de 1989; eran las 7:30 de la mañana cuando la explosión sacudió el barrio de Paloquemao. Yo estaba ya sentado en mi salón de clases, del otro lado de la ciudad, y recuerdo muy bien el miedo dibujado en la cara del profesor que nos comunicó la noticia, y recuerdo también la suspensión de las clases, el regreso a casa y aquella sensación de extrañeza y desplazamiento, de incomprensión y ansiedad que aprendería a asociar con los días en que el terrorismo nos trastornaba la rutina, aun a los que habíamos tenido la buena suerte de estar en otra parte. La bomba del DAS mató a poco menos de ochenta personas y dejó heridas a poco más de seiscientas. Entre los muertos había funcionarios, agentes de seguridad, paseantes desprevenidos sobre quienes llovieron bloques de concreto. Uno de esos muertos, entonces, era la alumna del doctor Luis Ángel Benavides. ¿Era ella uno de esos muertos?, pregunté. Exacto, respondió el doctor: ella era uno de esos muertos.

«El inventario nunca se acabó», me dijo Benavides. «Y un día fui al museo, pensando en echarles una mirada a las cosas para ver si podía yo seguir con el inventario, y me lo encontré cerrado. Esto era a principios de 1990, pero las clases no habían comenzado todavía. Adentro sólo había dos tipos, ambos de saco y corbata. No eran profesores: de eso me di cuenta con sólo verlos. Uno tenía un bigotico repugnante, como el de Rodolfo Valentino, ¿usted sabe quién era Valentino? Bueno, pues así era ese bigote, y es una clase de bigote que siempre ha hecho que la gente me caiga mal. El tipo se paseaba de un lado al otro, caminando así, con los brazos detrás de la espalda, y le decía al compañero que esto no servía para nada, que iba a tocar cerrar el museo. Y entonces me entró el miedo, porque en un segundo me imaginé todo lo que había allí, todas esas bellezas que habían sido tan importantes para mi padre, y me las imaginé metidas en cajas y pudriéndose de humedad y de polvo en algún sótano perdido, más o menos como ir a dar al cuarto de san Alejo de este país de gente indolente. Así que no me costó ningún esfuerzo ni sentí ninguna culpa: agarré una bolsa y metí tres cosas, lo primero que me encontré. Y me fui caminando despacio, tan despacio como pude, para no alarmar a nadie ni despertar sospechas. Creo que hice bien, porque luego cerraron el museo, como se lo proponían. Lo cerraron de verdad: con pared de ladrillo. Sí, lo emparedaron, y con todo adentro. Y usted viera, Vásquez, usted viera los tesoros que había ahí».

«La radiografía es uno de ellos», dije.

«Uno de los que rescaté, sí».

«Pero no es el único».

Benavides se puso de pie y se dirigió a la pared que estaba a su izquierda. Tomó con ambas manos el único marco que la adornaba: era un cartel de homenaje a Julio Garavito, aquel antepasado suyo que más de cien años atrás había calculado la latitud de Bogotá e inventado un método para medir la órbita lunar: ahí estaba el hombre, con su bigote espeso, junto a una ilustración de la luna donde se veía el Mar de la Tranquilidad. Benavides descolgó el cuadro; detrás, pegado con cinta al papel del marco por sus cuatro costados, había un sobre de correo aéreo, un sobre como los de antes, con sus líneas rojas y azules recorriendo los bordes. Benavides metió dos dedos al sobre y cuidadosamente sacó un objeto brillante. Era una llave.

«No, no es el único», dijo Benavides. «Ni siquiera es el más importante. La importancia de estas cosas no se puede medir, claro. Pero seguro que usted va a estar de acuerdo conmigo. A ver qué le parece esto».

Usó la llave para abrir el archivador de su escritorio y el archivador, liberado del seguro, se deslizó hacia fuera con un soplo de vida propia. Benavides metió la mano y enseguida me entregó un frasco de vidrio grueso con cierre de presión. Su aspecto era voluntariosamente banal: en él hubieran podido guardarse albaricoques al licor, tomates secos, berenjenas con albahaca. Dentro del frasco, un objeto imposible de identificar —ni berenjenas ni tomates ni albaricoques, desde luego— parecía flotar en el líquido translúcido. Una vez hube aceptado que se trataba del fragmento de una columna vertebral, entendí que las mechas que lo cubrían eran restos de carne, de carne humana. Cuando la impresión es tan fuerte, sólo el silencio parece recomendable: toda pregunta, sospecha uno, será una redundancia o incluso un agravio. (No hay que agraviar los objetos del pasado.) Benavides ni siquiera esperó a que yo pusiera en palabras lo que se me atropellaba en la cabeza. En el centro de la vértebra de Gaitán, un agujero negro me miraba como el ojo de una galaxia.

«Mi padre creyó en lo del segundo tirador», dijo Benavides. «Por lo menos durante un tiempo».

Se refería a una de las tantas teorías de la conspiración que rodearon el asesinato de Gaitán. Según ella, Juan Roa Sierra no actuó solo el 9 de abril: lo acompañaba otro hombre, responsable de otros disparos y de una de las balas asesinas. Durante los años cincuenta, la teoría del segundo tirador fue ganando fuerza, en buena parte por un hecho incontrovertible: una de las balas que mataron

a Gaitán no había aparecido en el curso de la autopsia. «Y claro, la imaginación de la gente hace sus cosas», dijo Benavides. «Cada vez había más testigos convencidos de que habían visto a otro asesino. Algunos llegaron a describirlo. Unos dijeron incluso que la bala faltante era la única realmente mortal; decidieron que esa bala la había disparado otra arma y que por lo tanto Roa Sierra ni siquiera era el asesino». Como esos testigos eran gente seria y respetable, y como los fantasmas del 9 de abril seguían causando estragos entre nosotros, un juez de instrucción criminal recibió en 1960 el encargo de enfrentarse a la teoría del segundo tirador, ya fuera para confirmarla o para descartarla definitivamente: para callar a los paranoicos. El juez se llamaba Teobaldo Avendaño, y tenía la rara condición de no ser odiado ni por los liberales ni por los conservadores. En aquel país, ésta era la mayor de las virtudes. «Y lo primero que mandó hacer el juez», dijo Benavides, «fue exhumar el cadáver».

«¿Para buscar la bala?», pregunté.

«Es que la autopsia había sido muy parca. Imagínese, Vásquez, lo que pudieron sentir los médicos que la hicieron en el 48. Imagínese lo que es estar frente al cuerpo muerto del gran caudillo liberal Jorge Eliécer Gaitán, héroe del pueblo y futuro presidente de la República de Colombia. ¿Cómo hubieran podido no sentirse intimidados? Una vez declaradas las causas de la muerte, decidieron no destrozar más el cuerpo, aunque no hubieran logrado encontrar la otra bala. No abrieron la espalda, por ejemplo, a pesar de saber que uno de los disparos había entrado por ahí. Pero esto ocurría en la tarde, a las seis pasadas, y en ese momento la verdad era una sola: un tipo llamado Juan Roa Sierra había matado a Gaitán y luego la gente furiosa lo había matado a él. Y eso era todo: ¿qué importaba cuántas balas había disparado el asesino? Eso sólo se volvió importante después, con las versiones que surgieron, con las contradicciones, las preguntas sin respuesta, los problemas: con todas las especulaciones que se agarran de lo que sea. Las teorías de la conspiración son como enredaderas, Vásquez, se agarran de lo que sea para subir y siguen subiendo hasta que no se les quite lo que las sostiene. Para eso había que sacar a Gaitán y abrirle la espalda y buscar la bala que faltaba. ¿Y a quién le pidió Avendaño que lo hiciera? ¿Sabe a quién le tocó semejante cosa? Pues sí: a mi padre. Al doctor Luis Ángel Benavides Carrasco».

«Al experto», dije, «en Balística y Ciencias Forenses».

«Exacto. La fecha y la hora de la diligencia se mantuvieron en secreto. Gaitán estaba enterrado cerca de su casa, en esos jardines de Santa Teresita. ¿Usted ha ido a ese barrio, a la casa de Gaitán? Bueno, pues ahí estaba enterrado. Sacaron el ataúd y lo pusieron en un patio de la casa. No sé dónde, pero me imagino que en ese patio pequeño que hay al fondo del primer piso. Ahí estaba mi padre. Cuántas veces me habrá contado esta historia, Vásquez: treinta, cuarenta, cincuenta veces en mi vida, desde que yo era un niño. "Papá, cuéntame de cuando desenterraron a Gaitán", le decía yo, y él arrancaba ahí mismo a contar. En fin, el asunto es que mi padre esperó el ataúd y pidió que lo abrieran en su presencia, y se sorprendió de lo entero que estaba el cadáver de Gaitán. Hay cuerpos que aguantan más y cuerpos que aguantan menos. Doce años después de su muerte, el de Gaitán estaba como si lo hubieran embalsamado… Pero tan pronto le dio el aire, empezó a descomponerse. La casa se llenó de olor a muerto. Mi padre decía que el *barrio entero* se llenó de olor a muerto. Parece que era insoportable. Los presentes comenzaron a salir uno por uno. Pálidos, indispuestos, metiendo la cara en la manga del abrigo. Y después de un rato venían como si nada, frescos y rozagantes. Mi padre supo después que Felipe González Toledo, el único periodista que estaba presente, se los llevaba a una tienda vecina y les hacía untarse aguardiente en las narices, para aguantar. González Toledo se sabía todas las mañas. No por nada fue el mejor cronista de las páginas rojas de este país».

«¿Y escribió sobre ese día?»

«Pues claro. Por ahí está la crónica, para que la busque y la mire, con el nombre de mi padre en negro sobre blanco. La crónica cuenta el momento en que mi padre y el patólogo de Medicina Legal sacaron la bala. Pero no cuenta detalles, y yo sí los sé: sé que encontraron la vértebra donde estaba la bala, sé que extrajeron la vértebra y que volvieron a enterrar a Gaitán. No fuera a ser que a algún loco le diera por llevarse el cuerpo».

«¿Y la vértebra?»

«Se la llevaron al instituto».

«Al Instituto de Medicina Legal», dije.

«Y allí confirmaron, o confirmó mi padre, que era el que sabía de estas cosas, que la bala había salido de la misma pistola».

«¿La pistola de Roa Sierra?»

«Sí», dijo Benavides. «La misma pistola de las demás balas. Usted debe de saber cómo es, porque estas cosas ya salen en televisión todos los días, así que no le voy a explicar qué cosa es el ánima del cañón ni cómo deja el cañón en la bala un rastro virtualmente inconfundible. Le basta con saber que mi padre hizo los análisis, tomó las imágenes y concluyó que se trataba de la misma pistola. Así que no había segundo tirador. Por lo menos según eso. Y entonces, como es obvio, la vértebra con la bala no volvió al cuerpo de Gaitán. La pusieron a buen resguardo. O la puso mi padre, mejor dicho, que durante años la siguió usando para sus clases en la universidad. Ésta es la otra imagen que tengo de mi padre, la del trayecto en trolley. A él nunca le gustó manejar, y para ir de la casa a la universidad y de la universidad a la casa usaba el trolley. ¿Usted conoció los trolleys de Bogotá, Vásquez? Pues imagínese la escena: un hombre común y corriente, porque mi padre era el hombre más común y corriente del mundo, subiéndose al trolley con su maletín en la mano. Nadie hubiera pensado al verlo que en ese maletín iban los huesos de Jorge Eliécer Gaitán. A veces yo me subía con él, un niño de la mano de su padre, y mi padre entonces tenía en una mano a su niño vivo y en la otra un maletín con huesos muertos. Huesos, además, por los que cualquiera hubiera matado allí mismo. Y él los traía y los llevaba y los paseaba en trolley, bien metidos en su maletín de cuero».

«Y así acabó la vértebra en esta casa».

«De la universidad al museo, del museo a la casa y de la casa a sus manos. Cortesía del suscrito».

«¿Y el líquido?»

«Formol al cinco por ciento».

«No, no. Pregunto si es el mismo».

«Lo cambio cada cierto tiempo. Para que no se me nuble, ¿entiende? Para que se vea con claridad».

Hay algunos que vemos claro, recordé. Levanté el frasco y lo miré a contraluz. Carne, hueso, formol al cinco por ciento: restos humanos, sí, pero sobre todo objetos del pasado. Siempre he sido sensible a ellos, sensible o aun vulnerable, y acepto que hay en mi relación con ellos algo de fascinación o de fetichismo, y también algo (imposible negarlo) de antigua superstición: sé que alguna parte de mí los ve y los ha visto siempre como reliquias, y por eso nunca me ha resultado incomprensible ni mucho menos exótico el culto que los creyentes le profesan a una astilla de la cruz de su Señor o a cierto manto célebre donde ha quedado grabada por arte de magia la imagen de un hombre. Yo puedo entender bien la dedicación con que los primeros cristianos, perseguidos y asesinados, comenzaron a conservar y a venerar los restos mortales de sus mártires: las cadenas que los ataron, las espadas que los hirieron de muerte, los instrumentos de tortura que les infligieron dolor en largas horas de cautiverio. Esos primeros cristianos que veían a los suyos morir en la arena, que desde lejos observaban a los condenados desangrarse tras el ataque de las fieras o las lanzas, se arrojaban sobre los cuerpos con grave riesgo de sus propias vidas para empapar sus trapos en la sangre todavía fresca; esa noche, en el estudio del doctor Benavides y con la vértebra de Gaitán ante mis ojos, yo no hubiera podido no recordar que lo mismo hicieron los testigos bogotanos del crimen del 9 de abril: caer de rodillas en la calzada de la carrera séptima, frente al edificio Agustín Nieto, a pocos pasos de los rieles del tranvía y por lo tanto con grave riesgo de sus vidas, para recoger la sangre negra de su caudillo muerto, la luenga sangre derramada tras los cuatro disparos de Juan Roa Sierra. Un instinto atávico nos empuja a esos actos desesperados, pensé con la vértebra de Gaitán en la mano.

Sí, eso era la vértebra: una reliquia. Esa energía sentí a través del vidrio y del formol: la que acaso sentían los cristianos, pongamos san Agustín, al tener en las manos los restos de un cuerpo martirizado: pongamos san Esteban. Agustín habla incluso —pero ya no recuerdo dónde lo leí— de una de las piedras que lapidaron a Esteban; también esa piedra se había conservado en sus días, también esa piedra asesina era una reliquia. ¿Y la bala que había matado a Gaitán dónde estaba? ¿Dónde estaba la bala que yo acababa de ver en la radiografía, la bala achatada tras estrellarse contra los huesos? ¿Dónde estaba la bala que había penetrado el cuerpo de Gaitán por la espalda, que había sido extraída y analizada por el doctor Luis Ángel Benavides cuando ya había quedado deformada por el impacto? ¿Dónde estaba la bala que, siempre según el doctor Benavides, ya no se alojaba en esta vértebra? Benavides me miraba mirar a través del frasco y del formol. Las luces de la habitación jugaban con el líquido denso; en el vidrio del frasco bailaban breves destellos de colores que no estaban en la vértebra, colores que venían de la luz rota por el prisma: colores fantasmas. Y yo pensaba en la piedra que mató a san Esteban y en la bala que mató a Gaitán. «¿Dónde está la bala?», pregunté al fin.

«Ah, sí, la bala», dijo Benavides. «Pues no hay manera de saberlo».

«¿No la conservaron?»

«Tal vez sí, tal vez alguien pensó en hacerlo. Tal vez está guardada en algún lado, acumulando polvo. Pero no creo que mi padre la haya guardado».

«Pero le hubiera servido», dije. «Para sus clases, por lo menos».

«Sí, es verdad. Para sus clases. Qué quiere que le diga, Vásquez, a mí también se me ha ocurrido. Y sí, tiene toda la lógica del mundo que mi padre haya querido conservarla. Pero yo nunca la vi. Tal vez la conservó y hasta la usó en sus clases cuando yo no tenía conciencia todavía de nada de esto. Pero nunca la trajo a la casa, no que yo sepa». Hizo un silencio. «Aunque uno podría llenar libros enteros con todo lo que no sé».

«¿Quién más ha visto estas cosas?»

«Desde que las tengo yo, usted es el primero. Fuera de mi familia, claro. Mi esposa y mis hijos saben que estas cosas existen y saben que están aquí, en mi caja fuerte. Para mis hijos es como si no existieran. Para mi esposa, son el pasatiempo de un loquito».

«¿Y Carballo?»

«Carballo sabe que existen. Es más: lo supo mucho antes que yo. Mi padre le hablaba de estas cosas. Le hablaba de la autopsia del 60 y de estas cosas. Es posible, aunque no lo sé, que Carballo las haya visto en las clases. Pero no sabe que yo las tengo».

«¿Cómo?»

«No sabe que están aquí».

«¿Y por qué no le ha contado? Yo vi la cara de Carballo cuando empezamos a hablar de Gaitán. Cuando usted le mencionó a mi tío. La cara se le iluminó, se le abrieron los ojos, fue como si a un niño le dieran un regalo. Es evidente que tiene el mismo interés que usted, o más intenso, si cabe. ¿Por qué no comparte esto con él?»

«No sé», dijo Benavides. «Porque algo me tengo que guardar para mí solo».

«No entiendo».

«Para mi padre, Carballo no fue un alumno cualquiera», dijo Benavides. «Fue su alumno predilecto. Su heredero, su discípulo. Todos los profesores son vulnerables a la admiración, Vásquez. Es más: muchos dan clases solamente para sentir esa admiración. Lo que Carballo sentía por mi padre iba mucho más allá: era adulación, idolatría, una cosa casi fanática. O así lo veía yo. Es que además era un alumno brillante, este Carballo. Cuando yo lo conocí, cuando mi padre empezó a traerlo a casa para almorzar, era el primero de la clase, pero mi padre decía que la clase se le había quedado pequeña: que era el mejor alumno que había tenido en toda su carrera. "Qué lástima que estudie para abogado", decía mi padre. "Carlitos debería ser médico forense". Sentía verdadera debilidad por él. Con decirle que a veces hasta me daban celos».

«¿Celos de Carballo, Francisco?», me reí. El doctor también reía: una sonrisa ladeada, una mueca de complicidad y vergüenza al mismo tiempo. «¿Celos de ese monigote, con perdón? Esto sí que no me lo esperaba de usted».

«¿Por qué no? Primero que todo, déjeme decirle que es mucho menos monigote de lo que usted cree. Un tipo brillante, ahí donde lo ve: con sus bufandas ridículas, Carballo es una de las inteligencias más vivas que se me hayan cruzado en el camino. Es una lástima que no haya ejercido nunca la carrera, porque hubiera sido un abogado brillante. Pero yo creo que el Derecho no le gustaba. Le gustaba la clase de mi padre y era de los mejores de su promoción, pero el resto de la carrera no le gustaba, era como si la estudiara obligado. De todas formas eso no viene al caso. ¿O es que esas cosas se dejan de sentir cuando uno es adulto? Nada de eso, Vásquez. Los celos y la envidia mueven el mundo. La mitad de las decisiones se toman por emociones tan básicas como la envidia y los celos. El sentimiento de humillación, el resentimiento, la insatisfacción sexual, el complejo de inferioridad: ahí tiene los motores de la historia, mi querido paciente. Ahora mismo alguien está tomando una decisión que nos afecta a usted y a mí, y la está tomando por razones como éstas: para joder a un enemigo, para vengarse de una afrenta, para impresionar a una mujer y acostarse con ella. Así funciona el mundo».

«Bueno, sí. Pero nada de eso es comparable a lo suyo. ¿Por qué tenía celos? ¿Porque su padre le ponía más atención a Carballo que a usted? Si usted ni siquiera era alumno de la misma clase».

«Ni siquiera era alumno de la misma *carrera*», dijo Benavides. «Por no ser, ni siquiera era alumno de la misma universidad: yo estudiaba en la Javeriana, porque nunca quise aprovecharme del prestigio de mi padre para entrar en la Nacional. Y además Carballo me lleva varios años, siete u ocho, depende de quién esté hablando. No importa: yo llegaba a la casa a almorzar y ahí estaba él: sentado en mi lugar y hablando con mi padre».

«Un momento, Francisco», lo interrumpí. «Explíqueme eso».

«Pues que a veces llegaba a comer y ahí estaba Carballo, sentado frente a la mesa del comedor, y la mesa cubierta con libros abiertos, cuadernos de notas, dibujos, esquemas, rollos de papel».

«No, no. Explíqueme lo de la diferencia de edad».

«¿Qué cosa?»

«Usted me acaba de decir que Carballo le lleva siete u ocho años», le dije. «Depende de quién esté hablando, me acaba de decir. No entiendo».

Benavides sonrió. «Sí, es verdad. Ya estoy tan acostumbrado al asunto, que se me olvida lo raro que es. Pero es muy simple: si usted le pregunta a Carballo cuándo nació, dirá que en 1948. Si le pregunta al registro civil, sabrá que eso es mentira: que nació en el 47. Adivine por qué la diferencia. Le doy una oportunidad. Adivine por qué Carballo dice que nació en el 48».

«Para coincidir con el 9 de abril».

«Brillante, Vásquez. Ya Carballo no tiene secretos para usted». Volvió a sonreír, y entonces me costó trabajo distinguir lo que había en su sonrisa: ¿sarcasmo puro, un poco de cariño, una cierta mezcla de sarcasmo y comprensión y tolerancia, la tolerancia que se tiene con los niños o los locos? Yo, mientras tanto, recordaba que también García Márquez había hecho algo parecido: durante muchos años sostuvo que había nacido en 1928, cuando en realidad nació un año antes. ¿La razón? Quería que su nacimiento coincidiera con la célebre masacre de las bananeras, que se convertiría en una de sus obsesiones y que contaría o reinventaría en el mejor capítulo de *Cien años de soledad*. No le hablé de esto a Benavides, por no interrumpir demasiado su relato.

«Siga hablándome del comedor», le dije.

«Sí. Llegaba uno y Carballo estaba ahí, charlando con mi padre, con la mesa cubierta de papeles sobre el último caso. Y toda la familia tenía que esperar a que mi padre terminara de explicar lo que estaba explicándole a su alumno. A su discípulo. La envidia, Vásquez, no es más que la convicción de que otro tiene el lugar que a mí me pertenece. Y eso sentía yo con Carballo: que me suplantaba, me reemplazaba, me robaba mi sitio en la mesa del comedor. Estaba muy bien que mi padre se quedara en la universidad para echarle todas sus teorías sobre el mundo a su alumno preferido. Estaba bien que le contara a él cosas que nunca me había contado a mí. Pero llegar a la casa y seguir en las mismas, bueno, eso me molestaba. Que mi padre le hablara a él y no a mí: eso me molestaba. Si le pasaba algo en la universidad, se lo contaba a él y no a mí. Y sí, Vásquez, sí: eso me molestaba. Me envenenaba la vida.

Yo era un hombre hecho y derecho, como se decía antes, pero esto me envenenaba la vida y no había nada que hacer. En fin, en ese momento todavía era yo muy joven. Me casé a los veinticuatro años, me gradué de cirujano y se me pasó la pendejada. Tenía otras cosas en que pensar… Todo esto es para decir que no, que Carballo no sabe que esto está aquí. Y yo prefiero que la cosa se quede de este tamaño. Prefiero que él no se entere. No sé si usted entiende por qué».

«Entiendo mejor de lo que usted cree», dije. «¿Le puedo preguntar una cosa?»

«A ver».

«¿Siguió igual la relación entre su padre y Carballo?»

«Igual que siempre», dijo Benavides. «El maestro y el discípulo, el mentor y el protegido. Era como si mi padre hubiera encontrado heredero. O como si Carballo hubiera encontrado padre, también esto se puede decir».

«¿Quién es el padre de Carballo?»

«No sé», dijo Benavides. «Parece que lo mataron en la Violencia. Era liberal y lo mataron los conservadores. Carballo viene de una familia humilde, Vásquez, con decirle que es el primero que va a la universidad. En fin, yo no sé nada de ese padre. A Carballo nunca le ha gustado hablar de eso».

«No, claro. Con razón, entonces. Con razón se le pegó al doctor Benavides y no lo soltó. Una especie de padre suplente».

«No me gusta esa expresión, pero digamos que sí. Eso lo explica en parte. Se veían a menudo, se hablaban por teléfono… Se prestaban libros, o más bien mi padre se los prestaba a él. Siguieron arreglando el país por las noches, identificando en qué momento Colombia se había jodido. Y así pasaron los últimos cinco años de vida de mi padre. Cinco o seis, digamos. Así pasaron».

«¿Qué teorías?»

«¿Cómo?»

«Usted dice que su padre le echaba todas sus teorías a Carballo. ¿Qué teorías eran?»

Benavides se sirvió otra taza de café, tomó un sorbo y de un par de pasos llegó a su escritorio. Abrió un cajón archivador lleno de carpetas de color púrpura con etiquetas escritas a máquina, pero yo estaba demasiado lejos para leerlas. Sacó una de las carpetas, regresó al sillón, se la puso sobre el regazo y comenzó a pasarle la mano por encima, acariciándola o tranquilizándola, como si él fuera un villano de película de James Bond y la carpeta su gato blanco. «Mi padre no tenía muchos pasatiempos», dijo entonces. «Era uno de esos hombres afortunados que hacen lo que más disfrutan y sólo disfrutan cuando lo están haciendo. Su trabajo era su distracción. Pero si había algo parecido a un hobby o a un pasatiempo en su vida, era esto: reconstruir crímenes célebres desde el punto de vista de la ciencia forense. Un abuelo mío era famoso en la familia por armar rompecabezas de dos mil, tres mil piezas. Ése era su pasatiempo: los rompecabezas gigantes. Los armaba en la mesa del comedor de su casa, y mientras los estaba armando, la familia no podía comer en el comedor. Bueno, pues estos análisis forenses de algunos asesinatos eran los rompecabezas de mi padre. Se levantaba los sábados y los domingos, muy temprano, y se ponía a estudiarlos como si fueran el caso más reciente. El asesinato de Jean Jaurès. El del archiduque Francisco Fernando. En una época le dio hasta por el de Julio César, imagínese. Lo analizó durante meses y escribió un informe detallado de la conspiración basándose, entre otras cosas, en la obra de Shakespeare. Hubo un tiempo en que le dio por convertir en crímenes algunas muertes que no lo eran: me acuerdo, por ejemplo, de los meses que pasó tratando de probar que a Bolívar no lo había matado la tuberculosis, sino que lo habían envenenado sus enemigos colombianos… Esto para decirle que todo era un juego. Un juego serio, como los rompecabezas para el que los arma, pero un juego al fin y al cabo. Uf, había que ver cómo se ponía ese abuelo mío si alguien le movía una ficha: había que pagar escondederos a peso».

«¿Y esa carpeta es uno de los rompecabezas?», pregunté.

«Sí», dijo Benavides. «El rompecabezas John Fitzgerald Kennedy. No sé cuándo le dio por ahí, pero éste fue uno de los juguetes, si se me permite la frivolidad, que lo acompañaron toda la vida. Cada cinco o diez años lo volvía a sacar del archivo, volvía a armar el rompecabezas o a tratar de armarlo. Mire estos papeles, por ejemplo: son recortes de periódicos colombianos que se refieren al asesinato de Kennedy. Mire las fechas: febrero 4 del 75. Este otro, de *El Espacio,* es de 1983. La fecha se alcanza a ver en una esquina, pero además se publicó en el aniversario: "20 años del asesinato de Kennedy", ahí se lee clarísimo. ¡Imagínese, mi padre leyendo un periódico amarillista como *El Espacio*! Pero es que cada cosa que encontraba sobre Kennedy iba a dar al archivo. Aquí hay, no sé, veinte o treinta piezas, algunas más importantes, otras menos. Pero todas parte del pasatiempo de mi padre. Por eso las conservo, por eso son valiosas para mí. No creo que tengan ningún valor para nadie más».

«¿Puedo verlas?»

«Para eso las saqué. Quiero que las vea». Se puso de pie y arqueó la espalda: el movimiento de quienes tienen problemas de columna. «Entreténgase un rato mientras yo voy a ver qué pasa en el resto de la casa. ¿Quiere algo de la cocina?»

«Nada, gracias», dije. «¿Le puedo hacer una pregunta, Francisco?»

«A ver».

«¿Por qué esta carpeta y no otra? Tiene ese cajón lleno de carpetas. ¿Hay alguna razón para escoger ésta y mostrármela, en lugar de cualquier otra?»

«Pues claro que hay una razón, Vásquez. Ésta tiene mucho que ver con Carballo. Y aquí estamos hablando de él, estamos hablando de Carballo, hemos estado hablando de Carballo todo el tiempo, aunque usted no se dé cuenta. Mejor dicho: péguele una mirada a eso. Yo ahorita vuelvo y le sigo contando cosas».

Y tras decir esto, cerró la puerta y me dejó solo.

Abrí la carpeta sentado todavía en la silla rodante del escritorio. Pero los papeles se escurrían, se me caían al suelo o me obligaban a sostener algunos con contorsiones de mi mano izquierda mientras trataba con la derecha de hojear los demás, de manera que acabé por acomodarme directamente en el suelo, sobre la alfombra del color de la lana virgen, para disponerlos allí, uno al lado del otro. *L.H. Oswald no mató a J.F. Kennedy*, me gritaba desde la alfombra

Febrero 4/75

L. H. Oswald no matò a J. F. Kennedy

J. F. KENNEDY   L. H. OSWALD

CHICAGO, 3 (UPI). Lee Harvey Oswald "no tuvo nada qué ver con el asesinato" del Presidente John F. Kennedy, según prueba una película hecha por un fotógrafo y experto óptico de Nueva York, que fue exhibida en Chicago en rueda de prensa.

Según Robert Groden, "4 ó tal vez 5 personas", dispararon contra Kennedy, y se hicieron 6 disparos y no 3, como estableció la Comisión Warren, que investigó el asesinato del Presidente, ocurrido en Dallas, el 22 de noviembre de 1963.

Oswald fue arrestado y, a su vez, fue asesinado en el cuartel general de la Policía de Dallas por Jack Ruby, dueño de un bar nudista.

Dick Gregory, un activista político, dijo que la película "cambiará el destino y la suerte del mundo". Agregó que ella "salvará la vida del senador Edward Kennedy".

La semana pasada, Gregory y un profesor adjunto de filosofía, Ralph Schoenman, dijeron que tenían pruebas de que la Agencia Central de Inteligencia (CIA) había intervenido en el asesinato de Kennedy.

Groden exhibió el filme en una conferencia de prensa realizada en Chicago y dijo que se trataba de una ampliación de la película original sobre el asesinato. El filme original es de propiedad de la empresa periodista "Time Inc.".

La película, ampliada a gran tamaño y utilizando la cámara lenta, muestra el momento en que el Presidente Kennedy es alcanzado por una bala en la cabeza. Según Groden, la fuerza del proyectil lanzó a Kennedy hacia atrás y a la izquierda, lo que indica que fue disparada de frente y no de espaldas al Presidente, como se ha pensado hasta ahora.

En la película también se ven dos hombres que, según Groden, estaban disparando a Kennedy. Uno desde detrás de un pedestal, en un prado, frente a la comitiva. El otro está semioculto bajo un arbusto y también de frente a la comitiva, empuñando un fusil, según Groden.

Gregory dijo que él, Groden y Schoenman viajarán el sábado a Washington para mostrar el filme ante la comisión que investiga las actividades de la CIA, que preside el vicepresidente Nelson Rockefeller.

el más antiguo de los recortes. El doctor Luis Ángel Benavides había hecho constar su fecha, pero no su proveniencia; me pareció reconocer, sin embargo, la tipografía de *El Tiempo*. La noticia hablaba de una película que acababa de ser exhibida en Chicago y que llegaba a una conclusión irrefutable: al presidente Kennedy lo habían asesinado los disparos de «4 o tal vez 5 personas». La película, informaba la noticia, era obra de Robert Groden, un «fotógrafo y experto óptico de Nueva York»; un activista político de nombre Dick Gregory declaraba que la película «cambiará el destino y la suerte del mundo». Eran dos nombres nuevos para mí, pero el resto de la noticia permitía deducir que la película en cuestión era la de Abraham Zapruder: la famosa filmación en ocho milímetros hecha por un aficionado el día del asesinato, esos veintisiete segundos que siguen siendo el testimonio más directo que tendremos jamás sobre lo ocurrido y la fuente de todas las teorías conspirativas que han nacido desde entonces. La película de Zapruder es parte de la conciencia popular del siglo xx (sus fotogramas viven en nuestras retinas y los identificamos de inmediato), pero en la fecha de la noticia no lo era todavía: seguía siendo más o menos secreta, o era sólo conocida por unos pocos, y por eso ni siquiera acertaba el redactor a darle el nombre con que ahora la conocemos; tal como estaba redactada la noticia, era posible incluso que el redactor le atribuyera la autoría de la película al señor Groden, cuando lo cierto era que Groden —fotógrafo, experto óptico— había sido tan sólo el responsable de ampliarla, examinarla y denunciar con palabras firmes lo que veía en ella: es decir, el responsable de llegar a las espeluznantes conclusiones que iban a cambiar el destino y la suerte del mundo.

«La película», leí, «muestra el momento en que el presidente Kennedy es alcanzado por una bala en la cabeza. Según Groden, la fuerza del proyectil lanzó a Kennedy hacia atrás y a la izquierda, lo que indica que fue disparada de frente y no de espaldas al presidente, como se ha pensado hasta ahora». Era fascinante: en el mundo del artículo, el mundo del 4 de febrero de 1975, esas revelaciones eran todavía revelaciones. Ahora son un lugar común: todos sabemos que los movimientos de la cabeza de Kennedy contradicen flagrantemente la versión oficial, y son la principal piedra en el zapato de quienes siguen sosteniendo que Oswald actuó solo. El artículo continuaba: «En la película también se ven dos hombres que, según Groden, estaban disparando a Kennedy. Uno desde detrás de un pedestal, en un prado, frente a la comitiva. El otro está semioculto bajo un arbusto y también de frente a la comitiva, empuñando un fusil, según Groden». La repetición de esas dos palabras, *según Groden,* era como una ventana a través de la cual se veía la actitud del periodista: cauta, temerosa, preocupada por subrayar (en nombre del periódico, quizás) que esas revelaciones subversivas pertenecían de manera exclusiva al protagonista de la noticia. Cuánto había cambiado esa palabra, *según,* en los treinta años transcurridos desde entonces: cuánto se había llenado de nuevos significados, cuánto había desechado los titubeos y asumido la certidumbre. Siempre es difícil, pensé, el ejercicio de leer un documento de otros tiempos con los ojos de quienes lo leyeron en el momento de su aparición. Hay quienes nunca llegan a hacerlo, pensé; y por eso no se comunicarán nunca con el pasado: permanecerán para siempre sordos a sus susurros, a los secretos que nos cuenta, a la comprensión de sus mecanismos misteriosos.

Otro de los recortes traía seis fotogramas de la película de Zapruder. El periódico había diagramado la ilustración jugando con su proveniencia, y el doctor Luis Ángel Benavides había numerado los espacios en blanco, aunque no me resultó claro a qué correspondía la numeración. El doctor no se había preocupado por identificar el recorte, de manera que no era posible saber de dónde provenía ni cuándo había sido publicado, pero imaginé

que era bastante posterior a la noticia sobre Robert Groden, pues tuvieron que pasar varios años después de aquella exhibición en Chicago de la película de Zapruder para que cualquier medio del mundo tuviera derecho a reproducir su contenido. Esos fotogramas. Esa película. Allí, sentado sobre la alfombra del estudio de Benavides, pensé: nunca me acostumbraré a ellos. Pensé: nunca dejarán de ser extraordinarios. ¿Qué cúmulo de casualidades fueron necesarias para que un hombre provisto de una buena cámara se encontrara en el lugar perfecto, y consiguiera grabar desde allí uno de los hechos definitivos de nuestro tiempo? En nuestra época de tabletas y teléfonos inteligentes todo el mundo tiene una cámara en la mano todo el tiempo, y no hay escándalo ni suceso público, por inocuo que sea, capaz de escapar a esos testigos de oficio que todo lo ven, esos ubicuos chismosos digitales que todo lo filman y todo lo hacen disponible inmediatamente en las redes, solícitos pero inescrupulosos, indignados pero indiscretos. Sin embargo, en noviembre del 63 todavía parecía raro o fortuito que un episodio imprevisto de la vida quedara grabado por los aparatos privados de hombres anónimos. Y eso era Zapruder: un hombre anónimo, un hombre del montón, por naturaleza pero también por voluntad. Un hombre que no tenía por qué estar donde estaba el 22 de noviembre al mediodía, y con una cámara en la mano.

Zapruder hubiera podido muy fácilmente no estar allí. Si su familia ucraniana no hubiera emigrado en 1920, expulsada por la violencia de la guerra civil, si hubiera muerto en la revolución o escogido otro país para exiliarse, Zapruder no hubiera estado allí. Si no hubiera aprendido a cortar patrones para ropa en las tiendas de Manhattan, a Zapruder no lo hubiera contratado la empresa Nardis, una fábrica de atuendos deportivos de Dallas, y no hubiera estado allí. Si no le hubieran gustado las cámaras y no hubiera comprado una Bell & Howell último modelo el año anterior, no habría filmado lo que filmó. Poco faltó para que no existiera su película: eso lo sabemos ahora. Sabemos que el señor Zapruder había pensado en filmar la caravana del presidente desde el principio, pero al darse cuenta esa mañana de que llovía, dejó su cámara en la casa y se fue a trabajar sin ella; sabemos que fue su asistente quien le señaló que el cielo se había despejado y le sugirió que volviera a su casa y recuperara la cámara, para no perderse aquel evento importante. Y era un evento importante, sí, pero el señor Zapruder hubiera podido muy bien negarse, por pereza o falta de tiempo, por no abandonar su puesto de trabajo, por tener otros recados que cumplir... ¿Por qué no lo hizo? ¿Por qué volvió apresuradamente del trabajo a su casa para buscar su Bell & Howell?

A Zapruder lo imagino como un cincuentón calvo y tímido, de grandes gafas de pasta negra y de sutiles acentos rusos, que sólo quiere trabajar calladamente en su tienda de ropa deportiva y sentirse norteamericano. Uno puede pensar que en aquellos días, después de la instalación de los misiles rusos en Cuba y del enfrentamiento con Kruschev, ni sus orígenes ni su acento debían de resultarle demasiado cómodos. ¿Era su admiración por el presidente Kennedy una manera de estar en el medio que lo rodeaba, una ostentación de su lealtad con Estados Unidos en aquellos tiempos duros de la Guerra Fría? Cuando siguió el consejo de su asistente y regresó a su casa para buscar la cámara, ¿estaba demostrando que también para él la visita de Kennedy era importante, que también él se sentía convencidamente demócrata, que también él participaba como los demás de la fiesta patriótica que era la visita del presidente? ¿Cuánto influyeron sus viejas y profundas inseguridades de inmigrante —aunque fuera un inmigrante de cuatro décadas— en el hecho de que decidiera bajar a Dealey Plaza, sacar su Bell & Howell modelo 414 PD y ponerse a filmar? Ah, pero también eso hubiera podido ocurrir de otra forma: pues sabemos que el señor Zapruder pensó primero en filmar desde la ventana de su oficina, y fue sólo a última hora cuando decidió buscar un mejor ángulo y bajar a la calle Elm; una vez allí, pensando en el recorrido que cubriría la caravana, se dio cuenta de que el punto de vista ideal se lo proporcionaría un contrafuerte de cemento construido en el norte de la calle, cerca del viaducto, sobre un altozano cubierto de pasto bien cuidado. Llegó hasta allí, se encaramó al contrafuerte con ayuda de su secretaria, Marilyn Sitzman, y a ella le pidió que lo tuviera agarrado del abrigo para neutralizar el vértigo que lo había agobiado desde joven. Cuando la caravana del presidente apareció en la calle Houston, Zapruder se olvidó del vértigo, se olvidó de la mano que se cerraba sobre la parte trasera de su abrigo, se olvidó de todo menos de su cámara Bell & Howell, y empezó a filmar los 27 segundos, los 486 cuadros que registraron para siempre, y por única vez en la historia de la humanidad, el momento en que varias balas destrozan la cabeza de un jefe de Estado. «Como un petardo», diría después. «Su cabeza estalló como un petardo».

Lo que siguió fue un mundo en guerra. Gritos de histeria, hombres tirándose al suelo para proteger a sus hijos con su cuerpo, llantos descontrolados, desmayos. En medio de la conmoción, Zapruder, todavía sin entender muy bien lo que acababa de ocurrir, volvía con su asistente a su despacho cuando lo abordó un reportero del *Dallas Morning News*. Se llamaba Harry McCormick; lo había visto filmando y se ofrecía a presentarle a un agente del Servicio Secreto, Forrest Sorrels, que sabría sin duda cómo lidiar con el documento extraordinario que tenían entre manos. Zapruder accedió a entregarle la filmación al agente Sorrels, pero puso una condición: que sólo se usara para investigar el asesinato. Tras ponerse de acuerdo, los hombres se dirigieron a los estudios de televisión de la WFAA para revelar la película, pero sin éxito: los técnicos de la televisión no tenían el material necesario para hacerlo. De manera que Zapruder acabaría llevando su película a la planta de procesamiento de Kodak, esperando hasta las 6:30 de la tarde, dirigiéndose enseguida a la Jamieson Film Company para hacer dos copias de la película revelada y llegando a su casa después del día más agotador que le tocaría vivir. Esa misma noche soñó que había vuelto a Manhattan, donde vivió sus primeros veinte años en Estados Unidos, y que al llegar a Times Square encontraba una caseta donde se anunciaba un espectáculo: ¡Vea estallar la cabeza del presidente!

Yo la he visto estallar. Millones de personas la hemos visto estallar (como un petardo), y hemos visto también lo que vino después, los segundos inverosímiles en que Jackie Kennedy se lanza a recuperar los trozos de la cabeza de su marido recién destrozada a balazos; y ahí estaban, entre los recortes del doctor Luis Ángel Benavides, los fotogramas de la mujer elegante y bien puesta que era Jackie persiguiendo, sobre la limusina Lincoln (de color azul medianoche: el mismo del traje de Gaitán), los pedazos de cráneo o de materia cerebral. ¿Qué buscaba Jackie? ¿Qué instinto le pedía recuperar esos fragmentos de un cuerpo al que había amado y que ya había dejado de vivir? Podemos especular: podemos pensar, por ejemplo, en un instinto que, a falta de mejor palabra, llamo completivo: el afán de que no se disgregue lo que antes estaba junto. Entero, el cuerpo de John Fitzgerald Kennedy vivía y obraba, era el cuerpo de un padre y un marido (y también el de un presidente, un amigo, un amante promiscuo); fragmentado por el impacto de las balas, roto en pedazos que ahora resbalaban por el azul medianoche de la carrocería, ese cuerpo vivo había dejado de existir. Tal vez eso deseaba Jackie, aun si no se daba cuenta de ello: recomponer el cuerpo descompuesto para regresarlo a su estado original, al estado que había tenido hasta unos segundos atrás, con la impresión ilusoria de que al hacerlo, al devolver al cuerpo destrozado los fragmentos perdidos, ese cuerpo volvería a la vida. ¿Pensaría lo mismo el profesor de Ciencias Forenses al ver esta página de periódico y al recortar los fotogramas de la película de Zapruder? Tal vez Luis Ángel Benavides leía las imágenes de manera distinta; tal vez tenía buenas razones para creer que Jackie, al comportarse como lo hizo, pensaba ya en términos forenses: recaudar evidencias para ayudar a los eventuales fiscales en la investigación, el descubrimiento del culpable y su eficiente castigo. Es posible que hubiera tenido esa opinión en el momento de recortar la página y añadirla a su dosier, a su rompecabezas; es posible, digo, porque todos vemos con frialdad y distancia las imágenes que captó el camarógrafo Zapruder, y es lícito imaginar que así las veía Benavides el viejo en el momento de recortar estas páginas; pero creer que semejantes consideraciones pasaron por la conciencia de Jackie Kennedy el 22 de noviembre de 1963, creer que esas razones metódicas la animaban en el momento de perder toda compostura y encaramarse al baúl del Lincoln, con la sangre de su marido todavía fresca sobre su traje de sastre, penetrando sus tejidos y manchándolos sin remisión, es desconocer el poder que tienen sobre nosotros nuestros atavismos. El vestido de Jackie Kennedy: he ahí otra reliquia. Si se hubiera formado una religión alrededor de JFK (la idea no es descabellada), cada una de sus hebras sería una reliquia también. Y la adoraríamos, sí, la adoraríamos, y le construiríamos altares o museos, y la conservaríamos a través del tiempo como un tesoro.

Estaba absorto en esos pensamientos cuando regresó el doctor Benavides. «Ya todo el mundo está dormido», dijo, y se dejó caer cansadamente en su sillón de lectura. Fue como si me hiciera notar —con sus movimientos, con el pesado suspiro que dejó escapar— que también yo estaba cansado: la cabeza me dolía un poco, los ojos me empezaban a picar y se me despertaba una claustrofobia que me ha acompañado desde niño (sí, como el vértigo al señor Zapruder): quería espacios abiertos, salir al aire frío de la noche bogotana, abandonar este cuarto sin ventanas que olía a papeles pasados y a restos de café, volver a la clínica y ver a M y saber de mis hijas, que vivían todavía en un mundo lejano y para mí incomprensible. Saqué el teléfono: no había llamadas y todas las líneas que indicaban buena señal seguían ahí, en la esquina de la pantallita, firmes y paralelas, bien paradas en orden de estatura como un coro infantil. Benavides señaló la alfombra cubierta de recortes y añadió: «Bueno, ya veo que le ha rendido».

«Qué dedicación la de su padre», dije. «Admirable».

«Sí, así era él. Pero ya estaba viejo cuando la fiebre le dio con más ganas. Eso fue en el 83, cuando se cumplieron veinte años: en ese momento la dedicación se le convirtió en algo más. Un día me dijo: no me muero sin haber resuelto el caso Kennedy. Se murió, claro, sin resolverlo, pero ahí quedaron sus papeles. ¿Por aquí no está...?» Se agachó, movió la mano sobre los recortes y agarró uno. «Sí, éste. Éste es de esa época, mire: un análisis de las hipótesis del crimen, de su puño y letra. Léalo, por favor».

«¿Quiere que lo lea?»

«Por favor».

Me aclaré la garganta. «Hipótesis uno», leí. «Dos tiradores, página 95. ¿Página 95 de qué?»

«No sé. De algún libro que estaba consultando. Siga».

«Dos tiradores», obedecí, «uno en la ventana del sexto piso, otro en el segundo piso. Nota: a las doce y veinte una película muestra dos siluetas de personas en la ventana del sexto piso. Entre paréntesis: a las doce y treinta y uno disparan contra el presidente. El jefe de las oficinas, Roy S. Truly, al subir con un policía inmediatamente después de los disparos, encuentra a Oswald tomándose una Coca-Cola en el pasillo del segundo piso. Creo que dice así, la letra de su padre no es fácil».

«No lo voy a saber yo. Siga».

«Hipótesis dos. Página noventa y siete. Oswald disparó desde la ventana del segundo piso y el otro tirador, que era más experto en tiro, disparó con la carabina de Oswald desde el sexto piso. Hipótesis tres...»

Hipótesis ①

2 Tiradores °/- pag 95

uno en la ventana del
6° piso

, otro en el 2° piso

Nota: a las 12,20 una
película muestra dos
siluetas de personas
en la ventana del
6° piso (A las 12,31 dio-
pasos entre el Presidente
el jefe de las oficinas
Roy Struly al subir las
en Police. inmediata-
mente de todos paso

encontrarse Oswald
tomándose una Coca Cola
en el pasillo del 2°
piso.

Hipótesis ② pag 97-106

Oswald disparó desde la
ventana del 2° piso y
el otro tirador ...
el ... un tiro disparo los
la cabeza de Oswald
desde la ... ventana del
6° piso

Hipótesis ③ pag 72-71

Oswald quería matar era al
Gobernador de quién era
enemigo?

«No, ésa no. Esa no sirve de nada».

«Dice que tal vez Oswald quería matar al gobernador».

«Sí, exacto. No sirve de nada. Lo que importa está en las otras, ahí están las convicciones de mi padre».

«¿Sus conclusiones?»

«No, sus conclusiones no, porque no llegó a tener ninguna definitiva. Pero sí llegó a la convicción, tan definitiva como puede ser, de que Oswald no actuó solo. De que la teoría del *lone wolf,* como lo llaman los gringos, es completamente falsa. El lobo solitario, ¿no es así que se dice? Hasta el nombre es absurdo. Nadie hubiera podido hacer eso solo, a mí me parece evidente. Mejor dicho: es evidente de toda evidencia. Hay que estar ciego para no verlo. O mejor: hay que no querer verlo para no verlo».

«Está hablando como Carballo», dije.

Benavides rio. «Tal vez, tal vez». Luego: «Usted ha visto la película de Zapruder, me imagino».

«Varias veces, sí».

«Entonces se acuerda bien».

«¿De qué?»

«De la cabeza, Vásquez. De qué más va a ser».

Quizá fue porque no respondí de inmediato, o por un brevísimo instante de silencio que se abrió después de sus palabras, pero Benavides llegó de un salto a su escritorio y allí, de pie frente a la pantalla demasiado grande de su computador (yo tenía su silla y él no pidió que se la devolviera), inclinándose con dificultad como haciendo una venia, movió el ratón y empezó a teclear. En segundos se abría una página de YouTube: *The Zapruder Film,* leí. Y ahí estaba la limusina Lincoln, avanzando con esa lentitud de espanto y acompañada de motoristas de casco blanco, y en ella iba Kennedy. Ahí estaba el presidente: sentado tan cerca de la puerta que podía apoyar en ella el brazo derecho, saludando a un lado y al otro con esa misma mano relajada, tragándose el mundo con su sonrisa de propaganda y su peinado perfecto que no se deshace ni siquiera al aire libre, seguro de su vida y de sus hechos o por lo menos fingiendo una confianza sin fisuras en sí mismo. La caravana se oculta parcialmente detrás de un objeto que puede ser una pancarta o un aviso publicitario, y al salir de nuevo, al quedar de nuevo a la vista, ocurre algo que nadie pareció entender: Kennedy hace un gesto extraño con los brazos, un gesto que no habría sido natural para nadie, mucho menos para un presidente que lleva encima en ese momento los ojos del mundo. Junta los puños frente a la garganta —frente al nudo de la corbata, digamos— y levanta los codos simétricamente, como una marioneta. El primer disparo lo ha herido. La bala ha llegado desde atrás y lo ha atravesado, y es posible que Kennedy haya perdido el conocimiento en ese instante, porque entonces cierra los ojos, como si se durmiera, y comienza a inclinarse hacia Jackie. Es horrible su lentitud, la parsimonia con que la muerte se instala en la limusina Lincoln: a la vista de todos, sin esconderse, sin llegar de forma subrepticia como suele hacerlo, sino irrumpiendo a plena luz del día. La esposa del presidente todavía no sabe lo que ha ocurrido; sabe que algo extraño sucede, porque ve a su marido inclinarse hacia ella, como si se sintiera indispuesto de repente, y entonces acerca su cabeza (su sombrero impecable, su corte de pelo que marcó a una generación) y le habla o parece que le habla. Podemos imaginar sus palabras, sus aprensivas palabras todavía ignorantes de que su destinatario ya no es capaz de oírlas: «¿Te pasa algo?», habrá dicho Jackie Kennedy. O acaso: «¿Qué te pasa? ¿Te sientes bien?» Y entonces la cabeza de su marido estalla: sí, como un petardo. Es la segunda bala, que le rompe el occipital y desparrama sus huesos rotos, sus reliquias. El video duró unos segundos más y luego la pantalla se puso negra. Tardé un instante en salir de su hechizo. Benavides había regresado a su sillón de lectura y me invitaba con la mano (con un movimiento casi imperceptible de su mano abierta) a que yo regresara también a mi puesto.

«Lo ve, ¿verdad?», me dijo entonces. «El primer disparo viene de atrás y atraviesa a Kennedy. Mi padre creía que ya en ese momento estaba muerto. El segundo disparo viene de adelante. Mire la cabeza: se echa hacia atrás y a la izquierda, porque la bala viene de adelante y a la derecha. ¿Estamos de acuerdo?»

«De acuerdo».

«Bueno. Entonces dígame: ¿cómo es posible que Oswald haya estado detrás del presidente en el momento del primer disparo y delante del presidente un segundo después? Si la segunda bala la hubiera disparado el mismo asesino de la primera, la cabeza habría salido impulsada hacia delante por el impacto. Y Jackie no se hubiera lanzado a recoger pedazos de cráneo sobre la parte de atrás del carro, sino que los pedazos habrían salido hacia delante, hacia donde está sentado el gobernador, o hacia el puesto del chofer. No, Vásquez, no es posible que los dos disparos hayan venido de la misma dirección. No lo digo yo ni lo dice la teoría de la conspiración: lo dice la física. Eso decía mi padre: "Es cuestión de física". Y lo hemos sabido desde hace tiempo, aunque la historia oficial se niegue a aceptarlo. Mi padre lo sabía también. Sabía que fueron dos como mínimo, dos tiradores».

«En el depósito de libros, sí. Uno en el piso sexto y otro en el segundo».

«Exacto. Pero tampoco eso explica la proveniencia del disparo que le hace estallar la cabeza a Kennedy. Mi padre creía que ese disparo no había salido del depósito de libros, sino de algún lugar en frente de la comitiva».

«Es lo que dice el artículo de 1975. La teoría de este Groden».

«Sí. Uno o dos tiradores dispararon de frente. Groden dice que uno estaba detrás de un pedestal y el otro detrás de un arbusto. Y que el del arbusto tenía un rifle.

Ahora bien: ¿usted sabe lo que dijo Zapruder después del asesinato? Un agente especial le tomó declaración, y Zapruder aseguró que el asesino estaba detrás de él. Después, ante la Comisión Warren, se retractó: dijo que había demasiados ecos en la plaza Dealey, y que no podía estar seguro. Pero en su primera versión, la versión que dio el día mismo del asesinato, estaba tan seguro como se puede estar. No dudó, no dijo "yo creo que", no dijo "puede que haya sido así". No: estaba seguro. Y mi padre también estaba seguro».

«Pero en las notas no habla de eso».

«Esas notas que le mostré son sólo una parte de sus estudios. Hay páginas enteras, mucho más grandes que estas fichas, pero no están aquí. ¿Sabe quién las tiene?»

«No me diga: Carballo».

«Pues sí le digo. Las tiene Carballo. ¿Por qué? Porque las tenía cuando murió mi padre, así de sencillo. Carballo se quedó con muchos papeles, y fue porque mi padre se los dejó. Mejor dicho: se los dio y nunca quiso que se los devolviera. Y aunque me cueste trabajo, yo puedo entender por qué: nadie lo acompañó tanto como Carballo en sus últimos años. Carballo lo visitaba, le dedicaba su tiempo, le oía sus cuentos y sus teorías, y esa compañía, para un viejo como mi padre, se vuelve la cosa más importante del mundo. Yo me equivoqué, Vásquez, me equivoqué y nunca me lo voy a perdonar. Yo fui el que desatendió a mi padre en esos últimos años de su vida. Estaba muy ocupado con mis cosas, entiéndame. Estaba dedicado a mi carrera y a mi familia, fascinado con esa nueva vida de adulto. Y con mi primer hijo, que nació al año de mi matrimonio, o un poco después. Cuando Kennedy cumplió veinte años de asesinado, mi segundo hijo acababa de nacer. O la segunda, porque es una mujer. De manera que en 1983 yo tenía que ser padre de dos niños, marido, cirujano que se trataba de abrir paso en el mundo, y encima de todo tenía que ocuparme de mi padre. Y claro, me convenía mucho, muchísimo, tener a Carballo ahí».

«Para que su padre estuviera distraído», dije.

«Tampoco soy el único, ¿no?», dijo Benavides. «Todos los hijos de padres viudos agradecen que alguien les haga compañía a los viejos solos. Carballo cumplía ese papel para mí: era la compañía perfecta para mi padre, lo hacía sentirse vivo y despierto, y lo mejor de todo era que lo hacía sin creer que le estaba haciendo un favor a nadie. Más bien, sintiéndose privilegiado: sintiendo que mi padre le hacía un favor a él permitiéndole la entrada a su casa, regalándole su tiempo y sus ideas. Lo cual se acerca bastante a la verdad, además. "Qué envidia", me decía Carballo. "Cómo me hubiera gustado ser hijo de un hombre como el doctor", me decía. Era un arreglo perfecto. Ni pagándole a alguien hubiera salido tan bien. Salvo que sí le pagué: le pagué en especie. En escritos de puño y letra de mi padre. En libros y documentos. En una cantidad de cosas que tienen valor para mí, aunque me haya dado cuenta demasiado tarde».

«Y entre esas cosas hay papeles que deberían estar en esta carpeta», dije.

«Exacto. Pero para Carballo son más que eso: son pistas».

«Pistas en el caso Kennedy», dije, como dejando constancia de lo obvio. Resultó que lo obvio no lo era tanto.

«No», dijo Benavides. «Pistas sobre el caso de Gaitán. A ver, a ver si me entiende: lo único que le interesa a Carballo es Gaitán. El 9 de abril es su única obsesión, y no hay más. El caso Kennedy le interesa en la medida en que ilumina lo de Gaitán. Carballo dice que en el caso Kennedy hay pistas para lo de Gaitán, para saber quién lo mató y cómo ocultaron la conjura. Lo de Kennedy apunta a lo de Gaitán».

«Pero si lo de Kennedy ocurrió después», dije.

«¿Y usted cree que yo no se lo he dicho? Mil veces y en todos los tonos. Pero a él le parece que todo contiene pistas. Él encuentra pistas en todo. Y cuando las ve, se les lanza encima».

Benavides se había agachado para recuperar la carpeta púrpura, y desde el sillón, estirando sus largos brazos tanto que sus mancornas se templaban sobre la piel, comenzaba a recoger los recortes. Lo hacía con cuidado, levantando cada rectángulo de papel con el índice y el pulgar puestos en forma de pinza. «Qué amarillentos están, pobres», dijo con voz cariñosa, como si le hablara a una camada de mascotas recién nacidas. También yo me agaché y empecé a recoger recortes, y la escena entera tuvo algo extrañamente íntimo. Benavides separó uno de los papeles y lo puso sobre la mesa de lectura; cuando los demás quedaron organizados en la carpeta, lo retomó y me preguntó si ya lo había visto.

«Claro que sí», le dije. «Jack Ruby asesinando a Oswald. Todo el mundo ha visto esta foto, Francisco. Igual que la película de Zapruder».

«No le pregunto si ha visto la imagen», dijo Benavides. «Le pregunto si vio *esta* imagen, esta reproducción que publicó *El Tiempo* en 1983 y que está subrayada por mi padre». Benavides señaló con el dedo índice la frase subrayada, la segunda del pie de foto, y la recitó sin necesidad de leerla: «*En ese momento comenzaron las dudas*», dijo, «*sobre la verdadera autoría del magnicidio de Dallas*».

«Vi la frase subrayada», dije. «Qué pasa con ella».

«Yo me acuerdo, Vásquez, me acuerdo como si fuera ayer», dijo Benavides. «Me acuerdo del día en que Carballo llegó a mi consultorio con las memorias de García Márquez en la mano. Eso fue hace dos años, un poco más. En enero de 2003, me acuerdo porque acababa de llegar de pasar el Año Nuevo. El primer día hábil del año llegué a mi consultorio y ahí, en la sala de espera, senta-

El 25 de noviembre de 1963, Jack Ruby dispara mortalmente sobre Lee Harvey Oswald, quien había sido detenido acusado de ser el asesino del Presidente John F. Kennedy tres días antes. En ese momento comenzaron las dudas sobre la verdadera autoría del magnicidio de Dallas que conmocionó al mundo. (Foto archivo de EL TIEMPO).

do en los sofás como cualquier paciente, estaba Carballo. Saltó cuando me vio llegar, se me vino encima. "¿Ya las leyó?", me gritaba. "¿Ya leyó esto? ¡Su papá tenía razón!", me decía. Durante los días siguientes, no, las semanas y los meses siguientes, se fue obsesionando cada vez más con las cosas que se veían al mirar los dos crímenes juntos, puestos uno al lado del otro. Y me hacía la lista. Se iba para el consultorio o para mi casa y me hacía la lista. Primero: el asesino. ¿Qué tienen en común Juan Roa Sierra y Lee Harvey Oswald? Los dos fueron acusados de actuar solos, de ser *lone wolves*. Segundo: los dos representaban al enemigo en su momento histórico. A Juan Roa Sierra lo acusaron después de tener simpatías nazis, no sé si se acuerde: Roa trabajó en la embajada alemana y llevaba panfletos nazis a la casa, y de eso se enteró todo el mundo. Oswald, claro, era comunista. "Por eso los escogieron", me decía Carballo, "porque eran gente que no despertaba solidaridades de ningún tipo. Eran el enemigo público del momento: lo representaban, lo encarnaban. Si hubieran vivido hoy en día, serían de Al Qaeda. Así es mucho más fácil que la gente se trague el cuento". Tercero: los dos asesinos fueron a su vez asesinados casi de inmediato. "Para que no hablaran", me decía Carballo, "¿no es evidente?"

»Y sacaba entonces las memorias de García Márquez y leía el pasaje donde el hombre elegante logra que la multitud mate *a un falso asesino para proteger la identidad del verdadero*. Saboreaba la frase, Vásquez, la repetía una y otra vez, era un espectáculo verlo: un espectáculo cada vez más inquietante, pero un espectáculo. Con el tiempo empezó a referirse a la vez a esa frase y al pie de foto de Jack Ruby. *En ese momento comenzaron las dudas...* Luego empezó a jugar con ellas. Intercambiándolas, por ejemplo. "¿No es verdad que Jack Ruby mató *a un falso asesino para proteger la identidad del verdadero*? ¿No es verdad, Francisco? ¿No es verdad que el hombre elegante azuzando a la gente frente a la droguería Granada fue el *momento en que comenzaron las dudas sobre la verdadera autoría del magnicidio*? El doctor se dio cuenta", repetía. "¿Para qué subrayó esa frase, si no? ¿Por qué esa obsesión con lo del segundo tirador del caso Kennedy, él que había buscado las balas del segundo tirador en el cuerpo de Gaitán? ¿No se estaría acercando a algo, aunque fuera sin saberlo? Hay demasiados parecidos, esto no puede ser coincidencia". Yo me burlaba de él: "¿Qué está diciendo, Carlos? ¿Que a Kennedy lo mató la misma gente que mató a Gaitán?" Y él me decía que no, por supuesto, que él loco no era... pero que seguía habiendo demasiados parecidos. "Aquí hay un método. La gente que mató a Kennedy aprendió tal vez de la que mató a Gaitán.

¿No había gringos en Bogotá el 9 de abril? ¿No había agentes de la CIA? Y la gente que mató a Gaitán tuvo que aprender de alguien más, ¿no es verdad? Una conspiración tan perfecta no la monta un aficionado". Yo le decía que se dejara de bobadas, que eso no era más que coincidencias. Y él decía: "Las coincidencias no existen". Abría los ojos cuando decía esto: que las coincidencias no existen. Yo nunca he visto a alguien que abra tanto los ojos, que levante tanto las cejas».

«Pero no hubo un segundo tirador en el caso de Gaitán», dije. «Su padre fue el que hizo la autopsia».

«También eso se lo decía yo. Le recordaba que mi padre había hecho las pruebas de balística. Que había confirmado lo que había dicho desde el principio la investigación del 48: todas las balas que mataron a Gaitán salieron de la pistola de Roa Sierra. Pero Carballo miraba para otro lado o hacía una de sus muecas de incredulidad. Normal, claro, porque para él cualquier cosa que hubiera dicho la investigación del 48 era mentira. "Lo que pasa es que el 9 de abril no teníamos a un Zapruder", me decía. "Si hubiéramos tenido a un Zapruder, otro gallo cantaría en este país". Sí, es difícil hablar con él. Me imagino que usted se dio cuenta esta noche. En todo caso, lo que pasó esta noche responde a esa obsesión. Carballo quiere saber quién era el hombre elegante de la droguería Granada. Quiere saber quién era el tipo que hizo asesinar a Juan Roa Sierra. ¿Por qué? Porque así podría compararlo con Jack Ruby, me imagino yo, y ver entonces si tienen cosas en común. Lo que quiere en el fondo es saber qué pasó el 9 de abril, llegar al fondo del asunto. Y póngase a pensar, Vásquez: ¿no es eso lo que queremos todos?»

«Pues sí», dije. «Pero dentro de límites razonables, no sé cómo decirle».

«A la gente como Carballo los podemos llamar locos, paranoicos, desocupados, lo que usted quiera. Pero esa gente le dedica toda su vida a buscar la verdad sobre

algo importante. Puede que lo hagan por los medios equivocados. Puede que su pasión los lleve a cometer excesos
y a convencerse de sandeces. Pero están haciendo algo que
ni usted ni yo podemos hacer. Sí, pueden ser incómodos, pueden dañar reuniones con sus salidas de tono o sus
opiniones políticamente incorrectas. Pueden ser torpes en
sociedad, meter la pata cada dos por tres, ser impertinen-
tes o incluso insultantes. Pero nos prestan un servicio, me
parece a mí, porque permanecen vigilantes, porque no
tragan entero, así lo que se imaginen sea descabellado.
Y el problema con esta teoría, el problema con pensar que
el asesinato de Kennedy y el de Gaitán tienen muchas
cosas en común, es justamente ése: que nada de esto, si
usted lo mira bien, es realmente descabellado».

«Nada parece descabellado porque todo lo es», dije.
«Es como hablar con el Sombrerero Loco».

«Pues eso pensará usted. Cada uno puede pensar
lo que le parezca».

«Pero usted no puede tomárselo en serio, Francisco».

«Lo serio que a mí me parezca es lo de menos. No
se quede en eso, Vásquez. Vaya al fondo. Aprenda a mirar
más allá de lo evidente. Para Carballo, esto es la misión de
su vida. No es sólo tiempo y energía, sino también plata.
Se ha gastado hasta lo que no tiene en esto, porque cree
en su visión. Así me lo ha dicho él: tengo una visión. Otras
veces me dice: mi misión es mi visión. O al revés, ya no
me acuerdo. Da igual. Para él, si hay una verdad en estos asesinatos es ésta: que no nos han dicho la verdad.
¿Y podemos decir que no tiene razón? No, Vásquez, todo
el mundo sabe que no nos han dicho la verdad. Sólo un
inocente o alguien que ignore la historia cree que Juan Roa
Sierra lo hizo sin ayuda ni instigación de nadie. A estas
alturas, sólo un inocente piensa que Lee Harvey Oswald
disparó todos los tiros de francotirador experto que mataron a Kennedy. ¿Qué hacemos con esta conciencia, entonces? ¿La dejamos quieta o hacemos algo al respecto?

Sí, me doy cuenta de que para usted Carballo no es más que un chiflado, un chiflado y un irresponsable. Pero cuestiónese, Vásquez, mírese en un espejo y pregúntese en serio si lo que piensa Carballo le disgusta porque es absurdo o porque es peligroso. ¿Lo irrita o lo asusta? Cuestiónese, mírese. Tal vez nunca habría debido presentarlos, ahora me doy cuenta, tal vez me equivoqué. Si es así, perdóneme. Tengo que confesarle una cosa, Vásquez: él me pidió el favor. Él quiso conocerlo a usted, él me pidió que los presentara. Estaba convencido de que usted le podía decir algo útil, me imagino. Él es así con el 9 de abril: si encuentra una pista que no ha explorado, se lanza por ahí como un sabueso. Y usted, por ser su tío quien era... usted es eso, una pista. Tal vez lo de esta noche fue también culpa mía, por no medir las cosas. De todas maneras, no se preocupe: no creo que lo vuelva a ver. Hoy se vieron por primera vez. No creo que haya una segunda. Pasó lo que pasó, sí, y fue un accidente más bien desafortunado, sí. Pero puede estar tranquilo, Vásquez. Las de ustedes dos no son de esas vidas que se cruzan fácilmente».

Ojalá tenga razón, pensé al salir de su casa. Ojalá no lo vuelva a ver nunca más.

Lo pensé esa noche y lo seguía pensando al día siguiente, aunque por razones distintas y para mí impredecibles: porque nada hubiera podido presagiar la contradictoria mezcla de repugnancia y fascinación, de seducción y rechazo, que iba a sentir al recordar lo visto y escuchado en casa de Benavides: al recordar a Carlos Carballo y a Jorge Eliécer Gaitán y a Lee Harvey Oswald y a Juan Roa Sierra y a John Fitzgerald Kennedy. No pasó una hora desde que salí de casa de Benavides en que no pensara en aquellos hombres de triste destino, y tampoco hice el más mínimo esfuerzo para desterrar esas imágenes y esas informaciones de mi memoria, sino que me entretuve flirteando con ellas, enriqueciéndolas con mi propia imaginación, construyendo historias en la mente para darles un comienzo de forma verbal. El martes en la mañana salí temprano para el barrio de La Candelaria, en el centro de Bogotá, sin otro motivo que pararme en el lugar donde cayó Gaitán y recordar el relato que Pacho Herrera me había regalado una tarde de 1991. Repetí enseguida las caminatas que hacía cuando era estudiante de Derecho, del Chorro de Quevedo al Palomar del Príncipe, de las bancas del parque Santander a las escaleras de la Catedral Primada; en esas épocas las caminatas habían sido desordenadas y arbitrarias, entregadas voluntariamente a la casualidad y al capricho de los días (que nunca son iguales), pero a partir de un momento comenzó a imponerse un orden sobre ellas, y ese orden, que se había afinado con mis sucesivas temporadas en Colombia, ahora era una rutina fija. Dibujado sobre el mapa del barrio, mi recorrido era un paralelogramo cuyos vértices, como en «La muerte y la brújula», estaban dados por hechos violentos, salvo que los del cuento de Borges son el artificio consciente y meditado de un bandolero de literatura, y los míos no respondían más que a las despiadadas contingencias de la historia.

Solía comenzar en el café Pasaje, tomándome un carajillo, y luego atravesaba la plaza del Rosario y caminaba hacia el oriente por la calle 14, pasando frente a la casa de aceras altas donde el poeta José Asunción Silva se mató de un tiro en el corazón en 1896; luego seguía hacia el sur y bajaba por la calle 10, dando pasos cuidadosos sobre los adoquines que cubren esa calle como tortugas muertas, y caminando despacio junto a la ventana por donde saltó Simón Bolívar la nefanda noche de septiembre de 1828 en que una banda de conjurados se metió en su casa blandiendo espadas e intentó asesinarlo en su propia habitación; desembocaba en la séptima, a la altura del Capitolio, y en veinte pasos estaba allí, en 1914, frente a las dos placas de mármol que, con cierta redundancia incómoda, lamentaban el crimen del general Rafael Uribe Uribe; enseguida caminaba cuatro cuadras más hacia el norte, hasta llegar frente al desaparecido edificio Agustín Nieto, o más bien hasta el lugar del andén donde cayó asesinado Jorge Eliécer Gaitán. A veces (pero no siempre) terminaba unos metros más allá, en el lugar que ocupaba en 1931 la tienda de ultramarinos donde el caricaturista Ricardo Rendón, cuyos dibujos yo había admirado sin entenderlos desde que era niño, hizo un croquis de una cabeza en la que entra una bala, se tomó una última cerveza y se descerrajó un tiro en la sien por razones que nadie ha sabido confirmar nunca. Todo eso lo repetí ese martes 13 de septiembre, pero esta vez lo hice pensando en esos muertos que hemos heredado, que cayeron a lo largo de tantos años en un espacio tan restringido y hacen parte de nuestro paisaje aunque no lo sepamos, y me chocó que la gente pasara frente a las placas que hablan de esos muertos sin detenerse nunca y con toda probabilidad sin dedicarles un pensamiento, un breve pensamiento, a ellos que viven de eso. Los vivos somos crueles.

Lo hice desde tempranas horas, como en la época en que forcejeaba con el Derecho y tenía clase de siete de la mañana todos los días. Pero esta vez volví a un lugar que no había visitado —en el cual ni siquiera había pensado— en los últimos doce años. Un día de comienzos de 1993, yo había salido a caminar por el centro, como solía hacer con frecuencia, para escapar al aburrimiento mortal de mis clases de Derecho. Esa mañana andaba persiguiendo los dos tomos de *Último round*, de Cortázar, en la edición de Siglo XXI que se había vuelto tan difícil de conseguir; tras pasarme sin éxito por la Librería Lerner, decidí darme una vuelta por el Centro Cultural del Libro, un edificio insólito con aires de galpón industrial: tres pisos de ladrillo en cuyos cubículos estrechos se conseguían casi todos los libros de segunda mano que uno hubiera podido querer. Pero antes de perderme en sus laberintos, recordé una pequeña librería que había del otro lado de la misma cuadra, empotrada en una tienda de útiles escolares, y pensé en probar suerte primero allí. No me acordé en ese momento de que los colegios acababan de comenzar el nuevo año, y me molestó encontrarme, al llegar frente a la vitrina, con una multitud de niños movedizos que gritaban a todo pulmón entre las faldas de sus demasiadas madres. No: ya habría tiempo otro día de venir aquí. Seguí mi camino, doblé la esquina hacia el oriente, y estaba acercándome a la esquina siguiente, por donde debía doblar hacia el sur para buscar la primera entrada del galpón librero, cuando un estruendo que no había oído nunca, y que sin embargo reconocí de inmediato, sacudió las paredes. Me maravilló que el edificio no se hubiera venido abajo, pues el estallido fue tal que muchos nos preguntamos si la bomba había detonado allí mismo. Salí corriendo hacia la avenida Jiménez con un solo pensamiento en mi cabeza: abrirme paso entre la gente que corría en direcciones contradictorias, llegar a la universidad, asegurarme de que mi hermana estaba bien y dejar atrás la zona lo antes posible. Fue sólo más tarde cuando, viendo los noticieros de la noche, supe que la explosión había dejado decenas de muertos o heridos (además de un cráter profundo en la calzada), y que varias de las víctimas eran madres o niños que compraban útiles escolares en una papelería vecina.

Y ahora, llegando al lugar donde estalló la bomba según mi falible memoria, buscando la papelería a la que había querido entrar (y encontrando que había desaparecido ya, como muchas cosas en mi ciudad inconstante), recordé ese día, el dolor en el tímpano y la revelación, que asumí sin grandilocuencias ni romanticismos, de que yo hubiera podido ser uno de los muertos. Y reviví las dificultades de esos primeros meses de 1993: la bomba de la séptima con 72, la de la 100 con 33, las otras dos que estallaron en el centro, una en la 13 con 15 y la otra en la 25 con novena, y la que estalló en un centro comercial del norte, en la calle 93. Ahora no quedaba, por supuesto, rastro de esa bomba ni de sus veintitrés muertos. No estaba yo pensando en ruinas ni en rastros físicos de destrucción, sino en alguna placa como las que nos recordaban la caída de individuos célebres o importantes, de figuras públicas cuya muerte tuvo consecuencias en las vidas ajenas. No, éste había sido sin duda uno de los éxitos del terrorismo en mi país: las muertes grupales (qué expresión horrorosa), las muertes colectivas (no, ésta no es mejor), no eran recordadas nunca, no parecían merecer un ligero homenaje en las paredes de los edificios, tal vez porque la placa resultaría inevitablemente grande (para acomodar veintitrés nombres, imagínense ustedes, o el triple en el caso de la bomba del DAS), tal vez porque las placas de mármol se reservan, por una tradición implícita o silenciosa, para aquellos que arrastran a los demás al morir, aquellos cuya caída imprevista puede llevarse consigo a la sociedad entera y a menudo lo hace, y por eso los protegemos: por eso tememos su muerte. Antiguamente nadie hubiera dudado en dar la vida por su príncipe o su rey o su reina, pues todos sabían que sus caídas, ya se debieran a la locura o a la conspiración o al suicidio, podían muy bien empujar a todo el reino al abismo. Eso ocurrió con Jorge Eliécer Gaitán, pensé, cuya muerte hubiéramos tal vez podido evitar, y no creo que haya un colombiano que no se pregunte qué habría pasado si la hubiéramos evitado, cuántos muertos anónimos nos habríamos ahorrado, qué país seríamos ahora. Como la memoria se comporta de maneras impredecibles, siempre haciendo lo que le da la gana, se me apareció enseguida una frase que se le atribuye a Napoleón: «Para entender a un hombre, hay que entender el mundo en que vivía a los veinte años». El mundo de los veinte años, para mí que nací en 1973, era éste: el de las bombas entre enero y abril; el de la muerte de Pablo Escobar, que cayó abaleado en un tejado de Medellín. Pero no supe qué podría significar eso sobre mi propia vida.

Le di la vuelta a la cuadra y entré al edificio de ladrillo, pero apenas había empezado a pasearme por los puestos cuando M me llamó al celular (ahí estaba por fin el timbre que llevaba días temiendo). Con voz firme, sin duda para transmitirme la tranquilidad que ella evidentemente no sentía, me dijo que había roto fuente. Los médicos le habían explicado que una cesárea de emergencia comenzaría en una hora. Le pregunté si alcanzaría a verla antes.

«Creo que sí», me dijo. «Pero apúrate, por favor».

Me encontré al llegar con una clínica conmocionada. Había filas en todas las entradas: filas de carros para entrar al parqueadero; filas de personas para cruzar la puerta de vidrio del edificio. Un guardia armado registraba las carteras de las mujeres y los maletines de los hombres y todo lo que tuviera aspecto de bolsa; tras pasar por este control me detuvo otro guardia, me pidió que abriera los brazos y comenzó a palparme. «¿Qué está pasando?», pregunté. «Medidas de seguridad», me dijo. «Es que se acaba de morir el presidente Turbay». Pero las medidas de seguridad me habían retrasado varios minutos, y caminando a paso rápido por los corredores de la clínica, esquivando gentes parsimoniosas (evidentemente libres de la prisa que a mí me agobiaba), pensé que iba a llegar tarde, que no alcanzaría a ver a mi esposa antes de que entrara a cirugía, que no podría hacerle sentir mi compañía ni mi vigilancia, y entonces —una cabeza bajo presión funciona de maneras extrañas, y la tensión se derrama en las direcciones más inesperadas— desprecié a Turbay con un resentimiento pueril y a la vez violento del cual ahora me avergüenzo, una rabieta privada y breve que desapareció enseguida, dejando solamente una incómoda sensación de envilecimiento que además no se justificó: pues a pesar de las filas, a pesar de los registros y los cacheos, acabé llegando a tiempo.

M, acostada en una camilla que estorbaba en mitad de un corredor mal iluminado, contestando a las preguntas del anestesiólogo mientras esperaba a que alguien llegara para llevársela a la sala de cirugía, estaba pálida y le sudaban las manos, pero tenía en la cara la expresión de alguien que está en control de la situación, y no pude menos que admirarla.

Las niñas nacieron a las 12 y 12:04 del día. En ese momento los médicos no me permitieron verlas: la camilla que las llevaba salió de la sala de cirugía con tanta urgencia que alcancé a sentir por un instante un viento de desgracia. Lo único que pude ver fue un desorden de trapos blancos; de aquel atado inerte surgían las bombas de aire, ovaladas y translúcidas, que los enfermeros apretaban para ayudar a mis hijas a dar las primeras bocanadas con sus pulmones madurados a punta de cortisona. M estaba todavía anestesiada y tardaría unos minutos en despertar, pero pedí permiso para estar junto a ella cuando eso ocurriera, y en esos minutos de espera pensé en esta decepción que ya la acompañaría siempre: la de no haber visto a sus hijas al nacer. Despertaría y yo le daría la noticia de que todo había salido bien, de que las niñas estaban en sus incubadoras y comenzaban a recuperarse; pero nada de eso cambiaría el hecho de que ella no las había visto. Eso me entristeció; pensé, sin embargo, que mi tristeza no era comparable a la que sentiría ella. Pero lo importante ahora no era eso, sino la obligación, tras la emergencia del parto precoz, de enfrentarnos a otra tarea: la incierta supervivencia de unas criaturas de treinta semanas cuyo cuerpo no estaba listo para la vida.

Pasaron horas antes de que yo mismo pudiera verlas por primera vez. Estaba solo cuando eso ocurrió: tras veintisiete días inmovilizada, M había sufrido una leve atrofia en los músculos de las piernas, y no podía ni siquiera pararse de la cama; de manera que, tan pronto como recibí la autorización para visitar a mis hijas, busqué la cámara que habíamos traído para documentar este momento (aunque imaginábamos que el momento sería bien distinto) y me dirigí a la sala de Neonatología. Allí, entre seis o siete recién nacidos que nunca fueron más para mí que manchas en el paisaje, estaban las dos niñas, cada una identificada con una cartulina blanca, y la cartulina adherida con cinta aislante al plástico de la incubadora. Las bañaba un chorro de luz clara; por lo demás, estaban bien cubiertas: la cabeza con un gorro de lana, los ojos con vendas blancas para que la luz no les hiciera daño, la boca con la máscara de oxígeno. Ni una sola de sus facciones quedaba a la vista para que yo la conociera, la aprehendiera y comenzara a memorizarla como lo hacemos con los rostros nuevos que entran en nuestras vidas. Mil cuarenta y mil doscientos sesenta gramos eran sus pesos exactos, según la cartulina: lo que pesa la pasta que se cocina para una cena entre amigos. Viéndolas (viendo los brazos del grosor de uno de mis dedos, la piel de tonos morados y todavía cubierta de lanugo, los electrodos que apenas si cabían en la estrecha superficie del tórax), tuve esta revelación aterradora: que la supervivencia de mis hijas no estaba en mis manos y nada podía hacer yo para protegerlas de los males que las acechaban, porque esos males venían de adentro, estaban en los cuerpos inmaduros como una bomba de tiempo que podía o no activarse, y yo lo sabía aunque no hubiera recibido todavía el inventario completo de los riesgos. Lo recibiría más tarde: con el paso de las horas y los días, los médicos me irían hablando del ductus arterioso, un conducto del corazón que sería necesario operar si seguía abierto al cabo de un tiempo impreciso, y también de lo que significaba exactamente la cianosis, de los índices de saturación de oxígeno, de las frágiles retinas y del riesgo de ceguera que todavía nos amenazaba. Tomé una serie de fotos de pésima calidad (el plástico de las incubadoras reflejaba los fogonazos del flash y ocultaba parcialmente lo que había del otro lado) y se las llevé a M.

«Ahí están tus hijas», le dije, forzando una sonrisa. «Ahí están», dijo ella.

Y entonces, por primera vez desde que comenzó todo, rompió a llorar.

Ocupado como estaba en el cuidado de mis hijas, no le conté a M lo que había visto en casa de Benavides. Tuvo que pasar algo más para que lo hiciera. Ocurrió poco antes de que ella recibiera por fin el alta; para ese momento ya podía dar algunos paseos por la clínica, y juntos habíamos comenzado a visitar a las niñas tanto como lo permitieran las reglas de Neonatología. Eran visitas breves, de veinte minutos como máximo, durante las cuales podíamos sacarlas de la incubadora, cargarlas durante un rato, sentirlas y permitir que ellas nos sintieran. En esos instantes las enfermeras les quitaban los electrodos, y el silbido antipático de las máquinas —ese memorando de mortalidad— se apagaba. No era posible, en cambio, quitarles el tubo de oxígeno que había reemplazado la máscara c-pap de los primeros días: las niñas lo llevaban pegado a la cara (dos trozos de esparadrapo a ambos lados de sus narices diminutas), y nosotros, los visitantes, debíamos sentarnos tan cerca de las incubadoras que el tubo no se templara ni corriera riesgo de desprenderse. Así, conectados a los tanques de oxígeno, recostados en posiciones incómodas con aquellos cuerpos exiguos durmiendo sobre el pecho, pasábamos minutos que eran a la vez de tímida felicidad y de preocupación subterránea, porque nunca como entonces era tan clara la evidencia de la vulnerabilidad. Yo sostenía una de las manos de mis hijas entre mis dedos índice y pulgar y me daba perfecta cuenta de que podría romperla en pedazos si quisiera; vigilaba la puerta grande de la sala, porque me había convencido de que una corriente podría causar estragos en sus pulmones; me desinfectaba las manos más de lo necesario con un gel transparente cuyo olor alcohólico hacía arder los ojos, pues los sistemas inmunitarios de los prematuros no son ca-

paces de defenderse ni siquiera de las bacterias más ino-
cuas. Y poco a poco fui notando, con menos interés que
zozobra, que el mundo entero se había convertido en una
amenaza. La presencia de objetos extraños y la cercanía de
otras personas me ponían nervioso y aun agresivo, aunque se tratara de conocidos y aunque esos conocidos fueran
médicos y trabajaran en esta misma clínica. A estas ansiedades achaqué mi reacción del día en que entré a ver a
mis hijas, mientras M organizaba sus cosas para recibir el
alta, y me encontré al doctor Benavides inclinado sobre la
incubadora de una de ellas y manipulando el tubo de oxígeno con sus manos desnudas. Sin siquiera saludarlo, le
pregunté qué estaba haciendo.

«Se le había soltado el tubito», dijo él, sonriendo
pero sin mirarme. «Se lo acabo de volver a pegar».

«Saque las manos, por favor».

Benavides terminó de alisar un esparadrapo con la
yema del dedo meñique, sacó las manos de la incubadora
y se giró hacia mí. «Tranquilo, era una cosa sencillísima»,
dijo. «La cánula…»

«Yo prefiero», lo corté, «que no meta las manos
en las incubadoras de mis hijas cuando yo no estoy. Que
no las toque, no sé si me entiende».

«Le estaba poniendo la cánula».

«No me importa qué estaba haciendo, Francisco.
No quiero que las toque. Por más médico que sea usted».

El doctor estaba genuinamente extrañado. Caminó hasta la pared y oprimió la palanca del desinfectante una, dos veces. «Yo venía a saludarlo», me dijo, «y a
averiguar por sus hijas. A ponerme a la orden, mejor dicho».

«Pues gracias, pero estamos bien. Ésta no es su
especialidad, doctor».

«Perdón, papito», me dijo una enfermera que llegó
a mi lado.

«Qué pasa».

«Es que usted no puede estar aquí sin bata, las reglas son las reglas».

Recibí un atado de color azul claro que conservaba el olor cálido de la ropa recién planchada. Para cuando me puse la bata y el gorro estéril, Benavides se había ido. Lo traté mal, pensé, lo ofendí; y luego pensé: que se joda. No se cruzó con M, que llegó a sentarse a mi lado minutos después, con su gorro y su bata bien puestos y lista para recibir a la otra niña. Algo debió de ver en mi cara, porque me preguntó si me sentía bien. Y estuve a punto de contárselo todo en ese momento —hablarle de Benavides y su padre, de Carballo, de la vértebra de Gaitán—, pero no pude hacerlo. «Nada, no me pasa nada», le dije. «No te creo», dijo ella, que siempre ha tenido un instinto infalible, «algo te pasa». Y yo le dije que sí, que pasaba algo, pero que tocaríamos el asunto más tarde, a la salida: porque era muy incómodo para mí hablar con la niña acostada sobre mi pecho, y porque mi voz y mi respiración podían resultar incluso molestas para ella y perturbar su sueño, el más pacífico y silencioso que jamás me había tocado ver. Nada de esto era cierto, por supuesto, pero no fui capaz de identificar las razones por las que no quería hablar allí. Nunca nos llegan a tiempo los pocos pedazos de conocimiento que obtenemos de nosotros mismos; yo, por lo pronto, tuve que esperar varios días para percatarme de que M había tenido toda la razón del mundo cuando me dijo, después de oír mi relato detallado y algo contrito sobre el choque con el doctor Benavides, estas palabras sencillas sobre nuestras hijas: «Lo que pasa es que no quieres que se les acerque gente sucia».

Le iba a contestar que ese adjetivo no le convenía al doctor Benavides, que desde el principio me había parecido una de las personas más honestas y diáfanas —sí: más limpias— que había conocido jamás, pero comprendí entonces que se refería a otra cosa: no a las condiciones morales de Francisco Benavides, sino a lo que Benavides traía consigo como trae su concha un caracol: el legado de su padre. En otras palabras, la probabilidad demasiado presente de que esa mano que había alisado un esparadrapo en el pómulo izquierdo de mi hija hubiera sostenido, en algún momento del pasado, la vértebra de un hombre muerto a balazos, y no cualquier hombre, sino uno cuyo crimen vivía todavía entre nosotros, los colombianos, y alimentaba de oscuras maneras las múltiples guerras con que seguíamos matándonos cincuenta y siete años después. Me pregunté si no era posible que una puerta se abriera en mi vida y por ella entraran los monstruos de la violencia, capaces de inventar estrategias y ardides para meterse en nuestras vidas, para entrar en nuestras casas y en nuestras habitaciones y en las camas de nuestros hijos. Nadie está nunca a salvo, recuerdo haber sospechado, y luego recuerdo haber prometido, con la zozobra secreta de las promesas sin testigo, que mis hijas sí lo estarían. Eso me decía todos los días, ya fuera visitando a las niñas, sacándolas de las incubadoras y dejándolas dormir por turnos sobre mi pecho, ya fuera en casa de mis suegros —aquel estudio frío cuya terracita daba a un ejército de eucaliptos— mientras añadía alguna página al archivo de mi novela sobre Joseph Conrad en Panamá. (Aquella, por ejemplo, en que la hija del narrador nace después de seis meses y medio de embarazo, y de ella se dice que era tan pequeña que uno podía cubrirla con las manos, tan esmirriada de carnes que en sus piernas se notaba la curvatura de los huesos y de músculos tan débiles que su boca era incapaz de alimentarse del pecho de su madre.) Y una noche, mientras M intentaba estimular el reflejo de succión de las niñas poniéndoles en la boca el nudillo de su meñique derecho, me di cuenta de que no estaba pensando en mis hijas sino en Francisco Benavides, no en la leche materna que deberíamos dejarles para pasar la noche sino en la radiografía de un tórax con una bala adentro, no en los pinchazos en el talón minúsculo ni en los análisis de sangre, sino en los tonos luminosos de una vértebra conservada en formol. «Se te está convirtiendo en una obsesión», me reprochó M una noche. «Te lo veo en la cara».

«¿Qué me ves?»

«No sé. Pero prefiero que no te pase ahora. Todo esto es agotador, yo estoy agotada, tú estás agotado. Y yo prefiero que no me toque hacerlo sola. Lo de las niñas, digo. No sé qué te está pasando, pero prefiero que estés aquí, conmigo, y que hagamos esto juntos».

«Lo estamos haciendo juntos».

«Pero es que algo te está pasando».

«Nada me está pasando», le dije. «Absolutamente nada».

III. Un animal herido

Carballo volvió a aparecer en mi vida a finales de noviembre. Mis hijas habían salido ya de sus incubadoras y pasaban las noches con nosotros, en la habitación que fue de M cuando vivía con sus padres: les habíamos arreglado una cuna con baranda ajustable donde cabían las dos, una de cada lado, cada una conectada a su propio tanque de oxígeno medicinal que la miraba desde su baranda como un pariente silencioso, y cada una con su propia cánula de plástico cubriéndole el labio superior. El día 21, a eso de las seis, estando yo en medio de un cambio de pañal, recibí la llamada de una amiga que me dio la noticia: Rafael Humberto Moreno-Durán, uno de los novelistas más notables de su generación y mi amigo en los últimos años, había muerto en horas de la mañana. «Ya se murió», me dijo, poniendo todo el peso de la voz en el adverbio resignado, y enseguida me dictó la hora de la ceremonia, el nombre de la iglesia y su dirección exacta. Y allí estuve a la mañana siguiente, compartiendo con amigos y familiares de R.H. (que así lo llamábamos todos) la tristeza pero también el alivio: pues la enfermedad había sido difícil, menos larga que intensa y en todo caso muy dolorosa, aunque él la hubiera llevado con humor y algo que sólo puedo llamar coraje.

Nos habíamos conocido cuando yo era un estudiante de Derecho cuyo único designio era aprender a escribir novelas, tal como le había sucedido a él unas tres décadas atrás, y nos fuimos haciendo amigos sin que yo supiera muy bien cómo; él me visitaba en Barcelona, la ciudad donde había pasado doce años de comienzos felices, y yo lo visitaba en Bogotá cuando tenía la oportunidad, a veces para almorzar en su casa, a veces para acompañarlo a recoger el correo en su apartado aéreo. Era toda una rutina para él: llegar caminando al edificio de Avianca, entrar a las galerías de las cajillas de seguridad y salir de ahí lleno de cartas y revistas. Fue durante una de esas caminatas cuando me confesó lo de su enfermedad. Me explicó que una tarde, subiendo las escaleras de su edificio, había perdido de repente el aliento, había dejado de ver con claridad —el mundo convertido en un espacio negro— y estuvo a punto de desmayarse allí mismo, sobre las escaleras duras de color ladrillo. Los médicos no tardaron demasiado en diagnosticarle una anemia y en encontrar enseguida la causa, un cáncer que llevaba ya largo tiempo viviendo clandestino en su esófago y que, para el momento de aquel encuentro, lo había obligado a varios tratamientos y le había trastornado el apetito. Su *alien*, lo llamaba. «Tengo un *alien*», decía a quien le pedía explicaciones sobre su delgadez repentina. Y cuando le veían mala cara o estaba irritable, se disculpaba: «Es que hoy mi *alien* no se está comportando». Ahora, poco más de un año después del diagnóstico, había perdido la batalla contra esa enfermedad de mierda que no respeta dignidad ni treguas.

Y allí estábamos sus conocidos y amigos, entrando a la nave amplia de la iglesia, buscando un lugar libre en las bancas de madera, moviéndonos entre las cuatro paredes blancas mientras saludábamos con esa media voz que se usa en las ocasiones tristes, pero sobre todo muriéndonos de frío, pues alrededor de la iglesia se levantaba una conspiración de edificios de oficinas y eucaliptos densos que no dejaban pasar ni un afligido rayo de sol. Estábamos todos, digo: los que querían a R.H., los que lo respetaban, los que no lo querían ni lo respetaban pero confesaban admirar sus libros, los que admiraban sus libros pero no lo admitían por envidia, los que habían sido blanco alguna vez de sus burlas o sus ataques directos y ahora venían a regocijarse, en su rincón de silenciosa amargura, de que R.H. ya no estuviera para echarles en cara su mediocridad. En pocos lugares es tan alta la concentración de hipocresía como en los funerales de un escritor: allí, en la iglesia, rodeando el ataúd donde descansaba el cuerpo de R.H., había en estos momentos por lo menos una persona dedicada al viejo arte de fingir, de fingir tristeza o desolación o abatimiento, cuando en el fondo estaba pensando que ni R.H. ni sus libros seguirían ya haciéndole sombra.

Mientras me acomodaba en mi sitio, un espacio lateral en una banca del medio (no tan cerca del ataúd como para sentirme intruso, no tan lejos como para parecer un mero curioso), iba tratando de recordar la última vez que asistí a la despedida religiosa de alguien que no creía en la religión. ¿Se habría acercado R.H. a Dios en sus últimos días, como les sucedía a tantos agnósticos? Esas metamorfosis del alma ocurren en lugares que ni siquiera los amigos vemos, de manera que no pude especular al respecto, pero alguna vez habría que estudiar el número de conversiones que se le deben al cáncer (desde luego que la cosa no sucede al revés: yo no sé de ninguna enfermedad que lleve a la apostasía). Cuando el cura comenzó a hablar, me llamó la atención un hombre que vi sentado en una de las bancas delanteras, del lado del corredor del medio, cuya silueta asentía al final de cada frase que salía de los altavoces, como un director de campaña que aprueba la oratoria de su candidato. Pero entonces hubo un movimiento en la nave de la iglesia, murmullos y cabezas girándose, porque Mónica Sarmiento, la esposa de R.H., se había puesto de pie tras una inclinación de la cabeza del sacerdote, y estaba avanzando hacia el púlpito. Acomodó el micrófono a su altura, se quitó las gafas negras y se pasó una mano por los ojos cansados, y anunció, con una entereza y una fuerza salidas de los fondos insondables de su tristeza, que iba a leer la carta que R.H. le había dejado a Alejandro.

«¿Quién es Alejandro?», dijo alguien a mi lado.

«No sé», dijo alguien más. «Un hijo, me imagino».

«Querido Alejandro», dijo Mónica. Un silencio nos cayó encima. «Es muy probable que ahora, a punto de cumplir tus once años de edad, no comprendas las razones que me sugieren escribirte esta carta. Pero lo hago por precaución. Me explico: tarde o temprano todo hijo vive el síndrome de Kafka, es decir, siente la necesidad de escribirle a su padre una carta "cantándole la tabla", reprochándole lo arbitrario y egoísta que es o ha sido, su falta de comprensión y tolerancia. Porque el hijo, a cierta edad, se cree el rey de la creación y sólo pide para él dedicación y atenciones y si su padre no se las brinda opta por la retaliación, es decir, la inquina personal, la desobediencia, la animadversión o, como en el caso de Kafka, la escritura vindicativa y terrible. Por si acaso, con esta carta yo solo intento curarme en salud. Hace muchos años leí algo que ahora recobra todo su sentido. Nunca olvidaré la primera línea de uno de los ensayos del lord canciller Francis Bacon —un moralista tan sabio que hacía todo lo contrario de lo que predicaba—, que dice: "Quien se casa y tiene hijos, entrega rehenes a la fortuna". Y pienso, querido Alejandro, que hoy soy rehén de la fortuna, es decir, de la suerte, del azar que nos involucra el uno con el otro; que mi albedrío no es el de mis tiempos de errancia por el mundo, cuando nada ni nadie limitaba mi libertad y cuando todo para mí era un amplio mapa de caminos abiertos. Me creía eternamente joven e indómito y estaba convencido —lo juro— de que la vida comenzaba a los dieciocho años y que todo lo que no llegase a cumplir esa edad pertenecía al orden de los protozoarios. Los niños eran para mí la undécima plaga de Egipto hasta el punto de que las iniciales de mi nombre se convirtieron casi en una consigna infanticida: R.H. no quería decir Rafael Humberto, sino Rey Herodes. Hasta el día en que naciste y ahí fue cuando descubrí que la frase del lord canciller Bacon escondía insospechadas sorpresas: al nacer tú, yo me convertí en rehén de tu fortuna».

La gente sonreía en la iglesia, y yo pensé: típico de R.H. Típico de él convertir una ocasión de tristeza y lamento en una oportunidad para el humor, para los juegos de palabras, para el ingenio que desbarata solemnidades. Pensaba también en mis hijas: ¿me habría convertido yo en rehén de su fortuna? Por boca de Mónica, R.H. hablaba ahora del nacimiento de su hijo, o más bien le hablaba a su hijo de su nacimiento, y aceptaba la inevitable cursilería de todo padre que habla de sus hijos, y contaba anécdotas graciosas como suelen contar sobre sus hijos los padres, conscientes sin embargo de que las anécdotas pueden carecer por completo de gracia para todos los demás. Una de esas anécdotas recordaba el día en que unos amigos mexicanos le regalaron a Alejandro un pegaso de trapo. El hijo de R.H. preguntó por qué ese caballo tenía alas, y R.H. le explicó que Pegaso había nacido de la sangre de la Medusa cuando Perseo la mató cortándole la cabeza, que en lugar de pelo tenía cien serpientes con las que paralizaba a sus víctimas. «No me hagas reír, papá», dijo Alejandro. «Como consuelo al ridículo que acababa de hacer», dijo R.H. por voz de Mónica, «supe desde ese instante que habías nacido vacunado contra el realismo mágico».

En la nave retumbaron varias carcajadas.

«¿Contra qué?», preguntó alguien más a mi lado.

«Deje oír», le respondieron.

«¿Que para qué evoco esas anécdotas?», continuó Mónica. «Porque de alguna manera el padre, en su madurez, cree y quiere ser la memoria del hijo, para quien a su temprana edad todo es efímero e intrascendente, como si intuyera que lo que ha vivido hasta ahora vale muy poco y que sólo tiene importancia lo que está por protagonizar. La infancia no existe para los niños; en cambio, para los adultos la infancia es ese país pretérito que un día perdimos y que inútilmente queremos recuperar habitándolo con recuerdos difusos o que no existen y que por lo general no son más que sombras de otros sueños. Por eso queremos convertirnos en notarios de la memoria del hijo: de algo que él olvidará muy pronto pero que para el padre es la mejor prueba de que ha engendrado su posteridad. ¿Cómo olvidar ese repertorio de filosofías infantiles con que el hijo, sin proponérselo, busca subrayar con sus propios conceptos un mundo que comienza a ser suyo? Una noche, mientras esperaba la hora de las noticias, nos entretuvimos tú y yo viendo la televisión. Transmitían en directo las horas finales —y más tórridas— del Carnaval de Río de Janeiro. Cómodamente instalado en un sofá observabas con avidez esa amplia profusión de carne morena que desafiaba los apetitos desde el Sambódromo. Tendrías cinco años de edad y no pude contenerme, por lo que te comenté, como si fuésemos un par de viejos verdes: "Alejandro, definitivamente las mujeres son espectaculares". Y tú, sin darte la vuelta siquiera y como si fueras un experto en el tema, contestaste: "Sí, papá. Y además dan leche"».

Esta vez las carcajadas llenaron la iglesia entera. La gente reía, pero no dejaba de estar incómoda: ¿estaba permitido esto?, parecían preguntarse todos. A R.H., desde el pasado o desde la ausencia, no le importaba, o más bien le debía de causar verdadero placer estar provocando cierta discordia inofensiva.

«Querido Alejandro: si de algo me arrepiento es de no haberle dicho a mi padre cuánto lo admiraba y quería. Mi única muestra de afecto se limitó a un rápido beso sobre su frente dos días antes de morir. El beso me supo a azúcar y me sentí un ladrón que furtivamente robaba algo que ya no era de nadie. ¿Por qué ocultamos nuestros sentimientos? ¿Por cobardía? ¿Por egoísmo? Con la madre es diferente: la cubrimos de flores, regalos, frases edulcoradas. ¿Qué es lo que impide que nos enfrentemos afectivamente al padre y le digamos, cara a cara, cuánto lo queremos o admiramos? En cambio, ¿por qué lo maldecimos en voz baja cuando nos pone en nuestro lugar? ¿Por qué reaccionamos con bellaquería y no con afecto cuando se presenta la ocasión? ¿Por qué somos valientes ante el dicterio y cobardes ante el afecto? ¿Por qué nunca le dije a mi padre estas cosas y en cambio te las digo a ti, que a lo mejor no las entiendes todavía? Una noche quise hablar con mi padre en su cuarto pero lo encontré dormido. Cuando me disponía a abandonar discretamente la habitación, escuché que entre sueños, con voz desesperada, decía: "¡No, papá, no!" ¿Qué extraño, agitado sueño vivía mi padre con el suyo? Y si algo llamó mi atención, más allá del enigma del sueño, fue el hecho de que por ese entonces mi padre tenía setenta y ocho años y mi abuelo hacía por lo menos un cuarto de siglo que había muerto. ¿Tiene uno que morir para hablar con el padre?»

Entonces comenzó a caer una lluvia ligera. No, no era ligera, sino escasa: una lluvia de gotas gruesas y pesadas pero escasas. De afuera nos llegaba su traqueteo delicado sobre los techos metálicos de los carros parqueados, y a partir de ese momento fue más difícil entender lo que leía Mónica. Mi atención se dispersó como suele hacerlo; por segunda vez me pregunté si también yo, ahora que habían nacido mis hijas, era rehén de la fortuna, y no sabía qué respuesta darme ni dónde empezar a buscarla. ¿Cómo se comportarían ellas conmigo en el futuro? ¿Cómo era la relación de un padre con sus hijas? Era sin duda distinta a la que tenían dos hombres, el padre y el hijo, y en especial dos hombres de otra generación. Pero si yo hubiera tenido hijos, pensé, hijos hombres, estaría enfrentándome a dificultades similares, ¿no era cierto? Mis hijos hombres, ¿ocultarían ante mí sus sentimientos?, ¿reaccionarían ante mí con bellaquería y no con afecto? ¿Y por qué no pensar que también mis hijas podrían tener conmigo una relación tensa y difícil? Toda la vida me había relacionado mejor con las mujeres que con los hombres, tal vez porque las camaraderías y las complicidades masculinas siempre me parecieron ridículas: ¿cómo sería con mis hijas? Entonces vi a Mónica pronunciar unas palabras que evidentemente eran las últimas, doblar las páginas que llevaba y bajar para mezclarse con hombres y mujeres que la recibían de brazos abiertos. No lo hizo en medio de un aplauso, sino de la represión de ese aplauso. La carta de R.H. a su hijo había roto las convenciones de lo que es una misa por un muerto, y los asistentes se habían sentido desorientados, bellamente desorientados, y en las caras se les veía que estaban contentos de no haber sabido muy bien cómo comportarse, de haber venido a despedir a alguien con rituales que todo el mundo conoce y haber acabado en terreno incierto, riendo y con ganas de reír, no aplaudiendo pero con ganas de hacerlo, y tal vez pensando todos en sus hijos o en sus hijas como yo pensaba en las mías.

No sé qué más ocurrió en esa misa. No recuerdo la comunión que no tomé ni la paz que, por distracción, no le di a nadie. El ataúd que contenía el cuerpo de R.H. pasó frente a mí y yo esperé a que pasara, y me dejé devorar entonces por el río de los dolientes, por el escandaloso silencio con que avanzaba. No podía quitarle los ojos de encima al ataúd; el ataúd, por su parte, se movía tercamente hacia el rectángulo de luz de la puerta grande, subiendo y bajando según la marcha de los portadores. Desde atrás lo vi salir al aire del mediodía y bajar las escaleras hacia la carroza fúnebre, su compuerta trasera abierta como una boca. Esperé, observando en silencio desde el primer escalón, a que el chofer cerrara la compuerta, y entonces vi, escrito en letras doradas sobre una banda de fondo púrpura, el nombre que tantas veces había visto en cubiertas y lomos de libros, en titulares de entrevistas, firmando críticas en los periódicos. ¿Cuándo habría decidido Rafael Humberto ser R.H.? La primera edición de su primera novela, *Juego de damas,* había aparecido en 1977 llevando en la portada y en el lomo su nombre completo, y en la dedicatoria que me escribió veinte años después, mientras almorzábamos una pasta con demasiada salsa en el restaurante La Romana, aparecía todavía su largo nombre compuesto. ¿En qué momento había decidido el nombre convertirse en una sigla, como preparándose para caber sin problemas en la banda púrpura de una carroza fúnebre? La iglesia se iba vaciando lentamente, los asistentes bajaban al parqueadero y subían a sus carros y los carros comenzaban a salir en fila india; y nosotros, los que permanecíamos en el escalón superior, mirábamos la caravana partir con su aterradora disciplina. Muy poca gente quedaba todavía —en mi recuerdo, eran seis o siete personas— cuando la lluvia empezó a arreciar. Me disponía a bajar las escaleras para atravesar el parque contiguo y buscar un taxi en la carrera 11 antes de que se desgajara el aguacero, pero en ese instante sentí una mano pesada en el hombro, y al darme la vuelta me topé con Carballo.

Era él. Era el hombre que me había llamado la atención antes de la lectura de la carta de R.H. a su hijo. ¿Por qué no lo reconocí entonces? ¿Qué había cambiado en su apariencia? No fui capaz de detectarlo, y al mismo tiempo tuve la convicción invencible de que él, por su parte, me había reconocido de inmediato. Más aún: supe o creí saber que Carballo había estado consciente de mi presencia durante toda la misa y me había vigilado desde lejos, siguiéndome como un espía y parándose a mi lado, entrometiéndose en mis conversaciones casuales, esperando el momento oportuno para fingir un encuentro imprevisto. Y su instinto infalible, su instinto de depredador, le había indicado el momento mejor para asaltar a su presa. *Es como un sabueso,* me había dicho Benavides.

Y también: *Usted es una pista.*

Y ahora yo pensaba: *Soy su pista. Es un sabueso. Su presa soy yo.*

*

«Qué milagro», dijo Carballo. «Esto sí que no me lo esperaba».

No me cupo la menor duda de que estaba mintiendo. ¿Pero con qué fin? Imposible saberlo, y no se me ocurrió una pregunta que me sacara de la duda. De hecho, no se me ocurrió opción mejor en ese momento que mentir también. (Casi nunca hay mejor opción: la mentira tiene mil usos, es maleable y sumisa como un niño: hace lo que le pidamos, siempre está dispuesta a servirnos, no es pretenciosa ni egoísta ni pide nada a cambio. Sin ella, no sobreviviríamos ni un segundo en la jungla de la vida social.) «¿Usted estaba aquí, en la misa?», le dije. «No lo había visto, ¿dónde estaba escondido?»

«Llegué temprano». Sacudió la mano en el aire. «Estaba adelante, del lado de allá».

«No sabía que se conocieran con R.H.».

«Íntimos», me dijo Carballo.

«No me diga».

«Sí le digo. Una de esas amistades breves pero fructíferas, ya ve. Mire, ¿por qué no nos sentamos adentro? Está comenzando a llover duro».

Era verdad. El mediodía se había oscurecido y la lluvia arreciaba sobre la iglesia; las gotas gruesas azotaban la piedra de las escaleras y formaban ya los primeros charcos, y enseguida estallaban en los charcos y nos salpicaban los zapatos, las medias, la bota de los pantalones. De quedarnos allí parados, pensé, íbamos a acabar empapados de arriba abajo. Y así decidimos cruzar juntos el umbral de la iglesia y sentarnos en la última fila, solos los dos en la nave vacía de feligreses, tan lejos del altar que las facciones del cristo no podían distinguirse. El momento tenía para mí la curiosa familiaridad de las escenas cinematográficas: una reunión clandestina entre mafiosos italianos, por ejemplo. Carballo tomó asiento hacia el centro de la larga banca de madera; yo me ubiqué tan cerca del corredor como fuera posible. Nuestras voces sonaban distorsionadas por los ecos, pero también por el estrépito de la lluvia cayendo afuera, y al cabo de un rato nos dimos cuenta de que nos habíamos acercado imperceptiblemente, para poder entendernos sin gritar. Registré el esparadrapo de su nariz. Conté los días que habían trascurrido desde el incidente en casa de Benavides, y me pareció que ningún tabique del mundo tarda más de dos meses en sanar. «¿Cómo sigue su nariz?», le pregunté.

Él se llevó un dedo a la cara, pero no llegó a tocársela. «No le guardo rencor», me dijo.

«¿Pero todavía necesita llevar esa venda?»

«Para eso lo saludé», siguió él, como si no me hubiera oído. «Para demostrárselo con actos, cómo se dice, fehacientes. Que no le guardo rencor, quiero decir. Eso sí, ni le digo la plata que me he gastado en analgésicos. Y los días de incapacidad».

«Ah. Pues mándeme las facturas, yo...»

«No, eso sí no», me cortó. «No me insulte, por favor».

«Perdón. Pensé que...»

«No, señor, no. Yo no vine a despedir a un amigo para cobrarle a usted un par de dólex».

Lo había ofendido: su sentimiento de ofensa parecía genuino. ¿Quién era este tipo? Con cada palabra que decía me inspiraba más rechazo, pero también más intriga. Pensé, no sin algo de involuntario cinismo, que el esparadrapo de su nariz era parte de un elaborado disfraz, o más bien de un disfraz sofisticado por lo sencillo: pensé que le ayudaba a conseguir cosas. ¿Qué cosas? No pude imaginarlo. Carballo se había puesto a hablar de R.H: le había dolido mucho su muerte, aunque no podía decir que lo hubiera cogido de sorpresa, porque esta enfermedad era una mierda, con perdón, y era una mierda justamente por eso: porque avisaba. Por más corta que fuera, por más fulminante, siempre lo dejaba a uno pasar varios meses con ella, recibiendo avisos. Por eso era cruel. Con R.H. se había ensañado, era preciso decirlo: siempre se ensañaba así con los mejores. No, definitivamente no éramos nada, y cuando a uno le toca la lotería, pues le toca y no hay nada que hacer... Ahí estaba, pensé: ahí estaba la misma mezcla indiscriminada de lugares comunes y percepciones insólitas que había visto en nuestro primer encuentro. «La desaparición de R.H. es una pérdida para las letras nacionales», dijo. Y añadió: «Es que un Moreno-Durán no nace todos los días».

«Bueno, eso sí que es verdad», dije.

«¿No le parece? Es que estas cosas hay que decirlas. *Los felinos del canciller,* ¡qué novela! *Mambrú,* ¡qué novela! Usted la reseñó, ¿no?»

«¿Cómo?»

«Para la revista del Banco de la República», dijo Carballo. «Muy buena, la reseña. Quiero decir, muy positiva. Aunque se quedó corta, para mi gusto».

Mi reseña sobre *Mambrú* había aparecido en 1997. En esa época de juventud, la crítica de libros para el *Boletín Cultural y Bibliográfico del Banco de la República* —una publicación trimestral que me permitía reseñar hasta cuatro libros por número— se había convertido en mi principal fuente de ingresos. Del *Boletín* se podía hacer cualquier elogio, menos que fuera una publicación de distribución masiva: se leía en círculos académicos, entre usuarios de bibliotecas o letraheridos fanáticos. ¿Me había estado investigando Carballo? ¿Cuánto sabía de mí, y por qué? ¿Se trataba tan sólo, como había dicho Benavides, del interés que le despertaba mi parentesco con José María Villarreal, testigo importante del 9 de abril? Aunque también era posible que fuera lo que parecía: un tipo inteligente con demasiado tiempo en las manos, con una obsesión irracional... y con gustos literarios similares a los míos: pues las dos novelas que había destacado entre la obra prolífica de R.H. Moreno-Durán eran, justamente, las que hubiera escogido yo. Ahora Carballo se había puesto a hacer el elogio indiscriminado de R.H. «¿Y qué me dice de las primeras frases? ¡Ah, esas primeras frases! "Sudor de novia es el nombre que los árabes le dan al talco". Eso es de *El caballero de La Invicta*. "Cuando usted y yo hacíamos el amor, la muerte le ganaba una partida de ajedrez al Caballero del Séptimo Sello". Eso es de *El toque de Diana*. "Como un salmón que salta desde la noche, así es el alba de Manhattan…" Ay, las primeras frases, Vásquez, ¡siempre las primeras frases! ¡Es que uno agarra un libro de ésos y no lo suelta! Por lo menos yo, que leo para que me cuenten una historia bien contada. Soy un lector, cómo se dice, *hedónico*». Y en ésas estaba, alternando frases armadas con perspicacias que parecían pertenecer a otro, cuando dijo algo que brilló en medio de su cháchara como un incendio en la montaña nocturna.

«A ver», lo interrumpí. «Repítame eso».

«Era un escritor capaz de deslizar claves sobre la vida de su patria. Era capaz de hablar entre líneas de las cosas más difíciles. Era un maestro de la alusión».

«No, eso no», le dije. «Usted acaba de hablar de lo que le quedaba por escribir».

«Ah, sí», dijo Carballo. «Yo de esto algo sé y me parece que usted también, aunque usted sabe menos que yo. Y de todas formas, lo que yo sé se lo debo a usted. Al César lo que es del César. Si no fuera por esa conversación, R.H. nunca hubiera enriquecido mi vida como lo hizo. Aunque ahora ya no quede nada de eso».

«¿Qué conversación?»

«¿De verdad no sabe?», dijo exagerando la sorpresa. (Pensé: es un actor, un histrión. Pensé: no hay que creerle ni una palabra.) «Me va a tocar darle todo masticadito, parece. La conversación de la revista nueva, Vásquez. "La novela contemporánea y otras enfermedades", ¿no era así que se llamaba?»

Sí, así se llamaba exactamente. Carballo estaba lleno de sorpresas. En agosto del año anterior, Moisés Melo, el director de la recién fundada revista *Piedepágina,* nos había invitado a su casa para hablar de lo que le estaba ocurriendo a R.H. desde el diagnóstico de su cáncer: su enfermedad y su dolor vistos desde la literatura. Fue una conversación de dos horas que sólo se distinguió de nuestras otras charlas por la ausencia de whisky, la presencia de una grabadora encendida y un proceso de edición que organizó nuestras palabras para darles la coherencia y el propósito que no siempre tienen. La revista salió en diciembre; entre Navidad y Año Nuevo, Carballo, que estaba consultando ciertos documentos en la Biblioteca Luis Ángel Arango, se la encontró por casualidad en una mesa de la cafetería. «Casi me voy de para atrás», me dijo. «En esa entrevista encontré todo lo que estaba buscando».

«Y qué era lo que estaba buscando», pregunté.

«Un tipo de mente abierta», me dijo Carballo. «Un tipo dispuesto a escuchar. Dispuesto a no dejarse llevar por prejuicios, dispuesto a romper la camisa de fuerza de la versión oficial».

«No me acuerdo de que hayamos hablado de camisas de fuerza», dije.

«¿No? Qué lástima. Pero me imagino que se acordará de haber hablado de Orson Welles».

Lo recordaba, en efecto, pero vagamente. En cambio ahora, mientras escribo estas memorias una década después, tengo ante mí el primer número de *Piedepágina,* y puedo buscar en él la conversación con Moreno-Durán (que apareció entre un artículo sobre Graham Greene y otro sobre la Feria de Frankfurt), confirmar sus términos exactos y cuidadosamente transcribirlos aquí, en esta narración que asume poco a poco el aspecto de un dosier probatorio. R.H., vestido con traje negro y camisa de tonos morados, estaba hablando de la novela que acababa de terminar. La historia había surgido de un cuento, «Primera persona del singular», que contaba el viaje de Orson Welles a Colombia en agosto de 1942: un viaje especial, porque nunca ocu-

nate mediático representado y destruido en *Ciudadano Kane...*

RH: Sospecho que Welles vino, en el fondo, huyéndole a Rita Hayworth, que era bastante "intensa". En realidad, vino a hacer el documental y permaneció en el Brasil, ininterrumpidamente, por siete meses. Luego fue a Buenos Aires, habló con Borges, para el estreno de *El Ciudadano*, que así se llamó su película en Argentina. De ahí surgió la bellísima nota que Borges escribió en *Sur*. Luego fue a Chile, y ya de despedida llegó a Lima, y el 12 de agosto las agencias de prensa le hicieron la última entrevista y le preguntaron: *¿Y qué va a hacer a partir de ahora, viaja a Los Ángeles?* Dijo: *No, mañana viajo a Bogotá, Colombia.* Le preguntaron por qué, y contestó: *Tengo grandes amigos en Colombia, me encantan los toros, Colombia es un país de toros y soltó todo un rosario de tópicos sobre nuestro país.* Al día siguiente, agosto 13, en la primera página de *El Tiempo* se lee: ORSON WELLES LLEGA A BOGOTÁ, y los mismos titulares reproducen *El Espectador* y *El Siglo.* Pero Orson Welles no llegó nunca a Bogotá. Ese capítulo forma parte de una novela que se llama *El hombre que soñaba películas en blanco y negro,* que cuenta lo que le ocurrió a Welles en Bogotá los días 13, 14 y 15 de agosto, ocho días exactos después que Eduardo Santos entregara el poder y lo asumiera por segunda vez Alfonso López Pumarejo. Esto tiene una importancia política que nadie recuerda, y es que Laureano Gómez, en una entrevista que tuvo con el embajador norteamericano, le dijo que si Alfonso López se posesionaba, él daría un golpe de estado con la ayuda de sus amigos del Eje. La cuestión es que Orson Welles llega a Bogotá, una ciudad convertida en un nido de espías, corresponsales de guerra, y con el agravante de que en ese momento el país estaba completamente conmovido, dolido y rencoroso por el hundimiento de varias fragatas colombianas en el Caribe. En ese ambiente Orson Welles sufre una serie de peripecias impresionantes. Es una novela larga, de unas cuatrocientas y pico de páginas, donde reconstruyo un determinado momento histórico colombiano. De alguna forma constituye un díptico con *Los felinos del Canciller.*

rrió en la realidad. «Después del éxito de *Ciudadano Kane*», explica R.H. en nuestra conversación, «Welles se convirtió en una figura de fama mundial. Los Estados Unidos, el Departamento de Estado y la RKO decidieron enviarlo a América Latina a hacer un documental, y así usar su prestigio como una forma de aunar el interés de América Latina con Estados Unidos frente a las fuerzas del Eje». Luego la entrevista sigue así:

> JG: Probablemente querían también sacárselo de encima un tiempo. Por presiones de William Randolph Hearst, el magnate mediático representado en *Ciudadano Kane.*
>
> RH: Sospecho que Welles vino, en el fondo, huyéndole a Rita Hayworth, que era bastante intensa. En realidad, vino a hacer el documental y permaneció en el Brasil, ininterrumpidamente, por

siete meses. Luego fue a Buenos Aires para el estreno de *El Ciudadano,* que así se llamó su película en Argentina. Habló con Borges. De ahí surgió la bellísima nota que Borges escribió en *Sur.* Luego fue a Chile, ya de despedida pasó por Lima, y el 12 de agosto las agencias de prensa le hicieron la última entrevista. Le preguntaron: ¿Y qué va a hacer a partir de ahora, viaja a Los Ángeles? Dijo: No, mañana viajo a Bogotá, Colombia. Le preguntaron por qué, y contestó: Tengo grandes amigos en Colombia, me encantan los toros, Colombia es un país de toros. Y soltó todo un rosario de tópicos sobre nuestro país. Al día siguiente, agosto 13, en la primera página de *El Tiempo* se lee: Orson Welles llega a Bogotá, y los mismos titulares reproducen *El Espectador* y *El Siglo.* Pero Orson Welles no llegó nunca a Bogotá.

En la conversación publicada no aparece la pregunta que le hice: «¿Por qué, R.H.? ¿Por qué no vino Orson Welles a Bogotá?» Tampoco aparece su expresión de pícaro, un breve segundo en que su cara dejó de ser la de un hombre que muere de cáncer y se convirtió en la cara de un niño: «No te lo voy a contar, ni te creas», me dijo. «Vas a tener que leerte la novela entera». La revista registró en cambio sus palabras siguientes:

RH: La novela se llama *El hombre que soñaba películas en blanco y negro,* y cuenta lo que le ocurrió a Welles en Bogotá los días 13, 14 y 15 de agosto, ocho días exactos después de que Eduardo Santos entregara el poder y lo asumiera por segunda vez Alfonso López Pumarejo. Esto tiene una importancia política que nadie recuerda, y es que Laureano Gómez, en una entrevista que tuvo con el embajador norteamericano, le dijo que si Alfonso López se posesionaba, él daría un golpe de Estado con la ayuda de sus amigos del Eje. La cuestión es que Orson Welles llega a Bogotá, una ciudad convertida en un nido de espías y corresponsales de guerra, y con el agravante de que en ese momento el país estaba completamente conmovido, dolido y rencoroso por el hundimiento de varias fragatas colombianas en el Caribe. En ese ambiente, Orson Welles sufre una serie de peripecias impresionantes.

JG: Es otra vuelta de tuerca acerca de la relación entre la historia y la novela. La novela se vuelve el gran instrumento de especulación histórica.

RH: No creo que la novela intente colonizar nuevos espacios, sino que se confirma que todos los espacios son territorios de la novela. Hay un hecho muy curioso: Orson Welles conoció, durante los carnavales de Río de 1942, a Stefan Zweig, y éste le contó la maravilla que era ese país donde iba a vivir, porque un amigo lo había invitado. En mi novela, cuando llega Orson Welles a Colombia, lo invitan a una reunión para presentarle gente prestante, y en esa reunión hay un hombre muy silencioso, de unos dos metros de altura, a quien todo el mundo llama Viator, que habla con acento mineiro y con quien Welles simpatiza de inmediato. Viator es ni más ni menos que João Guimarães Rosa, que en esos momentos vivía en Bogotá. Era secretario de la embajada y acababa de ser cónsul en Hamburgo, donde los nazis lo habían metido en un campo de concentración. Una vez fue liberado, a su regreso lo nombraron en Bogotá. Los datos de Guimarães son fidedignamente ciertos. Yo aprovecho todas esas maravillas aunque sospecho que algún crítico dirá: A este tipo se le fue la mano... y resulta que todo eso es real. Welles y Guimarães Rosa terminan haciéndose amigos aquí, en Bogotá.

Todo eso dijo R.H. en la conversación que tuvimos, y eso era lo que había leído Carlos Carballo. Pero en la iglesia, sentado en la última banca de madera, no recordé estos detalles: no recordé que R.H. hubiera hablado de los presidentes liberales Santos y López, ni de Laureano Gómez, el líder conservador que admiraba a Franco y rezaba por la victoria del Eje, ni de las fragatas colombianas hundidas por los submarinos nazis en el Caribe, que sirvieron de pretexto al gobierno para romper relaciones diplomáticas con el Tercer Reich. No recordaba que hubiéramos hablado de Stefan Zweig, cuyo paso por Brasil ha quedado tristemente cifrado en la fotografía macabra de su suicidio con barbitúricos (lo acompañó su mujer, Lotte, que murió vestida con kimono pero sin ropa interior), ni tampoco la mención de Guimarães Rosa, que murió de un infarto en 1967 (once años después de haber descrito su propia muerte, su propio infarto, en una novela famosa). Los detalles de la conversación se habían diluido en mi memoria; no así, al parecer, en la de Carballo, que parafraseaba a placer. Afuera, el aguacero traqueteaba sobre los techos de los carros sin dueño y un viento había comenzado a zarandear las copas de los eucaliptos vecinos. Algo se movió al fondo de la iglesia, del lado del púlpito: vi una sombra o una silueta que se escondía; pensé que alguien nos miraba (nos vigilaba) desde lejos. Entonces se asomó un niño vestido de negro, nos observó y volvió a desaparecer. El retumbo de una puerta nos llegó tardío, como un trueno.

«Yo leí esa conversación, ¿y sabe qué me pasó?», me preguntaba ahora Carballo. «¿Sabe qué hice cuando la leí? Fue como si me movieran el piso. *Literalmente*. No pude seguir trabajando».

Se había pasado la mañana encerrado en la Biblioteca Luis Ángel Arango, buscando sin éxito informaciones sobre un autor para mí desconocido pero que a él le interesaba: un tal Marco Tulio Anzola. Cuando encontró la revista *Piedepágina,* había salido sólo para tomar el aire; tenía toda la intención de volver a seguir mirando micro- films, pero el descubrimiento se lo impidió: ¿cómo hu- biera podido seguir escudriñando entre periódicos viejos, entre viejas fotografías de una ciudad inexistente? No, no hubiera sido posible: porque allí, en esas páginas de una revista literaria, había surgido de repente algo que Carba- llo llevaba buscando mucho tiempo. «Era como una elec- tricidad», me dijo, «¿y cómo me iba yo a quedar quieto en una mesa de biblioteca cuando el cuerpo me pedía gritar, salir corriendo por el centro y luego seguir gritando?»

Supo de inmediato lo que tenía que hacer. Co- menzó sus averiguaciones en las horas de la tarde, y antes de que se acabara el día ya sabía que R.H. Moreno-Durán (Tunja, 1946), autor de la trilogía *Femina suite,* pronun- ciaría una conferencia para presentar su última obra, el ensayo *Mujeres de Babel.* El acto tendría lugar en la Uni- versidad Central a las 6:30. La entrada era libre. «Era mi oportunidad», dijo Carballo. «No lo pensé dos veces». Cua- tro días después, agarró su maletín de chapas metálicas, metió en él algunos papeles y el ejemplar de la revista, llegó al auditorio de la universidad, compró el libro en el puesto de entrada y se fue a tomarse un té de frutas en el café de al lado mientras acababa la conferencia. Des- pués vio a la gente hacer la fila frente a una mesa con man- tel, todos con su libro en la mano; en lugar de ponerse en la cola, Carballo esperó a que todo el mundo se fuera, vio a Moreno-Durán despedirse de los organizadores y salir caminando hacia la carrera séptima. Y entonces sí lo abordó.

«Maestro», le dijo sin más, «le tengo el libro de su vida».

R.H. lo hubiera podido mirar como se mira a un loco, pero no lo hizo. Entonces se fijó en su propio libro, en el ejemplar de *Mujeres de Babel* que Carballo cargaba con descuido, y le dijo:

«Bueno, tanto como el libro de mi vida no es, pero venga se lo firmo».

«No, no», dijo Carballo. «Yo no me refería…»

Carballo no supo explicarle el malentendido; balbuceó un par de incoherencias, sus manos desordenadas se movieron en el aire, pero ya Moreno-Durán tenía el libro abierto en la página del título. «¿Para quién es?» Carballo se lo tuvo que quitar de un manotazo: «No, maestro, usted no me entiende. Yo vengo a darle un tema, el tema del mejor libro que usted va a escribir en su vida. Es un libro que nadie ha hecho todavía en Colombia. Porque para hacer este libro hacen falta dos cosas: la información y el atrevimiento. Y por eso vengo a proponérselo a usted, maestro. Porque sólo usted puede escribir este libro. Usted y yo, mejor dicho: yo pongo la información y usted pone el atrevimiento».

«Ah», soltó R.H. Y luego: «Pues no. Muchas gracias, pero no estoy interesado».

«¿Por qué no?»

«Porque no», lo cortó R.H. «Pero gracias».

Empezó a caminar hacia la séptima. Carballo caminó con él. Se dio cuenta de que su maletín se parecía al de R.H.: los dos de cuero negro, los dos de chapas metálicas. En este detalle vio una confirmación o por lo menos un acicate: las coincidencias, en la experiencia de Carballo, no existían. Mientras se abría paso entre los transeúntes, vigilando las grietas del andén y tratando de que Moreno-Durán no se le escapara, Carballo iba pidiéndole que le oyera el cuento, por favor, aunque fuera para no quedarse con la duda, aunque fuera para no pasarse el resto de su vida preguntándose cuál sería ese libro tan maravilloso que le ofrecieron, aunque fuera para no morirse sospechando que había dejado pasar el tren y no se había subido.

«Yo no sabía lo que podía hacer el cáncer», me dijo. «A R.H. no lo había visto nunca en la vida y no podía comparar. No podía pensar: uy, cómo se ha adelgazado. No podía pensar: uy, debe estar muy enfermo».

Pero tras sus últimas palabras, se dio cuenta de que R.H. lo miraba de otra forma. ¿Qué era lo que había en su mirada? ¿Intriga, desprecio, la sensación molesta de que lo más privado del mundo —una enfermedad terminal— acababa de ser violado? R.H. siguió caminando. Giró hacia el norte por la carrera séptima y Carballo giró con él. Pero ya no hablaba: por cansancio o resignación, siguió el camino en silencio, esquivando gente, tratando de no pisar las mantas de los vendedores. Nunca sabría si fue por llenar el silencio, pero entonces R.H. le preguntó: «¿Y por qué yo?» Era una pregunta simple, pero fue suficiente para operar en Carballo una suerte de momentánea lucidez. «Por la misma razón que no lo escribo yo», le dijo. «Yo podría llenar trescientas páginas, claro que sí. Pero eso sería un fracaso, eso sería tirar a la basura todo lo que he logrado. No, este libro no lo puede escribir cualquiera. Lo tiene que escribir la misma persona que escribió *El hombre que soñaba películas en blanco y negro*».

Fue como si una mano en su pecho hubiera detenido a R.H. Carballo pensó: *Ésta es la mía.*

«Orson Welles en Bogotá», dijo. «¿Quién se hubiera atrevido a contarlo? La historia oficial no recoge esa visita, maestro, la versión oficial niega que eso haya pasado. Pero usted sí se atrevió, usted sí lo recogió. Y ahora, gracias a usted, Orson Welles estará para siempre entre los visitantes de Bogotá. Estuvo en Brasil con Stefan Zweig. Estuvo en Argentina con Borges. Y ahora estuvo en Bogotá con Guimarães Rosa. Su novela rescata unos hechos que de otra manera se hubieran perdido para siempre. Si no es por usted, esas verdades ocultas no hubieran salido nunca a la luz. Y yo tengo otra de esas verdades ocultas, maestro, y se la quiero contar a usted. Llevo más de diez años, no, más de veinte, pensando cómo hacer para revelar esto al mundo. Pero ya lo descubrí: es con usted que tengo que hacerlo. Con un libro suyo. La historia que le quiero entregar, la verdad silenciada que le quiero entregar para que usted la convierta en un libro, va a poner el mundo patas arriba».

«¿Ah, sí?» Los labios de R.H. se fruncieron en una mueca de escepticismo brutal, y Carballo sintió el peso de su autoridad. «Y a ver, ¿cuál es esa verdad?»

«Regáleme dos horas, maestro, no le pido más», dijo Carballo. «No, ni siquiera necesito dos. Con una me alcanza y me sobra. En una hora le explico todo y le muestro los documentos, y luego usted decide si vale la pena o no».

Habían llegado a la calle 26, donde la séptima se convierte en un viaducto y los paseantes se pueden asomar al vacío para creer, mágicamente, que los carros se pierden en las suelas de sus zapatos. Un ramalazo de vértigo sacudió a Carballo mientras R.H. le decía: «Mire, amigo, yo tengo afán. Y usted todavía no me ha convencido de nada. O me explica la vaina ya, o lo dejamos de ese tamaño». Pasó un bus a alta velocidad, tan cerca del andén que el asfalto tembló y el aire desplazado estuvo a punto de arrancarle de las manos a Carballo el sobre cerrado que acababa de sacar de su maletín.

«¿Y esto qué es?», preguntó R.H.

«Es una carta, maestro. Dirigida a usted. La escribí para dejársela si no podíamos hablar hoy. No, no es una carta, es un informe. Sólo cinco páginas, pero ahí le explico todo, todo lo que sé, todo lo que he descubierto en mis estudios de los últimos cuarenta años. No es sino que la lea y se va a dar cuenta. De lo que tenemos entre las manos, de lo que podemos hacer con esta información, del vuelco que va a dar este país cuando esto se sepa. Todo va a cambiar cuando saquemos esta verdad a la luz. Va a cambiar el pasado de este país, claro que sí, pero sobre todo va a cambiar su futuro. Va a cambiar la manera como nos relacionamos unos con otros. Fíjese en lo que le digo, maestro: después de que usted escriba este libro nuestro, la vida en este país nunca más va a ser igual».

*

«¿Y aceptó?», pregunté.

«Yo tampoco me lo creí al principio», me dijo Carballo. «Pero R.H. era un creyente, ¿sabe? Él *creía*. Los escritores grandes son así: tienen olfato, tienen la fe que va con el olfato. Saben reconocer la verdad cuando se les pone al frente. Y pelean, pelean a muerte por que la verdad se sepa. No, R.H. no me defraudó». Hizo una pausa y dijo: «Otra cosa es que se lo haya llevado la muerte antes de terminar la obra».

¿Podía ser verdad lo que decía? Todo, todo en él me generaba desconfianza, cada una de sus palabras me parecía fraudulenta, y sin embargo no logré hacer lo que debería haber hecho: ponerme de pie y denunciar en voz alta su mentira. ¿Pero era mentira? Aparte de la retórica mística sobre los *creyentes,* sobre la *verdad,* sobre la muerte que *se lleva* a la gente antes de que haya *terminado la obra,* ¿me estaba mintiendo Carballo? ¿Con qué fin? De nuevo pasó ese pensamiento por mi cabeza: si todo esto era mentira, Carballo era el mejor mentiroso del mundo. Si todo era una representación, este hombre era el mejor actor. *Es un histrión,* pensé de nuevo, *es un personaje de sí mismo,* y entonces se me ocurrió por primera vez que este hombre estuviera enfermo. Me vino a la mente una página de *Los emigrados* en que Sebald habla del síndrome Korsakov, esa afección de la memoria que consiste en inventar recuerdos ficticios para reemplazar los verdaderos que se han perdido, y me pregunté si no era posible que Carballo sufriera de algo similar. ¿No era eso más factible que aquel relato descabellado sobre el acoso y la persecución de un escritor reconocido, la entrega de una carta en mitad de la calle y el acuerdo clandestino sobre un libro delirante? ¿No era eso más verosímil que imaginar a R.H., un novelista serio y dedicado, como negro voluntario de un aficionado a las teorías conspirativas?

«Ah, se murió antes de terminar el libro», dije. «Pero sí lo comenzó».

«Claro que lo comenzó», dijo Carballo. «Me lo agradeció cada vez que nos vimos. "Esto va a ser mi broche de oro", me decía. "Y pensar que estuve a punto de mandarlo a la mierda, Carlitos". Sí, así me decía, *Carlitos*. Estuvo trabajando en este libro hasta el final. A mí sólo me habría gustado saber más de su enfermedad. Para darle a su esfuerzo el valor que se merecía».

«¿Dónde se veían?»

«A veces en La Romana. Un restaurante de la Jiménez, no sé si lo conoce».

«Lo conozco, sí. ¿Y dónde más?»

«A veces me pedía que lo acompañara a recoger el correo. Tenía un apartado aéreo».

«Sí, sí, ya sé. ¿Y dónde más?»

«¿Qué pasa, Vásquez? ¿Me está poniendo a prueba?»

«¿Dónde más se veían?»

«Una vez me invitó a su casa, para almorzar con sus amigos».

«¿Ah, sí? ¿Y qué amigos eran?»

Me miró con tristeza. «Usted no me cree», dijo. «Ya veo. Usted cree que me lo estoy inventando».

Fue como si se sacudiera una persiana: alcancé a ver, en un instante brevísimo, una expresión de vulnerabilidad que no había visto antes y que en todo caso no era la vulnerabilidad de la impostura. Tuve una suerte de revelación: para quitármelo de encima de una vez por todas, me bastaría con decirle que sí. *Sí, Carlos, creo que lo está inventando todo. Sí, creo que usted miente, creo que me engaña, creo que delira o está enfermo.* Pero no lo hice. Me disuadieron el restaurante La Romana y las caminatas para recoger el correo, detalles que Carballo no hubiera podido conocer sin un contacto directo y cercano con R.H.; pero me disuadió también y sobre todo la curiosidad, la terrible curiosidad que tantas veces me ha metido en tantos líos sin que haya podido nunca aprender la lección, la curiosidad que he sentido siempre por las vidas ajenas en general y en particular por las de la gente atormentada, por todo lo que ocurre en el secreto de sus soledades, todo lo que sucede, por decirlo de algún modo, detrás de la persiana. Todos vivimos vidas ocultas, pero a veces se sacude la persiana y entrevemos una acción o un gesto y sospechamos que allá detrás hay algo, y no sabremos nunca si lo oculto nos interesa porque no logramos verlo o por el esfuerzo inmenso que ha invertido alguien para que no lo veamos. No importa de qué secreto se trate (no importa si es banal o si ha definido una vida), mantenerlo escondido es siempre una tarea difícil, llena de tácticas y de estrategias, que exige memoria y artes narrativas, convicción e incluso un grado de buena suerte. Y es por eso por lo que la mentira vuelve a la gente interesante: porque ninguna mentira es perfecta y monolítica; porque basta observar durante un tiempo sostenido o con atención terca y constante para que la persiana se mueva y asome brevemente aquello que el otro no quiere dejarnos ver. Eso sucedió allí, en el banco de la iglesia, cuando Carlos Carballo se dio cuenta de que yo no le creía. Y por eso supe, con el instinto que tienen las fieras, que una palabra mía bastaría en ese momento para destruirlo (o destruir nuestra relación) y alejarlo para siempre. Y decidí no hacerlo. No fue por compasión, sino por curiosidad. O mejor: la curiosidad convierte las mejores emociones —la compasión, la solidaridad, el altruismo— en instrumentos para lograr sus retorcidos fines.

«No, Carlos, no creo que se esté inventando nada», le dije. «Pero entiéndame, por favor. Yo conozco a R.H. desde hace casi diez años. O lo conocía, mejor dicho. Y el escritor al que conocí no me cuadra nada con este tipo del que me habla usted».

«No sea inocente, Vásquez. ¿Acaso usted cree que conoció perfectamente a R.H.? ¿Acaso cree que se puede conocer a alguien perfectamente?»

«Se puede conocer a alguien *razonablemente*».

«Como si la gente no tuviera más de una cara», dijo Carballo. «Como si todo el mundo no fuera más complicado de lo que uno cree».

«Puede ser», dije, «pero no tanto. No tanto como para aceptarle un encargo a un desconocido en la mitad de la carrera séptima. No tanto como para invertir los últimos meses de su vida en un delirio».

«¿Y si no fuera un delirio? ¿Y si el que se lo propone no fuera un desconocido?»

«No le entiendo», dije. «Usted no conocía a R.H. cuando le hizo la propuesta. ¿No es eso lo que me acaba de contar?»

«Ya no me refiero a R.H.», dijo Carballo. Clavó la mirada en el suelo y luego en los vitrales. «R.H. ya no está. Pero el material sigue ahí, mis descubrimientos siguen ahí, la verdad sigue esperando. La verdad es paciente. El libro sigue ahí, vivito y coleando, y alguien tiene que escribirlo».

No sé cómo no lo vi venir. Ahora, mientras evoco para escribirla esa escena ocurrida hace tantos años, siento la misma sorpresa que sentí entonces y me hago la misma pregunta: ¿cómo no lo adiviné? ¿Cómo no supe leer las señas? Recuerdo que miré hacia la puerta y noté que la lluvia cesaba, y al hacerlo, como si mi cuerpo se diera cuenta de lo que se esperaba de él, sentí menos frío. Por supuesto, pensé: por supuesto que este encuentro no era casual, por supuesto que Carlos Carballo supo que me encontraría aquí, asistiendo a la misa por la muerte de un amigo. O bien, aunque no hubiera tenido la certeza de encontrarme, sabía que las probabilidades eran altas y había decidido probar suerte: y la suerte había estado de su lado.

«Ah, ya veo», dije. «Usted quiere que ahora lo escriba yo».

«Mire, Vásquez, usted no es R.H., con perdón», me dijo. «Yo leí sus cuentos, los que pasan en Bélgica. Dígame, ¿por qué pierde el tiempo en esas huevonadas? ¿A quién le importan esos personajes europeos que van a cazar en el bosque y se separan de la esposa? Qué frivolidad, por favor, qué tontería. Con una guerra civil aquí en su casa, con más de veinte mil muertos al año, con una experiencia de terrorismo como no se ha visto en ningún país de América Latina, con una historia marcada desde el principio por el asesinato de nuestros grandes hombres, y usted escribiendo sobre parejitas que se separan en las Ardenas. Yo no lo entiendo. Y su novela, la novela esa de los alemanes, bueno, eso está mejor, claro. Yo le puedo decir que hay algo valioso ahí. Pero también le tengo que ser honesto: el resultado general es un fracaso. Un fracaso meritorio, sobre todo para alguien de su edad, pero un fracaso. A la novela le sobran palabras y le falta humildad. Pero lo grave no es eso. Lo más grave, lo que daña la novela, es su cobardía».

«Su cobardía».

«Así como lo oye. La novela pasa por los grandes temas como pisando huevos. Menciona el narcotráfico y hasta el asesinato del futbolista ese, ¿pero se mete con eso? Menciona a Gaitán, pero ¿se mete con lo de Gaitán? Menciona a su tío José María, pero ¿se mete en ese tema? No, Vásquez, a usted le hace falta compromiso, hermano, compromiso con las cosas difíciles de este país».

«Tal vez escogí otras cosas difíciles», dije.

«Las de los extranjeros», dijo. «No las nuestras».

«Bueno», dije riendo o fingiendo reír. «Eso es lo más idiota que he oído en toda mi vida».

«R.H. le dejó una nota», cortó Carballo. «Yo cumplo con dársela».

Me entregó un papel blanco. Una deformación profesional me permitió saber que era de ochenta gramos y tamaño carta, el mismo que usaba Moreno-Durán para escribir sus borradores abigarrados. (Sólo en sus últimos años hizo el tránsito al computador, y por eso me bastó ver el

papel para saber que se trataba de un documento reciente.)
Seis frases llenaban el espacio.

Querido Juan Gabriel:
Hace poco tiempo me cayó en las manos una posibilidad
extraordinaria. Mejor dicho, me la regaló un hom-
bre extraordinario, que es quien te entrega esta carta.
A mí la vida no me ha dado tiempo para transformar
este don en libro, pero creo que dadas mis circunstancias
he cumplido a cabalidad. Ahora te toca a ti heredar tan
maravilloso material y llevarlo a buen puerto. Tienes en
tus manos algo grande y no dudo al decir que eres digno
depositario de estos secretos.
Recibe como siempre mi abrazo y mi amistad.

Leí y releí la nota con la profunda impresión que nos
causan las palabras de los muertos: imaginamos sus manos
y su piel pasando por el papel que ahora tocamos, y cada
línea y cada curva y cada punto es un rastro de su paso por
el mundo. Allí estaba mi nombre y unas palabras redactadas
con afecto, y entonces pensé que ya no podría yo contestar
a esa nota como había hecho alguna vez, y que así comenzaban a alejarse los muertos: con todo lo que ya no podemos
hacer con ellos.
Le pregunté a Carballo cuándo había recibido esta
nota.
«Hace tres días», dijo. «Cuando R.H. entró a la
clínica. Me mandó llamar, me devolvió todos los papeles
y les puso la nota encima. "Juan Gabriel es la persona",
me dijo».
«Para escribir el libro».
«Yo tampoco estoy de acuerdo. Pero R.H. tendría
sus razones. Para confiar en usted, digo, para dejarle esta
herencia. Seguro que él le veía algo que a mí se me escapa».
Miró hacia el frente, hacia el cristo, y dijo: «¿Qué dice,
Vásquez? ¿Se le mide a escribir el libro de su vida?»

Volví a leer la nota, volví a ver la firma. «Necesito pensarlo», le dije.

«Ay, qué cosa tan jodida», exclamó él con un bufido. «Esa huevonada de pensar, pensar. Ustedes piensan demasiado».

«Es que no es tan fácil, Carlos. Sí, usted encontró tres o cuatro coincidencias banales entre dos asesinatos. No sé qué tiene eso de raro, si estaban a la vista de todo el mundo. Dos asesinatos de gente importante que se parecen entre sí. Muy bien. Pero de ahí a pensar que realmente tienen algo que ver hay mucho trecho, ¿no le parece? ¿O cuántas formas distintas hay de matar a un político?»

Carballo se sobresaltó. «¿Quién le dijo eso?»

«El doctor Benavides, quién iba a ser. ¿Qué pasa?, ¿no es verdad? Ésa es su teoría, ¿no? ¿Que lo de Gaitán y lo de Kennedy se parecen demasiado?»

«Por supuesto que no», dijo con un puchero de artista incomprendido. «Eso es una simplificación grosera de algo que es mucho más complicado. Se ve que mi querido amigo no ha entendido nada, que no heredó nada de su padre. Qué desilusión. ¿Y qué más le contó nuestro doctorcito?»

«Hablamos de lo del segundo tirador», dije. «El del caso Kennedy, pero también el del caso Gaitán. Hablamos de su maestro, Carlos: el doctor Luis Ángel Benavides. El gran Luis Ángel Benavides, sí, el experto en balística que descubrió la presencia en Dallas de más de un asesino. Y sin ayuda de nadie. Pero que también exhumó a Gaitán en 1960 y confirmó sin lugar a dudas que la bala faltante venía de la misma pistola. Que a Gaitán, al contrario de lo que pasó con Kennedy, sólo lo mató una persona».

«Pero eso no se confirmó».

«Claro que se confirmó».

«No se confirmó».

«¿Cómo que no? ¿Acaso no se hizo la autopsia? Ahí está la evidencia, Carlos, por más que usted quiera negarla».

«La evidencia desapareció», dijo Carballo bajando la voz. «Sí, Vásquez, así como lo oye. El doctor hizo la autopsia, extrajo la vértebra donde había pegado la bala perdida y encontró la bala. Pero ni la vértebra ni la bala existen ya. Están desaparecidas. Quién sabe dónde estarán, o si las habrán destruido. Hay que preguntarse por qué desaparecieron esas evidencias, ¿no le parece? Hay que preguntarse a quién le interesaba que no se pudieran consultar después de cierto tiempo. Hay que preguntarse quién se dio cuenta de que la ciencia avanzaba y las evidencias de un crimen pasado comenzaban a decir más cosas, y quién decidió entonces desaparecer esas evidencias. Lo cierto es que lo lograron, Vásquez, como siempre lo lograron, ya no tendremos nunca esas evidencias para examinarlas a la luz de la nueva ciencia, y quién sabe qué cosas nos dirían, qué revelaciones guardan todavía. La balística ha avanzado mucho. Han avanzado mucho las ciencias forenses. Pero de nada nos sirve, porque los que tienen el poder han desaparecido las evidencias. Y así van ganando ellos, Vásquez, así nos van ocultando la verdad, así...»

«Ay, Carlos, cállese un momento», le espeté.

«A ver, eso sí que no», protestó. «Eso no se lo...»

«La vértebra de Gaitán está en la casa de Benavides», dije.

«¿Qué?»

«Nadie la ha desaparecido, no hay ninguna conspiración. Francisco se la llevó para su casa cuando cerraron el museo, y eso es todo. Se la llevó para que no se perdiera, no para esconderla de nadie. Perdón por desbaratarle sus teorías, pero alguien le tiene que explicar alguna vez que el Niño Dios son los papás».

Esta vez fue deliberada la crueldad con que le hablé, y estuve muy consciente de dirigirme a alguien cuyo padre lo ha abandonado. ¿Habría alguna relación entre el abandono de Carballo por su padre y su tendencia a creer en fantasmas? Lo consideré brevemente, pero entonces me distrajo la expresión de su rostro: yo nunca había visto algo parecido. Lo vi descomponerse en un segundo y enseguida lograr, quién sabe con qué esfuerzos interiores, recuperar la compostura.

Está herido, pensé, *es un animal herido.*

Verlo fue doloroso y al mismo tiempo cautivante, pero sobre todo elocuente: pues algo en esa fugaz lucha consigo mismo, algo en ese intento por esconder su decepción o su desilusión, me enseñó que me había equivocado al hacer aquellas revelaciones. Al hablarle a Carballo de la vértebra —la vértebra clandestina, pensé—, había traicionado la confianza de Benavides, y de nada me serviría alegar que el doctor no me hubiera hecho ninguna prohibición expresa, pues durante nuestra conversación en su estudio, tanto por su tono como por sus palabras, había sido evidente su intención de ocultarle a Carballo la existencia o la supervivencia de la vértebra y la radiografía. Ahora, yo había traicionado ese secreto. Lo había hecho en un impulso, llevado por la inercia del momento, pero ni siquiera a mí me resultaban aceptables estas excusas. ¿Qué estaría pasando por la cabeza de Carballo, qué desilusiones, qué recuerdos de conversaciones en que Benavides le hubiera mentido acerca de la vértebra, a él que siempre se había sentido su hermano y el heredero espiritual del doctor Luis Ángel Benavides? ¿Albergaría Carballo sus propios sentimientos de traición, diferentes de los míos pero quizás aún más válidos? El cielo comenzó a despejarse y la luz del día a entrar con más fuerza en la iglesia; por una rara ilusión óptica, me pareció que Carballo había palidecido. Tenía la mirada fija en el cristo del fondo. No parecía que fuera a volver a hablar. Doblé la hoja que me había entregado en tres partes, como se dobla una carta, y me la metí al bolsillo del pecho. «Voy a pensármelo», dije, y me puse de pie.

«Sí», dijo Carballo, sin mirarme. De repente se escuchaba, en medio de su voz precisa y convencida, una nota de descontrol, el desequilibrio de quien recibe un empujón en la calle. «Piénselo, Vásquez. Pero no lo piense a la ligera. Le digo lo mismo que le dije a R.H.: no deje pasar esta oportunidad».

«¿Qué oportunidad?», dije. «¿La de hacer historia?»

La pregunta sonó sarcástica, pero ésa no era mi intención. Lo pregunté porque de verdad lo quería saber: saber si era eso lo que estaba al alcance de mi mano.

Carballo, mirando fijamente al cristo del fondo, no me contestó.

A mediados de diciembre, tres semanas después del entierro, llamé a Mónica y le pregunté si podía ir a visitarla. En ese lapso, Carballo me escribió dos correos electrónicos (no sabré nunca cómo logró conseguir mi dirección), pero no contesté a ninguno. Entonces escribió un tercer correo: *Cordial saludo Juan Gabriel, cuanto mas lo pienso mas me convenzo que este libro es para usted, no lo desperdicie, saludos, CC.* También éste quedó sin respuesta.

Al llegar al apartamento que había sido de R.H., me encontré con que alguien más había tenido la idea de visitar a Mónica. Hugo Chaparro era un tipo de bigote marrón y lunares dispersos en la piel blanca; había visto todas las películas del mundo y escrito sobre la mayoría de ellas, y su relación con R.H. durante sus últimos meses de vida había sido realmente cercana: Hugo lo había acompañado a las quimioterapias, le había ayudado a organizar sus papeles, lo había acompañado a recoger su correo en el edificio de Avianca, había acudido a su casa cada vez que R.H. necesitaba una ayuda relacionada con su trabajo. El apartamento era un lugar amplio del norte de Bogotá por cuyos ventanales finos entraba atropellándose todo el ruido de esta ciudad ruidosa. Allí pasamos el almuerzo, hablando de los libros de R.H. y de lo que convendría hacer con ellos, pero también de su enfermedad —que él siempre había discutido libremente, con una mezcla de valor y desdén, sin victimismo pero con ganas de ser escuchado—, y la misma conversación siguió sin solución de continuidad en el pequeño estudio abierto que R.H. solía usar para leer, frente a la biblioteca de madera oscura donde conservaba las primeras ediciones de sus libros, todas empastadas, por una vieja superstición, en cuero de verdad. Hugo se había puesto a mirar libros: avanzaba estante por estante, leyendo lomos, sacando alguno y volviéndolo a meter, como si fuera la primera vez que visitaba esta biblioteca. Mónica estaba sentada en una mecedora de mimbre, pero sin balancearse, los tacones de los zapatos firmemente plantados sobre la alfombra; detrás de su cabeza había una ventana vertical y estrecha que daba a un patio interior, y por la ventana entraba un sol frío y cansado que no tardaría en desaparecer, un sol reticente de ciudad andina.

«Bueno, ahora sí», dijo Mónica con su voz dura. «Qué es lo que me querías decir».

«Sí», dije. «Es una bobada, pero es por estar seguro. ¿Tú conoces a un Carlos Carballo?»

Un breve silencio. «No. ¿Quién es?»

«Un tipo», dije, «un conocido de R.H. Bueno, no sé si conocido. Por lo menos, un tipo que decía conocerlo. Me interesa saber si te suena».

«No me suena», dijo Mónica.

«¿Segura?», dije. «Pues él me dijo que se conocían bien. Que se frecuentaban. Quería que R.H. le escribiera un libro».

Bastó con que dijera esto último para que Hugo se enderezara y se diera la vuelta hacia nosotros. «Uy, sí, yo sé quién es», dijo. «El del libro, sí, yo sé. Un pesado, un animal, un impertinente».

«Carlos Carballo», dije, como para asegurarme.

«Sí, sí, ése», dijo Hugo. «Nos perseguía todo el tiempo, era insoportable. Llegábamos a la quimioterapia y ahí estaba, esperándonos, como si fuera el hermano perdido de R.H. ¿Tú lo conoces también?»

No les di todos los detalles, pero sí los suficientes como para que entendieran. «Se me acercó en la misa», les dije. «Me explicó que había leído mi conversación de *Piedepágina,* y que esa conversación lo condujo a R.H. Mejor dicho, que había leído lo que R.H. dice sobre la novela de Orson Welles y había pensado que éste era el tipo que él necesitaba».

«¿Para qué?», preguntó Mónica.

Esta vez contestó Hugo. «Dice que sabe cosas que no sabe nadie. Dice que tiene una investigación sobre Gaitán, parece, sobre el 9 de abril. ¿No es así? Es algo así. Y nos perseguía hasta la quimioterapia, se sentaba ahí, al lado de R.H., le decía Maestro, tiene que escribirlo usted, nadie más puede escribirlo, tiene que escribirlo usted. Al final ya nos daba hasta miedo, te juro. R.H. decía que se había convertido en una productora de Hollywood».

«¿Por qué?»

«Porque ahora ya tenía un *alien* y un *stalker*».

Mónica rio. Era una risa triste.

«¿Pero R.H. no aceptó?», pregunté.

«Claro que no», dijo Hugo. «Estuvo a punto de llamar a la Policía, el tipo era de verdad preocupante».

«Pues a mí me dijo que había aceptado», dije.

«¿A ti te dijo qué?», dijo Mónica.

«Que R.H. había aceptado. Que hasta había comenzado a escribir el libro».

«Pero es que no entiendo», dijo Mónica. «¿Por qué tenía que ser R.H.? ¿Por qué tenía que ser él?»

«A ver si lo puedo explicar», dije. «Este tipo, este Carballo, leyó mi conversación con R.H. En la conversación R.H. habla de la novela de Welles y cuenta que Welles nunca estuvo realmente en Bogotá. Que los periódicos de la época anunciaron su viaje, pero que el viaje no llegó a darse. Y sin embargo, R.H. lo cuenta, cuenta el viaje, los tres días de Welles en Bogotá, y los cuenta con pelos y señales. La novela cuenta lo que le sucedió a Welles cuando pasó esos tres días en Bogotá, la gente a la que conoció, los líos políticos del momento, etcétera. Por lo menos eso fue lo que R.H. me explicó en la conversación. Yo no sé si es verdad, porque no he leído el manuscrito. ¿Tú lo has leído, Hugo?»

«No».

«Yo sí», dijo Mónica. «Pero sigue».

«Pues Carballo quedó convencido de eso: el hombre que escribió una novela sobre algo que la historia oficial niega era el único autorizado para escribir su libro. ¿Por qué? Porque su libro cuenta algo que la historia oficial niega».

«¿Pero qué es?», dijo Mónica. «¿Qué es lo que cuenta su libro?»

«Eso es lo que no sé. No me lo dijo. Pero es algo relacionado con Gaitán y el 9 de abril. Yo conocí a Carballo en septiembre, en la casa de un amigo, y hablé con él un buen rato, así que me imagino por dónde van los tiros. Es una simple teoría de la conspiración, una más de las miles que hay».

«Una teoría de la conspiración», dijo Mónica. «Qué interesante».

«Y qué original», dijo Hugo. «Como si cada loco no tuviera la suya en este país».

«No, no», dijo Mónica. «Lo decía en serio. Es que tú no has leído la novela».

Se puso de pie y la vimos desaparecer por el corredor oscurecido que conducía a las habitaciones y al estudio de R.H. En la cara de Hugo había aparecido ahora una mueca burlona, o era quizás la misma mueca burlona que tenía de costumbre: las cejas cortas levantadas encima de la nariz, como dibujando un techo, y en la boca, debajo del bigote escaso, una sonrisa divertida y traviesa, pícara y al mismo tiempo melancólica. En momentos como aquél, el mundo entero parecía transformarse para Hugo en una película de Chaplin: *La quimera del oro,* digamos, o *Luces en la ciudad.*

Cuando regresó, Mónica traía un cuaderno rojo entre las manos. No, no era un cuaderno: cuando se sentó y se lo puso sobre el regazo me di cuenta de que era un manuscrito encuadernado al estilo de las papelerías, con un espinazo de anillos negros y tapas rojas de cartón plastificado. «Es la novela de Orson Welles», nos dijo. Empezó a hojear el manuscrito, buscando algo preciso cuya ubicación recordaba de manera imperfecta, y desde mi silla yo alcanzaba a ver las páginas impresas, su numeración a mano y en tinta negra y sus correcciones en tinta roja, a veces tachando una frase o anotando algo al margen, a veces encerrando párrafos enteros y asesinándolos de dos trazos con una cruz incapaz de piedades. Una página me llamó la atención y le pedí a Mónica que me dejara leerla. En ella, R.H. había eliminado unas líneas que me provocaron lástima: lástima de su condena al infierno de las palabras que nunca se leerán. Pedí permiso para hacer fotos con mi teléfono.

«Ustedes los escritores están locos», dijo ella, pero no se opuso.

Las líneas eran éstas:

> —Si algo nos ha enseñado nuestro tiempo —dijo de pronto Welles— ha sido tomar conciencia de los muchos seres que llevamos dentro. Somos multitud dentro de nuestra individualidad, tantos hombres como opiniones manifestemos o estados de ánimo vivamos.

Mientras tanto, Mónica encontró lo que estaba buscando y me lo dio a leer. En la escena se hablaba del hundimiento de la goleta *Resolute,* un célebre incidente de los años de la Segunda Guerra. Yo lo conocía bien, pues me lo había topado más de una vez durante las investigaciones que hice para escribir *Los informantes,* y recordaba que había sido ese ataque, siempre achacado a un subma-

Rusia. Hitler se oponía a la ruptura de Japón y los Estados
Unidos".

-Si algo nos ha enseñado nuestro tiempo -dijo de pronto
Welles- ha sido tomar conciencia de los muchos seres que llevamos
dentro. Somos multitud dentro de nuestra individualidad, tantos
hombres como opiniones manifestemos o estados de ánimo
vivamos.

Welles dejó de hablar y fijó su mirada en algunas manchas
de tinta fresca que descubrió en la parte inferior del periódico que
hojeaba su amigo. Husmeó dentro del portafolios y comprobó que
su estilográfica tenía una pátina de tinta azul justo a la altura del
anillo donde la tapa protege a la pluma.

-Supongo que son cosas de la despresurización -dijo sin que
Crews advirtiera su maniobra.

Tras comprobar que el depósito de la tinta no había sufrido
ningún desperfecto, secó la pluma con un trozo de papel y enroscó
la tapa con gran pericia. A continuación devolvió la estilográfica al
portafolios y se miró los dedos, felizmente libres de manchas.

-Somos como las visiones de un calidoscopio -prosiguió
Welles su discurso, como si nada lo hubiera interrumpido-. Quien
me vea o escuche tiene que ordenar las diferentes partes de un todo.
Ni yo mismo sé quién soy.

-¿Quiere eso decir que no somos más que lo que la visión de
los otros dice que somos ?

-Sospecho que sí -dijo Welles, mientras paseaba el índice de
la derecha por la primera página del periódico. Fíjate, si no, en
Stalingrado. Aquí arriba aparece la noticia general sobre la
situación de los nazis ante la estrategia del ejército rojo. Es la
noticia desnuda sobre los hechos. A la derecha, un mapa nos ilustra
sobre el orden de la batalla. Abajo, a la izquierda, dos o tres
opiniones de autores especializados comentan lo que puede

4

A continuación en punto que
sus dedos estaban felizmente
libres de manchas y en la

rino nazi, lo que llevó al gobierno colombiano a romper relaciones diplomáticas con Alemania, encerrar a los alemanes en campos de confinamiento, decomisarles sus propiedades y cerrarles las cuentas bancarias. Todas sus riquezas —y los alemanes de Colombia eran, por lo general, gente adinerada— habían pasado a las arcas del Estado, lo cual casi siempre quiso decir a las manos de los poderosos corruptos o los corruptos poderosos. En la novela, un personaje le preguntaba a otro: «¿Quiere usted decir que el hundimiento de los barcos en el Caribe no fue más que un montaje para que nuestro país se uniera a los Aliados y, de paso, para enriquecer a unos cuantos patriotas a costa de los alemanes?»

«¿Ves?», dijo Mónica.

«¿Qué cosa?», dije yo.

«¿Qué cosa?», dijo Hugo.

«Espérense», dijo Mónica.

Sus manos sin anillos volvieron a pasar páginas, pero esta vez tardaron menos en encontrar lo que buscaban. De nuevo me pasó el manuscrito; de nuevo me pidió que leyera. «¿Qué piensa usted de la muerte de Gardel?», decía el narrador de la novela (pero yo no sabía quién era ese narrador). «Muchos dicen que no fue un accidente sino un atentado, ya me entiende, alguien puso una bomba en el avión y adiós Zorzal». Un personaje llamado Salcedito respondía: «Esa idea es perfecta para un *thriller*. Además, a nadie le extrañaría que algo semejante ocurriera en nuestro país, que es el país de la muerte». También en este caso me eran familiares las referencias, y el adjetivo, como se verá, no es gratuito. En junio de 1935, mientras hacía una gira por tres ciudades colombianas, Carlos Gardel, el cantante de tangos más importante de la historia, había muerto en un accidente aéreo en el aeropuerto Olaya Herrera de Medellín. Su avión, un F-31 cuyo apodo, El Ganso de Hojalata, habría debido inquietar a más de uno, estaba listo para partir faltando dos minutos para las tres de la tarde, pero entonces el piloto recibió la noticia de que iba a ser preciso cargar varios tambores de películas en el avión. No había espacio suficiente en los compartimientos de carga, de manera que la tripulación acabó metiendo los tambores debajo de los asientos. Después se diría que fue ese exceso de peso lo que causó el accidente. En cualquier caso, el piloto (Ernesto Samper, se llamaba, igual que un presidente que habría seis décadas después) vio la bandera a cuadros y empezó a carretear. Pero el F-31 no conseguía ganar velocidad. «Este aeroplano parece un tranvía Lacroze», parece que bromeó Gardel. Fue entonces cuando el avión se fue desviando a la derecha, hasta salirse de la pista, y se habría estrellado de frente contra unas oficinas llenas de empleados si el piloto no hubiera conseguido hacer una maniobra de último segundo. El F-31 giró bruscamente, evitó las oficinas y fue a estrellarse contra otro avión que esperaba turno para despegar hacia Manizales. Los dos aviones se incendiaron de inmediato; quince hombres murieron; Gardel fue uno de ellos. La investigación oficial concluyó que la causa del accidente había sido el exceso de peso, el fuerte viento del sur y sobre todo las pésimas condiciones topográficas del aeródromo. Entre los peritos que firmaron el informe oficial había un ingeniero, Epifanio Montoya, cuya nieta me contaría en 1994 que su abuelo había estado en el accidente de Gardel, y cinco años después se casaría conmigo.

Pero no les mencioné esa coincidencia frívola a Mónica y a Hugo, porque ellos no tenían por qué compartir mi interés por los cameos más raros de la película de la historia, y además porque no me pareció pertinente. Lo pertinente era recordar que también en el caso de la muerte de Gardel circularon en su momento varias teorías de la conspiración: unas hablaban de una rivalidad entre las dos grandes compañías aéreas de Colombia; otras, de una rivalidad entre los pilotos mismos; otras, por fin, de una pistola de señales a la que le faltaba misteriosamente un cartucho.

«¿Ahora sí lo ven?», dijo Mónica.

«Yo creo que sí», dijo Hugo.

«Mira, yo no sé quién es el tal Carballo», dijo Mónica. «Pero si necesitaba a alguien que lo oyera hablar de conspiraciones, aquí lo tenía. R.H. era sensible a estas cosas. Le gustaba pensar que todo tenía su lado oculto. ¿El hundimiento de la goleta en el Caribe? Una conspiración para quitarles las propiedades a los alemanes. ¿El accidente en que se mató Gardel? Una conspiración de una aerolínea para sacar del negocio a la competencia. ¿Qué quieres que te diga? Estas cosas le gustaban».

«Esto no quiere decir nada», dije yo.

«Claro que no. Pero la novela está llena de cosas así. Hay que aceptar que el tipo ese sabía bien a qué árbol se arrimaba».

«Pero el tipo no pudo conocer la novela», dijo Hugo.

«No importa», dijo Mónica. «Lo que quiero decir es que R.H. era receptivo con estas locuras. O comprensivo, o curioso, como lo quieras llamar. Y no me parecería raro que se hubiera sentado en un café del centro a oírle el cuento al loco, y hasta de pronto a seguirle la cuerda un poco más, a ver si podía sacarle algo útil para usarlo en una novela. Ahora me vas a decir que ustedes los escritores no son así: siempre robándole a la gente sus historias, siempre aprovechándose de las rarezas de los otros. De todas formas, te repito lo que te dije antes: yo no sé quién es el tipo».

«Pues él me dijo que era íntimo de R.H.»

«Bueno, eso sí lo puedo negar. R.H. casi no salía en los últimos meses. A cualquier amigo íntimo yo lo hubiera visto por estos lados. Y uno nuevo me habría llamado la atención, me parece a mí».

«A mí también», dije.

«Por eso».

«Pero es que la cosa es muy rara», me dijo Hugo. «¿El tipo decía que R.H. aceptó escribir el libro?»

«No sólo que aceptó», dije. «Que estaba feliz. Que iba a ser su gran novela, su canto de cisne. Y que la habría terminado si no le hubiera ganado la enfermedad. Por eso me la dejó a mí».

«A ver, a ver. Qué quiere decir eso», dijo Mónica.

Me alegró haber previsto este momento. Me eché la mano al bolsillo interno de mi chaqueta, el que uso para guardar un lapicero y un bolígrafo, y saqué la carta que me había entregado Carballo después de la misa. La desdoblé y se la di a Mónica; la vi leer —vi sus ojos pequeños, que siempre me habían parecido mirar el mundo con una cierta suspicacia, moviéndose como moscas sobre el papel— y luego pasarle la carta a Hugo, que la leyó a su vez, en silencio, sin hacer comentarios.

«Él te dio esta nota», dijo Mónica. Ya no era una pregunta lo que había en su voz, sino una afirmación. «El tal Carballo».

«Sí. Me dijo que R.H. me la había dejado. Que R.H. quería que yo escribiera el libro, ya que él no iba a poder».

«Pues es impresionante», dijo Mónica.

«¿Qué cosa?»

«Es falsa, esta carta. Pero está muy bien hecha. Eso es lo que es impresionante: que esté tan bien hecha».

«¿Y cómo sabes que es falsa?», preguntó Hugo.

«R.H. tenía una firma para la vida y otra para la literatura», dijo Mónica. «Una para firmar cheques o contratos, por decir algo, y otra para dedicar libros. La firma que usaba para sus cartas era la misma que usaba para dedicar libros». Se acercó el papel a la cara. «Y ésta es la firma de andar por la vida. Es perfecta, eso sí».

«¿Pero dónde la pudo haber visto?», dije. «Eso es lo que no se me ocurre».

«A mí sí», dijo Hugo. «A R.H. le tocaba firmar papeles en cada sesión de quimioterapia. No es imposible...»

«Imposible no, pero muy raro».

«El tipo que la copió es un artista, en todo caso», dijo Mónica. «Pero lo cierto es que R.H. nunca hubiera usado esta firma para una carta, y menos una carta sobre literatura, y menos una carta sobre literatura dirigida a un amigo».

«Lo que estás diciendo es que la carta es falsa», dije.

«Eso es lo que estoy diciendo».

«Estás segura».

«Segurísima. Dime tú si has visto esta firma en alguna de las cosas que R.H. firmó para ti».

a vida no me ha dado tiempo para transformar este don en
ue dadas mis circunstancias he cumplido a cabalidad. Ahora
r tan maravilloso material y llevarlo a buen puerto. Tienes en
ande y no dudo al decir que eres digno depositario de estos

o siempre mi abrazo y mi amistad,

Era verdad: nunca la había visto. Sentí alivio, pero también una vaga frustración, y a la frustración se añadió una admiración vergonzante que me cuidé mucho de mencionar. Lo imaginé dedicando unas horas a estudiar documentos y luego a copiar con dedicación la firma, navegando con dificultad por sus curvas y sus esquinas, aprendiéndolas poco a poco, habitándolas, se me ocurrió entonces, tal como se dejaba Pacho Herrera habitar por el espíritu de Gaitán. Sí, admiré la intensidad de la mentira,

o más bien la intensidad del deseo que había justificado o
creado la mentira, y admiré también los detalles de la mentira, la investigación que la sostenía o la informaba (y me
pregunté de dónde había sacado ciertos detalles, como el
restaurante La Romana y las visitas al apartado aéreo; no
pude responder satisfactoriamente, y lo admiré más por eso).
Pensé que deberíamos inventar una palabra nueva para
una mentira tan elaborada que trasciende y supera el mero
engaño verbal, que exige una puesta en escena compleja y
articulada, que requiere un cierto atrezo y el talento para
manufacturarlo. ¿Qué era Carballo? No era un simple fal-
sario, aunque también era eso. ¿Qué era? Era alguien capaz
de falsificar la carta de un hombre muerto para lograr sus
propósitos, para realizar en el mundo sus obsesiones. «Es alguien apasionado», me había dicho Benavides con éstas

u otras palabras, pero yo veía, más que pasión, una obsesión malsana, un demonio atormentando a un ser humano,
porque sólo persiguiendo a un demonio es alguien capaz
de llegar a los extremos a los que había llegado Carballo.
Y eso yo no podía menos que respetarlo.

    «Es talentoso, con todo», le dije a Hugo a la salida,
cuando ya nos íbamos.

«Muy talentoso», dijo Hugo. «Ya quisiera uno».

Esa noche, cuando llegué al apartamento, noté de inmediato que algo no estaba bien. Las niñas dormían en nuestra habitación y el coche estaba puesto debajo de la escalera como si M acabara de entrar. No me tuvo que explicar lo que ocurría: me bastó ver su expresión molesta o defraudada para recordar que nos habíamos puesto cita en la clínica y para avergonzarme por no haber llegado nunca. El motivo de la cita era una oximetría que debía definir si mis hijas podían, por fin, comenzar a respirar por su cuenta, sin ayuda del oxígeno suplementario; en los últimos tiempos habíamos tenido exámenes similares cada tres o cuatro días, y sus resultados siempre acabaron en desilusión, de manera que dejar atrás la necesidad de llevar tanques de alquiler a todas partes había cobrado para nosotros un valor simbólico: la cánula que les rodeaba la cara a mis hijas se había convertido en el último escollo hacia la normalidad. Esta vez tampoco había sucedido lo esperado. La decepción se sentía en el ambiente, estaba en la cara y el cuerpo de mi esposa, pero no supe si era sólo decepción por los exámenes o también por mi ausencia culpable. M me entregó el papel membreteado donde se leían los resultados de uno de los dos exámenes:

—Con cánula 1/8: FC, 142. Sat.%, 95
—Despierta sin oxígeno: FC, 146. Sat.%, 86
—Dormida sin oxígeno: FC, 149. Sat.%, 84

«¿Y el otro?», pregunté.

«Igual», dijo ella. «Por algo son gemelas».

«¿Es decir que no?»

«Es decir que no», dijo M. «Y me hubiera gustado enterarme contigo, que estuvieras ahí cuando nos dieran la noticia». Y luego: «¿Dónde estabas?»

«En la casa de R.H.», dije. «Hablando con Mónica. Estábamos decidiendo… estábamos viendo si lo de Carballo es verdad».

«¿Carballo? ¿El amigo de Benavides?»

«Ése», dije yo. «Perdón. Se me fue el tiempo».

«No se te fue el tiempo, se te olvidó lo del examen», dijo M. «Se te borró de la mente». Y luego: «No estás aquí. No estás en esto».

«Qué quieres decir», dije. Aunque sabía perfectamente qué quería decir.

«Que tienes la cabeza en otra parte y yo no sé dónde. Esto que nos está pasando es importante, hay que poner atención. Todavía no hemos salido adelante, todavía hay muchas cosas que pueden salir mal, y las niñas dependen de nosotros. Yo necesito que estés conmigo, concentrado en esto, y tú pareces más interesado en lo que dice un loco paranoico. Y es verdad, no es la primera vez que te interesa un tipo así, pero esta vez es distinta. A estas niñas les tocó nacer en un país donde la gente se ha matado todo el tiempo. Eso no tiene remedio. Pero lo grave es que esos muertos te interesen más que ellas. Tal vez estoy exagerando, tal vez estoy siendo injusta, ya no sé. Yo no quiero ser injusta. Pero ahora están las niñas, no sé si me entiendes. No les traigas esto a su casa, a su cama. Acabas de pasar todo el día hablando con ese loco y pensando en cosas horribles. No les traigas a las niñas todas esas cosas que tienes en las manos y en la cabeza. No dejes de pensar en ellas por andar pensando en eso. Después habrá tiempo, pero no hagas eso ahora, ahora hay cosas más importantes». Empezó a caminar hacia la puerta batiente de la cocina. «Pero si no puedes, si no quieres poner en esto toda tu atención, mejor vete a Barcelona», dijo antes de desaparecer. «Yo me encargo sola».

Me quedé en el salón. Subí al cuarto y encontré a mis hijas despiertas, cuatro ojos grises bien abiertos que trataban de fijarse en algún punto del espacio con una expresión entre alarmada y curiosa. Noventa días habían pasado desde el nacimiento, y sólo ahora empezaban los parecidos a emerger en sus facciones, sólo ahora podía yo detectar las fuerzas genéticas haciendo de las suyas en los huesos y los músculos, y era una suerte de milagro ver mi boca en sus bocas y las cejas de M en sus delgadas cejas, repetidos nuestros rasgos en las dos caras simétricas que no podían mirarme todavía pero que pronto lo harían: enfocarían la mirada perdida y sus ojos ya no serían grises sino que habrían tomado, para mirarme, el color de los míos. Me volvieron a la mente unos versos de Paul Éluard que había puesto una vez en un libro y cuyo sentido nunca me había resultado claro, aunque claro fuera que no se referían a una criatura recién nacida:

> *Elle a la forme de mes mains*
> *Elle a la couleur de mes yeux*
> *Elle s'engloutit dans mon ombre*
> *Comme une pierre sur le ciel*

Me pregunté estúpidamente si se habrían dado cuenta de mi ausencia, si me la habrían reprochado; me pregunté si les habría fallado por primera vez. Pensé: *Quien tiene hijos, entrega rehenes a la fortuna.* Me pareció que ahora entendía verdaderamente el sentido de las palabras, como si días atrás, cuando las oí durante la misa, me hubieran resultado abstractas, ajenas, demasiado alejadas de mi conocimiento o mi experiencia. *Soy rehén de su fortuna,* pensé. Y entonces bajé de nuevo, me senté en el escritorio que no era mío, encendí mi computador y le escribí a Carballo unas palabras convencidas.

> *Mire, Carlos, me lo pensé con cuidado y llegué a una decisión. Esto no es para mí. No sólo porque me doy cuenta de que usted no quiere un escritor (quiere un padrino para su delirio, alguien que les dé a sus paranoias*

el falso prestigio de la letra imprenta), sino porque creo
que usted no está diciendo la verdad. No creo que R.H.
me haya dejado nada. Creo que usted es un embustero
y un embaucador, con perdón. No me interesa lo que
me propone, no quiero seguir en contacto con usted,
y lo único que le pido es que me respete esta decisión y
que no trate de insistir.

Recibí su respuesta en cuestión de minutos:

Vayase a la mierda.

Cuatro palabras y un error de ortografía: eso fue
todo. Imaginé a Carballo con una cara en la que se mezclaban la desilusión y el desprecio, un desprecio intenso, un
desprecio que era casi un insulto e incluso una amenaza.
No le contesté.
Y él no volvió a escribir.

En enero de 2006, mi temporada en Bogotá llegó
a su fin. Aterricé en Barcelona —la ciudad que había sido
mi residencia durante los siete años precedentes—, preparado para olvidar mi contacto demasiado cercano con las
violencias viejas de mi país, y para concentrarme en la vida
que tenía delante de mí, no en lo que había dejado atrás.
Debí de lograrlo casi sin darme cuenta, pues el encuentro
con Benavides y Carballo pronto comenzó a retroceder
en mi memoria, y a partir de un momento que no puedo
precisar ya dejó de existir, de contaminar mi presente con
imágenes de asesinatos célebres (una cabeza que estalla
como un petardo y una vértebra carnosa que un día con-
tuvo una bala) y con descabelladas historias de conspiraciones que sólo alimentaban nuestra paranoia, nuestra
sensación general de que el mundo entero es el enemigo.
Me dediqué a las clases con que me ganaba la vida mien-

tras me esforzaba por no defraudar a mis hijas, pues sabía que mis errores quedarían pronto en el pasado para mí, pero las marcarían a cada una de ellas desde el primer momento y para siempre. Todo el mundo dice que es aterrador el poder de moldear a nuestro antojo las vidas de nuestros hijos, pero a mí me pareció más aterradora aún la impunidad de que gozaría si me equivocaba al hacerlo, si las hería o las deformaba o les hacía daño o les enseñaba, sin querer, a hacerles daño a otros. Me satisfizo poder dedicarme a ellas, sin distracciones, sin contaminaciones del pasado. Fue un esfuerzo voluntario y consciente, y sus resultados, fruto de mi terquedad amnésica. Había sido un error otorgar mi tiempo y mi oído a las obsesiones de Carballo y también, por qué no decirlo, de Benavides. Ese error se podía corregir.

¿Pero se puede realmente olvidar a voluntad? En *De Oratore*, Cicerón cuenta la historia de Temístocles, un ateniense cuya sabiduría no tenía igual en su tiempo. Se decía que Temístocles había recibido en cierta oportunidad la visita de un hombre culto y exitoso que, después de presentarse con diversos halagos, le ofreció enseñarle la ciencia de la nemotecnia. Temístocles, curioso, le preguntó qué podría conseguir aquella nueva ciencia de la cual apenas se comenzaba a hablar, y el visitante le aseguró con orgullo que la nemotecnia le permitiría recordarlo todo. Decepcionado, Temístocles contestó al visitante que el verdadero favor no sería enseñarle a recordarlo todo, sino a olvidar lo que quisiera. Yo puedo pensar en hechos de mi vida (lo visto, lo escuchado, lo decidido en algún momento) sin los cuales estaría mejor, porque no son útiles y en cambio resultan incómodos, vergonzantes o dolorosos, pero sé que su olvido voluntario no es posible, que seguirán agazapados en mi memoria; y es posible que me dejen en paz durante un tiempo más o menos largo, como animales hibernando, pero un día cualquiera veré algo o escucharé algo o tomaré alguna decisión que los haga volver y asomar la cabeza: los recuerdos culposos o simplemente perturbadores vuelven a nuestra memoria en momentos impredecibles, y hay entonces una especie de reacción muscular —un acto reflejo de nuestro cuerpo— que acompaña siempre esos regresos; hay quienes hunden la cabeza entre los hombros como se hace cuando alguien nos arroja algo, otros golpean la mesa de trabajo o el tablero del carro como si el brusco ademán espantara las memorias indeseables, y otros más hacen una mueca delatora, cerrando los ojos, apretando las mandíbulas con los labios y enseñando los dientes, y si los estuviéramos espiando podríamos incluso llegar a reconocer esos momentos. Ahí está, pensaríamos: acaba de recordar algo incómodo, o perturbador, o culposo. No, no se controla el olvido, no hemos aprendido a hacerlo nunca a pesar de que nuestra mente funcionaría mejor si pudiéramos: si lográramos algún dominio sobre la manera en que el pasado se inmiscuye en el presente.

Tuve éxito, en cualquier caso. Durante los seis años que siguieron, no volví a pensar en aquellos crímenes. Fue como si nunca hubiera visitado la casa de Francisco Benavides: el olvido fue un triunfo sin fisuras. Yo escribía y trabajaba y hacía viajes que me parecían necesarios, traducía frases de Hemingway o libros de conversaciones con Al Pacino, daba clases de literatura a veinteañeros norteamericanos e intentaba, a veces con éxito, que les interesaran Rulfo y Onetti, leía *Bajo el volcán* y *El gran Gatsby* sintiendo que me querían enseñar lecciones valiosas y que yo era demasiado torpe para comprenderlas; y mientras tanto, dejaba que pasara el tiempo sobre mí. Las ciudades, como la cara de un niño, nos devuelven lo que les mostramos: la Barcelona de esos años me acogía y me abrazaba, pero eso era sólo el reflejo de mi satisfacción privada, del extraño equilibrio que la vida en familia les había proporcionado a mis días. Comencé a vivir sin darme cuenta, lo cual es sin duda una de las metáforas de la felicidad. Mis hijas aprendieron a caminar en el largo corredor del apartamento de plaza Tetuán, cuyo salón daba a unas palmeras donde se alborotaban todo el año los periquitos, y más tarde, cuando nos mudamos a un principal de la calle Córcega, ya hablaban con un acento mestizo que las convertía en pequeñas extranjeras en cualquiera de sus dos patrias, y en el proceso de afirmarse su lengua se convirtió en un raro espejo que me reflejaba en mi propio sentimiento de extrañeza o extranjería. Me pregunté, con más seriedad que nunca, si no volvería a vivir en mi ciudad, si el paso de los años transcurridos desde mi partida (que ya iban siendo varios) me iría alejando irremisiblemente, hasta acabar por hacer imposible el regreso. Un buen amigo lo resumía con un tecnicismo del lenguaje que contenía una verdad profunda:

«Los colombianos no nos vamos de Colombia», decía. «Los colombianos *nos vamos yendo*».

¿Pero dónde estaba el límite? ¿Cuánto tiempo era posible pasar en condición de inquilino antes de perder el derecho sagrado de regresar a nuestra casa? En los diccionarios ingleses, la palabra *inquilin* designa a cualquier animal que vive en el nido o la madriguera de un animal de otra especie; la definición me servía para comenzar a explicar mi situación sin recurrir a las grandilocuencias que nos acosan, pues yo no era un exiliado, ser un expatriado me aburría con su simpleza y ni siquiera a la fuerza habría aceptado pertenecer a una diáspora. Pero durante una época perdí el sueño pensando si la condición de inquilino podía ser hereditaria, si mis hijas, por más instaladas que estuvieran en su vida barcelonesa, estaban condenadas inevitablemente a ser de otra parte, a seguir perteneciendo a otra especie. No, tal vez ésta no era su madriguera como no era la mía, por más cómodo que me sintiera en ella, por más cariño que les tuviera a sus gentes y a sus recodos. Nunca me había sentido tan a gusto como en esos años de mi vida en Barcelona, mientras veía crecer a mis hijas y a los hijos de mis amigos y leía libros que nunca había leído y me preguntaba cómo había pasado mi vida sin leerlos. Daba largas caminatas nocturnas, a veces después de tomar un trago con amigos o volviendo con M de ver en los cines Méliès una película de Hitchcock o de Welles o de Howard Hawks, y luego volvía a casa para darles a mis hijas un beso en la frente, mirarlas dormir durante un instante bajo la luz azulada de su lámpara de colores, revisar que las puertas y ventanas estuvieran bien cerradas e irme a dormir también. Había en todo aquello la impresión de haber dejado atrás la línea de sombra de la que hablaba Conrad, esa edad en que somos para siempre adultos, ocupamos nuestro lugar en el mundo y comenzamos a desentrañar sus secretos. A mis treinta y tres años, ya hacía por lo menos cinco que había cruzado esa frontera imaginaria, y me sentía capaz de enfrentarme a lo que viniera. Y todo eso me parecía misteriosamente inseparable de la fortuna, la inmensa fortuna de haber podido escapar.

Sí, eso era. Era como si hubiera escapado, sí, me parecía bien ponerlo en esos términos, porque eso hacemos todos los colombianos, en eso se nos va la vida: en tratar de escapar o en preguntarnos por qué no lo hacemos, en llegar a buenos términos con la vida en otra parte o en lidiar con la decisión de no perseguir esa vida. Así sucede que algunos de nosotros vamos poblando Barcelona o Madrid, así hemos hecho de Nueva York la tercera ciudad colombiana del mundo, así acabamos en Miami o en París o en Lima o en Ciudad de México llenando los resquicios como llena el agua los espacios que se le permitan. Por esos días empecé a traducir *El túnel,* una novela portentosa de William Gass cuyo epígrafe no me impresionó entonces como habría debido hacerlo y sobre todo como lo hace ahora:

Anaxágoras dijo a un hombre que se lamentaba de agonizar en un país extranjero: «El descenso al infierno es el mismo desde cualquier parte».

No, no se escapa de la violencia colombiana y yo debería haberlo sabido. Nadie escapa, pero aun menos la gente de mi generación, la que nació con el narcotráfico y llegó a la vida adulta cuando el país naufragaba en la sangre de la guerra que le declaró Pablo Escobar. Uno puede irse del país como me fui yo en 1996 y creer así que lo deja atrás, pero se engaña, nos engañamos todos. Nunca dejará de extrañarme el maestro que la vida escogió para enseñarme esa lección que me hubiera podido enseñar de tantas otras formas: un hipopótamo cazado.

Era una bestia de tonelada y media de peso que había pasado dos años suelta tras escapar de la hacienda Nápoles, la propiedad que fue cuartel general de Pablo Escobar y también zoológico abierto al público. Era verano cuando vi la foto, el verano denso y caluroso del año 2009. Uno de los tantos huéspedes ocasionales que recibí en esa época había olvidado un ejemplar de la revista *Semana* en mi casa, pero tuvieron que pasar varios días —la revista dando tumbos como un alma en pena— antes de que yo la abriera maquinalmente en un momento de ocio, después de haber sacado una cerveza fría de la nevera. El efecto, sin embargo, fue inmediato. La imagen de los soldados que habían cazado al hipopótamo, oscuros hombres de uniforme que rodeaban el cuerpo muerto con las armas apuntando al cielo y una sonrisa de victoria grosera en la cara, me causó una impresión que no hubiera podido prever, una suerte de desasosiego que ninguna relación tenía con el momento presente, la sensación inexplicable de que algo no está bien. ¿Qué ocurría? Me costó un buen rato de mirar fijamente la foto, de leer y releer el recuento que de la fuga y la cacería hacía la revista, para comprenderlo: la imagen del hipopótamo rodeado de sus cazadores se había superpuesto en mi memoria caprichosa a la de Pablo Escobar, perseguido y muerto a balazos sobre las azoteas de Medellín, su cuerpo rodeado por sus propios cazadores, todos hombres de uniforme apuntando con sus propias armas al cielo, todos con sus propias sonrisas victoriosas, y uno de ellos levantando el cadáver de la camiseta, como para enseñar a las cámaras y a los curiosos el rostro barbado del hombre que había inundado en sangre al país durante una década.

Y de repente el recuerdo apareció. Comencé a recordar la visita que hice, en compañía de un amigo del colegio y de sus padres, al zoológico de la hacienda Nápoles, un lugar de fábula que albergaba, además de hipopótamos, delfines rosados del Amazonas, varias parejas de jirafas, rinocerontes grises y elefantes africanos, cebras que se juntaban para crear en el observador el espejismo de una manada, un ejército de flamencos que fueron colonizando lagos distintos a medida que crecían (dibujando una larga línea rosa bajo las palmeras gigantes), un canguro que sabía patear un balón de fútbol y un loro que recitaba de memoria la alineación de la selección colombiana. El año era 1985; debía de ser el mes de julio, porque acababan de comenzar las vacaciones; de manera que yo tendría doce años en el momento en que atravesé el portón de la hacienda, pasando por debajo de la avioneta blanca que Pablo Escobar había mandado poner allí, a manera de frontispicio, para conmemorar su primera *coronación*, que es como se referían los narcos a la entrega exitosa de un cargamento de droga en Estados Unidos: un peón cruzando las líneas de defensa y convirtiéndose, al llegar, en lujosa reina. Más tarde me enteraría de que aquella avioneta —HK-617, era la matrícula: uno de esos fragmentos de información perfectamente inútil que subsisten en mi memoria caprichosa— era una réplica de la original, que se había perdido en el mar con un cargamento de droga, pero en ese momento, pasando por debajo de las alas en compañía de mi amigo y sus padres, sentí un ramalazo de culpa infantil, pues sabía muy bien que a mis propios padres no les habría hecho gracia mi visita a la propiedad del hombre que ya era, desde hacía varios meses, el narcotraficante más notorio del país: el hombre que ya era, desde abril del año anterior, el responsable todavía impune del asesinato del ministro de Justicia.

Todas esas memorias me llegaron con claridad meridiana. El impulso fue irresistible: busqué mi cuaderno de notas, una Moleskine de tapas negras, y empecé a anotar recuerdos: sobre la vida de esos años, sobre el zoológico, sobre lo que hubieran pensado mis padres de haber sabido que yo estaba allí. No, no les habría hecho gracia; y yo, a mis doce años, ya tenía los elementos necesarios para entender por qué: el asesinato del ministro Rodrigo Lara Bonilla había destrozado de un golpe limpio su idea del país en que vivían. «Estas cosas no pasaban desde Gaitán», dijo mi padre por esos días, o por lo menos lo dice en mi memoria. Ellos —la generación de quienes tenían cuarenta años en ese momento— habían crecido en un país donde eso *ya no ocurría*. Pocos meses antes del asesinato, durante una reunión de fin de semana en casa de uno de mis vecinos, algún adulto opinó que el ministro debería tener más cuidado, porque si seguía molestándolos, los mafiosos lo iban a matar. Toda la concurrencia —cuatro parejas de padres de familia que jugaban a las cartas y bebían aguardiente enfundados en ruanas de Nobsa— estalló en carcajadas, porque a nadie le parecía ni siquiera imaginable que eso sucediera, y los que recordaban el Bogotazo (por su propia memoria o por memorias heredadas) conservaban la ilusión de que no volvería a suceder. Pero la ilusión saltó en pedazos la noche del 30 de abril. Rodrigo Lara salió de su oficina en la tarde, y ya era de noche cuando los sicarios le dieron alcance. El que llevaba la metralleta disparó en cruz, como le habían enseñado en la escuela de sicarios que un mercenario israelí había montado en Sabaneta, al sur de Medellín. En el momento de su asesinato, Lara llevaba consigo un libro de tapas duras: *Diccionario de historia de Colombia*.

Al día siguiente había un silencio especial en las calles, el silencio que se instala en la casa donde agoniza un moribundo. Después, cuando les pregunté al respecto a mis mayores, todos repitieron la misma idea: sí, era otra ciudad, una ciudad que había amanecido trastornada. También el país era otro, por supuesto: algo se había roto en él, algo había cambiado, pero todavía no podía saberse que había cambiado *para siempre*, no podía saberse que esa noche se había abierto una década oscura, nueve años con siete meses y unos cuantos días cuyos efectos intentaríamos dilucidar por el resto de nuestras vidas: una década oscura, sí, una zona de sombra, el pozo maloliente de nuestra historia. Todo el mundo lo recuerda. El gobierno colombiano tenía que reaccionar de alguna forma, y lo hizo golpeando a los carteles de la droga donde más les dolía: anunciando, con gran bombo mediático, que comenzaría de inmediato a extraditar a los narcotraficantes. El tratado de extradición entre Colombia y Estados Unidos, firmado en 1979 por Jimmy Carter y Julio César Turbay, salió de nuevo a las calles como un zombi, espantando a los narcos. Pues una cosa tenían muy clara: que a un juez colombiano se le podía comprar o asesinar —«plata o plomo», fue su famosa divisa—, pero eso era más difícil de hacer en el extranjero, lejos de sus dólares encaletados y de sus sicarios con hambre. Fue entonces cuando estalló la primera bomba, o por lo menos la primera que recuerdo. Ocurrió frente a la embajada de Estados Unidos y mató a una persona. Dos meses después, Estados Unidos recibía los vuelos donde llegaban los primeros extraditados. Escobar y sus socios, decididos a que no les sucediera lo mismo, formaron un grupo con nombre propio, Los Extraditables, y lanzaron su grito de guerra: *Preferimos una tumba en Colombia a una cárcel en Estados Unidos.* Y se dedicaron, con admirable constancia, a cavar tumbas para los demás.

Al juez Tulio Manuel Castro Gil, investigador del crimen de Lara, lo mató de tres tiros un sicario que bajó de un Mazda verde, la cara cubierta por una bufanda. A Hernando Baquero Borda, magistrado de la Corte Suprema de Justicia que había sido ponente del tratado de extradición, lo acribillaron varios sicarios en moto a pocas cuadras del lugar donde murió Lara. A Roberto Camacho Prada, hijo de un liberal asesinado durante la violencia del medio siglo, propietario de una finca en la ribera del río Amazonas, enfermo de Guillain-Barré y corresponsal de *El Espectador* en Leticia, lo mató un sicario que lo esperaba escondido frente a su casa. Al capitán de la Policía Antinarcóticos Luis Alfredo Macana lo mató en Bogotá un sicario de dieciocho años que había llegado desde Nocaima sólo para ese propósito, que meses atrás había decapitado de un machetazo a un rival de billar y acababa de escaparse de la cárcel, que había cobrado cien mil pesos por el crimen y que luego de confesarlo todo, lo negó todo. Al magistrado Gustavo Zuluaga Serna, encargado de investigar el asesinato en 1976 de dos agentes del Estado que habían descubierto 36 kilos de cocaína en los neumáticos de un camión, lo amenazaron durante cuatro años con llamadas telefónicas, coronas mortuorias con su nombre que llegaban a su casa y hasta mensajes de Pablo Escobar en que se decía que asesinarían a su esposa embarazada con su hijo dentro si no retiraba los cargos, y luego lo interceptaron en una glorieta de Medellín y lo asesinaron a balazos. Al coronel Jaime Ramírez Gómez, colega de Lara en la lucha contra el cartel, lo esperaron a la entrada de Bogotá cuando el coronel volvía de un fin de semana de descanso en Sasaima, sin escoltas ni más armas que la suya propia, y le metieron cuarenta balas en el cuerpo frente a su mujer y sus dos hijos. A Guillermo Cano, director de *El Espectador,* que había enfrentado a Escobar desde las páginas editoriales de su periódico, primero reviviendo las fotos de sus viejos arrestos por posesión de drogas, después haciéndose eco de las denuncias de Lara y siempre usando sus columnas para llamar a Escobar corrupto y criminal, lo asesinaron a tiros a poca distancia de su periódico, a las siete y media de la noche, una semana antes de Navidad. A la jueza Mariela Espinosa, que investigaba a Pablo Escobar por diez kilos de cocaína que se encontraron en Itagüí, la amenazaron, le quemaron el juzgado para desaparecer el expediente, le pusieron una bomba en el Simca que manejaba (la jueza salió a tiempo) y meses después la asesinaron en la puerta del garaje de su casa, frente a su madre que la veía llegar. Al candidato a la presidencia Luis Carlos Galán, fundador junto con Lara del movimiento Nuevo Liberalismo, admirador hasta la imitación de Jorge Eliécer Gaitán, perseguidor implacable de las mafias y superviviente de un atentado con lanzamisiles, lo asesinaron con tres ráfagas de metralleta en Soacha, al sur de Bogotá, cuando acababa de subir a una tarima de madera para dar un discurso frente a cientos de personas. Y mientras esto sucedía, sucedían las bombas también: la del avión que mató al padre de un amigo, la del DAS que mató a la ayudante del doctor Benavides, la de la Cámara de Comercio que me tocó tan de cerca, las de los centros comerciales.

Mucho tiempo después pude oír una grabación de la voz de Escobar que es casi un manifiesto y no deja espacios para la duda:

«Tenemos que crear un caos muy berraco para que nos llamen a paz», dice. «Si nos dedicamos a darles a los políticos, a quemarles las casas y hacer una guerra civil bien berraca, entonces nos tienen que llamar al diálogo de la paz y se nos arreglan los problemas».

Pero no fueron solamente los políticos, sino todos nosotros los que vimos nuestras casas quemadas, los que nos vimos envueltos en esa guerra civil, que no era una guerra civil, por supuesto, sino una matanza, cobarde y despiadada y trapacera, de gente vulnerable y además inocente.

*

Veinticuatro años después de mi visita al zoológico, ahí estaba yo, recordando desde Barcelona todo lo visto en esos años, pasando largas horas en Internet para recabar toda la información que fuera posible (videos de la tapicería ensangrentada de Lara o de la tarima de madera en que se desploma Galán), hablando por teléfono con amigos o familiares para preguntarles qué recordaban ellos y recordando también a las otras víctimas, como si cometiera una injusticia al no hacerlo, como si por encima del hombro me observara alguien que pudiera reprocharme el olvido de sus muertos, y recordando esa ciudad descoyuntada por las bombas, esa ciudad que después de cada atentado amanecía convertida en una gallina que sigue corriendo en círculos después de que le han cortado la cabeza. Y me preguntaba qué nos había pasado: a todos los bogotanos, claro, pero en particular a nosotros, los que éramos niños cuando todo comenzó y aprendimos el oficio de la vida durante esa década difícil. Tuve una respuesta parcial en Barcelona, una noche en que volvía de ver a mi equipo en el estadio. Como era mi costumbre, caminé hasta el metro de Collblanc, para tomar el aire un poco, y allí subí al primer tren, que, siendo noche de partido, iba lleno como en el peor minuto de la hora punta. Apenas si podíamos movernos los pasajeros, y sólo los más altos alcanzábamos a sostenernos (una mano haciendo presión contra el techo verde) para no irnos encima del vecino cada vez que el tren hacía un movimiento brusco. Pero el vagón se fue vaciando conforme avanzábamos, y fuimos dejando estaciones y pasajeros atrás hasta que, al cerrarse las puertas en la estación de Diagonal, algo me llamó la atención. Era una mochila tejida con un diseño de artesanía que se había quedado sola debajo de un asiento, junto al fuelle que articula dos vagones. Tan pronto como me fijé en ella noté que una mujer también se había fijado: llevaba la camiseta azulgrana de nuestro equipo y cargaba en los brazos a un niño que se había dormido sobre su hombro, también vestido con la misma camiseta, y por encima de la cabeza de su niño dormido se fijaba en la mochila abandonada. Algo en la expresión de su cara me pareció familiar. ¿Nos conocíamos? ¿Nos habíamos cruzado en el estadio? ¿Dónde la había visto?

No recuerdo cuándo ocurría esto, pero sé que debió de ser un par de años después de que los periódicos de España se llenaran con la noticia de un plan yihadista para atentar en el metro de Barcelona. Todos nos enteramos de los detalles a lo largo de varios días de paranoia que nos trajeron las imágenes vivas de los atentados de Al Qaeda en Atocha: las imágenes de los trenes destrozados por las bombas —los fragmentos de carrocería desperdigados sobre las vías férreas como la piel desechada de una serpiente— parecían haber vuelto desde el año 2004 para mostrarnos, con lujo de detalles, aquello que hubiera podido sucedernos y no nos había sucedido, y siguieron habitando entre nosotros durante meses, mirándonos desde un quiosco de prensa, iluminando un café desde una pantalla que nos llama la atención mientras caminamos por la calle. A medida que esos memorandos nos llegaban de parte de los medios, nos enterábamos de que los terroristas de Barcelona conformaban una célula de seis suicidas y tres líderes, de que iban a poner las bombas en mochilas y un tercero las activaría a control remoto, y de que habían escogido el metro como objetivo porque a un tren que se mueve entre dos estaciones *no pueden llegar los servicios de urgencia*. En nuestro tren, después de dejar atrás la estación de Diagonal, la mujer con su hijo dormido (los dos vestidos de azulgrana) había visto una mochila abandonada y quizás había recordado ese plan que hubiera podido matar a muchos si no lo hubieran descubierto y desarticulado. Y entonces recordé la expresión que en ese momento trabajaba el rostro de la mujer, pues la había visto en Bogotá, en tantos lugares de Bogotá por donde pasé, en los centros comerciales, en los parqueaderos subterráneos, en la cara de tanta gente que parecía por lo demás vivir un día normal. Fingíamos que era normal hacer cruces de cinta de enmascarar en las ventanas, para que los pedazos de vidrio, si llegara a estallar una bomba, no se convirtieran en esquirlas mortales. Fingíamos que era normal dormir en casas ajenas cada vez que, tras un bombazo o un magnicidio, se decretaba un toque de queda que nos sorprendía en el lugar equivocado.

Un año y medio. Durante un año y medio fui llenando página tras página de memorias como éstas, de notas y de datos, en el intento desesperado de transfigurarlos por medio de la imaginación, que todo lo ilumina, y de la fábula, que ve más lejos que nosotros, y así entender por fin lo sucedido durante esa década: entender los hechos públicos y visibles, por supuesto, las legiones de imágenes y relatos que nos aguardaban en las crónicas y la historiografía y los laberintos memoriosos de Internet, pero también entender los hechos invisibles y privados, que no están contenidos en ninguna parte porque ni el mejor de los historiadores, ni el mejor de los periodistas, puede contar lo que ocurre en el alma de otro. Un año y medio, sí. Fue un año y medio que pasé recordando esos días sin parar, un año y medio pensando en estos muertos, viviendo con ellos, hablando con ellos, escuchando sus lamentos y lamentándome, a mi turno, de no poder hacer nada para aliviar su sufrimiento. Pero sobre todo pensando en nosotros, los vivos, que seguimos tratando de entender lo que ocurrió, que tantos años después seguimos contando historias para explicárnoslo. Eso fue lo que yo hice: traté de explicarlo, conté una historia, escribí un libro. Y juro que pensé, tras terminar *El ruido de las cosas al caer*, que así quedaban saldadas mis cuentas personales con la violencia que me había tocado vivir. Ahora me parece increíble no haber comprendido que nuestras violencias no son solamente las que nos tocaron en vida, sino también las otras, las que vienen de antes, porque todas están ligadas aunque no sean visibles los hilos que las unen, porque el tiempo pasado está contenido en el tiempo presente, o porque el pasado es nuestra herencia sin beneficio de inventario y al final lo acabamos recibiendo todo: la cordura y las desmesuras, los aciertos y los errores, la inocencia y los crímenes.

IV. ¿Por qué te enorgulleces?

En julio de 2012, tras dieciséis años de vida en tres países europeos, volví a instalarme en Bogotá. Una de las primeras cosas que hice fue llamar al doctor Benavides para preguntar cuándo podíamos vernos. Nuestro último encuentro había terminado de manera menos que satisfactoria, y yo quería remediar esa incomodidad: limar asperezas, en cierto sentido, y aun hacerlo mientras pedía disculpas, porque el error, de juicio y también de comportamiento, había sido mío. Una voz de tonos tristes me dijo que el doctor se encontraba indispuesto y no me podía atender. El trabajo de comenzar una vida nueva en otro país no es más sencillo cuando se trata del propio; concentrado como estaba en los enigmas de mi llegada, en interpretar las mil y una formas en que la mentalidad y el temperamento de mi ciudad se habían transformado en los años de mi ausencia, no volví a comunicarme con Benavides, y ni siquiera me interesé por su salud. Pasó un año y medio. Escribí una novela breve; hice viajes que parecían necesarios; lentamente, costumbre por costumbre, fui llegando a Colombia. En ese año y medio, que ahora se alarga en mi memoria, no volví a saber de Benavides. No pensé apenas en él. El hombre me había abierto las puertas de su estudio, me había hecho partícipe de cosas que consideraba secretas: había confiado en mí. ¿Qué había hecho yo para retribuir esa confianza? Un buen día caí en la cuenta de que habían pasado ocho años desde nuestra última conversación incómoda y accidentada, y me dije que no era la primera vez que alguien salía de mi vida por mi culpa: por mi tendencia a la soledad y al silencio, por mis retraimientos a veces injustificables, por mi incapacidad para mantener las relaciones vivas (aun las que tengo con gente que quiero o que genuinamente me interesa). Éste ha sido siempre uno de mis grandes defectos, y me ha causado más de una desilusión y ha desilusionado más de una vez a otros. No hay nada que yo pueda hacer al respecto, sin embargo, porque nadie cambia su naturaleza con la mera fuerza de su voluntad.

Pero a comienzos de 2014, algo sucedió.

El 1.º de enero yo me encontraba en una hacienda decimonónica de la zona cafetera, una casa de paredes de bareque y suelos de madera esmaltada cuyo nombre, Alsacia, me hacía pensar en veteranos de la guerra de Prusia dejando en los Andes colombianos un pedazo de su nostalgia. Había llegado allí con el propósito ostensible de recibir el año nuevo en buenas compañías, pero acabé gastando más tiempo del que había previsto en preocuparme por la última noticia del año anterior: el 24 de diciembre último, mientras regresaba a su casa de Belgrado desde Sarajevo, la escritora serbia Senka Marnikovic, autora de un libro de cuentos que era para mí una evidente obra maestra, perdió el control de su carro en una carretera helada y resbalosa, rompió una barrera de protección, derrapó sobre el terraplén alto y acabó estrellándose de frente contra la pared de un taller de mecánica. La muerte al otro lado del mundo de una escritora de un solo libro, cuyas fotos no había visto nunca y cuya voz nunca había escuchado, me provocó una melancolía imprevisible y sorprendente, sobre todo considerando que pocos años antes yo ni siquiera tenía noción de su existencia.

Me había encontrado con su nombre en la primavera de 2010, durante un viaje de setenta y dos horas que hice de Barcelona a Belgrado para hablar de literatura frente a un público de estudiosos de lengua española. Mi anfitriona, una profesora de Literatura Latinoamericana que traducía en sus ratos libres la poesía de César Vallejo, me llevó después de mi conferencia a conocer el apartamento del novelista Ivo Andric, y en el curso del día siguiente se las arregló para incluir, además de esa visita fetichista, un parque desde el cual se veía el Danubio y un bar de mala muerte donde los extranjeros curiosos podíamos comprar billetes devaluados de la época de la guerra de Bosnia. Fue allí, en el bar, donde me preguntó si había leído *Fantasmas de Sarajevo*. Cuando le dije que no sólo no conocía el libro sino que nunca había oído hablar de su autora, la profesora dijo con perfecto acento de Madrid que eso no podía ser, coño, y a la mañana siguiente descubrí que me había dejado, en la recepción del hotel, un ejemplar del libro de Marnikovic en la única lengua occidental que lo había traducido hasta el momento. Comencé a leer *Fantômes de Sarajévo* en la sala de espera del aeropuerto de Belgrado, y para cuando llegué a mi casa de Barcelona, después de una escala en Zurich y una demora por mal tiempo, ya lo había terminado y estaba releyendo algunos de los cuentos, maldiciendo no haberme encontrado antes con este libro formidable y sintiendo que no había hecho un descubrimiento tan maravilloso desde el día de 1999 en que abrí el libro extrañísimo de un tal W.G. Sebald. Y ahora Marnikovic estaba muerta, muerta a sus setenta y dos años, treinta y nueve después de haber publicado su librito maravilloso, y esa melancolía que sentí con la noticia se transformaba ahora en la urgencia casi física de volver a leerla, de sumergirme en su voz que sabía más cosas que yo, de poner atención al mundo a través de sus ojos que eran más atentos que los míos. Saqué el libro de mi biblioteca y lo metí en mi morral negro, y allí estaba ese primero de enero, acompañándome en la hacienda decimonónica, silencioso hasta en el tono neutro de sus tapas de color crema, prudente como si los dos hubiéramos perdido a un amigo común.

Era un día festivo, por supuesto, pero era también un miércoles: el día de la semana que yo había dedicado durante los siete años precedentes a escribir mi columna semanal para *El Espectador*. Me había acostumbrado a redactarla en las horas de la mañana, cuando mi cabeza es menos torpe, pero esa vez la lentitud de los añonuevos (la convicción inconsciente de que el mundo ha vuelto a empezar y no hay prisas para nada) había roto mi disciplina. De manera que después del almuerzo tardío, cuando la vieja casa de suelos de madera cayó en una modorra invencible y nada rompía el silencio salvo la agitación de las chicharras y los periquitos, me serví una cerveza, me acomodé en una mesa de juego cuyo paño verde se había quemado con cigarrillos en la parranda de la noche anterior, y me dispuse a trabajar como un cazador que sale a probar suerte sin tener ninguna certeza de que va a encontrar nada. Abrí al azar el libro de Marnikovic, repasé el comienzo de algunos cuentos y acabé leyendo entero «La vida extensa de Gavrilo Princip», el mejor del libro y el más pertinente para este año que apenas se despertaba. Con aquellos personajes en mente escribí las primeras frases de mi columna; en cuestión de minutos, el relato de Marnikovic se había asociado con otros temas y otros personajes que me tocaban más de cerca, de manera que la columna quedó armada alrededor de una idea relativamente sencilla: las posibles correspondencias entre dos crímenes notorios, uno de importancia universal y el otro de consecuencias más restringidas, que tuvieron lugar con pocos meses de diferencia. «Memorias del año que comienza», titulé el texto. Enseguida escribí:

> Éste será un año de conmemoraciones, pero no de las buenas. Por supuesto que los panameños

celebrarán el paso del *S.S. Ancón* por su canal recién inaugurado; por supuesto que los lectores de Julio Cortázar recordarán su nacimiento en Bruselas. Pero mucho me temo que los meses siguientes serán, sobre todo, para hablar de ciertos asesinatos y sus consecuencias. 1914, dice el lugar común, es la verdadera puerta de entrada al atribulado siglo XX, y eso no es precisamente porque haya nacido un escritor argentino o se haya abierto un camino entre los dos océanos. Los asesinatos que tuvieron lugar ese año fueron la partera de buena parte de la historia siguiente, y da un poco de grima observar, con la perspectiva falsamente tranquilizadora de los años, lo poco que nos imaginábamos la debacle que nos esperaba a la vuelta de la esquina. En «La vida extensa de Gavrilo Princip», una de las mejores ficciones que se han escrito jamás sobre el legado de ese año, la escritora serbia Senka Marnikovic inventa un mundo en que la Primera Guerra no ha ocurrido. Gavrilo Princip, un joven nacionalista serbio, llega a Sarajevo para matar al archiduque Francisco Fernando, pero su pistola se atasca y el archiduque sigue con vida. Princip muere un año más tarde, de tuberculosis, y el mundo es otro.

Pero no fue así, claro. Gavrilo Princip sí mató al archiduque Francisco Fernando de Austria. Estaba a punto de cumplir veinte años; había tratado de unirse a la guerrilla de la Mano Negra, pero fue rechazado por su baja estatura; después de aprender a manejar bombas y a disparar pistolas, acabó uniéndose al grupo de seis conspiradores cuyo objetivo era asesinar al heredero al trono del Imperio austrohúngaro y así forzar la separación de las provincias eslavas del Imperio y la creación de una gran nación serbia. Los conspiradores se unieron a la multitud que flanqueaba la ruta por donde pasaría el archiduque, a cuyo coche le habían quitado la capota para que el público pudiera ver a sus nobles. La idea era que todos los conspiradores, del primero al último, intentaran el magnicidio. El primero falló por miedo. Princip, a pesar de la especulación maravillosa de Marnikovic, no falló.

En octubre de ese mismo año, pero del otro lado del mundo, un hombre que no era archiduque, sino general y senador de la República, fue asesinado, no a balazos sino a golpes de hachuela, por dos sujetos jóvenes y pobres como Princip. Rafael Uribe Uribe, veterano de varias guerras civiles, líder incontestable del Partido Liberal (en esos tiempos en que ser liberal quería decir algo) y modelo para el personaje de Aureliano Buendía, fue atacado al mediodía del día 15 por Leovigildo Galarza y Jesús Carvajal, carpinteros desempleados. Murió a la madrugada siguiente en su casa de la calle 9, en Bogotá; en la acera donde recibió los golpes de sus asesinos hay una placa que nadie mira, porque está a la altura de las rodillas. Y sin embargo, los colombianos lo recordarán este año. Escribirán sobre él, celebrarán su vida aunque no la conozcan y lamentarán su muerte aunque no sepan por qué lo mataron. Y así se nos irá el tiempo: pensando en Princip y en Francisco Fernando, en Galarza y Carvajal y en Uribe Uribe; pensando en esos crímenes; pensando en sus causas y consecuencias. El año apenas comienza.

La columna se publicó el 3 de enero. El lunes siguiente, día de Reyes, me desperté poco antes de las primeras luces; tratando de que no me delatara ningún crujido de los tablones bajo mis pies, ningún gozne de ninguna puerta en la casa vieja, busqué mi computador y me dispuse a leer la prensa. Hacía muchos años que había perdido la costumbre de leer en la página web los comentarios que merecía mi columna, no sólo por desinterés y falta de tiempo, sino por la convicción profunda de que en ellos se ponían en escena los peores vicios de nuestras nuevas sociedades digitales: la irresponsabilidad intelectual, la mediocridad orgullosa de sí misma, la calumnia tan inverosímil como impune, pero sobre todo el terrorismo verbal, el matoneo de patio de colegio en que se embarcaban con incomprensible entusiasmo los participantes, la cobardía de todos esos agresores que se vilipendiaban bajo seudónimo pero que nunca repetirían sus injurias de viva voz. El foro de las columnas de opinión en mi país se había convertido en nuestra versión moderna y digital de la ceremonia de los Dos Minutos de Odio: aquel ritual de *1984,* la novela de Orwell, en que se les proyecta a los ciudadanos la imagen del enemigo, y los ciudadanos se entregan extáticos a la agresión física (lanzan objetos contra la pantalla) y a la agresión verbal (insultan, chillan, acusan, difaman), y luego salen de nuevo al mundo real sintiéndose libres, desahogados y satisfechos de sí mismos. Sí, hacía muchos años que yo no leía esos comentarios; y sin embargo, esa mañana lo hice: repasé los insultos con sus errores de ortografía, las calumnias redactadas invariablemente con lamentable puntuación, todos esos síntomas de que algo se había podrido en el Estado colombiano. Hacia el final de la página, un comentario me llamó la atención. El firmante (es un decir) era Espiritulibre. Éste era el texto del comentario:

> *Que idiotez de columna, a quien le importa lo que pasó allá!! Que pasó acá?? Los colombianos SABEMOS por que mataron a Uribe Uribe por mucho que hayan tratado de ENGAÑARNOS, otra cosa es que no haya salido a la luz la verdad. Señores de el Espectador con columnistas como este ustedes pierden todos los dias el prestigio. Señor dizque columnista mejor que se de-*

dique a sus novelitas fracasadas. Un dia la verdad verá la LUZ!!!

Durante los días que siguieron, no logré desprenderme de la ridícula certeza de haber vuelto a encontrarme con Carlos Carballo. Luego pensé que no era así: no me había encontrado con él, sino que él se había puesto deliberadamente en mi camino. Luego pensé que no era cierto ni lo uno ni lo otro, sino que la verdad era más simple y también más molesta: Carlos Carballo nunca se había ido. En estos ocho años largos que habían transcurrido desde nuestro encuentro en la iglesia, Carballo no me había perdido de vista ni un instante: no era imposible que hubiera leído mis libros, pensé, y de seguro había seguido mis columnas, dejando en muchas de ellas sus descalificaciones anónimas. Luego pensé que Espiritulibre podía, increíblemente, no ser Carlos Carballo, sino cualquier otro de los millones de individuos que poblaban las repúblicas de la paranoia en un país con una historia convulsa como la nuestra. Lo justo, pensé, sería llamar a Francisco Benavides, preguntarle cómo estaba de salud y si había estado últimamente en contacto con Carballo, si Carballo le había hablado de mí, si le había contado lo que me propuso en la iglesia y cuál fue mi respuesta. Lo llamé; no contestó; le dejé un mensaje con la secretaria de su consultorio. No me devolvió la llamada.

Mi breve temporada en la hacienda decimonónica llegó a su fin; volví con mi familia a Bogotá, dispuesto a recuperar mi rutina de trabajo, pero no intenté tomar contacto con Benavides. Dos cosas me distrajeron: por un lado, una novela sobre un veterano de la guerra de Corea que llevaba cinco años tratando de escribir, que parecía haber despegado ahora, después de muchos fracasos, y que bastante me había costado suspender para irme de vacaciones; por otro, la búsqueda de informaciones sobre Senka Marnikovic, cuya muerte la había convertido de repente en alguien interesante. Pero Internet, que todo lo sabe, sabía muy poco de Senka Marnikovic. Como suele sucedernos cuando algo nos preocupa o nos obsesiona, la vida pareció de repente conspirar para que todo, de manera directa o indirecta, remitiera a su recuerdo o lo evocara. Así, una pareja de españoles que apenas conocía, Asier y Ruth, resultaban haber vivido y trabajado en los Balcanes, y me hablaban con nostalgia de esos días y me ofrecían libros sobre el sitio de Sarajevo, y una amistad iba naciendo. Así, el novelista Miguel Torres me escribía diciendo que había leído mi columna y preguntándome quién era esta escritora serbia, si sus libros estaban traducidos y dónde podría encontrarlos, pues le interesaban mucho esas ficciones que cambian o trastocan el curso real de la historia. No le respondí: fue una descortesía y un acto de egoísmo, más tratándose de un colega que aprecio (cuyas novelas sobre el 9 de abril están entre las mejores que han salido jamás de mi país); pero uno de los misterios de la vida de un lector de ficciones es ese afán de propiedad que a veces nos invade con respecto a los libros o los autores que nos han dicho algo importante y nuevo, algo que no habíamos oído nunca. Yo no quería hablar de Senka Marnikovic porque Senka Marnikovic me pertenecía sólo a mí. Era una emoción primitiva, pero era la que sentía en ese momento.

A principios de febrero le escribí por fin al doctor Benavides. Le dije que lamentaba el silencio en que habíamos caído durante tantos años; le dije que me hacía responsable de ese silencio y de sus consecuencias, pero que me gustaría mucho retomar el contacto. Esta vez me respondió de inmediato.

Estimado paciente:
Me alegró mucho recibir su mensaje, para qué se lo voy a negar. De vez en cuando pienso en esos días de hace tiempos y también lamento que hayamos perdido el contacto. Me he enterado de que ahora está

honrándonos con su presencia a título de residente,
¿no? Diga cuándo quiere que nos veamos y nos ponemos
al día. La vida no se ha portado bien conmigo y creo
que me gustaría hablarlo con alguien que entienda
mis cuitas (insertar aquí música melodramática).
En fin, por varias razones que no le voy a explicar
aquí, en este momento usted es ese alguien. Yo es-
toy trabajando tarde estos días. Hasta las 8 me en-
cuentra en la clínica. Avíseme de alguna forma antes
de venir.
Un abrazo,
Francisco

Fui a buscarlo el viernes siguiente. Desde los días
del nacimiento de mis hijas, cuando pasaba largas horas
nocturnas de incertidumbre y ansiedad, llegar a una clínica en horas de la noche me hace sentirme inmediatamente incómodo. Nos habíamos puesto cita, además, en un
lugar que para mí evocaba esos días como si los estuviera
reviviendo: la cafetería de la planta inferior, ese espacio sin
ventanas que se llenaba, a la hora de las comidas, con dos
tipos de personas: o los familiares de pacientes con su permanente máscara de desasosiego, o los doctores y los enfermeros acostumbrados y a veces indolentes. Cuando
llegó Benavides, dos minutos después de la hora, vi en su
cara los estragos del paso de los años, y luego, como una
epifanía, recordé las razones por las que lo apreciaba con
ese aprecio que tanto se parece a la admiración: pues no
era sólo el tiempo lo que se veía en la cara cansada de Benavides, sino también el deterioro que le producía el sufrimiento ajeno, esa especie de labor alterna que había asumido años atrás y que consistía básicamente en acompañar
a los que mueren. Venía envuelto en su bata blanca y traía
un libro verde en la mano; antes de llegar a la mesa donde
yo lo esperaba tuvo que saludar a cuatro personas distintas
que se pusieron de pie cuando él cruzó por las puertas de

vidrio, y a todos los recibió con la misma amabilidad de hombre cansado, estrechando manos con gusto pero con una especie de peso invisible en los hombros. Ahora usaba unas gafas sin marco, dos cristales que habrían parecido flotar delante de sus ojos si no hubiera sido por el rojo intenso de las patas y del puente sobre la nariz.

«Le traje esto», me dijo al sentarse.

Era una publicación universitaria con un título tremebundo: *Mirando la muerte a los ojos. Ocho perspectivas*.

«¿Qué es?», pregunté.

«Variaciones sobre el mismo tema», dijo él. «Hay filósofos, teólogos, literatos, gente que le puede interesar. El médico soy yo». Hizo un silencio pudoroso y añadió: «Para cuando no tenga nada más que leer».

«Pues muchas gracias», le dije, y lo decía sinceramente (no siempre es el caso al recibir un libro). «Mire, Francisco, la última vez que nos vimos…»

«¿Hace ocho años? ¿Vamos a hablar de lo que pasó hace ocho años? No, Vásquez, eso es perder el tiempo. Hablemos de cosas importantes, más bien. Por ejemplo, cuénteme cómo están sus niñas».

Eso hice. Mientras hacíamos la fila para servirnos la comida, mientras regresábamos a la mesa y comenzábamos a comer, le hablé sin mucho detalle de la experiencia de la paternidad, que cada día me parecía más difícil, y de cómo a veces sentía nostalgia por los primeros días, cuando los únicos obstáculos eran médicos. Ahora había que enfrentarse al mundo, a este mundo jodido que se da mañas para dañar a todos, y ya a la edad de mis hijas uno podía ver a tantos de sus compañeros dañados para siempre. Le hablé de los últimos años en Barcelona y de la decisión de volver a Colombia. Le hablé de mis impresiones al volver a vivir en mi ciudad después de dieciséis años: esa sensación de extrañeza parcial, de no ser totalmente de aquí como antes, en Barcelona, no era totalmente de allá; le dije que era esa rara extranjería lo que me había permitido volver, pues siempre me había alimentado de ella. Por otro lado, la ciudad se me había vuelto bronca, hostil e intolerante, y de una manera imprevisible: al contrario de lo que sucedía en los tiempos de mi partida, la violencia no era la que salía de unos actores bien definidos en guerra contra los ciudadanos, sino que estaba en los ciudadanos mismos, que parecían embarcados todos en su propia cruzada, parecían todos andar con el dedo acusador enhiesto y preparado para señalar y condenar. ¿En qué momento había pasado esto?, le pregunté a Benavides. ¿En qué momento nos volvimos así? Varias veces al día me llegaba la convicción molesta de que los bogotanos, si tuvieran la oportunidad, no dudarían en apretar el botón que borrara para siempre a los detestables otros: a los ateos, a los obreros, a los ricos, a los homosexuales, a los negros, a los comunistas, a los empresarios, a los partidarios del presidente, a los partidarios del expresidente, a los hinchas de Millonarios, a los hinchas de Santa Fe. La ciudad estaba envenenada con el veneno de los pequeños fundamentalismos, y el veneno corría por debajo, como el agua sucia en las cloacas; y sí, la vida parecía discurrir normalmente, y los bogotanos seguían refugiándose en los abrazos de los amigos y en el sexo de los amantes, y seguían siendo padres e hijos y hermanos y maridos y esposas sin que el veneno los afectara en nada, o tal vez creyendo que el veneno no existía. Pero había personas maravillosas como Francisco Benavides, que invertía horas enteras de todos sus días en darle la mano a un enfermo terminal y hablar con él de la mejor muerte posible, sin evitar nunca encariñarse, sin racionar la empatía ni dosificar los sentimientos, lanzándose de cabeza y sin cerrar los ojos en una relación cuyo único desenlace posible era la tristeza.

Le hablé de Carballo. La gente entraba y salía de la cafetería, había un ruido de fondo que era una mezcla de cubiertos chocando con platos y tacones chocando con baldosas y voces chocando con voces tensas, y yo le hablé a Benavides de Carballo. Le conté del encuentro en la misa de R.H. Moreno-Durán, le conté de lo que Carballo me había contado, le hablé de la novela sobre Orson Welles y lo escuché burlarse de esa novela en particular y de los novelistas en general, que no podían dejar la historia quietecita ni respetar las cosas que pasaron de verdad, como si no fueran lo bastante interesantes. Me dijo que era por eso por lo que los novelistas habían perdido mucho tiempo atrás la pelea verdaderamente importante, que no era la de lograr que la gente dejara de pensar en su realidad desagradable o gris o incompleta, sino que agarrara su realidad por las solapas y la mirara a los ojos y la insultara sin miramientos y luego la cacheteara. Le dije que de todas formas habían pasado más de ocho años desde la muerte de R.H. y la novela no se había publicado, de manera que seguramente era cierto: a la gente le bastaba y le sobraba con conocer las cosas como pasaron en verdad, y ya no le interesaba conocerlas como *hubieran podido pasar*. Y sin embargo, eso era lo único que me interesaba a mí de la lectura de novelas: la exploración de esa otra realidad, no la realidad de lo que realmente ocurrió, no la reproducción novelada de los hechos verdaderos y comprobables, sino el reino de la posibilidad, de la especulación, o la intromisión que hace el novelista en lugares que le están vedados al periodista o al historiador. Todo eso le dije a Benavides y Benavides, fingiendo paciencia o interés, me escuchó.

Enseguida le hablé de la carta falsificada y de la oferta de escribir un libro. «¿Seguro que era falsificada?», me preguntó Benavides. «Segurísimo», le dije yo. Y entonces me fijé en una pareja de ancianos que se había acomodado al fondo, en la parte de los sillones blandos. Pero no me fijé en ellos porque me hubieran llamado la atención de ninguna forma, sino por no mirar a los ojos a Benavides cuando le decía que tenía que confesarle algo. Enseguida, sin darle tiempo a preguntar de qué se trataba, le expliqué

cómo había llegado a revelarle a Carballo la supervivencia
—y la ubicación— de la vértebra de Gaitán.

«Fue sin querer», dije estúpidamente. «Se me salió».

Entonces vi en su cara algo que no había visto
nunca, una forma nueva emergiendo de sus fondos profundos. Pasó un tiempo que me pareció larguísimo: cuatro,
cinco segundos, acaso seis. Entonces Benavides salió de su
silencio, y lo hizo con uno de los monosílabos más breves
que existen.

«Ah», dijo.

«Perdóneme», le dije.

«Ya veo».

«Yo sé que usted no quería».

«Ya veo», repitió Benavides. Y luego: «Tenía la sospecha». Y luego: «Usted me lo confirma, pero yo tenía la
sospecha». Entonces miró mi plato; lo vi fijarse en la posición de mis cubiertos. «¿Ya terminó?», preguntó. «¿Quiere un postre, un café?»

«No quiero nada, gracias».

«No, ¿verdad? Yo tampoco».

Lo vi ponerse de pie y levantar la bandeja con una
ligera flexión de sus rodillas, no del tronco. Empezó a caminar hacia el lugar donde uno dejaba las bandejas usadas
o sucias. Yo me levanté y lo seguí.

«Perdón, Francisco, perdón por mi imprudencia»,
le dije. «Yo sé que usted quería mantener esto en secreto.
Pero estaba discutiendo con Carballo, la vaina se acaloró
y acabé soltándole eso, casi escupiéndoselo. Entiéndame,
era la única manera de que dejara de joderme. Sí, fue una
torpeza de mi parte. Una torpeza. Pero bueno, tampoco
es que sea el fin del mundo».

Se alisó la bata blanca, me miró.

«El fin del mundo no sé», dijo. «Pero sí es el comienzo de la noche. Mejor dicho, se nos acaba de alargar
esta vaina, Vásquez, espero que no haya dicho en la casa
que llegaba temprano. Venga, acompáñeme a hacer unas

vueltas y le voy contando algo que me pasó. A ver a usted qué le parece».

Y empezó a contarme.

«Hace un par de años organicé una fiesta en mi casa», me dijo Benavides. «Para el cumpleaños de mi esposa, los cincuenta años mejor llevados que he visto en mi vida. Los sin cuenta, como decía ella. Vinieron unos amigos suyos, unos amigos míos, unos amigos de los dos. Uno de los invitados, como es apenas obvio, era Carballo, que llegó de primero y se fue de último. Carballo en mi casa es como un mueble, Vásquez. Nos hemos acostumbrado a él; es como el tío solterón que viene siempre, que es tan parte de la familia como cualquiera y anda por la casa como si fuera la suya. Ese día le hizo a mi esposa un álbum de fotos, una cosa bellísima. Él consiguió el papel, un papel fabricado a comienzos de los años 60, cuando nació Estela. Él consiguió el hilo para tejer las páginas, para tenerlas juntas. Esto no se llama encuadernar: debe tener un nombre, pero yo no lo sé. Él se consiguió las fotos. Nunca supe cómo: no me preocupé por averiguar de dónde había sacado Carballo fotos de mis hijos cuando tenían tres y cinco y siete años, fotos de paseos que yo había hecho con mi esposa cuando éramos novios, fotos de mi papá. Un regalo muy especial, la verdad, hecho con las manos, hecho con tiempo y dedicación. Por mi parte, la vaina salió bien: a Estela no le entusiasman generalmente los mariachis, pero ese día me la jugué, y los mariachis le gustaron. Después de la serenata la gente se fue yendo así, poco a poco, hasta que nos quedamos en el patio, sentados en la traviesa del ferrocarril, dejando que se hiciera de noche despacio. Mi familia y yo: ésos éramos. Ese patio interior era el mismo que conoció usted, Vásquez, salvo por un detallito: el calentador. Un aparato eléctrico que calentaba como una fogata y que nos permitía quedarnos ahí afuera aunque se hiciera de noche y empezara a hacer frío. Ése fue el regalo de mis hijos, porque Estela nunca se había quedado hablando en el patio cuando se hacía de noche, es demasiado friolenta para eso. Mis hijos le regalaron ese calentador, lo estrenamos esa tarde y santo remedio. En fin, ahí estábamos, tomando aguardiente porque a mis hijos les parecía que eso era mejor para celebrar, hablando paja hasta por los codos, muriéndonos de la risa, cuando me dio por escoger ese momento y ese lugar para darle a mi familia una noticia. "Es sobre las cosas que me dejó papá", les dije, "las que tengo arriba. Las voy a devolver".

»Me parece verlos, verles las caras de espanto. "¿Cómo que las vas a devolver?", me dijeron. Les dije que sí. Que ya quería empezar a tomar decisiones sobre ciertas vainas. Me estoy acercando a los sesenta, les dije, y uno a esta edad se pone a pensar y a veces se le ocurren ideas raras. Estas cosas, las cosas que saqué del museo, han estado conmigo mucho tiempo. Y nunca me he engañado, nunca me he creído que sean mías. Sé que sacarlas de ahí se justificaba. Sé que era lo correcto y lo necesario, pero también sé que no me pertenecen. Estas cosas llevan décadas conmigo, acompañándome en los trasteos, siendo parte de mi vida… Y la prueba de que hice bien llevándomelas es que no le han hecho falta a nadie. Las demás que había, las que no me llevé, se han perdido. Pero éstas no. Éstas se salvaron y nadie ha preguntado por ellas. Y no se lo voy a negar, Vásquez, como no se lo negué a ellos esa tarde o esa noche: la felicidad que me dan es inmensa. Volver por las noches y servirme un trago y tocar estas cosas, y leer sobre ellas y sobre su momento, todo eso es para mí lo que las estampillas son para un coleccionista. O las mariposas. O las monedas. En estos últimos años, estas cosas me han dado momentos de mucha satisfacción. Todo eso les dije. Miraba a Estela, a mi hijo, a mi hija, y les decía que tranquilos, que no les iba a hacer filosofía barata sobre eso, que no se preocuparan: pero que simplemente era así. Y entonces les expliqué el meollo del asunto: que a pesar de esa felicidad, a pesar de esos momentos de loco obsesivo que he pasado en compañía de mis cosas viejas, nunca, nunca se me ha olvidado que no me pertenecen. No son mías, nunca han sido mías. No son de mi familia, tampoco, aunque a veces me gusta creer que sí, que tengo derecho a heredarlas y que mis hijos las podrían heredar también. Pero no es así: no tengo derecho. No son mías, no son de mi familia: son del país. O del Estado, sí, patrimonio del Estado. Eso les dije, esa perorata interminable les eché, y luego les pregunté: "¿Están de acuerdo hasta aquí?"

»El que contestó fue mi hijo: "Sí, papá, de acuerdo", dijo. "Pero tú salvaste esas cosas. A nadie le importan, sólo al que las salvó. Le pertenecen al que las salvó, me parece a mí".

»Le dije que no. Que no me pertenecían, y punto. Le pertenecían a una institución pública y ahora estaban en manos privadas. "Quiero decir", les dije, "que nadie sabe que las tengo. Alguien podría decir que me las robé. ¿Y cómo hago para contradecirlo? No podría, no, no tendría argumentos para contradecirlo. Pues esto es lo que quiero hablar con ustedes, con mi familia. Yo no quiero dejarles este problema cuando me muera. Ya sé que para eso falta toda una vida, pero hay que pensar bien en el asunto para no ir a equivocarse. Pues yo ya he pensado". Les dije que estas cosas no les interesaban a ellos. Ni a mi esposa, que me las había tolerado más que acompañarme. Ni a mis hijos, que tienen la cabeza en cosas más pertinentes. A usted le digo lo que les dije a ellos, Vásquez: ¿se imagina, si me muero, el encarte tan terrible que les dejaría? "En resumidas cuentas", les dije, "he estado pensando, llevo mucho tiempo pensando, y he llegado a la conclusión de que ya toca, ya es hora. Eso es. Ya es hora de devolverlas".

»Estela me hizo la pregunta evidente: "¿Pero a quién? Tú sabes bien que el sitio ese ya no existe. ¿A quién vas a devolverle estas cosas después de tantos años? Y además, ¿qué puede pasar entonces? Yo no sé qué dice el Derecho sobre estas situaciones, pero te aseguro que te vas a meter en líos. Colombia es un lugar donde ninguna buena acción queda impune. Quién sabe qué nos puede caer encima. Y no sé si vale la pena tomar esos riesgos por cambiar de sitio un par de cosas de otros tiempos que a nadie le han hecho falta, que nadie va a cuidar como las cuidas tú, y sobre todo que nadie va a aprovechar como las aprovechas tú. No, a mí me parece una estupidez. Las cosas del museo de tu papá son tu tesoro. Si han sobrevivido es gracias a ti. Si no las hubieras guardado hace años, se habrían perdido. Y hazme caso: se van a perder si las devuelves. Aparte de que no sé a quién se le pueden devolver cosas así".

»Le dije que al Museo Nacional, por ejemplo. Ahí tienen uniformes de las guerras civiles, espadas, la pluma de algún prócer. ¿No es lo natural que las cosas de mi padre estén ahí expuestas, para que la gente pueda ir a verlas? "¿Y si no va nadie?", dijo mi hija. "¿Y si no les interesa exponerlas?" "Sí les va a interesar", dije. "Sí las van a exponer. Y si no les interesan y no las exponen, pues no me importa. Esto es lo correcto, es lo decente, aunque uno ya no sabe qué quieren decir esas cosas en este mundo". "¿Y si te las quitan y te meten una demanda? ¿O te clavan una multa de esas que quiebran a la gente? ¿Has pensado en eso? ¿O crees que te van a agradecer el cuidado a escondidas de los tesoros históricos del país? ¿Crees que estas cosas pasan en Colombia, papá? Dime la verdad: ¿crees que te van a dar una medalla por haber jugado veinte años con un poco de huesos?"

»No me imaginé que fueran a reaccionar así. "Lo que me importa ahora es saber que esto va a quedar en buenas manos cuando yo me muera", les expliqué. "Y que no va a representar un problema para nadie. Y que la gente no va a pensar mal de mí. Entiendo que no estén de acuerdo", les dije, "y entiendo los reparos. Por eso hay que hacer esta vaina bien, hay que hacerla al derecho. La decisión ya está tomada: lo he pensado mucho y la decisión ya está tomada. Pero estoy de acuerdo en que hay que hacerlo bien, para evitar situaciones desagradables. Entonces: ¿cómo lo hacemos? Ayúdenme a pensar. A mí se me ocurre hablar primero con alguien, alguien de algún museo, alguien del Ministerio de Cultura. Eso sería lo básico".

»Hubo un silencio de esos que sólo hay en reuniones familiares. Los silencios de familia son distintos, Vásquez, ¿no le parece? Cuando uno está entre amigos, los silencios incómodos se llenan de cualquier forma, todo el mundo siente la necesidad o la conveniencia de llenar el silencio antes de que sea demasiado tarde. Pero la familia es el lugar donde uno puede estar en silencio y no pasa nada. Cuando esos silencios son buenos, cuando son los silencios de la confianza y la comodidad, es lo más rico que hay. Pero cuando son de los otros es distinto. En familia, los silencios del desacuerdo o del conflicto son dolorosos, o así los he sentido yo siempre. La primera en romperlo fue mi esposa: "¿Y por qué no haces algo con los medios primero? Buscar una entrevista en radio, por ejemplo. Todo esto sería más fácil y tú correrías menos riesgos si hubiera un intermediario, un mensajero, si la gente se enterara primero por una entrevista. Eso te permite explicar la situación, decir que tú en realidad salvaste el patrimonio nacional, que lo has estado protegiendo y cuidando veinte años, que el país está en deuda contigo. Te permite controlar el mensaje, como dicen los políticos. Y hasta le pondrá presión al museo o lo que sea para recibirte las cosas con respeto y en buenas condiciones. Que no vengas tú a pedir favores, porque el que les estás haciendo un favor eres tú. Has salvado de la desaparición unas cosas que en otro país tendrían cada una su propio museo. Imagínate lo que harían en Estados Unidos si alguien llegara a decir que tiene un hueso de Lincoln. Imagínate lo que harían en Francia si alguien saliera diciendo que tiene, no sé, una costilla de Jean Jaurès. Que la ha protegido y cuidado y mantenido todo este tiempo y ahora quiere hacer una donación a la República, una donación al pueblo. Le harían una estatua. Yo no quiero una estatua, qué pereza una estatua, además las estatuas nunca quedan bonitas. Pero sí me parece que te ganaste el derecho a que te den las gracias".

»Como siempre, tenía razón. Yo ya me he acostumbrado a que Estela tenga razón, y sin embargo siempre me sorprende. Ella es como la navaja de Occam convertida en mujer: una inyección de sentido común, una incapacidad total para las pendejadas. Así que todo el mundo estuvo de acuerdo de inmediato en que eso era lo más inteligente, lo más sensato y lo más provechoso. Mis hijos, cada uno por su lado, iban a hablar con alguna gente que conocían en los medios. A mover contactos, mejor dicho. Estela, lo mismo. Conocía a alguien que conocía a alguien que trabajaba en Caracol o en RCN, ya no me acuerdo. Y yo pensé en usted, Vásquez. Usted me vino a la mente ahí mismo, no tuve ni siquiera que echarle cabeza al asunto. La única persona que había visto estas cosas, no todas, pero sí unas de las más importantes… Claro que ese día, cuando usted estuvo en mi casa rompiéndoles la nariz a los invitados, todavía no tenía su columna de *El Espectador*. Pero ahora sí, y mis hijos la leían, y Estela la leía. Casi siempre estaban de acuerdo. Mejor dicho, están: casi siempre están de acuerdo con usted. Menos cuando se pone agresivo, eso Estela lo detesta. Dice que se tira el argumento. Que usted puede tener razón, pero cuando tiene razón con sarcasmos, burlándose de los demás entre líneas con ese tonito de arrogancia que le sale a veces, entonces deja de tener razón. Y si estuviera aquí, se lo diría como me lo dijo a mí una vez. "A tu amigo no le interesa convencer a nadie: le interesa ir a la yugular. Y así no se puede. Así no se construye ningún debate. Es una lástima". En fin, me estoy desviando del tema: el caso es que pensé en llamarlo, en pedirle que me ayudara a hacer esta vaina. Con una columna, con una entrevista en su periódico, como fuera. Pensé: Vásquez me ayuda, seguro. Pensé que no lo iba a buscar esa misma noche porque era viernes antes de puente. A la mañana siguiente, muy temprano, nos íbamos a pasar el puente a Villa de Leyva, a la casa de unos amigos. Así que pensé: el martes le escribo. Y lo dije, creo que lo dije: "Bueno, entonces así quedamos. Cada uno busca por donde puede. Yo le escribo a Vásquez el martes a primera hora".

»Los cuatro nos levantamos y nos fuimos a la cocina a arreglar un poco la casa, a lavar la loza y sacar la basura. Estábamos ahí metidos, cada uno en su tarea, con el chorro de agua del lavaplatos abierto, con el ruido de platos y cubiertos y bolsas de basura que se sacan de la caneca para cerrarlas y otras nuevas que se abren y se ponen en la caneca. Y en medio de todo ese trajín oímos las campanitas de la puerta. En la puerta de mi casa hay unas campanitas de esas que avisan cuando la puerta se mueve, me imagino que usted sabe cuáles son. Bueno, pues las oímos sonar, y Estela le dijo a mi hijo: "Ve a ver quién llegó". Él se quitó los guantes de plástico, salió de la cocina y volvió al rato diciendo que no, que la puerta no se había abierto, sino que se había cerrado. Nadie dijo una sola palabra más sobre la puerta que había sonado y me imagino que nadie volvió a pensar en el tema. A mí por lo pronto se me había olvidado ya al segundo siguiente. Y sólo volvimos a acordarnos de la puerta, por pura asociación de ideas, cuando Estela y yo volvimos del puente, el lunes siguiente en la noche, y nos encontramos con que se habían metido los ladrones.

»Habían roto uno de los vidrios de la puerta, esos vidrios pequeños y rectangulares que hay a la derecha cuando uno entra a la casa. ¿Se acuerda? Por ahí metieron la mano y abrieron la puerta desde dentro. ¿A usted le ha pasado algo parecido, Vásquez? ¿Usted sabe cómo es entrar a su casa por primera vez desde que se han metido los ladrones? Es una sensación de desolación, de frustración total, de impotencia y de injusticia. Sentimientos imbéciles, porque quién va a cometer el ridículo de hablar de justicia cuando se le acaban de meter a la casa, ¿no? Eso es como decirle descortés al que le acaba de pegar tres tiros. Pero eso es lo que se siente. Le dije a Estela que volviera al carro otra vez y que yo iba a revisar. Uno no dice *revisar para ver si están todavía,* uno dice simplemente *revisar.* "Ay, deja la huevonada", me dijo ella, y entró primero. Revisamos cuarto por cuarto, pero uno en esos casos sabe en el fondo que ya no hay nadie, que se fueron hace rato. Y efectivamente, no había nadie. Y tampoco habían causado destrozos. Se llevaron cosas pequeñas: joyas, un computador portátil, plata suelta que había en mi mesa de noche. De mi armario de abajo se llevaron mi caleidoscopio y las pistolas viejas. Mi computador grande no se lo llevaron, por eso, por grande, pero sí forzaron la cerradura de mi archivador y se llevaron todo lo que había adentro, incluidas las herencias de mi padre: todo eso que íbamos a devolver apenas se pudiera.

»Sí, así es: lo que usted vio esa noche en mi casa, eso se lo llevaron. Otras cosas que usted no vio, todo eso también. Todo, Vásquez. Todo eso se lo llevaron, todo eso acabó metido en la misma bolsa que las cosas de valor. Me los imaginé barriendo los cajones y llegando después a preguntarse qué era toda esta mierda, con perdón, un pedazo de hueso en un líquido amarillento, y me los imaginé vaciando el líquido en un inodoro que me imagino verde, no sé por qué, y tirando el hueso y la jarra a la basura y por separado. Yo nunca había llorado por cosas perdidas, ni siquiera de niño, pero esa noche lloré. Lloré porque mi padre no estaba para llorar por mí. O mejor: lloré porque mi padre no estaba, y él hubiera llorado por sus cosas. Lloré para reemplazar el llanto ausente de mi padre. Por eso no lo busqué, Vásquez, supongo que no tengo que explicárselo. Porque ya no había necesidad de ninguna columna, de ninguna entrevista. Porque ya no había que devolver nada. Porque ya para qué.

»Estos dos años se me han ido en lamentos. En lamentar que no se me hubiera ocurrido antes lo de devolver las herencias de mi padre. En lamentar no haberlas metido en una caja fuerte, como me decía Estela a veces. Yo le decía que para qué, si estas cosas sólo me importan a mí, y además nadie sabe que están aquí. Pero Estela me decía esto de las cosas que sólo le importan a uno: hay que cuidarlas más que las otras, porque la mayoría de las veces no se pueden reemplazar, *y es por eso por lo que sólo le importan a uno.* Pero yo no le hice caso, por supuesto, y pasó lo que pasó. Y durante todo este tiempo he tratado de hacer el duelo, como si se me hubiera muerto alguien. Y tengo que decirle que ya lo había logrado o lo estaba logrando, Vásquez. Cuando le escribí a usted ese correo, lo que tenía en mente era contarle esto que le acabo de contar: explicarle que me pasó lo que les ha pasado a miles de personas en Bogotá. Decirle: "Ya soy uno más, Vásquez, ya hago parte de las estadísticas. Lo increíble es haber llegado a mi edad sin que esto me hubiera pasado antes". O decirle: "Imagínese, Vásquez, qué mala suerte. Agarraron un manojo de cosas así, un poco al azar. Se llevaron todo lo de los cajones y ahí se fueron las cosas de mi padre. ¿Y uno qué puede decir? Qué mala suerte: eso es lo único que puede decir. Eso es lo que se llama ser de malas. No saben lo que se llevaron, Vásquez. Los hijueputas no saben lo que se llevaron ni el daño que me hicieron". Todo eso quería decirle, todo eso es probablemente lo que le hubiera dicho si usted no se me hubiera adelantado. Porque ahora, con esto que usted me acaba de contar, con ese detallito que sería superficial o insulso en otras circunstancias, todo cambia».

«No le entiendo», dije por fin. «¿Qué es *todo*? ¿Por qué *todo* cambia?»

«¿Hace cuánto salimos de la cafetería, Vásquez? ¿Cuánto tiempo llevamos hablando de este asunto? ¿Quince, veinte minutos? Digamos veinte. Si usted viera lo que me está pasando por la cabeza, lo que me ha pasado por la cabeza en estos veinte minutos, se moriría del miedo. Una vida entera se me ha puesto patas arriba en estos veinte minutos. ¿Sabe por qué, Vásquez? Porque mientras caminábamos juntos por los corredores, mientras subíamos ascensores y bajábamos ascensores, no he hecho más que acordarme de lo que solía decirle a Estela. Ya usted lo sabe: si yo creía que mis cosas estaban a salvo, si nunca creí que les fuera a pasar nada, era *porque nadie sabía que estaban aquí y porque no le importaban a nadie*. Pero ahora usted me cuenta lo que me cuenta y todas esas certezas comienzan a cambiar. En estos veinte minutos todo lo que ha pasado en los últimos años ha cambiado, y lo que veo ahora me da miedo y le daría miedo a usted si pudiera verlo, si pudiera meterse en mi cabeza y ver la diferencia terrible que se abre entre lo que yo creía estar viviendo y lo que ahora me parece que vivía. Porque usted me acaba de hacer una confesión que para usted no tenía importancia, y lo único que yo puedo pensar sobre esos huesos que mi padre me dejó antes de morir es esto: que hace dos años sí había en el mundo una persona que sabía de su existencia, sí había en el mundo una persona a la que le importaban estas cosas. O mejor dicho, una más. Éramos dos, usted y yo, y ahora hay una más. Ahora está Carballo. Ahora Carballo nos acompaña. Hace dos años, cuando llegué de viaje y me encontré con que me habían robado las herencias de mi padre, Carballo ya sabía que existían. ¿Cómo lo supo? Porque usted se lo dijo, Vásquez. Porque usted se lo dijo».

Sí, fueron veinte minutos: veinte largos minutos en los que Benavides me habló sin parar mientras me conducía por los laberintos de la clínica Santa Fe, de la cafetería a la puerta del primer piso, de la puerta al corredor de altos ventanales que lleva a los edificios, y llegando por ese corredor demasiado angosto (donde uno tiene la impresión de pegarse a las paredes para no tocar al que viene de frente) a los ascensores que llevan a los consultorios. Lo acompañé al suyo mientras él hablaba. Lo vi pasar entre los mesones de las secretarias, desiertos y tristes a estas horas de la noche, y abrir su consultorio y buscar algo en el archivador, y luego dirigirse al otro cuarto, donde estaba la camilla azul cubierta con una sábana de papel, y descolgar de un solterón una bata blanca igual a la que llevaba puesta, todo esto mientras hablaba. Me entregó la bata —«Téngame esto», me dijo— y siguió hablando. No dejó de hablar. Lo acompañé abajo en el ascensor, de regreso al segundo piso de las torres y de regreso, por el corredor de los ventanales, a la puerta principal, y no dejó de hablar; lo acompañé cuando él subió por aquellas escaleras de baldosines jaspeados y pasamanos de metal que dejan su olor agrio en las palmas, y no dejó de hablar; lo acompañé al cuarto piso, y caminamos juntos hasta llegar a una puerta de vidrio donde una mujer con cara de agotamiento y un lunar grande en la frente, sentada detrás de un escritorio de aglomerado, lo saludó: «Doctor Benavides, qué milagro de verlo, ¿va para la 426?» Sonó un timbre y Benavides empujó la puerta de vidrio. Sólo en ese momento dejó de hablar de Carballo y las cosas robadas de su cajón privado.

«Doctor Vásquez», me dijo, «¿se va a poner esa bata o no?» Y luego le habló a la mujer con una mueca burlona: «Ay, Carmencita, estos médicos de ahora».

Me tomó de sorpresa. Y cuando a uno lo toman de sorpresa frente a un tercero, el instinto siempre es seguir el juego o la ficción en que el otro nos ha embarcado: uno se siente como un actor que debe preservar la ilusión mientras está en escena, y luego ya pedirá explicaciones. Carmencita me miraba con ojos interesados.

«Claro que sí», dije. Para ponerme la bata, antes me puse entre las rodillas el libro que Benavides me había regalado. No fue una maniobra fácil. «Perdón, es que estaba distraído», dije. Pero cuando la puerta de vidrio se hubo cerrado tras nosotros, agarré a Benavides del brazo: «¿Qué es esto, Francisco? ¿Qué está haciendo?»

«Quiero que me acompañe».

«¿Adónde? ¿No le parece que se nos queda una conversación a medias?»

«No», dijo él. «Se nos queda *interrupta*. Como ciertos coitos. La seguimos después».

«Pero es que lo que usted me acaba de decir es gordo», insistí. «¿Usted cree de verdad que Carballo pudo haber hecho eso? ¿Usted lo cree capaz?»

«Qué ingenuo es usted, Vásquez. Carlos es capaz de eso y de mucho más. ¿Cómo es posible que a estas alturas no se haya dado cuenta? Lo que pasa es que una cosa es una cosa y otra cosa es otra cosa. Pero lo que le digo, la seguimos después. La conversación sobre ese tema, quiero decir: le juro que la seguimos después». Delicadamente me apartó la mano. «Ahora mismo tengo otras cosas en que pensar».

Lo seguí al fondo del corredor, como el miembro de una secta sigue a su líder: la bata recién puesta me había hecho vulnerable al magnetismo del doctor Benavides. Entramos a una habitación del lado derecho. La persiana estaba abierta y la ventana era una tela de un negro imperfecto. Primero me fijé en un hombre calvo que leía el periódico sentado en un extremo del sofá verde, pegado al posabrazos como si el resto del sofá estuviera reservado para alguien más. Al vernos entrar, el hombre cerró el periódico (un latigazo diestro de sus muñecas), lo dobló dos veces y lo dejó sobre el posabrazos para ponerse de pie y saludar a Benavides. Fue un saludo corriente —le estrechó la mano, le sonrió, le dijo un par de palabras—, pero algo que no pude determinar me hizo sentir la fuerza que tenía en esta habitación la presencia de Benavides, o bien el respeto y aun la admiración que inspiraba en el hombre del sofá. Fue entonces cuando me percaté de la otra presencia: la de la mujer acostada en la cama, que parecía dormir o descansar cuando entramos y que ahora abría los ojos, unos ojos grandes que ni siquiera las ojeras grises lograban afear, unos ojos de tamaño desproporcionado pero que entraban misteriosamente dentro de las proporciones de aquel rostro y su belleza cansada, corroída, desgastada.

«Éste es el doctor Vásquez», me presentó Benavides. «Le hablé del caso de Andrea. El doctor es de toda mi confianza».

El hombre calvo me alargó la mano. «Mucho gusto», me dijo, «yo soy el papá de Andrea». La mujer de la cama sonrió con una sonrisa genuina pero esforzada, como si el movimiento le doliera. Pude verla mejor: por la piel de su cara y por el color de su pelo pensé que debía de tener poco más de treinta años, aunque su postura y su actitud fueran las de una mujer ya trabajada por la vida. Benavides me estaba hablando: mencionó las palabras *problema inmunológico,* dijo que la paciente llevaba varios años postrada en cama y sin posibilidad real de mejora o curación, y yo pensaba: qué astuto es. Me habla en términos sencillos para que yo entienda, pero parece que lo hiciera para que entendieran sus pacientes. Explicó que la última indicación médica, tras un diagnóstico de isquemia, había establecido la necesidad de amputación de la pierna izquierda. Andrea recibió estas palabras sin inmutarse: sus ojos siguieron inmensos y abiertos, mirando hacia la parte superior de la pared, donde un brazo metálico sostenía el televisor apagado. El padre cerró los ojos con fuerza y los volvió a abrir, y me pareció evidente que Andrea no había heredado sus ojos formidables de él. Benavides se sentó a su lado, en el sofá; no quedó espacio para mí, pero no me importó: la imagen de esos tres hombres acomodados como si asistieran a una función cuya protagonista era Andrea hubiera tenido algo ridículo. Así que me quedé de pie junto al lavamanos, como había visto alguna vez que hacían los médicos en estas situaciones: los acompañantes, los asistentes, los enfermeros o los meros curiosos. Yo no entraba en ninguno de estos casos: yo era un impostor y me había visto arrastrado a esta impostura por el doctor Benavides. ¿Por qué?

¿Qué razones podría tener Benavides para tenderme esta emboscada? La había planeado desde el principio, pues sin duda ya pensaba en este momento cuando recuperó su bata de repuesto en su consultorio. La bata olía a limpio; en el bolsillo del pecho había un bolígrafo azul; metí las manos en los bolsillos laterales, pero no encontré nada en ellos. «Bueno, los escucho», dijo entonces Benavides.

«Es esto, doctor», dijo el padre. Luego se detuvo. Se dirigió a su hija. «¿Quieres decirle tú?»

«No, dile tú», dijo Andrea. Tenía una voz grave y sonora. Había en ella algo que, a pesar de las circunstancias, sólo pude llamar carisma.

«Bueno», dijo el padre. «Hemos estado pensando, pensando muy bien».

Andrea lo interrumpió. «No, prefiero decirle yo», dijo. «Si no te importa».

«No me importa», dijo el padre.

«No queremos», dijo Andrea. Ya le estaba hablando a Benavides: sus ojos se habían fijado en él como dos faros nocturnos. «Mejor dicho, yo fui la que no quiso. Papá está de acuerdo».

«¿No quieren seguir adelante con la amputación?», dijo Benavides.

«No es eso», dijo Andrea. «Es que no quiero seguir adelante».

Benavides dijo: «Entiendo». La suya también fue en ese momento una voz que yo no había oído antes: afectuosa pero no paternalista, capaz de solidaridad y simpatía pero cuidadosa de no usurpar. «Entiendo», volvió a decir, «entiendo bien». Bajó la voz. «Bueno, ya hemos hablado mucho de esto. Ustedes tienen en mente todo lo que hemos hablado, me imagino».

«Sí», dijo el padre.

«Estoy cansada, doctor», dijo Andrea.

«Yo sé», dijo Benavides.

«Estoy muy, muy cansada. Ya no puedo más. Y de todas formas, ¿qué puede pasar si lo hacemos? ¿Qué puede pasar si me quitan esta pierna? ¿Hay alguna posibilidad de que me mejore?»

Benavides la miró a los ojos. Puso las dos manos sobre la carpeta, como refiriéndose a ella sin hacerlo. «No la hay», dijo.

«No, ¿verdad?», dijo Andrea.

«No», dijo Benavides.

«Por eso», dijo Andrea. «Usted dígame si me equivoco, doctor, pero lo único que ganamos con esto es más tiempo. Más tiempo para que yo siga viviendo esta vida así, sin cambios apreciables, sólo esperando a que toque amputar la otra. Porque así es, ¿no? Dentro de unos meses nos tocará amputar la otra, ¿verdad? Dígame, doctor, dígame si me equivoco».

«No te equivocas», dijo Benavides. «Dentro de lo que podemos prever, es exactamente así».

El doctor no le había quitado los ojos de encima ni un instante. Me admiró el coraje que eso tomaba, pues ni siquiera yo, que me mantenía al margen del diálogo, podía mirar a Andrea fijamente, y cuando el padre de Andrea buscaba mi mirada, yo era incapaz de sostenérsela: buscaba refugio en mi teléfono, donde fingía tomar notas, o en las bolsas transparentes del suero, o incluso en el perfil de Andrea: en su pelo recogido, en su cuello blanco donde una arteria gruesa era visible, en sus brazos de atleta.

«Mejor dicho», dijo Andrea, «todo cuidado es paliativo. Ya no hay nada que hacer más que eso: ganar tiempo. ¿No es verdad?»

«Es verdad».

«Pues papá y yo», dijo, «estuvimos hablando. Y decidimos que no queremos más tiempo». El padre agachó la cabeza y empezó a sollozar. «Es que estoy muy cansada», dijo Andrea. Y luego: «Perdón, papá». Y se puso a llorar también.

Benavides se acercó a la cama y tomó la mano izquierda de Andrea entre las suyas. La de ella era pálida, fuerte pero pequeña, y las del doctor parecieron devorarla. «Está muy bien», dijo Benavides. «Tienes todo el derecho. También tienes todo el derecho de pedir perdón, pero no tienes la necesidad. Tú estás viviendo esto, nadie más. Y has sido valiente: has sido muy valiente, yo rara vez he visto personas tan valientes como ustedes dos. No voy a tratar de convencerte de nada. Primero, porque ya te he dado toda la información necesaria. Segundo, porque yo en tu caso haría lo mismo. Un médico debe curar cuando se puede. Si no se puede, debe aliviar. Y si eso no se puede, no queda más que acompañar y apoyar, para que todo esto suceda en las mejores condiciones del mundo. Yo te voy a acompañar como lo he venido haciendo, pero sólo si tú quieres, Andrea, sólo si tú me lo permites porque te parece útil o necesario».

El llanto de Andrea fue breve: el llanto disciplinado de alguien que ya ha sufrido mucho. Se pasó una mano por los ojos, con suavidad, y luego buscó un pañuelo de papel en su mesita de noche y lo usó para limpiarse la punta de la nariz, como por vanidad, como si quisiera eliminar un brillo en la piel.

«¿Y qué sigue ahora?»

«Hay que hacer algunos papeles», dijo Benavides. «Mañana mismo puedes salir de la clínica. Te vas para tu casa».

«Para mi casa», dijo Andrea con una sonrisa.

«Nos vamos para la casa», dijo su padre.

«Sí», dijo Andrea. «Sí. ¿Y después? ¿Usted qué va a hacer, doctor?»

«Haremos cuidados paliativos», dijo Benavides.

«¿Y después?»

«Después ya nada».

«Ya no va a hacer nada», dijo el padre. Parecía una pregunta, pero no lo era.

«A veces», dijo Benavides, «no hacer es la manera correcta de hacer».

«Gracias», dijo Andrea.

«Mañana sales», dijo Benavides.

«Sí», dijo Andrea. «Ay, sí, mañana salgo. Me voy de aquí, me voy a mi casa, a mi cama».

«A tu cama», le dijo su padre.

«Ahora lo necesito a usted, señor Giraldo», dijo Benavides. «Para que firme unas cosas». Y a Andrea: «No nos demoramos».

Salieron. Andrea y yo nos quedamos solos en la habitación, ella mirando al techo y yo mirándola a ella y dolorosamente consciente de que toda la empatía del mundo no me bastaría para adivinar lo que se le pasaba por la cabeza. Acababa de tomar la decisión de morir: ¿en quién piensa uno cuando eso sucede? ¿Dónde estaba su pareja, si es que tenía pareja? ¿Dónde estaban sus hijos? Tal vez lamentaría errores que no había remediado, o tal vez estaría recordando algún momento de vieja felicidad. O tal vez tendría miedo: miedo de lo que se le venía encima. La vi parpadear una, dos veces, apretando los ojos como hacemos para sacar una lágrima, y luego me miró. «¿Y usted qué opina, doctor?»

«¿Perdón?»

«Usted conoce mi caso. ¿Qué opina? ¿Me estoy equivocando?»

«Eso sólo lo puede saber usted», le dije. Luego me pareció que eso era una cobardía, más notoria todavía frente al valor que Andrea había demostrado: no sólo al tomar la decisión, sino al preguntarle a otro médico. Alguien menos corajudo preferiría no buscar otras opiniones, no sea que le hagan dudar de lo que tanto esfuerzo le ha costado decidir. «No», le dije. «No creo que se esté equivocando».

Ella se quedó mirándome.

«Tengo miedo», dijo. «El problema es que también estoy cansada. Tengo más cansancio que miedo».

«Mire, Andrea», le dije. «Yo no puedo saber lo que está sintiendo usted. La mayoría de los médicos se hacen los que sí lo saben, pero no es verdad. No saben, sino que leen su historia médica y tratan de adivinar. Yo le puedo decir una cosa: el doctor Benavides es de los que sí saben. Y si él le ofrece su compañía y su apoyo, usted no debería tener miedo: está en las mejores manos del mundo».

Lo creía de verdad, por supuesto, y estaba seguro de que Andrea compartiría ese diagnóstico banal. Pero, de haber previsto su pregunta sorpresiva, me hubiera gustado decirle otra cosa: que la admiraba, que envidiaba su coraje y su tesón y su increíble madurez, que agradecía infinitamente (aunque no supiera por qué) el privilegio de haber estado presente en este momento. No, no era madurez la palabra que buscaba, no era madurez la palabra que describía lo que estaba viendo en el cuerpo y en los ojos de esta mujer. Era soberanía, sí, eso era: soberanía era lo que su cuerpo y sus ojos irradiaban. A esta Andrea de los ojos grandes se la llevaría la muerte en meses, pero aun en el momento de morir, pensé, ella seguiría estando en perfecto dominio sobre su cuerpo. Y la muerte no tendría derecho a enorgullecerse de nada. Pensé: *Death, be not proud.* Traduje el verso mentalmente y estuve a punto de decírselo a Andrea, pero luego me pareció que Andrea podría tomarme por un loco o un insensible, porque a quién se le ocurre andar recordando viejos poemas ingleses en un momento como éste (la poesía no es para todo el mundo un consuelo o un salvavidas, aunque me haya costado años descubrirlo). Pero no pude evitar que mi cabeza se pusiera en la tarea de traducir otro de los versos: cuando a la muerte se la llama *Esclava del destino y el azar, de reyes y desesperados;* cuando se la acusa de vivir *con el veneno, la guerra y la enfermedad.* Lo que decía ese viejo poema era que la muerte dependía de esas instancias, la enfermedad, la guerra, el veneno, los desesperados, los reyes, el azar y el destino. ¿Por qué entonces te enorgulleces?, decía el poema, y yo pensé: sí, ¿por qué? Andrea, en cambio, tenía todas las razones del mundo para estar orgullosa de sí misma, de su coraje y su temple, y también del coraje y el temple que habían sido bien visibles en el rostro trajinado de su padre. Pero yo no podía decírselo. No, yo no podía hablarle de eso a Andrea, no podía decirle que apenas si la conocía pero ya estaba orgulloso de ella, y en cambio la muerte no tenía de qué enorgullecerse. Andrea tomó el control eléctrico de la cama y enderezó el espaldar hasta quedar casi sentada, se apoyó en los brazos, hizo un esfuerzo y su cuerpo, cambiando de postura, dejó de ser el de una moribunda.

La vi cubrirse la cara con las manos, no para llorar, sino para respirar hondo; sus hombros se alzaron y sus pechos, bajo el camisón de hospital, cobraron un volumen que yo no había notado antes. Cuando se descubrió la cara, su expresión se había transformado: fue como si la decisión le hubiera quitado un peso de encima, pensé, como si el deseo aceptado de abandonar la pelea y morir en paz le hubiera traído aquí, a esta habitación del cuarto piso de la clínica Santa Fe, a la cama de hospital que ocupaba el centro de la habitación, una nueva serenidad. Fue un momento a la vez aterrador y bello, pero no supe decir dónde estaba la belleza. Por supuesto, yo podía estar malinterpretando toda la situación. Tampoco sería raro o inusual, claro, pues en ésas nos pasamos todo el tiempo: malinterpretando a los otros, leyéndolos en clave equivocada, intentando dar el salto hacia ellos y luego cayendo al vacío. No hay manera de saber realmente lo que les pasa por dentro, aunque la ilusión sea tan atractiva: todo el tiempo se abren entre nosotros y los demás vacíos inabarcables, y el espejismo de la comprensión o la empatía es sólo eso, un espejismo. Estamos todos encerrados en nuestra propia experiencia incomunicable, y la muerte es la experiencia más incomunicable de todas, y después de la muerte, la experiencia más incomunicable es el deseo de morir. Eso era lo que sucedía allí: entre Andrea y yo se abría un vacío inmenso, pues no existía terreno común entre ella, que había decidido morir y de alguna manera ya no pertenecía al mundo de los vivos, y yo, que me encontraba tan firmemente instalado en ese mundo, que podía hacer planes para mí y para mi familia. Recordé otro verso: *Los mejores se marchan cuanto antes contigo*. No era cierto, claro (la poesía también puede mentirnos, también es culpable de ocasionales demagogias), pero tal vez lo era en este caso.

«¿Qué libro trajo?», me dijo Andrea.

Se había fijado en el regalo de Benavides. Casi lo había olvidado yo: lo había puesto sobre el lavamanos, debajo de la dispensadora de alcohol desinfectante, y fijarme de nuevo en él me sorprendió como lo hubiera hecho un objeto hallado en la acera nocturna.

«Ah, éste», dije. «El doctor Benavides me lo acaba de dar. Hay un artículo suyo aquí dentro».

«¿Un artículo del doctor?»

«Sí».

«No me diga», resopló ella. «De manera que mi médico también es escritor». Se recostó un poco más, o se acomodó mejor sobre su almohada. «¿Y sobre qué es?»

No tenía ningún sentido maquillar la cosa. «Sobre la muerte», le dije.

«Ay, no», dijo. Por tercera vez la vi sonreír. «A mí no me gustan las coincidencias bobas». Y luego: «A menos que no sea coincidencia».

«¿Qué quiere decir?»

«Nada, doctor, no me haga caso», dijo Andrea. «¿Y cómo se llama el artículo?»

«¿El del doctor?»

«Pues claro. A mí qué me importan los demás».

Busqué el índice de contenido y, en el índice, el artículo del doctor Benavides. Lo encontré después de «Exploraciones de la muerte, de Tolstói a Juan Rulfo» y antes de «La virtud del sufrimiento: la muerte como oportunidad para la caridad cristiana». El título era una sola palabra,

«Ortotanasia», y sus formas redondas flotaban sobre el nombre del autor como una cornisa mal hecha. Lo pronuncié y sentí algo en la boca. «A ver, déjeme ver», dijo Andrea. Le entregué el libro y la vi entrecerrar los ojos para ver mejor; en una fracción de segundo decidí que era hipermétrope y que usaba gafas de lectura, pero que había ya renunciado a ellas o las había olvidado en alguna parte y no se había molestado en recuperarlas, porque de todas formas no era una lectora tan asidua, o porque los últimos días habían sido de depresión intensa y nadie se pone a leer el periódico en medio de una depresión, o simplemente porque ya para qué. Pensé: su vida es un *ya para qué*. «Ortotanasia», estaba diciendo y repitiendo Andrea, como midiéndose la palabra antes de decidirse a comprarla. «Ortotanasia».

«Una muerte correcta», le dije.

«¿Y qué le pareció a usted?»

«No lo he leído».

«¿No? Pero está subrayado», dijo ella. «¿No lo subrayó usted?»

«Yo no he abierto el libro todavía», dije. «El doctor Benavides me lo acaba de entregar».

«¿Quién lo habrá subrayado? ¿Uno subraya las cosas que uno mismo escribe?»

«Yo no escribo», le dije. «No sabría decirle».

Pero por un instante consideré añadir: *La cosa viene de familia. También el padre de Benavides subrayaba lo que leía: un artículo de periódico sobre el asesinato de Kennedy, por ejemplo.* Sin embargo, guardé silencio.

«Aquí dice que el doctor es médico y cirujano, especialista en Bioética, profesor titular y no sé qué más cosas. Tiene más títulos que este índice, nuestro doctor Benavides».

«Se lo dije: está en las mejores manos».

«Ay, no diga bobadas, doctor», me regañó. «Yo sé que sí, pero no será por los diplomas». Enseguida vi en su cara una expresión de vergüenza, como si se arrepintiera de haber sido descortés, cuando lo único que había hecho era denunciar mi comentario frívolo o idiota. «Oiga, oiga esto», dijo entonces. Entrecerró los ojos, se acercó el libro a la cara, leyó: «*El sentimiento de culpabilidad de los médicos ante la muerte de sus pacientes surge de la profunda negación que la ciencia médica contemporánea hace de la muerte natural.* Eso está subrayado. *Podemos recordar a Alejandro el Grande, a quien se atribuye la frase "Me estoy muriendo con ayuda de demasiados médicos".* Eso también está subrayado. Aquí hay una parte larga. Casi está subrayado todo el párrafo». Andrea comenzó a leer: «*Recibí la llamada de un viejo amigo*», dijo, pero entonces se detuvo. Siguió leyendo en silencio, en el silencio de la habitación vi sus ojos moverse, pero su boca no pronunciaba las palabras. «Ah», dijo entonces.

«Qué pasa», dije.

Cerró el libro y me lo devolvió. «Nada», dijo. «¿Cuánto se demorarán?»

«¿No me sigue leyendo?»

«Se están demorando demasiado», dijo Andrea, pero tuve la impresión de que ya no me hablaba a mí. «El papeleo, siempre el papeleo. Hasta para morirse hay que hacer papeleo en este país».

La milagrosa ligereza de antes se había evaporado de su cara, de sus gestos. «Hasta para morirse», repitió, y entonces se puso a llorar. Algo en el artículo de Benavides le había producido esa metamorfosis; me di cuenta, con cierto pánico, de que no sabía qué hacer. «Andrea», dije, porque en situaciones difíciles solemos usar los nombres de la gente como fórmulas de encantamiento, como imputándoles propiedades mágicas. Pero ella no me oía: lloraba con los ojos abiertos, primero sin ruido, luego permitiéndose delicados sollozos de niña pequeña. Me senté sobre la cama, a su lado, sin saber si eso era algo que hacían los médicos o si estaba violando alguna regla, escrita o no, del comportamiento o aun de la ética. Andrea me abrazó y yo dejé que me abrazara, y enseguida la abracé yo también. Sentí en la palma de mi mano la dureza de sus vértebras y entonces la oí hablar. «Yo no tengo historias que contar», me dijo. No le entendí. «¿A qué se refiere, Andrea?», pregunté. Pero ella no quiso explicar nada. Se separó de mí. Entonces alcancé a oír un taconeo en el corredor y la chapa de la puerta al abrirse, y me puse de pie de un salto, como para evitar que me cogieran en falta, como si Andrea y yo hubiéramos estado haciendo algo prohibido: un coqueteo, un contacto inapropiado que enmascara o desfoga una atracción ilegítima. Ahí, sobre la sábana, quedaba todavía la huella de mi peso cuando entraron Benavides y el padre de Andrea. Pensé que aquel hombre acababa de firmar la muerte de su hija. Benavides iba a decir algo, pero me le adelanté:

«Lo espero afuera, doctor», dije. «Tómese su tiempo».

Salí de la habitación y regresé por donde había venido. Carmencita me abrió la puerta de vidrio y me despidió: «Que tenga buena noche, doctor». Pero no me alejé: en la sala de espera no había nadie, y allí me senté, de frente al televisor sin sonido donde tres hombres de corbata y una mujer de sastre discutían sobre algo tan importante que merecía sus manoteos simultáneos. Abrí el libro, busqué el artículo, encontré la frase que Andrea había alcanzado a pronunciar y leí lo que le seguía, las frases subrayadas por Benavides con intenciones que tal vez eran menos transparentes de lo que uno podría pensar. Era un breve relato de un párrafo; en él, Benavides recordaba el caso de un amigo afectado por un problema hematológico ya sin remedio. «Tenía claro que la posibilidad de continuar con transfusiones de manera indefinida ya no tenía sentido», escribía Benavides, así que había decidido abandonar todo tratamiento y comenzar a morir de muerte natural. «Al compartir con él y su familia sus últimos días en casa, con amables cuidados de enfermería, de una manera reposada y serena, escuchando sus historias de tiempos remotos a los míos, recibí una de sus muchas enseñanzas. Pude ver qué era una buena forma de morir». Levanté la mirada: en la pantalla, la mujer de sastre seguía manoteando y hablaba con una mueca torcida en el rostro. Pensé: es una mueca de odio. Volví al libro: «Su universo se fue limitando a la habitación, su familia cercana y sus recuerdos», escribía Benavides acerca de su amigo. «Una tarde, cerró los ojos como cuando dormimos luego de una jornada ardua de trabajo, con la satisfacción del deber cumplido». La mujer de la pantalla mostraba los dientes, sacaba la quijada, se pasaba la lengua oscura por los labios, odiando a sus oponentes o a sus contradictores, pero yo no pensaba en ella, sino en Andrea y en lo que me había dicho entre lágrimas: «Yo no tengo historias que contar».

Entonces creí entender. Entendí (o creí entender) que a esta mujer corajuda la había deshecho el relato de Benavides: esas palabras cariñosas sobre su amigo desahuciado, el hombre que le contaba historias de tiempos remotos, el hombre que podía encerrarse para morir en su habitación, junto a su familia cercana, arropado por sus recuerdos. A sus treinta y tantos años, Andrea era demasiado joven para tener historias que contar o recuerdos que la arroparan. «Yo no tengo historias que contar», me había dicho, y cuanto más lo pensaba más claro me parecía que ese momento de tristeza profunda había sobrevenido como consecuencia de una frase subrayada en el artículo de Benavides. Una frase sobre un hombre que, como ella, había dejado de pertenecer a este mundo, que había tomado como ella la decisión libre y soberana de dejarse morir de muerte natural, que había derrotado a la muerte, como ella: le había dicho que no fuera orgullosa; había reclamado ese orgullo para sí mismo. Sí, los dos eran iguales, aquel amigo moribundo y anónimo y Andrea, la paciente: la paciente Andrea. Sólo una cosa los distinguía, y eran las historias que podían contar a quien quisiera oírlos, los recuerdos de los que podían rodearse para morir en paz. Esa diferencia mínima, entendí o creí entender, había provocado en Andrea una especie de epifanía cuyos orígenes yo no era capaz de rastrear ni conjeturar siquiera, pero que me dejó en un estado de distracción tan fuerte que no me di cuenta del momento en que se abría la puerta de vidrio y Benavides llegaba a mi lado.

«¿Usted para dónde va?», me dijo. «¿Es mucho problema si le pido que me lleve? A ver si terminamos las conversaciones pendientes».

Yo iba para el otro lado de la ciudad: él para el norte, yo para el sur. Y además eran casi las once de la noche.

«Ningún problema», le dije. «Las conversaciones hay que terminarlas».

Avanzábamos hacia el norte por la avenida iluminada, repitiendo juntos el mismo trayecto que yo había cubierto en soledad nueve años atrás, y haciéndolo en silencio por imposición o mandato de Benavides. Al salir del parqueadero de la clínica, me había parecido urgente preguntarle por la extrañísima puesta en escena que acabábamos de compartir; le pregunté, en otras palabras, por qué me había metido en todo ese asunto: por qué me había prestado la bata blanca, por qué me había forzado a participar en esa impostura, por qué le había parecido necesario o provechoso o acaso divertido que yo fuera testigo de su conversación con una paciente y del momento en que esa paciente decide encaminarse hacia su muerte. Pero Benavides, sin quitar los ojos del panorámico y de la carrera novena que se abría frente a nosotros, contestó: «No quiero hablar de eso».

«A ver, Francisco», dije. «Primero me mete en semejante cosa. Me obliga a hacerme pasar por alguien más y a ver algo que no me correspondía. ¿Y ahora me dice que no quiere hablar de eso?»

«Exacto. No quiero hablar de eso».

«Pues no es tan fácil», dije. «Voy a necesitar…»

«Fuera del hospital», dijo Benavides con un dejo de impaciencia, «no hablo de mis pacientes terminales. Es una decisión que tomé hace muchos años y que me sigue pareciendo la mejor decisión del mundo. Hay que mantener las vidas separadas, Vásquez, o si no uno puede volverse loco. Esto agota, le chupa a uno la energía. Y yo soy como cualquier persona: de energías limitadas».

Me pareció una excusa, por supuesto. Pero era una excusa tan sensata, y el cansancio en la cara del doctor era tan verosímil, que no pude no aceptarla. También yo había salido de la habitación de Andrea Giraldo sintiendo que en ella se me habían quedado olvidadas mis fuerzas: enredadas en las sábanas sobre las que me había sentado, o tal vez absorbidas por el cuerpo de la mujer que había decidido morir: aquellos huesos frágiles que mi abrazo había rodeado brevemente en un intento por brindar un poco de torpe consuelo a quien parecía necesitarlo. Tras veinte calles de perfecto silencio, me di cuenta de que Benavides había cerrado los ojos. Parecía dormido, pero su cuello se mantenía firme: no se desgonzaba, la cabeza no caía. No me atreví a sacarlo del refugio que se había improvisado, pues me imaginé que era eso, un refugio, lo que necesitaba en este momento. Por mi parte, seguía teniendo las mismas preguntas: ¿qué había buscado Benavides al conducirme con ardides a una escena para la cual no estaba preparado? ¿Qué quería que viera o escuchara, si es que de eso se trataba? ¿Sabía que Andrea tomaría esa decisión en ese preciso momento? ¿Y qué había ocurrido con el libro? ¿Habría planeado que Andrea y yo acabaríamos de alguna manera por recorrer las páginas de su artículo y por leer las frases que él había dejado subrayadas? ¿Me lo había regalado con esa intención? Al salir de la habitación y dejarnos solos, ¿había previsto la escena que acabó produciéndose? También durante aquella noche remota en que conocí a Carballo se me había pasado por la cabeza esta idea: que Benavides sabía y controlaba mucho más de lo que aparentaba controlar y saber.

Benavides sólo volvió a la vida cuando llegamos frente a su portería. El portero se acercó para confirmar mi identidad; abrí la ventana y un aire frío invadió el carro como una nube de moscos. «Vengo con el doctor Benavides», dije en voz alta. «Interior 23». Cuando lo señalé para que el portero lo viera, Benavides abrió los ojos: no como quien ha estado durmiendo, sino como si hubieran transcurrido apenas un par de segundos de reflexión.

«Bueno, ya estamos», dijo. «Gracias».

La casa estaba a oscuras. Estaba apagada hasta la luz de la entrada, la que uno deja prendida siempre para fingir la presencia de alguien y disuadir a los ladrones. Frente a la puerta, Benavides puso una mano en un vidrio pequeño y me dijo: «Éste fue el que rompieron». Hice como él: puse la mano en el vidrio nuevo, el que había reemplazado al roto, y mientras tanto Benavides me decía: «No rompieron el de arriba, no rompieron el de abajo. Rompieron éste: el que está a la altura exacta de la chapa de la puerta».

«Todas las puertas del mundo tienen la chapa a la misma altura», le dije.

Pero él no me oyó. «Entraron por aquí», me dijo, «como Pedro por su casa». Caminó a la derecha, hacia el salón. «Yo antes creía que primero habían visitado mi armario: el caleidoscopio, etcétera. Y que luego subieron a buscar qué más había. Pero ya no».

«Ahora no lo cree».

«No».

«Ahora cree que fue Carballo».

«Venga, Vásquez», dijo Benavides. «Venga conmigo».

Subió las escaleras y yo subí tras él, todo con la sensación de estar recorriendo la escena de un crimen: no una casa vulnerada, sino el lugar donde han matado a alguien. Hacía frío, como si la casa ya no estuviera habitada, y todo estaba oscuro, de manera que Benavides tenía que ir encendiendo luces —haciendo que el mundo fuera naciendo frente a nosotros— a medida que avanzábamos. «Lo que creo es que vinieron primero que todo aquí, a mi estudio», dijo Benavides. «Porque ya sabían. Sabían perfectamente qué estaban buscando y dónde encontrarlo. Y luego de encontrarlo dieron una vuelta, saqueando un poco el lugar. Encontraron joyas, un poco de plata, un par de aparatos que se pueden vender, un par de cosas con aspecto de antigüedades. Pero eso fue después de lo principal. Eso fue cuando ya lo principal estaba en la bolsa, por decirlo así, y es muy posible que haya sido sólo por disimular. El problema es que es difícil imaginar los detalles del asunto. Imaginar a los otros siempre es difícil, pero más difícil es imaginar a alguien que creíamos conocer y que ahora resulta que no conocemos. Yo he tratado de imaginar a Carballo desde que salimos de la cafetería, pero no logro completar el cuadro. Primero pienso: no, no puede ser él, no puede haber sido él. Carballo, el discípulo de mi padre. Carlos, mi amigo. Carlos Carballo, el amigo con el que siempre he compartido el interés por las cosas del pasado… Y luego pienso: *el único* amigo que comparte estos intereses. *El único* que podía tener interés en las herencias de mi padre, en los huesos de un político asesinado hace sesenta y seis años. Gracias a usted, *el único* fuera de mi familia que sabía de los huesos, *el único* que podía imaginar dónde estaban guardados. Ya ve, Vásquez: el único, el único, el único».

«¿Pero para qué?», pregunté. «¿Para qué iba a querer robarse estas cosas ahora?»

«Ahora no. Hace dos años».

«Es igual. Yo le conté que usted tenía estas cosas en su poder hace nueve años. Si es verdad que él los robó, ¿por qué esperar siete años para robarlos?»

Benavides se sentó en su silla negra. «No tengo la menor idea», dijo. «Pero yo no tengo por qué encontrarle razones al ladrón. Yo sólo tengo que considerar los hechos y hacer una deducción lógica. ¿Quién más, Vásquez? ¿Quién más hubiera querido llevarse esto?»

«Alguien que no sabía lo que era», le dije.

«No creo».

«Alguien que vio un cajón con llave y se llevó todo lo que había adentro. Probablemente pensando, también con toda lógica, que nadie le pone llave a un cajón si no guarda en él nada de valor. *Esto* es lo lógico, Francisco. No pensar que un amigo de toda la vida va a decidir romper ventanas y meterse a casas ajenas de un día para el otro. Mire, a mí Carballo nunca me cayó bien. Y es verdad que es un mitómano y un impostor y hasta un falsificador. Pero de ahí a pensar que es un ladrón hay mucho trecho».

«Usted no lo conoce como yo», dijo Benavides. «Usted no sabe de lo que es capaz. Yo sí, porque he vivido ya muchos años con él. Con él y con sus obsesiones. Todos tenemos obsesiones, Vásquez, grandes o pequeñas. Pero yo nunca he conocido a alguien como Carballo, alguien que realmente organice su vida entera alrededor de una sola idea. Carlos es divorciado, ¿sabía eso?»

«No, nunca me lo contó. Tampoco había razón para que me hablara de su vida privada».

«Bueno, pues así es. Se casó a finales de los 70 con una caleña. Muy simpática, con una de esas sonrisas que le alegran el día a cualquiera. Y además una mujer con los pies en la tierra. Carlos acabó dejándola. ¿Y sabe por qué? Porque no entendía lo del 9 de abril».

«Qué parte».

«No entendía que a Gaitán lo hubiera podido matar más de una persona. Que lo hubiera podido matar alguien que no era Roa Sierra. Se burlaba de esto. Le decía a Carballo: "A ver, mi amor, ¿cuántos dedos caben en el gatillo de una pistola?" Carballo no aguantó. Agarró sus cosas un día y se fue de la casa, y estuvo durmiendo en el sofá de mi padre un par de semanas».

«Pero eso no quiere decir nada, Francisco».

«¿Le parece que no?»

«Me parece que no».

Me agaché junto al cajón violentado. Vi su cerradura rota, la madera astillada en el filo del cajón, y pensé en el destornillador y en el martillo que hubieran conseguido este efecto. El fondo había acumulado polvo, como si lo hubieran dejado abierto durante demasiados días, y en una esquina caminaba una tijereta. «¿Qué es un fanático, Vásquez?», dijo Benavides. «Un fanático es una persona que sólo sirve para una cosa en la vida, que descubre cuál es esa cosa y le dedica todo su tiempo, hasta el último segundo. Esa cosa le interesa por alguna razón especial. Porque puede hacer algo con ella, porque le servirá de instrumento para algo, porque le ayudará a conseguir plata, o poder, o a una mujer, o a varias mujeres, o para sentirse mejor consigo mismo, para alimentar su ego, para ganarse el cielo, para cambiar el mundo. Por supuesto que cambiar el mundo alimenta el ego, da plata y poder y mujeres. También por eso hace la gente lo que hace, incluido el fanático. A veces el fanático hace lo que hace por razones mucho más misteriosas, razones que no entran dentro de ninguna de las categorías que nos hemos inventado. Con el tiempo estas razones se mezclan, se confunden y se convierten en una obsesión que bordea lo irracional, un sentido de misión personal e inevitable, de haber nacido para algo. De cualquier modo, esta persona se distingue por muchas cosas, pero una de ellas es clarísima: hace lo que haya que hacer. Elimina de su vida todo lo que no le sirva. Si algo le sirve, lo hace o lo consigue. Sea lo que sea».

«Y usted cree que Carballo es un fanático».

«Pues se comporta como un fanático, al menos», dijo Benavides. «Fanáticos hay de muchos tipos, Vásquez. Hay fanáticos que matan y otros que no. Hay mil maneras de ser fanático, mil maneras distintas, una gradación que va desde hacer huelga de hambre para que no corten los árboles hasta poner una bomba porque el Corán dice tal cosa. Puede que me equivoque, pero creo que en esa gradación cabe alguien que se mete a la casa de un amigo y se roba ciertas cosas que le van a servir. O que siente, por algún mecanismo retorcido, que le pertenecen, que le pertenecen más que a su amigo, que deberían estar en su propiedad y no lo están por injusticias de la vida. ¿Es imposible que así hayan pasado las cosas? Carballo se entera por accidente de que en mi casa está la vértebra de Gaitán, la que perteneció a mi padre desde la autopsia del 60. Se muere de rabia: esas cosas eran de su maestro, de su mentor, y estarían mejor en manos del discípulo amado que del hijo pródigo. Qué error, qué grave error ha cometido el maestro al dejar estas cosas en manos de su hijo, que no las entiende ni las aprecia igual que él, el discípulo. Para el hijo, son una simple curiosidad histórica, un placer de coleccionista, un pasatiempo o un fetiche en el mejor de los casos. Para el discípulo, en cambio, son una misión. Sí, eso es: son parte de una misión, son cosas que sirven a un fin más elevado. Y los demás no se dan cuenta. Los demás son profanos».

«Dios le da pan al que no tiene dientes».

«Exacto».

«¿Y la misión es el libro?»

«No se me ocurre otra», dijo Benavides. «Sí, Vásquez, el libro. Ese libro que él quería que usted escribiera. O mejor: la información o la historia que ese libro iba a sacar a la luz pública. Su teoría de la conspiración que mató a Gaitán. Esa obsesión a la que lleva dándole vueltas toda la vida, igual que mi padre antes que él. Con la diferencia de que para mi padre era un juego. Un juego serio, pero un juego al fin y al cabo». Las mismas palabras había usado nueve años atrás. Mi memoria no es buena, ni para los nombres ni para las caras ni para los recados, pero es buena para las palabras, para su orden y su ritmo y su música secreta. Y éstas eran las mismas que Benavides había pronunciado la noche en que me mostró la vértebra de Gaitán. «La imaginación no me alcanza para saber qué ha pasado en estos años. Carballo no confía en mí, pero es que no confía en nadie. Nada cambia el hecho de que sea tan amigo de mi familia, ni el hecho de que sea un visitante tan asiduo de mi casa. Hay toda una parte de su vida que sigue siendo para mí una zona oscura, un secreto. Algo habrá pasado allí en estos años: un hallazgo, una ocurrencia. No sé, no logro formarme una cronología, una secuencia lógica. Pero sí me parece mucha coincidencia que el robo ocurra justo después de que yo decido devolver las herencias de mi padre. Mejor: justo después de que yo hablo del asunto con mi familia. Cuando nos fuimos todos a dormir esa noche, ya la decisión era irreversible: nos íbamos a poner a hacer contactos para sacar mis herencias al mundo y tratar de que acabaran expuestas en un museo, que es donde deben estar. Y ahí mismo se meten los ladrones. ¿No es mucha coincidencia? Yo no creo: creo que Carballo se enteró de lo que pensábamos hacer y lo evitó. No sé cómo, no me da la imaginación para tanto. Pero es la explicación más simple. Y a mí la experiencia y mi esposa me han enseñado que cuando hay una explicación simple, es mejor no buscar una complicada».

«Pero si es complicadísima», dije. «La simple es la otra, Francisco. La de los ladrones comunes y corrientes».

Benavides no me escuchó o fingió no escucharme.

«La pregunta ahora es: ¿qué hacemos? ¿Qué hacemos para recuperar estas cosas? Aceptemos, en gracia de discusión, que no estamos seguros de que Carballo las tenga en su poder. ¿Qué hacemos para confirmarlo? El tipo no ha dejado de venir a mi casa, Vásquez. Su relación conmigo y con mi familia no ha cambiado desde el robo. Yo no le conté del robo, claro, porque no quería hablarle de mis herencias. No quería confesarle que se las había escondido durante tantos años. Pero ahora que sospecho de él, comienzo a acordarme de cada vez que lo he invitado a almorzar o a comer en estos años. ¡La cara de póker, Vásquez, la actuación perfecta! Ni un pelo se le ha movido que pudiera delatarlo, es impresionante. No sé cuántas veces se sentó en el comedor y me habló de Gaitán, de Kennedy, de las coincidencias que él veía entre los crímenes, y todo *exactamente* como lo había hecho antes del robo. Y yo sintiéndome mal porque ahora, después del robo, ya nunca iba a tener la vértebra en sus manos. Yo nunca quise mostrársela, claro, pero después del robo no era que no quisiera: era que no podía. Y me sentía mal por eso, como si le hubiera quitado algo a él. ¡Yo a él! Las ironías de esta vida, ¿no? Yo ahí, oyéndolo hablar de Gaitán, sintiéndome mal por haberle quitado una gran satisfacción aunque él no lo supiera, y él sabiendo mientras tanto que iba a llegar a su casa a tener la vértebra en las manos, a verla con sus propios ojos, a usarla para sus propios fines que no alcanzamos a imaginar. Para aportarla al dosier de su paranoia, al acervo probatorio de su teoría de la conspiración».

«Si es que la tiene».

«Sí, si es que la tiene», dijo Benavides. Entonces se quedó callado un instante. Lo vi ponerse de pie y darle la vuelta a la silla, y luego aferrarse con ambas manos al espaldar negro, como un náufrago a un tronco. «Mire, Vásquez, póngame atención, por favor», me dijo. «Esto que le voy a decir parece una ligereza, pero no lo es. Lo estuve pensando en la clínica al mismo tiempo que le contaba a usted otras cosas. Lo estuve pensando en el carro, viniendo para acá. Lo he estado pensando en este rato, mientras hablábamos. La cosa es así: las herencias de mi padre son mías y de nadie más. Pero también sé que son patrimonio de mi país y quiero que vuelvan a serlo después de tantos años. Y lo que no quiero, lo que definitivamente no quiero, es que le sirvan a un fanático para especular sobre un pasado doloroso. Ahora bien: usted es la única persona que puede confirmar si Carballo tiene o no estas cosas. La vida lo puso en esa situación rara, Vásquez, y no hay nada que hacer. Carballo quería que usted le escribiera un libro. Yo le sugiero que vaya y se lo ofrezca. Sí, así como lo oye. Búsquelo, ofrézcale escribir el berraco libro, métase en su casa y averigüe. Nadie más tiene la posición que usted tiene. Si su amigo Moreno-Durán estuviera vivo, se lo pediríamos a él. Pero no está vivo. El que está vivo es usted. Y Carballo le abriría las puertas de su casa a usted, le mostraría sus documentos, sus pruebas, todo el material que tiene para revelarle al mundo la verdad sobre el asesinato de Gaitán. Póngase de su lado, dígale todo lo que quiere oír, mienta y actúe todo lo que haga falta. Y averigüe. Yo sé que la idea parece descabellada, pero no lo es: es perfectamente sensata. Así que hágame este favor, Vásquez: váyase para su casa, lo piensa esta noche y me llama mañana. Y no se le olvide en ningún momento que le estoy pidiendo su ayuda. Necesito su ayuda y se la estoy pidiendo. Estoy en sus manos, Vásquez. Estoy en sus manos».

V. La herida grande

Un domingo por la noche le escribí a Carlos Carballo —a una dirección que me dio Benavides, pues la que yo guardaba en mi computador había cambiado hacía mucho tiempo— y le dije que necesitaba hablar con él. Me contestó de inmediato, y lo hizo con su acostumbrado desprecio por esos rasgos de las mentalidades más convencionales: la gramática y la ortografía. *Cordial saludo Juan Gabriel,* leí. *Y a que se debe la sorpresa?* Le dije que muchas cosas habían pasado desde nuestro último encuentro; que yo había cambiado y mis circunstancias habían cambiado; de unos años para acá, le expliqué, algunas curiosidades que antes no existían se me habían manifestado (así dije: «se me han manifestado»), y poco a poco había llegado a la conclusión de que ese libro que él alguna vez me había ofrecido era parte de mi destino (así dije: «parte de mi destino»). Pensé que esta retórica llenaría las expectativas de Carballo; me sentí un impostor, pero sentí también que la impostura era parte de la misión que me había encomendado Francisco Benavides, y que el fin, por lo tanto, justificaba los medios. Luego, al ver que Carballo no me respondía, llegué a pensar que había forzado la mano, y que este tahúr experto había adivinado o entrevisto mis verdaderas intenciones. Me fui a la cama con esa idea, pensando desde ya en un plan subsidiario para llevar a cabo la misión sin delatarme. Pero a las seis y media de la mañana siguiente timbró mi teléfono. Era él.

«¿Cómo consiguió este número?», le pregunté.

Carballo no me contestó. «Me alegro de oírlo», me dijo. «¿Está ocupado este viernes por la noche?»

«No», le dije. Era cierto, pero hubiera anulado cualquier compromiso de todas formas. «Podemos comer, si quiere».

«No, comer no», repuso él. «Lo invito a mi programa».

Así me enteré de la nueva encarnación de este hombre impredecible. Carballo había conseguido su propio programa de radio, una emisión de cuatro horas que salía al aire todas las noches a partir de la medianoche y en la cual Carballo entrevistaba (aunque esta palabra es demasiado *profesional* para lo que ocurría en ese espacio) a uno y a veces dos invitados. En los últimos cinco años, el programa *Aves nocturnas* había contado con la presencia de políticos, futbolistas, artistas conceptuales, militares en uso de buen retiro, cantantes de música popular, actores de telenovela, novelistas, poetas, poetas que eran también novelistas, políticos que se creían poetas y cantantes que se creían actores, y me bastó una breve navegación por Internet para darme cuenta de que aquel programa del cual nunca había oído hablar era para su público fiel una suerte de institución radial, tanto más valorada por su carácter necesariamente minoritario y, por así decirlo, clandestino. Los invitados recibían dos encargos: traer su propia música —unas diez canciones para personalizar el programa— y su propia bebida, que podía ser café en un termo, una media de aguardiente o de ron o una cantimplora de agua. Por lo demás, lo único que se les pedía traer era una mente abierta y ganas de conversar, pues su participación ocupaba las dos primeras horas de *Aves nocturnas*. Durante ese tiempo, Carballo conversaba con su invitado y recibía llamadas de sus oyentes; durante las dos horas siguientes, ya a solas en el estudio, seguía recibiendo llamadas, muchas veces para comentar la participación del invitado tras su partida, y ponía música y monologaba al aire; y así se había convertido en estos años en la compañía de insomnes y solitarios, trasnochadores por vocación o por trabajo y también madrugadores extremos. Ahora me invitaba a hacer parte de eso; no me pareció un precio demasiado alto para ser aceptado de nuevo en su vida.

De manera que el viernes siguiente, a las once y media de una noche fría, estaba yo apagando mi carro frente a los estudios de Todelar, en la paralela con calle 84, y preguntándole a un portero que se aburría bajo una luz amarilla dónde podía encontrar a Carlos Carballo. Titubeó, miró un cuaderno anillado; este hombre no era parte del público cautivo de *Aves nocturnas*. Recibí sus señas imprecisas, subí al segundo piso por unas escaleras ya penumbrosas y recorrí el corredor alfombrado y desierto, iluminado apenas por tubos de neón y por el resplandor de los estudios habitados. Llevaba en una mano media botella de whisky; en el bolsillo de la chaqueta, dentro de un dispositivo de memoria, estaban mis diez canciones favoritas, o las que esa tarde habían sido apresuradamente mis diez canciones favoritas, y al entregarle a Carballo el pequeño cilindro plástico me di cuenta de que todas, de *Eleanor Rigby* a *Las ciudades,* de alguna de Paul Simon a alguna de Serrat, hablaban de la soledad.

«Llegó el invitado», exclamó Carballo, para nadie. «Siga, siga, está en su casa».

Carballo estaba vestido con unos jeans claros y una camisa que su cinturón no lograba dominar, y sobre el cuello llevaba una bufanda de cuadros blancos y negros, aunque no hiciera frío. Me pareció más pálido que antes, y de inmediato asocié esa palidez a su trabajo de ahora: se había convertido en un hombre que vivía de noche y dormía de día, y que por lo tanto veía poco la luz del sol. A eso se debían sin duda sus ojeras aceitunadas, las venas azules bien visibles en medio del afeitado mediocre de sus mejillas. Carballo no me hizo las preguntas que nos hacemos los bogotanos —qué hubo, cómo le va, cómo le ha ido—, sino que me hizo seguir al estudio y me pidió acomodarme frente a un micrófono adornado con una pequeña bandera de Colombia, y mientras tanto él cerró la puerta acolchonada y se inclinó sobre el técnico de sonido para darle una serie de explicaciones inaudibles. Cuando volvió para ocupar su silla y ponerse los auriculares, indicándome con movimientos de sus dedos largos que hiciera lo mismo, pensé que me evitaba a propósito: acaso quería que estuviéramos al aire cuando empezara nuestra charla, para no tener que pasar por frivolidades o falsas cortesías. Pensé que se había vuelto impaciente con las fórmulas de la vida en sociedad. Pensé también que se había vuelto tímido o retraído. Pero nunca pensé que me estuviera poniendo una trampa.

«Hoy tenemos un invitado muy especial», dijo. Ahí estaba lo que yo recordaba: mezclados con sus excentricidades, los lugares comunes florecían silvestres en la palabra de Carballo. Me presentó de manera perfunctoria, y luego les contó a sus oyentes que no era la primera vez que hablábamos. «¿Saben mis oyentes, mis aves nocturnas, cómo nos conocimos?», preguntó Carballo, bajando la voz, adoptando sin ningún esfuerzo una intimidad que era, visiblemente, parte de sus trucos. «Él me rompió la nariz con un vaso de vidrio. Así nos conocimos. Por primera vez traigo al programa a una persona que me ha mandado a la clínica. Y espero que por última, ¿no?» Soltó una risita cómplice, pero no estaba dirigida a mí: ante mis ojos, Carballo estaba inventando una relación privada con las miles de personas anónimas que nos oían en este momento. Era fascinante. «Eso fue ya hace nueve años, nueve años menos unos cuantos meses. Y aquí estamos, queridos oyentes, aves nocturnas: aquí estamos como si nada. ¿Saben por qué? Porque las cosas pasan siempre por una razón. ¿Cómo está, Juan Gabriel?»

«Muy bien, Carlos», dije. «Yo quería...»

«Usted es autor de varios libros, pero es también columnista de *El Espectador*. Y como columnista nos sorprendió a principios de año con un interés que no le conocíamos: el asesinato de Rafael Uribe Uribe».

Esto me tomó desprevenido. Para ese momento, yo había olvidado casi por completo aquella columna improvisada, pero en un fogonazo me volvió a la mente el comentario del lector descontento detrás de cuyo seudónimo se asomaba, según especulé, Carlos Carballo. Ahora me pareció que había tenido razón.

«Bueno, en realidad la columna no era sólo sobre Uribe Uribe», dije. «Era, primero que todo, sobre un libro que me gustó. *Fantasmas de Sarajevo,* se llama, y se lo recomiendo a todo el mundo. En segundo lugar, la columna hablaba de dos aniversarios distintos, dos crímenes que ocurrieron…»

«¿Cómo llegó a interesarse por Uribe Uribe?», me cortó el dueño del programa.

«No sé», le dije. «Es un interés reciente».

«¿Ah, sí? Pero usted lo menciona al comienzo de una de sus novelas, *Historia secreta de Costaguana.* Menciona a Uribe Uribe y a Galarza y Carvajal, sus asesinos. Eso fue hace siete años ya, de manera que ni tan reciente será su interés».

«Es verdad. No me acordaba de eso, pero es verdad. No sé, Carlos, a mí me interesa ese crimen como le interesa a todo colombiano. Yo…»

«¿Usted cree? Yo no estoy tan seguro. No sé cuántos de mis oyentes, mis aves nocturnas, saben de Rafael Uribe Uribe. Cuántos sabrán cómo murió. ¿Usted sabe cómo murió? ¿Usted sabe cómo pasó eso?»

Algo sabía. Eso hubiera querido decirle: que algo sabía, pero que no era mucho. Apenas las generalidades, una escena más o menos fija que guardaba mi memoria sin saber cómo se había llegado a formar en ella: así es como conocemos el pasado. Sabía, por supuesto, lo que había escrito en la columna: que el 15 de octubre de 1914, cien años menos ocho meses antes de esa conversación radial, el general Rafael Uribe Uribe caminaba por la acera occidental de la carrera séptima cuando fue herido de muerte, a golpes de hachuela, por dos carpinteros. Sí, esto sabía, y lo sabía desde niño. Yo debía de tener nueve o diez años cuando mi padre me llevó al lugar donde todo había ocurrido, me mostró la triste placa de mármol que conmemoraba los hechos y me habló de los asesinos. Galarza y Carvajal: la música de esos dos apellidos me había acompañado desde entonces, como el estribillo de una canción popular, aunque seguramente habían tenido que pasar varios años para que llegaran a estar acompañados de sus respectivos nombres, para que mi conciencia infantil los separara por fin y comenzara a imaginar a sus dueños como dos individuos, no como una misteriosa unidad indisoluble, un monstruo de dos cabezas. No sé cómo los imaginaba de niño allí, caminando con mi familia por la plaza de Bolívar, ni puedo recordar cómo me figuraba la escena feroz y brutal que debieron de ver los bogotanos de 1914. Me di cuenta de que mi ignorancia, más allá de estas generalidades, había decorado la escena con falsedades o inexactitudes.

Hubiera podido explicarle todo esto a Carballo, pero no lo hice. Me limité a hablar de Galarza y Carvajal y de la acera oriental del Capitolio. Mi entrevistador hizo una mueca de desagrado (invisible para sus oyentes, por fortuna) y siguió hablando.

«Eso es lo que dice la historia», se burló. «Pero mis oyentes saben que la historia puede ser, cómo dijéramos, un poquito mentirosa. ¿No es verdad, mi querido Juan Gabriel?» Ahora su tono era meloso o condescendiente, o ambas cosas a la vez. «La verdad puede ser distinta, ¿no? Igual que la verdad en el asesinato de Gaitán, por poner un ejemplo cualquiera, es distinta de la que nos han vendido los manuales escolares».

«Sí, me preguntaba cuánto se iba a demorar usted en sacar a Gaitán», le dije, tratando de recuperar con algo de humor el control de la conversación. Pensé: *Gaitán, cuya vértebra usted ha robado.* «Usted sabe, mi querido Carlos, que yo no creo mucho en las teorías conspirativas. Yo sé que son populares, yo sé que a la gente…»

«Un momento», volvió a cortarme. «Tenemos una llamada». Me quitó la mirada (sentí que me liberaba de un peso) y dijo con los ojos puestos en el vacío: «Sí, buenas noches, ¿con quién tengo el gusto?»

«Buenas noches, Carlitos», dijo una voz de hombre. «Ismael, para servirle».

«Don Ismael, ¿qué nos quiere decir esta noche?»

«Que yo también leí la columna del joven Velásquez», dijo la voz de Ismael, distorsionada por la estática. Carballo no le corrigió mi nombre; no iba a ser yo quien interrumpiera para hacerlo. «Y le quiero decir una cosa: si tanto le interesa la Primera Guerra, no debería descartar de plano eso que él llama con tanto desprecio "las teorías conspirativas"».

«Pero si no es desprecio», traté de intervenir. «Es…»

«En la columna, usted habló de Francisco Fernando», dijo Ismael. «Usted habló de Gavrilo Princip. Usted dijo que así comenzó la Primera Guerra. ¿Le puedo preguntar una cosa?»

Traté de ser afable. «Todas las que quiera, Ismael».

«¿Usted sabe cómo entraron los Estados Unidos en la guerra?»

Era inverosímil. Miré el reloj: no se había cumplido aún media hora de programa y ya me veía obligado a presentar una suerte de examen telefónico de Historia de Occidente. Carballo tenía los ojos bien abiertos y una expresión de absoluta seriedad, como si lo más importante del mundo fuera en ese momento la razón que yo iba a dar sobre la entrada de los Estados Unidos en la Primera Guerra Mundial, que en esa época no era la primera, pues ignoraban la posibilidad de una segunda, sino la Gran Guerra. Así la llamaban: la Gran Guerra. También la llamaron, con optimismo populista, la Guerra para Terminar con Todas las Guerras. El nombre de ese conflicto había cambiado con los años, como quizás había cambiado su naturaleza o la explicación que hemos inventado para hablar de él. Nuestra capacidad para nombrar las cosas es limitada, y esos límites son tanto más sensibles o crueles si las cosas que intentamos nombrar han desaparecido para siempre. Eso es el pasado: un relato, un relato construido sobre otro relato, un artificio de verbos y sustantivos donde acaso podamos apresar el dolor de los hombres, su miedo a la muerte y su afán de vivir, la nostalgia del hogar mientras se combate en las trincheras, la preocupación por el soldado que se ha ido a los campos de Flandes y que tal vez ya esté muerto cuando lo recordamos.

«A ver», dije. «El presidente Wilson, si no estoy mal, le declaró la guerra a Alemania después del hundimiento del Lusitania. Era un vapor de pasajeros, un submarino alemán lo hundió. Más de mil personas murieron en ese ataque. Wilson no declaró la guerra inmediatamente, pero sí poco después».

«Bueno, y dígame una cosa», pidió Ismael. «¿Cuándo fue el hundimiento del Lusitania?»

«No recuerdo la fecha exacta», me defendí. «Debió de ser…»

«Mayo 7 de 1915», dijo Ismael. «¿Y cuándo descifraron los ingleses el código alemán?»

«¿Cuándo qué?»

«Las claves alemanas. El código de guerra de los alemanes. ¿Cuándo lo descifraron los ingleses?»

«No sé, Ismael».

«En diciembre de 1914», dijo la voz electrónica. «Unos cinco meses *antes* de lo del Lusitania. Entonces dígame: si el señor Winston Churchill, que tenía en ese momento el cargo de jefe del Almirantazgo, podía saber la ubicación de cada submarino alemán, ¿por qué pudo uno de esos submarinos acercarse a un vapor de pasajeros y hundirlo con un torpedo? El Lusitania estaba fondeando en el

canal, cerca del puerto, cuando fue alcanzado por el torpedo alemán. ¿Usted sabe por qué estaba ahí?, ¿qué estaba
esperando? Estaba esperando al barco que lo iba a escoltar
hasta el puerto inglés. Ese barco era el Juno. Y nunca llegó:
no llegó porque Winston Churchill dio la orden de que
regresara a puerto. Y ahí está la pregunta que le quiero
hacer a nuestro invitado: ¿por qué? ¿Por qué Churchill dio la
orden de que el Juno regresara a puerto antes de alcanzar
al Lusitania? ¿Por qué Churchill, que sabía de la presencia de tres submarinos alemanes en esas aguas, *voluntariamente* dejó desamparado al Lusitania? A ver, dígame.
¿Por qué?»

De repente me sentí cansado, muy cansado, y no
era por lo avanzado de la hora. Como si se entreabriera
una puerta, vi al fondo de la noche una larga serie de monólogos que me reprochaban, desde lugares anónimos, mi
descreimiento o mi ingenuidad. Miré a Carballo, pensando que encontraría una mueca divertida: la de quien
ha puesto una trampa y regresa para encontrar que la
presa ha caído. Pero no descubrí nada semejante en su
cara, sino más bien un interés genuino por la intervención
de Ismael y por mi próxima respuesta. De personas como
este Ismael se componía tal vez el público de Carlos Carballo, su ejército de aves nocturnas: no me costó ningún
esfuerzo imaginar a esos hombres solitarios que cumplen
funciones insatisfactorias durante el día y sólo vuelven realmente a la vida en las noches, cuando, en la soledad de sus
pequeños apartamentos, rodeados de libros que no están
en bibliotecas sino apilados, encienden su computador o
su radio y esperan a la medianoche: entonces, al contrario de lo que le ocurre a la Cenicienta, comienza la
magia. En compañía de Carballo o de su voz, estos hombres
y mujeres dedicarán unas horas a examinar el reverso del
mundo, la verdad de las cosas que ha sido silenciada por la
historia oficial, y encontrarán en la camaradería de la paranoia, en el placer de aquellas indignaciones compartidas,

lo que más puede unir a dos personas, aunque no se conozcan ni se hayan visto nunca: la sensación de compartir perseguidor. Todo esto se me ocurrió en una fracción de segundo, y sólo ahora, cuando lo escribo, cobra sentido lo que sucedió después. Comprendí algo: comprendí por qué Ismael había llamado tan rápido, como si conociera de antemano mi opinión sobre las teorías conspirativas; comprendí también por qué Carballo me había invitado a su programa. Desde luego no era por ningún interés en mis opiniones, mucho menos en mis libros. Me había invitado para ponerme a prueba. Mejor dicho: no me había invitado por mis libros pasados, sino para saber si yo merecía, más allá de toda duda, cierto libro futuro. La claridad de la revelación me deslumbró. Me apresuré a contestar.

«Porque esperaba que lo hundieran», dije.

«¿Cómo?», dijo Carballo.

«Por supuesto», dije yo. «Se trataba de que Estados Unidos entrara en la guerra, ¿no es verdad? Pero Estados Unidos no tenía por costumbre meterse en conflictos extranjeros, eso era una especie de tradición desde los Padres Fundadores. Creo que hasta Washington lo dejó sentado como una especie de filosofía nacional». Esto era una vaga memoria de viejas lecturas, y sin duda era inexacto. Pero no creí que nadie fuera a desautorizarme. Nadie lo hizo. «Y sin embargo, a mucha gente le convenía que Estados Unidos entrara en la guerra, porque la guerra genera ganancias. Todo el mundo sabe que los ricos de Estados Unidos querían la entrada en la guerra, por las oportunidades que esto les brindaría. Pero el presidente Wilson se negaba tercamente a involucrarse. Se necesitaba un acto violento contra los ciudadanos de Estados Unidos, un acto que inflamara a la opinión pública y la alineara detrás de su presidente, exigiéndole retribución, exigiéndole venganza».

Carballo se había recostado en su silla. Cruzó los brazos detrás de la cabeza y me observó.

«¿Usted ha oído hablar de los papeles del coronel House?», preguntó Ismael.

No podía revelarle la verdad: que no tenía la menor idea de lo que eran. Pero supe que eso no sería necesario, pues Ismael quería hablar, se moría de ganas de hablar. Así que le permití hacerlo.

«¿Quién no ha oído hablar de los papeles del coronel House?», le dije.

«Exacto: ¿quién no?», dijo Ismael. «Pues bien: en esos documentos, como usted sabe, hay una conversación muy elocuente».

«Pero expliquémosles a los oyentes», dije, «expliquémosles a nuestras aves nocturnas quién era el coronel House».

«Sí, tiene razón», dijo Ismael. «El coronel House era el consejero principal del presidente Wilson, su hombre de confianza. Pues sus papeles consignan una conversación que tuvo con el señor Edward Grey, secretario de Asuntos Exteriores de Gran Bretaña. Esto ocurrió poco antes de lo del Lusitania. Le pregunta Grey qué haría Estados Unidos si Alemania hundiera un trasatlántico lleno de pasajeros gringos».

«Aquí decimos norteamericanos», intervino Carballo.

«Perdón, norteamericanos. Qué haría Estados Unidos si los alemanes hundieran un barco de pasajeros norteamericanos. Y el coronel House contesta: yo creo que la indignación sería tanta en Estados Unidos, que bastaría para llevarnos a la guerra. Eso más o menos es lo que contesta».

«Y eso fue lo que sucedió», dije. «Sin el "más o menos"».

«Muchos se enriquecieron con la entrada de Estados Unidos en la guerra. Los Rockefeller ganaron más de doscientos millones de dólares. J.P. Morgan recibió préstamos de los Rothschild por más de cien millones. Y usted sabe, por supuesto, qué cargamento llevaba el Lusitania».

«Por supuesto», dije. «Pero dígaselo, Ismael, dígaselo a nuestras aves nocturnas».

«Municiones», dijo Ismael. «Seis millones de balas, propiedad del mismo J.P. Morgan. Si uno se inventara estas cosas, nadie se lo creería».

«Pero no hay que inventárselas», dije.

«No. Porque ahí están».

«En la historia que nadie cuenta».

«Exacto».

«Pero hay que saber verlo».

«Saber verlo», repitió Ismael.

«Hay que leer», dije, «la verdad de las cosas».

Carballo —su cara de padre o profesor o líder de secta— me miraba con aprobación.

Durante el resto de mi participación en *Aves nocturnas,* tuve tiempo de discutir cómo la Revolución francesa fue en realidad un complot de la burguesía, cómo la sociedad secreta de los Illuminati le ha declarado la guerra a la religión en el mundo, cómo el verdadero origen de la filosofía nazi —alguien utilizó esa expresión, *filosofía nazi*— había de encontrarse en el año 1919, cuando Hitler se unió a una sociedad secreta de nombre Thule. Hacia el final del programa oí decir que la teoría de la evolución era una de las herramientas del socialismo para penetrar en nuestras civilizaciones y que las Naciones Unidas eran una fachada para quienes quieren implantar un nuevo orden mundial. Supe también que la guerra contra las drogas, proclamada por el presidente Richard Nixon a principios de los años setenta, era la estrategia imperialista más exitosa en la historia de Estados Unidos, porque con ella habían logrado imponer sus leyes en América Latina, al mismo tiempo que el dinero negro de las drogas financiaba su economía. Y a eso de las dos, cuando el programa se fue a una pausa mientras sonaba una canción de Van Morrison y otra de Jacques Brel, le di las gracias a Carballo y le alargué una mano para despedirme. Mi mano se quedó en el aire un instante; fue breve, pero me dio tiempo de sentir un cambio en la mirada de Carballo, como si la aprobación que había sentido hacía un rato hubiera desaparecido. No era así: sólo se había vuelto reflexiva y tenue, como la llama de una vela.

«Bueno, yo me voy», dije. «Pero estoy listo para escribir el libro, de manera que llámeme cuando le parezca bien».

Comencé a caminar, pero Carballo me agarró del brazo.

«No, no», me dijo. «Espéreme un rato. Yo termino el programa y usted me lleva a mi casa».

«Carlos, yo no soy ave nocturna», le dije, tratando de no ofenderlo. «Ya es demasiado tarde para mí. Mejor nos vemos otro día».

«Nada de eso. ¿Usted ha oído la expresión *la espera valió la pena*? Bueno, pues eso es. Paciencia, mi amigo, paciencia. Créame cuando le digo que no se arrepentirá».

¿Eran sus palabras la promesa de una vértebra robada? Nadie me hubiera podido pedir que la idea no me cruzara por la mente. Y esa vértebra, después de todo, era mi única misión. Carballo me invitaba a su casa: eso sería pasadas las cuatro de la mañana, sí, ¿pero cómo negarme?

«Bueno, está bien», dije. «¿Dónde lo espero?»

«Venga lo pongo en un buen sitio», dijo él. «Para que pueda oír el resto del programa».

Me acomodó en un estudio de luces apagadas, del otro lado del corredor, con mi botella ya vacía de whisky y un vaso de plástico lleno hasta el borde de un café que sabía a cuero quemado. Era verdad: el sonido de su estudio, la música de *Aves nocturnas*, me llegaba perfectamente. Cuando Carballo acercó una mano a la pared para encender las luces de neón, le dije que no, que lo dejara así, que así me

gustaba. La penumbra y el silencio de las dos de la mañana en aquel edificio semidesierto, o sólo ocupado por los
fantasmas del mundo de la noche, me sosegaron y me
convinieron, porque allí sentado me cayó encima la tensión acumulada de las dos últimas horas: durante ese tiempo se habían dicho muchas tonterías, pero se habían dicho
también algunas cosas pertinentes, otras novedosas y otras
más que se habían quedado conmigo y me incomodaban
sin que pudiera saber por qué, igual que nos incomoda, tras
una conversación, la intuición de que nos querían decir
algo y —por miedo, por timidez, por excesiva prudencia,
por evitarnos un disgusto o una tristeza— no lo han hecho. Por ejemplo, era novedoso para mí el interés de Carballo por el asesinato de Rafael Uribe Uribe, que en mi
columna de marras había sido tan sólo un pretexto, una
manera de completar una idea más o menos atractiva un
día en que mi creatividad de columnista estaba de vacaciones. En una pausa —mientras sonaba la voz de Maxi-
me Le Forestier—, mi anfitrión me había lanzado un
breve reproche.

«Es por esa columna por lo que usted está aquí»,
me dijo. «Así que no me la desprecie».

Y ahora alguien hablaba de Uribe Uribe en el programa. Por andar distraído con mis propias meditaciones,
no supe de quién se trataba: entré a la conversación cuando
ya estaba, al parecer, bien adelantada. O tal vez no hablaban
de Uribe Uribe, pero lo habían mencionado de forma pa-
sajera; las voces me llegaban con claridad y al mismo tiempo desde lejos, quizás por la ilusión que produce la radio:
aunque se transmitiera a diez metros de la silla donde yo
estaba, el sonido de *Aves nocturnas* me llegaba como me
habría llegado si yo estuviera en Barranquilla, por ejemplo,
o en Barcelona, o en Wellington. El oyente que había llamado tenía una voz tosca de fumador, desgastada y débil,
que se mezclaba con la estática (y no ayudaba la mala calidad de su línea telefónica), de manera que sólo su dicción

impecable me permitía comprender sus palabras. Fue él quien mencionó primero mi nombre, o eso me pareció. Estamos programados para ponernos alerta al oír esas sílabas: las distinguimos aun en medio de una multitud o de un barullo, y eso me pasó a mí. Pero mi nombre no volvió a aparecer. Estaban hablando ahora de un tal Anzola. «Él sí supo», dijo Carballo. «Ustedes, mis aves nocturnas, saben como yo que Anzola fue uno de los nuestros: un valiente, un portador de la verdad, un hombre capaz de ver el otro lado de las cosas. ¿No está de acuerdo, don Armando?» Se llamaba Armando el hombre de la voz enferma. «Claro que sí», dijo Armando. «Y uno se tiene que preguntar, Carlos, qué hubiera pasado si los descubrimientos de Anzola hubieran sobrevivido. Pero cayeron en el olvido, porque este país no tiene memoria, o sólo se acuerda de lo que le interesa». «Para mí no es una cuestión de amnesia», decía ahora Carballo. «El olvido de Anzola y de sus descubrimientos es un olvido interesado. Así que no es olvido: es la supresión de una verdad incómoda. El ejemplo perfecto de una conspiración exitosa». Y entonces don Armando dijo: «Eso es lo que Vásquez no sabe». Y Carballo lo confirmó: «Sí. Eso es lo que no sabe».

Poco antes de las cuatro de la mañana, Carballo dejó sonando la última de las canciones de mi lista (la más larga: siempre dejaba la más larga para el final) y se despidió del técnico de sonido con un abrazo que no hubiera desentonado entre moribundos. Me hizo una seña desde lejos, me paré y lo seguí por corredores oscuros, él moviéndose con destreza, yo tanteando las paredes, y en minutos estábamos arrancando por la paralela hacia el norte y subiendo por la calle 85 y luego tomando la séptima hacia el sur. Cuando llegábamos a la avenida Chile me animé a preguntar: «¿Quién es Anzola?»

Carballo no me miró. Navegábamos por una ciudad desierta y amenazadora, porque la madrugada es amenazadora en Bogotá: a pesar de que las cosas vayan mejor que en los días de mi partida, sigue siendo un lugar donde nadie se detiene en los semáforos sin algo de aprensión. Carballo tenía la mirada fija en la vía, y en su cara jugaban el amarillo del alumbrado y las luces rojas de los vehículos escasos. «Después», me dijo.

«¿Después de qué? Yo oí que estaban hablando de mí. Y hablaban también de un tal Anzola que descubrió no sé qué cosas. ¿Quién es?»

«Era», dijo Carballo.

«¿Quién era?»

«Después», dijo Carballo. «Después».

Carballo me iba dando señas: era una de esas personas que no pueden decir una dirección en el momento de subirse a un carro, sino que van dándole instrucciones al conductor en cada esquina, como si mencionar su destino desde el principio fuera revelar un secreto: darle demasiada información al enemigo. Y así pasamos por detrás del hotel Tequendama y subimos a la quinta y la tomamos hacia el sur y llegamos a la calle 18. En una esquina, frente a un parqueadero cerrado, unos metros más allá de un cambuche donde dos cuerpos dormían entre cobijas sucias, la mano de Carballo se movió en la oscuridad del carro.

«Aquí es», señaló. «Esa ventana es mía. Deje el carro aquí».

«¿Aquí?»

«No le va a pasar nada, tranquilo. En esta calle nos cuidamos entre nosotros».

«Pero está bloqueando el paso».

«A esta hora no hay nadie. Luego lo movemos. Ese parqueadero abre a las seis o seis y media, cuando comienzan a llegar los estudiantes».

Carballo vivía en un primer piso, un apartamento de dos habitaciones pequeñas y ventanas enrejadas como para evitar que un preso se escapara. El suelo estaba prácticamente cubierto de pequeñas torres de libros, y no era fácil caminar sin tropezarse, pero eso hice: seguí a Carballo por el sendero que la vida cotidiana había abierto entre las torres. Pegada a una pared, en medio de la sala, estaba la nevera; sobre la nevera, más libros. «¿Quiere un traguito?», me preguntó, pero antes de oír mi respuesta ya me estaba sirviendo una copa de Brandy Domecq. Mientras lo hacía me fijé en el único escaparate, una estructura tambaleante donde las tazas, las copas y los vasos se peleaban el espacio con los libros, y en cuyo tablón más alto los libros peleaban con las botellas vacías de aguardiente Néctar, alineadas como objetos de colección. Entre las botellas, un retrato de Borges nos miraba distraídamente. Lo señalé con curiosidad. «Ah, sí, es que yo lo entrevisté», dijo como si se tratara de lo más normal. «Eso fue en el sesenta y pico. Un amigo periodista me dijo que en la emisora de la universidad andaban buscando a alguien que entrevistara a Borges, porque alguien más había cancelado. Un profesor, creo. Yo acepté, claro, aunque no sabía qué era entrevistar. Pero era Borges, usted entiende. Me dijeron: "Lo esperan mañana a las once". Al rato reaccioné, me di cuenta de lo que acababa de hacer, y cuando llegué a mi casa ya el estómago se me había empezado a descomponer. Vomité, me dio diarrea, todo el sistema endocrino se me fue al carajo. Empecé a pensar si preparaba un cuestionario o no. Lo preparé, lo rompí, lo volví a preparar. Con ese susto berraco que le da a uno un argentino famoso, ¿se imagina? Llegué y Borges ya estaba ahí, solo, porque era la época en que no estaba todavía con la Kodama. La entrevista duró dos horas y media, la pasaron por la emisora y al día siguiente, cuando fui a pedir una cinta para tener mi copia, ya la habían borrado. Habían grabado encima un partido de fútbol». Me entregó la copa y añadió:

«Espéreme un segundo. Tengo que traer algo».

Carballo el impredecible. Decididamente, éste era un hombre sin fondo: tan pronto como yo pensaba que lo había entendido, que ya sabía *de qué se trataba*, Carballo me revelaba otra de sus facetas y dejaba mi satisfacción en ridículo. Lo imaginé saliendo de una de las clases del doctor Benavides para irse a leer *Ficciones* o *El Aleph,* o tal vez los ensayos, sí, porque los ensayos le hubieran sugerido a un entrevistador improvisado más preguntas que los cuentos, o por lo menos preguntas que no corrieran el riesgo de parecer tontas o repetidas. Carballo, el perseguidor de conspiraciones, leyendo las reflexiones de Borges sobre Whitman o Kafka: la imagen, no sé por qué, me parecía irresistible. Entonces recordé «El pudor de la historia», un ensayo de Borges que siempre me ha gustado y que allí, en el apartamento de este hombre, parecía cobrar una misteriosa pertinencia, pues en él Borges sostenía que las fechas más importantes de la historia no eran tal vez las que aparecían en los libros, sino otras, ocultas o privadas. ¿Qué hubiera opinado Carballo? ¿Qué fechas secretas eran más importantes que el 9 de abril de 1948, día de su obsesión malsana? ¿O tal vez mi memoria distorsionaba el ensayo? Era posible. Pero entonces recordé «Tema del traidor y del héroe», un cuento sobre conspiraciones en el que se habla de Julio César, y luego recordé un poema cuyo título, «Los conjurados», nos invita a pensar en conversaciones secretas y espionajes y asesinatos, cuando sólo habla de suizos que se reúnen para formar Suiza. En todo caso, Borges dejó de parecerme exótico en el apartamento de Carballo: me pregunté si le habría ofrecido a él sus hallazgos antes de ofrecérselos a R.H. Moreno-Durán. No me pareció descabellada la idea.

En esas elucubraciones estaba cuando salió Carballo. Llevaba una carpeta entre las manos.

«Yo a esta hora tengo mi rutina», dijo. «Llego, me hago una sopa caliente y me voy a dormir, porque si no, me paso el resto del día destrozado. Pero hoy es un día especial, y antes de irme a dormir tengo que dejarlo a usted bien instaladito. Porque espero que después brindemos: brindemos por nuestro proyecto. ¿Estamos de acuerdo hasta ahí?»

«De acuerdo», le dije.

«Yo entiendo que si usted está aquí, es para eso. Para nuestro proyecto. Para escribir este libro que tanto quiere que lo escriban. ¿Entiendo bien o me equivoco?»

«No se equivoca».

«Si me equivoco, dígamelo ya. Así no perdemos el tiempo».

«No se equivoca».

«Pues entonces hay que empezar lo antes posible», me dijo. Me alargó la carpeta que llevaba y ordenó: «Empecemos por aquí».

Era el tipo exacto de carpeta que yo había visto años atrás en casa de Francisco Benavides. Estaba marcada con tres cifras: *15.10.1914*. Nada más tenía, ni palabras ni nombres ni etiquetas de ningún tipo, pero reconocí la fecha.

«El crimen de Uribe Uribe», dije. «¿Por qué, Carlos? ¿Qué tiene que ver esto?»

«Comience a leer», me dijo. «Ya mismo, porque todo lo demás está represado hasta que usted sepa ciertas cosas. Yo me voy a dormir, si no le importa. Es que si no duermo unas horas, ¿cómo preparo el programa de esta noche? Y si no duermo las horas que son, ¿con qué cabeza les hablo a mis aves nocturnas, con qué cabeza les presto mi atención y mi oído, que para ellos son tan importantes? Esta gente depende de mí, Vásquez, y no les puedo fallar. Me debo a ellos, usted me entiende».

«Yo entiendo, Carlos».

«No estoy muy seguro, pero no importa. Le repito lo que le dije antes: queda en su casa. Hay una jarra con agua en la nevera. Puede hacer café si quiere, porque el que hay hecho ya no está bueno. Le pido un favor: no haga ruido. No me despierte. Me puedo molestar mucho si me despierta».

«No se preocupe», le dije.

«Cuando se tenga que ir, déjeme la carpeta ahí, sobre la mesa. Fíjese que las puertas queden bien cerradas, la mía pero sobre todo la del edificio. Que no se me vayan a meter los ladrones».

Y cerró la puerta —la derecha, al fondo— y ya no tuve más noticias suyas. Me encontré solo en la sala de Carlos Carballo, solo en el lugar de la misión que me había encomendado un amigo. Así que no me puse a leer la carpeta cuya fecha ya resonaba en mi cabeza, sino a buscar una vértebra en un frasco de formol. La busqué en la nevera, la busqué entre los libros de las estanterías y detrás de las botellas de aguardiente, la busqué en los cajones de una especie de cómoda que alguien parecía haber abandonado en una esquina, y llegué a escudriñar entre las torres de libros que crecían como hierba mala junto a las paredes. Pero no la encontré por ninguna parte. No había cajones cerrados con llave ni armarios que pudieran ocultar nada. Todo estaba a la vista en este lugar. Pensé enseguida que Carballo no me hubiera dejado solo y a mis anchas en la misma habitación donde guardaba un objeto robado; y luego pensé que tal vez Carballo no lo había robado y que Francisco Benavides se equivocaba de medio a medio y que toda esta empresa era un sainete barato, grotesco además de injusto. Carballo era un excéntrico y un paranoico, pero no un ladrón. ¿No contaba con cientos de personas que lo adoraban, que lo escuchaban cada noche con devoción de feligreses? ¿No era su programa una suerte de iglesia nocturna, una obra clandestina de caridad y empatía? Mientras mis manos sacaban libros para revisar los fondos de las estanterías, que todos los lectores usamos para esconder cosas, pensaba en estos términos y enseguida me avergonzaba de mis pensamientos. *Caridad y empatía:* la arrogancia de creerme superior a esos insomnes, a esos solitarios: el paternalismo insoportable de creer que llevaban vidas equivocadas, o que sus vidas giraban alrededor de fantasías o especulaciones, mientras que la mía…

Al cabo de unos minutos me di por vencido. Mi breve allanamiento personal no había producido nada de interés: ni los objetos buscados, ni pistas ni indicios que pudieran conducir a ellos. Volví a la carpeta y la abrí sin ganas; pensaba, creo recordar, en hojearla lo bastante como para mentirle después a Carballo, y así conservar mi derecho a estar aquí, en su casa, que era más bien un fortín. La carpeta contenía una cronología minuciosa: hora a hora, lo ocurrido el día de la muerte de Rafael Uribe Uribe. Me quité los zapatos y me acosté en el sofá de manera que la luz diera directamente sobre las páginas. Noté que las cortinas estaban cerradas, así que el amanecer no se vería en las ventanas, o quizás entrara tímido por los costados del marco. Serían poco más de las cinco de la mañana cuando, armado de una jarra nueva de café (y de una taza donde Mafalda le ha colgado a su mundo un cartel que dice «Cuidado: irresponsables trabajando»), comencé a leer; debían de ser las seis o poco menos de las seis cuando comprendí el contenido de lo que tenía entre las manos, que se abría como un secreto para demostrarme la extensión de mi ignorancia sobre ese día infausto, el primero de tantos otros que marcaron el siglo pasado en mi país. Empecé a tomar notas, y esas notas están frente a mí ahora, sirviéndome como guías y memorandos para dar a esos documentos la forma de un relato y la ilusión —pero es sólo una ilusión— de un orden y un significado.

El 15 de octubre de 1914, a eso de la una y media de la tarde, el general Rafael Uribe Uribe, líder indiscutido del Partido Liberal, senador de la República y veterano de cuatro guerras civiles, salió de su casa en el número 111 de la calle novena y comenzó a caminar por el medio de la calzada, en dirección al Capitolio Nacional. Llevaba traje negro y sombrero de media calabaza, su atuendo de costumbre para los días en que tenía sesión en el Senado, y apretaba bajo el brazo unos folios de papel que contenían, según quienes lo conocieron, un proyecto de ley sobre accidentes de trabajo. Sabía que las oficinas estarían cerradas a esa hora, pero siempre le había gustado llegar con anticipación: los tiempos muertos eran el momento que el general usaba para preparar sus temibles intervenciones. Llegó a la esquina de la carrera séptima, cruzó la calle y avanzó algunos metros por la acera occidental hacia el norte, sin percatarse de que lo seguían dos hombres vestidos con ruana y sombrero de jipa. Después se conocerían sus nombres: Leovigildo Galarza, el de la ruana negra, era el de mayor estatura, piel más clara y bigote cobrizo; el de la ruana marrón —el más bajo, de bigote más oscuro y ojos más achinados, cuya piel morena tenía los tonos verdosos de los hombres enfermos— se llamaba Jesús Carvajal. Después se conocería, también, que eran artesanos, o, más exactamente, carpinteros de oficio, y que se habían pasado la mañana preparando las hachuelas que cada uno llevaba debajo de la ruana: afilando las hojas, abriendo con una broca un hueco en el mango de madera, pasando por el hueco una cabuya para que les rodeara la muñeca y las hachuelas no se resbalaran en el momento definitivo: preveían, sin duda, manos sudorosas. Y ahí, unos pasos por delante de ellos, caminando por su calle como tantas otras veces, estaba el general Uribe Uribe, sordo a las profecías que durante meses habían anunciado el atentado contra su vida.

Las amenazas lo habían acompañado durante los últimos años. El general se había acostumbrado a ellas: desde la guerra de 1899, cuando tuvo que firmar una paz humillante para evitar el hundimiento en sangre del país entero, había vivido con la sensación de ser odiado por sus enemigos, sí, pero también por algunos de sus amigos. La prensa conservadora lo había culpado de los cien mil muertos de esa guerra, quizás porque no sabían que él se bastaba a sí mismo para culparse. Pero así era. Y la culpa, o algo que hacía sus veces, lo había transformado: en la última década, el general Uribe, emblema del liberalismo más recalcitrante, había sufrido una metamorfosis que a sus partidarios les pareció escandalosa. No era sólo que hubiera abandonado para siempre las armas ni que hubiera jurado no volver a pronunciar palabra alguna contra un grupo de colombianos y a favor de otro, sino verlo entregado a la defensa de los antiguos enemigos, ejerciendo labores diplomáticas a favor de presidentes conservadores y dando largos discursos en los que repetía, una y otra vez, que se había trasladado a regiones más serenas y que la paz de Colombia era su único objetivo.

El ejército de sus enemigos, que en tiempos de guerra había sido bien visible, en la paz se hizo impreciso como un espanto. Era imposible saber quiénes lo conformaban ni cuáles eran sus intenciones, pero a Uribe comenzaron a llegarle rumores hostiles, amenazas veladas y amistosos mensajes de alarma, que por alguna razón le parecían distintos de los que había recibido siempre. Los amigos le decían que se cuidara, que habían oído cosas raras; la familia le pedía que no saliera solo. Para sus seguidores más acérrimos, seguía siendo el símbolo del progreso, el defensor de los trabajadores y el último bastión del verdadero liberalismo; para los otros, la encarnación perfecta de la decadencia moral y el enemigo de la tradición y de la fe. Para los conservadores, Uribe era un *propagador de doctrinas corruptoras* y estaba *condenado al Fuego Eterno como liberal;* para la mitad de los liberales era un *conservador, traidor a su partido y a su causa.* Esta última acusación, la que habría debido parecerle más extraña, cobró nueva vida durante las elecciones presidenciales de ese año de 1914. El senador Uribe —el diplomático, el conciliador, el hombre de paz cuya única obsesión era lograr la reconciliación del país— dio su apoyo al candidato conservador. José Vicente Concha, como era predecible tras semejante espaldarazo, salió victorioso. El general Uribe no podía saberlo, pero aquéllas serían las últimas elecciones de su vida.

Los liberales lo acusaron de traición. En las paredes del centro bogotano comenzaron a aparecer carteles que lo difamaban. A un tal Bernardino Tovar, artesano, se le oyó decir que los conservadores le debían el triunfo a Uribe Uribe. «Los días del general están contados», dijo. A un tal Julio Machado se le oyó decir que el general Uribe se había volteado. «Los artesanos lo van a asesinar», dijo. Tras posesionarse el nuevo presidente, dos mensajes anónimos llegaron a casa del general Uribe. Uno de ellos le hablaba de la elección de Concha y de la «justa indignación que ha producido en la parte trabajadora de esta ciudad», y le hacía esta advertencia: «Creemos prudente poner en conocimiento de usted que sobre alguien descargaremos la mano para desahogar el corazón». El segundo anónimo era menos poético y más perentorio:

> *Rafael Uribe Uribe: Le prevenimos que si usted no explica de manera satisfactoria la participación que ha tomado en el nombramiento del Gabinete Concha; es decir, sin dejar lugar a creer que usted ha sacrificado miserablemente el partido liberal, sus días serán cortísimos.*

Debajo del texto amenazante, en una sola línea escorada a la derecha, venía la firma en altisonantes letras mayúsculas: *ARTESANOS*. Después correría la leyenda de que esa mañana de jueves, poco antes de salir caminando a su sesión en el Congreso, el general había estado discutiendo con su familia la conveniencia de llevarse consigo a un guardaespaldas. Pero no lo hizo: salió solo, mirando al suelo, sin percatarse de que lo seguían dos hombres —dos artesanos— armados con hachuelas y decididos a causarle la muerte.

Según lo confesaría después Jesús Carvajal, la decisión se había tomado la noche anterior. Los asesinos se habían encontrado, por casualidad, bebiendo chicha en la tienda Puerto Colombia, y de allí salieron juntos hacia Puente Arrubla, otra tienda que frecuentaban. Jugaron al naipe el trago y los cigarrillos, y después, cuando llegó una pequeña orquesta de tiples y guitarras, bailaron (las palabras son de Carvajal) «hombres sin mujeres». Fue después del baile cuando se quedaron solos. Caminaron por la carrera 13 hasta la chichería La Alhambra. Iban hablando de lo difícil que era conseguir trabajo por estos días, pues el Ministerio de Obras Públicas sólo empleaba a los miembros del llamado Bloque, la facción del liberalismo que seguía al general Uribe Uribe. El general, decidieron, era el responsable directo del desempleo y del hambre de los trabajadores que no estaban afiliados a su facción o que no habían votado según sus sugerencias en las últimas elecciones. Lo acusaron de ocuparse de los obreros sólo en tiempos de guerra y olvidarse de ellos en tiempos de paz: de tratar al pueblo como carne de cañón. «En vez de morirse uno de hambre en esta tierra», dijo Carvajal o tal vez Galarza, «hay que castigar al causante». Para eso —para determinar la forma y la estrategia del castigo— se dieron cita en la carpintería de Galarza, en la calle novena, a las ocho de la mañana siguiente.

La carpintería de Galarza era un local pequeño pero bien ubicado, en pleno centro de Bogotá, una cuadra y media abajo de la iglesia de Santa Clara. Tenía apenas dos habitaciones, una para los equipos y la otra para usar como dormitorio, y en ella trabajaban, a las órdenes de Galarza, un carpintero, un tallador y dos aprendices, uno de ellos de nueve años de edad. Después se encontrarían allí una carabina con la culata rota, dos boinas de militar, once cápsulas para revólver y un cuchillo con su funda, y nadie podría explicar satisfactoriamente para qué necesitaban cinco carpinteros aquel pequeño arsenal. Galarza había aprendido el oficio de su padre, un hombre violento que tenía problemas con la bebida. Se llamaba Pío Galarza, y en 1881 había sido condenado a diez meses de prisión por matar de un tiro y con premeditación a Marcelino Leiva, también carpintero: Leovigildo no había cumplido ni siquiera un año de edad y ya era el hijo natural de un asesino.

A los diecinueve fue reclutado por las tropas del gobierno para combatir, con el Batallón Villamizar, en la guerra de los Mil Días; de ella salió beneficiado, además de victorioso, pues al terminar la guerra recibió trabajo como carpintero del Ejército. Fue en esa época cuando conoció a Carvajal. Lo contrató en su taller; diez años después, cuando decidió independizarse, le propuso tomar juntos el local de la calle novena. La sociedad no duró mucho (se separaron por «diferencias en las cuentas»), y no se habían vuelto a ver hasta el encuentro casual, la tarde del miércoles 14, en la tienda Puerto Colombia.

El jueves amaneció nublado y frío. Carvajal llegó a la carpintería a las ocho en punto, pero Galarza no estaba. Fue a buscarlo a la pieza de su concubina, María Arrubla, una mujercita cansada que le lavaba la ropa y le daba de comer desde hacía más de dos años. Lo encontró tomándose una changua para pasar la resaca, lo saludó con un insulto afectuoso —«¿Qué hubo, bobito?»— y entonces, al ver llegar a María, les propuso que se tomaran un aguardiente rápido en la tienda vecina. En el trayecto de regreso a la carpintería, se reafirmaron en el plan de castigar al culpable de su desgracia y decidieron que usarían hachuelas para llevar a cabo el castigo, pues cada uno tenía una propia. Al llegar, Galarza bajó la suya del perchero, se dio cuenta de que tenía el mango roto y comenzó a arreglarla con cola mientras Carvajal iba por la suya a su casa. Las afilaron, les abrieron los huecos y les pusieron las cabuyas, y uno de los dos, Galarza o Carvajal, Carvajal o Galarza, dijo:

«Esto queda bueno para cortar eucaliptos».

Entonces, al percatarse de que no tenían dinero ni para un trago, se dirigieron juntos a La Comercial, una agencia de empeños, con un villamarquín de trinquete niquelado que tal vez podía conseguirles un buen préstamo. Pidieron cien pesos, les dieron cincuenta. Carvajal firmó el recibo con el nombre de Galarza. De allí salieron a tomarse un aguardiente, uno más en una tienda más, y al volver a la carpintería se encontraron con que María Arrubla le había mandado a Galarza una bandeja de comida. La terminaron entre los dos, compartiendo las porciones de arroz y de papa hervida, compartiendo el caldo oloroso a cilantro y compartiendo los cubiertos, y a las once y media de la mañana fueron a buscar al general.

¿Qué hacía Uribe Uribe en esos momentos, mientras sus asesinos espiaban la puerta de su casa? Se sabría después que pasó unos instantes en su estudio, revisando los documentos que debía llevar a la sesión del Senado. ¿Se habrá asomado a la ventana, habrá pasado la mirada por encima de las dos figuras de ruana que lo acechaban como cazadores en la linde del bosque? En cuanto a Galarza y Carvajal, ¿qué habrán visto en ese momento? ¿Quién habrá visto primero al general Uribe? ¿Quién habrá dado al otro el aviso? Los asesinos habían entrado a la tienda de la esquina y, suponiendo que el general estaba almorzando en su casa, decidieron que tenían tiempo de tomarse un par de cervezas; pasada la una de la tarde, caminaron unos metros en dirección a la carrera séptima, y se detuvieron al llegar al portón del Noviciado para ver mejor la puerta desde allí. Pero no lo vieron salir: no vieron el instante en que se abrió la puerta. Cuando vieron a Uribe Uribe caminando por la calle, ya éste pasaba delante de ellos. «Ahí sale mi hombre», dijo Galarza, o tal vez fue Carvajal.

Lo siguieron. Carvajal caminaba justo detrás del general, a cuatro o cinco metros de distancia por la acera, y Galarza por la mitad de la calle, la mirada al frente para no despertar sospechas. Así estaban todavía cuando el general dobló por la séptima hacia el norte y cruzó hacia la acera occidental, la del Capitolio. Todavía entonces los asesinos se preocuparon por guardar la misma formación, y uno tiene que preguntarse qué habría pasado si Uribe Uribe se hubiera dado la vuelta —creyendo oír un ruido, por ejemplo— y hubiera sorprendido al hombre que lo seguía tan de cerca y que acaso habría sido incapaz de seguir caminando sin delatarse de alguna forma. Pero eso no sucedió: Uribe Uribe no se dio la vuelta. Siguió caminando por la acera del atrio del Capitolio. Carvajal declararía después que en ese momento había tenido la intención de hacerle una señal a Galarza para que desistieran del ataque. «Yo me dije: si se voltea y me mira, le hago señas de echarnos para atrás», explicó. Pero Galarza no se dio la vuelta, no lo miró, no sintió su mirada: si lo hubiera hecho, ¿habría conservado la vida el general Uribe? Una liga de la media se le descompuso a Carvajal, que se agachó un breve instante para arreglársela (un observador describiría después su piel oscura y lampiña). Y enseguida comenzó el ataque.

Fue Carvajal quien bajó a la calzada, aceleró el paso y, en el momento de rebasar al general, hizo algo para llamarle la atención. Algunos dicen que le silbó y otros que lo llamó por su título. Según la versión que prevaleció al principio, le soltó un reclamo: «Usted es el que nos tiene fregados», le dijo. En ese instante, cuando el general se detenía para responder al llamado o interesarse en la acusación o quizá tan sólo extrañarse, Galarza se le acercó por detrás y le descargó el primer golpe en la cabeza, con la fuerza suficiente como para que Uribe cayera de rodillas al suelo. Se oyeron los primeros gritos (unos que llamaban a los agentes, otros meramente de horror), un carrito se detuvo sobre la carrilera del tranvía, y entonces los testigos, ya conscientes de lo que estaba sucediendo, ya conscientes de *ser testigos,* vieron a Carvajal acercarse al hombre caído —«como para mirarle la cara», dijo uno de ellos—, levantar la mano pequeña y golpear más de una vez, con tanta fuerza que se alcanzó a oír perfectamente el retumbo de la hachuela contra el cráneo, el delicado estrépito de los huesos quebrándose. «Ahora sí que me maten», se le oyó decir a Carvajal. «Yo ya cumplí mi deber con este hijueputa».

«¡Asesinos! ¡Asesinos! ¡Mataron al general Uribe!» Los gritos empezaron a repetirse en las esquinas, como alejándose de la escena del crimen, como los círculos que causa una piedra al caer al agua tranquila. Desesperados, los que habían visto lo sucedido trataban de encontrar ayuda. «¡Policía! ¡Policía!», gritó alguien, y alguien más oyó este grito: «¡Señor agente! ¡Agente!». Era María del Carmen Rey, una transeúnte que luego declararía haber sentido verdadero vértigo: «No acudió ninguno», diría.

Uribe Uribe tenía el pelo y la cara cubiertos de sangre. Alguien lo había recostado contra el atrio del Capitolio, y muchos se jactarían después de haberle enjugado la sangre con sus pañuelos, o de ser los dueños del pañuelo con que se enjugaba la sangre el herido. Carvajal lo miraba, miraba a Uribe y los testigos lo miraban mirarlo, y en su mirada había desprecio, pero un desprecio sereno. Sin embargo, parecía desorientado. En un primer momento, tras asestar el golpe al general, avanzó hacia el norte, hacia la plaza de Bolívar, pero luego se dio vuelta y volvió a dirigirse a la víctima, como para golpear de nuevo. Uno de los presentes se le enfrentó: «¿Pero qué es esto?», le dijo. Carvajal dudó y volvió a alejarse, pero la expresión en su cara, según el testigo, era de «desafío», de «cólera satisfecha». No opuso resistencia cuando Habacuc Osorio Arias, agente de Policía, lo aprehendió y le torció el brazo para quitarle la hachuela ensangrentada, y dicen los que lo vieron que ni siquiera pareció que le preocupara su suerte. Galarza, mientras tanto, huyó hacia el sur y dobló por la calle novena hacia el occidente, como rodeando el Capitolio por detrás, pero ya iba perseguido a cierta distancia por varios testigos y algunos oficiales del ejército. Quienes lo seguían lo vieron detenerse a hablar brevemente con un obrero de nombre Andrés Santos (le preguntó si tenía trabajo y Santos dijo que no; Santos le preguntó a Galarza si tenía trabajo, y Galarza dijo que no). Lo vieron entonces seguir caminando hacia la iglesia de Santa Clara y detenerse frente al muro para leer, o fingir que leía, los avisos pegados. El agente José Antonio Pinilla, alertado por los testigos, lo alcanzó entonces, y allí mismo, frente al muro cubierto de papeles, lo capturó y comenzó a requisarlo. Galarza, según el agente Pinilla, llevaba en la mano izquierda una hachuela ensangrentada «en el mango y en el plano de la cabeza que sirve de martillo», y en los bolsillos, una navajita y una cartera con papeles. Mientras el agente hacía la requisa, un hombre se acercó a Galarza y le propinó una violenta cachetada que le reventó la nariz, y Galarza trataría más tarde de usar aquel ataque imprevisible para justificar la sangre que embadurnaba el mango de su hachuela. ¿Por qué, si llevaba una hachuela en la mano, no trató de defenderse?, le preguntó el fiscal. Galarza respondió con una frase extraña, en cuya extrañeza nadie reparó.

«Porque no uso jamás eso», dijo, «porque no he sido asesino».

Mientras tanto, Carvajal ya había sido enviado a la Inspección de Permanencia, y el agente Osorio, el que lo había capturado, ayudaba al general Uribe a ponerse de pie. El general se sostenía la cabeza con la mano del pañuelo ensangrentado como si tuviera miedo de que se le cayera al suelo, y, con la mirada perdida entre los hilos de sangre que le bajaban por la cara, trataba de caminar, pero las piernas no le respondían. El agente Osorio y algunos testigos lo subieron a un coche para llevarlo de regreso a su casa, trotando al lado como si quisieran evitar que el herido llegara solo a su destino o que algo importante comenzara sin ellos.

En ese mismo momento, en el costado opuesto de la plaza de Bolívar, el doctor Luis Zea —uno de los cirujanos más reputados del país, buen catador de vinos franceses y lector de poesía capaz de recitar a Victor Hugo y a Whitman— se dirigía desde la carrera octava a su consultorio, y al pasar frente al Capitolio vio la muchedumbre que se había agolpado en el costado oriental del edificio. Durante el resto de su vida, el doctor Zea contaría cómo oyó a un desconocido decir que habían asesinado a hachazos al general Uribe Uribe, cómo se dio prisa en llegar a su casa, cómo iba rezando en silencio para que los rumores no fueran ciertos, cómo se abrió paso al llegar entre los curiosos y cruzó el zaguán y subió las escaleras (tropezándose al llegar al último escalón) y se encontró al herido en la habitación que daba al vestíbulo, acostado en un catre, rodeado de propios y extraños y apenas consciente de lo que le estaba sucediendo.

Le habían abierto la ropa a la fuerza, rasgando el paño fino que ya no era más que una larga costra, hasta dejar el torso al desnudo. El general tenía la cabeza apoyada en un desorden de almohadas y la expresión desfigurada por las contusiones; su rostro, drenado de sangre, estaba pálido y endurecido, y contrastaba con el rojo oscuro del líquido que lo bañaba y le daba un aspecto pavoroso de estatua de cera. El doctor Zea confirmó la presencia de algunos colegas que respetaba y se tranquilizó al hacerlo; luego pidió gasas, agua hervida y algodones, y se dispuso a lavar las heridas y a descubrir la dimensión del daño como entra un explorador en una selva cuyos peligros ignora. Metió las manos en el pelo crespo, cuyos bucles no paraban de chorrear sangre, para poner la primera planchuela de algodón. Sus dedos encontraron una herida circular que llegaba hasta el cráneo, y se dio cuenta de que la lámina había roto de un tajo limpio los tejidos blandos, como cortando la carne de una fruta. Siguió recorriendo al tacto la cabeza, tratando de que no se le enredaran los dedos nerviosos en la sangre coagulada de los mechones, y entonces, al acercarse a la coronilla, sobre el parietal derecho, encontró la herida que más sangraba: la herida grande.

El doctor Zea se lavó las manos con agua hirviendo, puso sobre la herida una capa de algodón aséptico y comenzó a cortar el pelo. Uribe se sacudía, trataba de incorporarse, musitaba incoherencias. «¡Pero hombre!», decía. «¿Qué es esto? ¡Déjenme! ¡Déjenme!» En medio de su lucha contra nadie, perdió el conocimiento y cayó de espaldas sobre la almohada. Alguien, desde una esquina, creyó que había muerto, y un llanto callado llenó la habitación. El doctor José María Lombana Barreneche le tomó el pulso. «Sigue con nosotros», dijo en voz baja, como si no quisiera ahogar con su voz alterada el susurro que le salía al herido de los secos labios entreabiertos. Entonces el general volvió en sí, volvió a sacudirse, volvió a gritar. «¡Déjenme!», decía. «¿Qué es esto? ¿Qué es esto? ¡Déjenme!» El doctor Zea se dispuso a explorar la herida grande. Encontró que el filo cortante había roto el cráneo de manera horizontal, y pensó que el atacante, en lugar de atacar de frente, se había tomado el tiempo de escoger uno de los lados, para mejor herir. Tenía que trepanar. Pero allí, en las habitaciones del general, no había instrumentos para llevar a cabo la operación, y tuvieron que pedirlos a la Casa de la Salud.

La espera fue un tormento. El doctor José Tomás Henao le tomaba el pulso al general con tanta frecuencia que éste acabó molestándose, pero su tono de reclamo airado tenía el contenido de los documentos oficiales: «Señor presidente, no comparto su opinión», decía. Carlos Adolfo Urueta, yerno del general, se había retirado a una de las habitaciones contiguas para dejar trabajar a los médicos y consolar a su mujer, pero debió de sentir el silencio de la espera que había caído sobre la casa. De afuera, de la calle, llegaban vivas a Uribe, y en el patio de la casa caminaban nerviosamente los extraños, pero el segundo piso estaba quieto; así que Urueta se dirigió a la habitación del herido, y en el camino se dio cuenta de que el director de la Policía, general Salomón Correal, había llegado con su bigote frondoso y su aire de dueño de casa, y estaba hablando con los presentes, tratando quizás de anticiparse a las reacciones de una multitud enfurecida o frustrada. A Urueta no le gustó la presencia de Correal, entre otras cosas porque sabía que no le habría gustado al general Uribe, pero prefirió no decir nada en ese momento: Correal, después de todo, era la autoridad. Se desanudó la corbata y entró a la habitación del herido. Sugirió, con voz llorosa, que le dieran al general pedazos de hielo con brandy. El general reaccionó como si de repente hubiera recobrado la lucidez: «Brandy no», dijo. «Agua, agua pura, para quitarme la sed». Le dieron agua en una vasija de barro. Le pusieron inyecciones de suero. Lo prepararon para la cirugía.

A las tres y diez llegaron los enviados de la Casa de la Salud. Instalaron la mesa de operaciones, torpe y cuadrada como un burro de carga, mientras el doctor Zea se lavaba de nuevo. El cloroformista Helí Bahamón se encargó de dormir al general; el doctor Rafael Ucrós le afeitó la cabeza en el lugar de la herida con una navaja de barba. «¡Viva Rafael Uribe Uribe!», gritaba la multitud desde la calle 11, y el doctor Zea separaba los tejidos blandos y dejaba al aire la lesión del cráneo, y la multitud contestaba desde la plaza de Bolívar, «¡Que viva!», y el doctor extraía una esquirla y separaba con los dedos la sustancia cerebral, viscosa y tibia, y constataba que el filo del arma había penetrado más de un dedo en las meninges. La herida se inundaba todo el tiempo, lo cual dificultaba la operación. «¿Pero de dónde viene la sangre?», preguntaba alguien. «¡Que viva el general Uribe Uribe!», gritaban desde la carrera sexta. «Aquí está, aquí está», dijo el doctor Zea al encontrar el corte en el seno longitudinal superior. «Pongan gasa, más gasa», dijo el doctor Henao, y afuera gritaban: «¡Que viva!» Mientras los practicantes le aplicaban al cuerpo cansado inyecciones de estricnina y de alcanfor, el general se quejaba en palabras que nadie entendía, soltaba sílabas como si cantara o llamaba a su esposa, que en una de esas ocasiones se acercó, la cara y el cuello empapados en llanto, y le preguntó al herido qué quería. El general repuso con franqueza de moribundo: «Yo qué voy a saber». Minutos después, el doctor Putnam le preguntó si sentía dolores, y el general fue capaz de una leve socarronería:

«Figúrate si no».

En medio del trámite de las vendas y las gasas, en medio del ajetreo de las inyecciones, ni el doctor Zea ni los demás médicos se dieron cuenta de que había caído la noche. Sólo miraron el reloj de la pared cuando Julián Uribe, hermano del general, se asomó para anunciar que habían llegado los curas. Eran dos jesuitas de ademanes suaves que acompañaron al general durante una hora larga, a pesar de que el periodista Joaquín Achury trató de señalar que Uribe Uribe no hubiera estado de acuerdo: después de todo, había denunciado hasta el cansancio los desmanes de la Iglesia y rechazado sus indulgencias. «Yo sólo soy médico», dijo Zea, «y estos asuntos no me corresponden. Además, el general está inconsciente». Tan pronto como lo dijo, Uribe Uribe comenzó a lanzar gritos de rechazo: «¡No, no!», decía. Y también: «¡Ustedes! ¡Ustedes!» Las palabras terminaron en un vómito sanguinolento. Un sudor frío empapaba la frente y el cuello del herido. «Ya llega el fin», dijo alguien. El doctor Zea apartó las botellas de agua caliente para tomarle la temperatura al general, y luego el pulso, que se había ausentado de los antebrazos y era sólo detectable en las carótidas. La multitud de la calle había dejado de gritar. Y entonces Zea vio al herido abrir los ojos, apretar la cabeza contra la almohada y repetir con voz de espanto la misma frase. «¡Lo último!», dijo. «¡Lo último! ¡Lo último!»

El general Rafael Uribe Uribe, de cincuenta y cinco años de edad, senador de la República, líder del Partido Liberal y veterano de cuatro guerras civiles, murió a las dos de la madrugada del viernes 16. Las ventanas estaban abiertas a pesar del frío de la noche bogotana, y unas hermanas de la caridad se habían agachado a rezar en un rincón, junto a una colección de cuatro caracolas que el general había traído de sus viajes, mientras dos mujeres indígenas, más diligentes, comenzaban a lavar el cuerpo muerto. El agua que le echaban en la cabeza le bajaba por el cuello convertida en un suero rosáceo, y en los ojos se le armaban pozos delicados que una de las mujeres secaba con golpecitos de tela, mientras lloraba y se pasaba la manga por los ojos vivos: un eco macabro de los otros ojos, muertos pero también húmedos. Limpio y con la cabeza cubierta de vendas, el general fue puesto en un ataúd abierto, y el ataúd, en el centro del salón principal. En las horas que siguieron, los familiares pasaron a verlo por última vez y a llorarlo con ese llanto especial que se derrama por un asesinado: ese llanto de estupefacción y también de rabia pura, de impotencia y de dolorosa sorpresa, ese llanto que se derrama también contra todos los que hubieran podido evitar el crimen y no lo hicieron, contra los que supieron que el asesinado corría peligro y no quisieron darle aviso, tal vez creyendo que hablar de cosas malas es invocarlas, abrir una puerta para ellas en nuestra vida, acaso permitirles la entrada.

Los médicos legistas llegaron a media mañana de aquel 16 de octubre, justo cuando un joven artista le hacía al general Uribe una máscara de yeso. Los encargados de la autopsia fueron dos doctores, Ricardo Fajardo Vega y Julio Manrique, y tres asistentes de la Oficina Médico-Legal; entre todos tomaron notas, escribieron palabras como *zona biparietal posterior* y *herida del cuero cabelludo*, sacaron una cinta métrica y escribieron *Dirección transversal. Doce centímetros.* Entonces cortaron el cuero cabelludo de una oreja a la otra, separaron la calota y encontraron el segmento donde el hacha había destrozado el hueso. El doctor Fajardo ordenó la medición de la herida (el resultado fue ocho y medio centímetros de largo por cuatro y medio de ancho), y Julio Manrique pidió unas tijeras para cortar las meninges, seccionó el bulbo con un bisturí y extrajo el cerebro del general Uribe, con las dos manos, como si levantara del suelo una paloma moribunda. Lo puso sobre la báscula. «Mil quinientos gramos», dijo. Los legistas reconstruyeron entonces el cráneo y comenzaron a examinar el cuerpo. El abdomen y los intestinos estaban perfectamente sanos y en los pulmones no había un solo tubérculo: a juzgar por el tono de los tejidos, cualquiera hubiera pensado que el general no se había fumado un cigarro en toda su vida. Todos estuvieron de acuerdo en que le quedaban todavía unos treinta años de vida.

En la madrugada del 17, los asesinos fueron llevados a reconocer el cadáver del general Uribe. El velatorio tenía lugar en el Salón de Grados, una gran mole de piedra colonial de la carrera sexta que había sido claustro de religiosos y universidad incipiente, y en la cual había pasado meses encerrado Francisco de Paula Santander, mientras se juzgaba su responsabilidad en la conspiración que intentó matar a Bolívar en 1828. Para la cámara ardiente, la Policía había dispuesto que se hicieran dos corredores, uno de entrada y otro de salida, de manera que la multitud circulara sin peligro ni desorden, y miembros del ejército con uniforme de parada llegaron para acompañar o quizá proteger el ataúd. Por el catafalco pasó un desfile de gentes de todas las razas, de todas las clases sociales, de todas las ocupaciones, que no querían más que dejarle al general su aflicción inconsolable, echarle una mirada a un muerto ilustre por curiosidad y morbo o discutir, con quien quisiera escucharlos, su versión del crimen y su teoría sobre las razones del asesinato. Y hasta allí llegaron, acompañados de un agente de Policía y del jefe de Investigación, Leovigildo Galarza y Jesús Carvajal.

A esa hora quedaba ya poca gente en el salón, pero la que quedaba hubiera bastado para provocar una verdadera catástrofe: en cualquier momento los partidarios del general, hombres heridos y con ganas de buscar venganza, se hubieran podido lanzar sobre los asesinos para lincharlos a la vista de todo el mundo. Pero en el Salón de Grados no ocurrió nada; los asesinos no fueron víctimas de ningún ataque a golpes, ningún ahorcamiento, ningún destrozo de ropas, ningún arrastre por las calles del centro ni humillación ninguna. Llegaron hasta el cuerpo de su víctima y pusieron su mirada resbalosa en el rostro muerto como si fueran dos visitantes cualesquiera. Para ese momento, ya su responsabilidad en el crimen era un hecho establecido, pues los agentes que los habían arrestado los reconocieron sin titubeos en rueda de presos —la ruana, el sombrero de jipa— y aportaron enseguida la evidencia incautada: las hachuelas con un hueco en el mango y una cabuya en el hueco, y la sangre del general recién seca sobre los filos. Y sin embargo allí, en el Salón de Grados, frente al cuerpo sin vida de su víctima, los dos asesinos respondieron a las preguntas del jefe de Investigación negando su responsabilidad en los hechos.

Sí, habían conocido al general.

No, no sabían cuál era la causa de su muerte.

No, no lo habían atacado ellos.

No, no sabían quién hubiera podido atacarlo.

Después del reconocimiento legal, el jefe de Investigación y el agente de Policía condujeron a los asesinos a la salida del salón. El agente iba a la izquierda, llevando del brazo a uno de los asesinos, y el jefe de Investigación, haciendo lo mismo, caminaba a la derecha. Iban tan distraídos, dijo un testigo, que los asesinos hubieran podido echar a correr: era como si nadie los estuviera cuidando: era como si se confiara en ellos.

Fueron los funerales más fastuosos que había visto el país en mucho tiempo. Alguien escribió luego, con esa grandilocuencia tan bogotana, que la ciudad se había vestido de Roma para despedir a su Julio César. (El símil no era afortunado: como contestó alguien más en los periódicos de los días siguientes, a Julio César lo asesinaron por

tirano.) Los artículos de la prensa hablarían de una ceremonia con gallardetes y banderas y palabras del arzobis-
po, y luego una marcha fúnebre que rodeaba el ataúd para
llevarlo al cementerio, y luego carruajes con coronas que
pasaron en estricto orden: primero el del presidente, luego
el del delegado apostólico, luego los de las cámaras legis-
lativas y la Corte Suprema de Justicia, luego los del Partido Liberal. Eran tantas coronas que la plaza se llenó con
el olor de las flores, y el olor acompañó al cortejo por la
calle Real y luego por la de Florián. De las calles adyacentes entraba más y más gente a unirse a la comitiva; alguien
dijo que en estos momentos Uribe era más importante que
Bolívar. Desde todos los balcones los miraban las mujeres
y los niños vestidos de negro, niños tristes que seguían fiel-
mente la instrucción de la tristeza. En el cementerio, nueve oradores, de senadores y representantes a periodistas y
militares, dieron discursos a voz en cuello, y así los bogotanos supieron que el país había *dejado de lado los odios
partidistas* y *llorado con un solo llanto por la memoria del
gran hombre sacrificado* y que *ante el féretro callaron las
pasiones de los hombres.* Pero la verdad era muy distinta:
por debajo de la superficie calma, las pasiones silenciadas
y el llanto unánime, los allegados de la familia Uribe comenzaron a darse cuenta de que a su alrededor estaban pasando cosas muy extrañas.

Primero que todo, estaba el asunto molesto de la
instrucción. Se había puesto en marcha, como era debido,
al día siguiente del crimen; le había correspondido, según
los procedimientos legales, al inspector primero municipal,
un abogado que ya había ejercido labores de fiscal y cuya
idoneidad, por lo tanto, estaba bien acreditada. Pero apenas había comenzado a trabajar, recibió la noticia de que
el proceso ya no le correspondía: el presidente de la República le había pedido personalmente a Salomón Correal,
director de la Policía, que se hiciera cargo. ¿Desde cuándo
podía el presidente asignarle a quien quisiera una instruc-

ción criminal? ¿Cómo era posible, además, que se le asignara la instrucción a un hombre que no tenía ni los estudios ni los conocimientos ni la experiencia para llevar a cabo la investigación debida? Pero lo más inquietante era que la decisión presidencial no constaba en ninguna parte. No estaba escrita en ningún documento, no aparecía en ningún oficio, no había de ella ninguna prueba tangible. No existía.

El director de la Policía, Salomón Correal, era un hombre de reconocidas simpatías conservadoras y temperamento autoritario. Su reputación le seguía desde principios de siglo, cuando participó en las intrigas que un grupo de conservadores llevó a cabo para retirar del gobierno al presidente legítimo, el octogenario Manuel Sanclemente, y reemplazarlo por uno que les resultara más afín. Las leyendas y la verdad se mezclaban en la memoria de la gente, pero una versión terrible contaba que Correal, siendo prefecto de la población de Guaduas, había arrestado a Sanclemente, lo había atado a una silla, lo había insultado y golpeado como si fuera un ladrón de calle y no un presidente de más de ochenta años, y luego lo había encerrado en una caja de vidrio y había puesto la caja bajo el sol del mediodía, todo ello para obligarlo a retirarse del poder. Cuando fueron a sacarlo de la caja de vidrio, cuyas paredes se habían empañado con la violencia del calor, el anciano Sanclemente se había desmayado de agotamiento y deshidratación, pero nunca les dio a sus torturadores el gusto de su renuncia. La sevicia del prefecto de Guaduas había corrido como un mal rumor por el país, y cuando murió Sanclemente, dos años después de esos hechos macabros, la gente estuvo de acuerdo en que no había muerto de muerte natural: lo habían matado las vejaciones y los dolores que le infligieron sus enemigos. Y entre sus enemigos, Salomón Correal.

De manera que su presencia en el proceso no les inspiraba ninguna confianza a los seguidores del general

Uribe. Todo lo que hacía Correal estaba rodeado de oscuridad: tan pronto como recibió del presidente la orden de hacerse cargo del sumario, le asignó al jefe de Investigación de la Policía la tarea de recoger las declaraciones de los testigos del crimen; tres días después, sin embargo, lo había destituido con inquietante eficiencia y sin darle derecho a un mínimo pataleo. El jefe de Investigación se llamaba Lubín Bonilla, y era un funcionario reconocido por su probidad y también por su testarudez, así que su destitución parecía difícil de justificar. Pero Salomón Correal lo acusó de «propalar por lo bajo especies insidiosas contra el gobierno, que luego repitió en un telegrama». Y le quitó el proceso.

El telegrama al que se refería Correal en su versión era ya la comidilla de la sociedad bogotana. Poco después de su destitución, Bonilla se lo había enviado a un conocido; éste, sin avisar ni pedir permiso, lo hizo publicar en un periódico. El telegrama contenía una acusación que no era para tomar a la ligera —Cuando empezaba a brillar luz, quitáronme investigación—, y en Bogotá se preguntaba la gente si el tal Bonilla habría estado a punto de recibir alguna revelación importante. Aquí y allá, en conversaciones casuales que se habían repetido y distorsionado, Bonilla se quejaba de que le hubieran quitado el proceso justo cuando iba a ordenar un careo entre los dos asesinos; se le había oído también decir que el señor Correal había interferido de mala manera en la investigación, imponiendo su presencia en los interrogatorios a pesar de que la ley lo prohibiera, e incluso llevándose un dedo a los labios cuando se le hacía alguna pregunta al asesino, como diciéndole que callara. Pero éstos no eran los rumores más graves que circulaban acerca del director de la Policía, pues ya para el momento de la destitución de Bonilla, la familia de Uribe se había enterado del asunto gravísimo de un testigo misterioso: el hombre llamado Alfredo García.

Tenía treinta y pocos años, vestidos desordenados y pelo lacio, y en su boca sin dientes brillaba una pieza de oro. Como otros simpatizantes del general, Alfredo García se había hecho presente en su casa la noche de su agonía, y desde el principio se acomodó en el descanso de las escaleras, hablando en voz baja y discutiendo con los demás lo que acababa de suceder. Todos tenían sus propias especulaciones sobre el crimen y sus culpables; las decían a viva voz, y la casa se llenaba con ellas. El señor Tomás Silva, amigo de la familia Uribe, dueño de una zapatería que más de una vez había vendido botas al general, estaba pasando junto a las escaleras de la casa cuando oyó a García decir esta frase dirigida a nadie:

«Si supieran quiénes son los compañeros de Galarza y Carvajal en este acontecimiento, otra cosa fuera».

Tomás Silva lo interrogó de inmediato: «¿Qué quiere decir? ¿Qué sabe usted?»

«Tiene que decirle todo lo que sabe a la Policía», le dijeron.

Fueron a ver al funcionario de instrucción. El funcionario escuchó con interés, pero les dijo que a estas horas tardías no les podía recibir declaración alguna, que deberían regresar al otro día. Eso hicieron: a la mañana siguiente, muy temprano, García y Silva regresaron a las oficinas de la Policía. El director, Salomón Correal, los esperaba en el zaguán.

«Ya sé el asunto de que me vienen a tratar», les dijo. Le dio a Silva una palmada en el hombro: «Tenemos que hablar de este asunto». Y luego: «Espérenme y hablamos».

Entró al edificio y los dejó solos. Silva y García creyeron que había ido a buscar algunos papeles, o un secretario para tomar una declaración, y esperaron a que regresara. Esperaron diez, veinte minutos, una hora, dos horas. Pero el general Correal nunca volvió a salir. A las once de la noche, García y Silva comprendieron que el general Correal, por razones que nadie entendía, había preferido no recibir la declaración.

Durante unos días pensaron qué hacer. Al final, un abogado le sugirió a Tomás Silva que reuniera a dos testigos y obtuviera la declaración por escrito. Silva convocó al local de su zapatería al señor García y a dos ciudadanos de apellidos Vásquez y Espinosa. Una vez allí, sacó un exfoliador y una pluma y los puso sobre el mostrador. A García le dijo (pero era más bien una orden):

«Ahora sí, escriba lo que vio».

Era lo siguiente: la víspera del crimen, García pasaba por la carpintería de Galarza, después de haber intentado tomarse un refresco en una tienda vecina, cuando vio a los dos asesinos, a Galarza y a Carvajal, hablando con un grupo de hombres de traje elegante, las cabezas cubiertas por sombreros de media calabaza. Estaba oscuro y García no se fijó en las caras de los hombres del grupo, pero sí le llamó la atención que gente tan bien vestida estuviera conversando con dos obreros a esas horas de la noche. Al pasar junto al grupo, García alcanzó a oír a Galarza. «Si nos dan lo que pedimos, lo hacemos», dijo. «Si no, no hay nada». «Hable más pasito», le reclamó uno de los señores, «que ahí hay alguien poniendo bolas». Se metieron todos al local de Galarza y cerraron la puerta. A García le pudo más la curiosidad que el sueño, y esperó cerca de una hora recostado contra la casa del señor Francisco Borda, caminando la calle de arriba abajo, muriéndose de frío. Cuando al fin los vio salir, se escondió tras la esquina de la carrera décima y desde allí oyó la voz educada de uno de los señores: «Todo arreglado, entonces». «No hay cuidado», respondió Galarza o tal vez Carvajal. «Esto lo vamos a hacer muy bien». Y Carvajal o tal vez Galarza añadió: «Esto lo van a ver ustedes muy bien hecho». El testigo leyó en voz alta lo que acababa de escribir y luego dibujó su firma con más arabescos de los necesarios. Pero nada de esto interesó a Correal. Nunca llegó a saberse quiénes eran los hombres que hablaron con los asesinos esa noche; nunca llegó a investigarse la validez del testimonio de García.

Esas negligencias llegaron pronto a oídos de Julián Uribe, el hermano mayor del general. Era un hombre de cuello largo y bigotes firmes, y siempre se había comportado más como un segundo padre que como un cómplice de andaduras. En su ceño relajado había algo sereno que el general nunca había tenido, como si en vez de dos años le llevara dos vidas. Desde el principio se había involucrado en el proceso penal, siguiéndolo de cerca, interesándose en sus pormenores, y también tenía sus propias preocupaciones, sus propios reparos a la manera en que se había llevado todo. A comienzos de ese mes de noviembre, se había dirigido a la oficina de Salomón Correal. Llevaba un documento escrito por su propia mano: una minuta en la cual constaban ciertas informaciones que había conseguido por su propia cuenta después de varios días de pesquisas. Así como él mismo había llevado a cabo la recopilación de aquellos datos, él mismo se había encargado de redactarlos y él mismo quería entregárselos al director de la Policía, porque le parecían de suficiente importancia y porque se había dado cuenta de que no podía confiar en mensajeros.

Se trataba de las declaraciones de doce testigos. Con distinta precisión y distintas anécdotas, los doce venían a describir una suerte de paseo o de visita que habrían hecho al salto del Tequendama los asesinos del general Uribe. El salto, un brutal corte de montaña donde el río Bogotá va a despeñarse, era uno de los principales destinos turísticos de los bogotanos, y nada reprochable había en que un grupo grande de trabajadores pasara allí un día de descanso: de hecho, las sociedades de artesanos que existían en Bogotá solían programar salidas de esparcimiento, y el salto, con el espectáculo de su cascada que le quitaba el aliento al más acostumbrado, con ese aire siempre neblinoso que le daba un ambiente de cuento a la montaña cubierta de árboles altos, solía ser la primera opción para muchos. Pero aquel paseo, que según las versiones de los testigos habría tenido lugar en el mes de junio, alrededor de la fiesta de San Juan, no había sido un paseo como cualquier otro, pues los asesinos —siempre según las versiones de los testigos— no estaban solos: iba con ellos un hombre de más alto nivel social, vestido de ruana oscura y sombrero de jipijapa, que había pagado de su bolsillo el flete de dos carros de resorte y que incluso habría puesto los mil pesos de un piquete para diez personas. Era Pedro León Acosta.

Y eso lo cambiaba todo.

Pedro León Acosta era un hombre siniestro, uno de los más siniestros de aquella época en que el país no carecía de hombres siniestros. Tenía el párpado del ojo izquierdo levemente caído, lo cual le daba a su mirada un aire desconfiado y a la vez inquietante, y las orejas puntiagudas de un duende perverso: un duende que era también un jinete capaz y un tirador aceptable. Su familia, de larga tradición conservadora y católica, era propietaria de extensos latifundios en el pueblo de Sopó y las serranías que rodean Ubaté. Pero Pedro León Acosta no inspiraba respeto, sino el temor que inspiran en toda familia de bien las ovejas descarriadas, aquellos hijos que no sólo le han hecho daño al mundo, sino que les han roto el corazón a sus padres. Cuando una familia como la de Acosta produce a un hijo como Pedro León, ese accidente nos parece más temible, pues hay algo de mal gratuito en esa jugada de la fortuna: casi como el testimonio de que Dios se ha olvidado de ellos. Lo que no se les había olvidado todavía a los bogotanos, sin embargo, era que aquel hombre que se vestía de ruana y sombrero elegante y salía a revisar a caballo el estado de sus propiedades, ese hombre que andaba armado aunque sólo fuera a encontrarse con perros callejeros en el camino, no era ni siquiera como las demás ovejas descarriadas de las demás familias de bien de las que Dios se ha ido. No, no era como los demás: ocho años atrás, había tratado de matar al presidente de la República.

*

A comienzos de 1905, Pedro León Acosta y su hermano Miguel se habían unido a los tres hermanos Ortega, hijos de otra familia conservadora, para conspirar contra el presidente Rafael Reyes, a quien veían demasiado débil frente a las pretensiones liberales. Los planes eran el fruto de un largo resentimiento. De Reyes se desconfiaba porque había dicho una vez que su deber era gobernar para todo el país, no sólo para su partido; se decía también que iba a darle el cargo de ministro de Guerra al general liberal Benjamín Herrera, y los conspiradores no estaban dispuestos a permitir que se hiciera esa concesión al enemigo. Pero lo más intolerable era su acercamiento al general Rafael Uribe Uribe, un ateo que se había levantado en armas contra la patria y pedido la revocación del concordato con la Iglesia católica. En la guerra del 95, el presidente Reyes lo había derrotado; ahora, por lo que se decía, iba a permitirle hacer parte del gobierno. ¿De qué servía ganar las guerras en nombre de Dios y de Colombia si luego se entregaba el país a los vencidos?

En una tarde que luego se contaría como se cuenta una leyenda, se reunieron veinte jinetes conservadores frente al valle de Sopó, y allí mismo, ante la gigantesca montaña dormida como una bestia, haciendo la señal de la cruz con el índice y el pulgar de la mano derecha y sosteniendo en la izquierda una copa de champaña, juraron derrocar a Reyes y brindaron por la suerte de la empresa. No contaban con que sus planes se sabrían, pero eso fue lo que pasó: se supieron. Y sin embargo, las consecuencias no fueron las que hubieran podido temerse, pues don Anatolio Acosta y don Senén Ortega, jefes de las dos familias, eran además amigos del presidente Reyes. Eso les granjeó a los conspiradores ciertos privilegios: el presidente, a quien habían llegado los rumores de conspiración, los citó a todos a Palacio —a los padres, a los hijos y al cura párroco— y les pidió, como si se dirigiera a niños traviesos, que abandonaran sus planes. Les aseguró que no tenía ninguna intención de nombrar a un liberal en el Ministerio de Guerra; para apaciguar a los conspiradores, le ofreció a Acosta la dirección de la Policía Nacional y a su hermano un cargo de representante del gobierno en una escuela militar de Chile. A pesar de la cordialidad con que Acosta recibió las ofertas, a pesar de las sonrisas y los abrazos con que se despidieron, en diciembre se enteró el presidente Reyes de que las conspiraciones continuaban. El general Luis Suárez Castillo, comandante del Ejército, llevó a cabo una serie de arrestos. Pero ni los Acosta ni los Ortega —los hijos de los amigos— fueron a prisión.

En 1906, a principios de febrero, los servicios de inteligencia le llevaron al presidente Reyes la confirmación de los rumores: el atentado ocurriría entre el día 10 y el 12. Reyes se negó a limitar sus excursiones y también a aumentar su pie de guardia; el día 10, a eso de las once de la mañana, recogió a su hija Sofía en el Palacio de San Carlos y se dirigió con ella a su recorrido rutinario hacia el norte de Bogotá. El landó iba casi cerrado: a pesar de que Sofía sufría de mareos, esta vez había insistido en que no abrieran más que la parte de adelante, para proteger a su padre de las corrientes que podían resfriarlo. Bajaron a la plaza de Bolívar y luego se dirigieron al norte por la calle de Florián y la calle Real. Al pasar junto a la iglesia de las Nieves, el presidente levantó la mirada al cielo, se quitó el sombrero y rezó una oración. En la esquina del parque de San Diego se fijó en tres jinetes que se movían con aire de esperar a alguien, y se fijó también en que los jinetes se fijaron en él. Pensó que eran asesinos; pensó, también, que bajarse a confrontarlos sólo les facilitaría la tarea de asesinarlo. Así que siguió adelante. Al llegar a la quinta de la Magdalena, en la zona que llamaban Barro Colorado, se dio cuenta de que eran ya las once y media de la mañana y había que regresar a Palacio. Dio la orden al cochero; cuando el coche comenzó a girar para volver por donde habían venido, se encontró con que los tres jinetes lo habían seguido hasta allí. Uno se plantó delante del coche. Los otros dos, desde atrás, se apartaron las ruanas, sacaron las pistolas y empezaron a disparar.

«¡Dispare usted también!», le gritó Reyes a su único escolta, el capitán Faustino Pomar. Y al cochero le dijo: «¡Arranque, Vargas! ¡Pásele por encima!» Bernardino Vargas, el cochero, azotó a los caballos y el coche dio un corcoveo; al ver que el aparato se le venía encima, el hombre que les había cerrado el paso se hizo a un lado, rodeó el coche y comenzó a disparar. El presidente contó cinco tiros y lo turbó el hecho de que ninguno los hubiera herido. «¡Cobardes!», gritaba Sofía. «¡Asesinos!» El capitán Pomar siguió disparando hasta quedarse sin balas; entonces se dieron cuenta de que los atacantes escapaban cabalgando hacia el norte. El presidente Reyes confirmó que Sofía no estaba herida, pero confirmó también que se habían escapado por muy poco: el landó tenía varios agujeros, y había uno en el ala del sombrero de su hija. «Dios nos ha salvado», dijo el presidente: minutos antes le había rezado una oración breve pero sentida al Santísimo de la iglesia de las Nieves, y ahora el cielo le correspondía con un milagro. Lo siguiente fue dirigirse a la Oficina de Telégrafos y empezar a emitir órdenes. El presidente mandó que se telegrafiara a La Calera, al Puente del Común, a Cajicá: todos los pueblos por donde pudieran pasar los atacantes en su huida. Había comenzado la cacería.

El 28 de febrero se publicó el siguiente bando:

El Director general de la Policía Nacional cita y emplaza a Roberto González, Marco A. Salgar, Fernando Aguilar y Pedro León Acosta para que se presenten en la Oficina de la Dirección o en la casa particular del Director, en el término de la distancia del lugar en donde se encuentren, a responder de los cargos que pesan sobre ellos con motivo del atentado del diez del presente contra el Excmo. Sr. Presidente y su hija la Sra. Sofía R. de Valencia.

Si así lo hicieren, se tendrá en cuenta su preocupación, pero de lo contrario, se les aplicará todo el rigor de la ley.

A todo individuo que oculte, tenga correspondencia, suministre bagajes y dé noticias o alimentos a los citados, se le entregará a la Corte Marcial para que sea juzgado como cómplice, auxiliador o encubridor. En cambio, cualquiera persona que dé aviso del paradero o asilo, o entregue a los emplazados, recibirá una gratificación de $100.000 por cada uno de los tres primeros nombrados y de $200.000 por Pedro León Acosta, y se promete guardar en reserva el nombre del denunciante.

Identificados los atacantes, ofrecida una recompensa jugosa, sólo era cuestión de tiempo para que cayeran. Un tal Emeterio Pedraza, que al parecer era amigo íntimo de los tres asaltantes, los denunció a comienzos de marzo y cobraría la recompensa. González, Salgar y Aguilar fueron capturados y llevados ante un consejo de guerra, que calificó el ataque con el agravante de hacerse «en cuadrilla de malhechores» y sentenció a los denunciados a ser «pasados por las armas en el mismo sitio en que se cometió el delito». Nunca se había documentado un fusilamiento de forma tan exhaustiva. Ahí quedarían, en una foto conocida, los cuerpos de los tres asaltantes más el instigador Juan Ortiz, de quien se decía que había estado con los asaltantes el sábado anterior al atentado, brindando con aguardiente en la Bodega de San Diego. Sí, ahí quedarían todos, sentados en bancos de madera y ya sin vida, las manos atadas por detrás y los cuerpos desgonzados, y uno de ellos, por lo menos, con los ojos cubiertos con una venda blanca. En otra foto se ve a los demás conspiradores, parte de cuya pena fue la obligación de presenciar el fusilamiento. ¿Cuántos habrán apartado la mirada? ¿Cuántos habrán deseado en ese momento que una venda blanca les cubriera los ojos? ¿Habrá alguno visto la muerte de los otros? ¿Habrá brevemente pensado *Yo hubiera podido ser ese hombre que ya está muerto* o tal vez *Ahora muere un hombre y no soy yo?* No podemos saberlo con certeza, pero ahí están: también sentados en bancas y rodeados de policías, en una escena que podría hacer parte de una fiesta pública, de una representación teatral en plena calle. Ahí están todos los que conspiraron contra el presidente Reyes. Todos, es decir, menos uno. Pedro León Acosta no estaba. Se había escapado del cerco de la Policía.

¿Cómo era posible? Era posible porque Pedro León Acosta no carecía de amigos entre la gente poderosa de Bogotá, muchos de los cuales compartían su animadversión hacia todos los conservadores blandos o cobardes, todos los que estaban entregando el país a los liberales ateos. El día mismo del atentado lo había llamado el coronel Abelardo Mesa para decirle que lo estaban buscando, y en cuestión de horas Acosta había bajado a caballo por la carrera 13 y salido de la ciudad a través de los campos del occidente. No pudo esconderse en la hacienda El Salitre, porque encontró la puerta cerrada con un candado irrompible, pero acabó llegando a los cerros de la hacienda San Bernardo y perdiéndose entre los árboles, donde nunca pensarían en buscarlo. Era uno de los parajes más fríos y húmedos de aquellas montañas, y allí tuvo que quedarse Pedro León Acosta mientras se calmaban los ánimos en Bogotá. Encontró una cueva en la montaña: era verdad que para entrar había que arrastrarse como una bestia, y era verdad que el fondo de la cueva era el lugar más oscuro que había conocido nunca, pero quedaba lejos de cualquier camino y de cualquier lugar habitado, y allí estaría a salvo.

Durante esos días, no enfermar le pareció un milagro; después, ya escondido en una choza que otros le habían levantado, siguió con atención los informes que le llegaban, y supo de la cantidad de hombres que se habían desplegado para encontrarlo y supo también del precio que pesaba sobre su cabeza. Se dio cuenta de que había empezado a desconfiar de todo el mundo. Viajando solo y de noche logró llegar a su casa; su intención era ver por última vez a su esposa, comer una comida caliente y descansar un poco bajo una cobija de lana antes de reanudar la larga huida. Pero la visita le dio otra idea. Hurgó en el armario de su esposa; encontró un vestido amplio que no le presionaba demasiado el diafragma. Disfrazado de mujer, siempre viajando de noche, llegó al río Magdalena, se embarcó en un transportador de la United Fruit Company que iba a Panamá y en cuestión de días había llegado al lugar que sería su refugio —su exilio, decía— hasta el fin del gobierno de Reyes: San José de Costa Rica.

No se volvió a saber de él.

Años después, cuando el presidente Rafael Reyes entregó el poder, el perdón y el olvido (o una mezcla de los dos) fueron alcanzando y beneficiando poco a poco a sus antiguos enemigos. Cuando Pedro León Acosta volvió en secreto al país, hacia 1909, se dio cuenta de que sus antiguas culpas se habían transformado en leyenda: eran algo de lo cual podía jactarse en público. Y lo hacía: solía decir, de viva voz a veces y a veces por medio de la imprenta, que nunca se había arrepentido de conspirar contra el general Reyes, y que había sido la cobardía de otros que no lo habían seguido, así como la deslealtad más que probable de quienes lo habrían delatado por dinero si se hubiera quedado en Colombia, lo que lo obligó a irse. Para 1914 ya no sólo no era un fugitivo, sino que muchos colombianos, de todas las proveniencias sociales y no necesariamente de sus mismas filiaciones políticas, lo miraban con respeto: con el respeto reservado desde el comienzo de los tiempos a los conspiradores que han salido airosos.

A finales de noviembre, Julián Uribe se reunió con Carlos Adolfo Urueta, yerno del general Uribe, para tomar una decisión sobre aquella situación preocupante. Correal estaba manipulando el proceso y a nadie parecía importarle; a Pedro León Acosta lo habían visto en compañía de Galarza y Carvajal y no se había seguido esa pista, ni se había hecho ninguna investigación, y de los doce testigos que dijeron haber visto a Pedro León Acosta con los asesinos del general Uribe, sólo se había hecho declarar a dos. Uno de ellos, que antes había asegurado reconocer a Galarza por las fotos de los periódicos, en la nueva declaración se retractaba sin que nadie supiera bien por qué, y sólo recordaba haber hablado de artesanos en general, no de haberlos identificado con exactitud. El otro, un vecino de la estación de Tequendama que alquilaba carros para ganarse la vida, confirmó que Acosta había sido uno de sus clientes y que se había llevado el carro alquilado al salto del Tequendama, pero nada decía de los acompañantes. Para Julián Uribe, todo lo anterior resultaba en una evidencia: aun si los testigos no podían o no querían identificar a Galarza y a Carvajal, se había comprobado que Pedro León Acosta había estado en aquel lugar en compañía de un grupo de artesanos, y había más que un indicio probable de que Galarza y Carvajal hubieran podido encontrarse entre ellos. ¿No era apenas lógico seguir indagando en ese sentido, confirmar la identidad de todos los miembros del grupo y averiguar si era cierto, como lo decían los diez testigos restantes, que allí habían estado los asesinos? Pero nada de eso se había hecho. Era como si el fiscal del caso, el célebre Alejandro Rodríguez Forero, quisiera evitar que su testimonio fuera tenido en cuenta en el sumario: como si quisiera fingir que no existían. Y esa tarde de noviembre, Julián Uribe y Carlos

Adolfo Urueta decidieron que, en vista de las circunstancias, sólo les quedaba una opción: hacer su propia investigación sobre el crimen.

¿Pero a quién encargársela? ¿Quién sería lo bastante osado como para enfrentarse a Salomón Correal y al fiscal Rodríguez Forero, y gritar a los cuatro vientos que las autoridades del país estaban llevando con irresponsabilidad y negligencia el proceso criminal más famoso de la historia colombiana? ¿Quién sería tan temerario como para aceptar este encargo? ¿Quién sería, además de temerario, tan leal a la memoria del general Uribe como para meterse en semejante lío? Tenía que ser un liberal convencido; tenía que ser un abogado, para que supiera de procedimiento penal y de técnicas de investigación; tenía que ser simpatizante y hasta partidario incondicional del general Uribe, y mucho mejor si era además su amigo. Fue Carlos Adolfo Urueta quien lo dijo primero; pero cuando el nombre flotó en el aire de la habitación, a los dos les pareció que siempre había estado allí: Marco Tulio Anzola.

Anzola tenía veintitrés años en ese momento. Era un abogado joven, pero era dueño de una reputación profesional bien establecida desde los días de su trabajo como funcionario de Obras Públicas. Era, sobre todo, un hombre contestatario y audaz, y había sido amigo del general Uribe durante los últimos años —o más bien el general Uribe había sido su mentor y su protector y su padrino, lo había tomado bajo su ala y le había conseguido sus primeros puestos de trabajo—. Tenía el pelo oscuro y unas entradas demasiado profundas para su juventud, y un bigote sin distinción y unos ojos que no parecían muy vivos a primera vista, pero a Julián Uribe no le cabía la menor duda de que era el hombre indicado para esta misión.

De manera que a principios de diciembre, una noche fría como son frías en Bogotá las noches de cielos despejados, Julián Uribe y Carlos Adolfo Urueta llegaron a casa de Marco Tulio Anzola con un maletín lleno de papeles. A lo largo de una hora le hablaron de Alfredo García, de los hombres bien vestidos que habían visitado a los asesinos la víspera del crimen, de los testigos que habían hablado del paseo al salto del Tequendama, de Pedro León Acosta y de la minuta que Julián Uribe había redactado para explicar sus sospechas al general Salomón Correal, director de la Policía. Le dijeron que varios hechos los habían convencido de que la investigación del crimen del general Uribe estaba siendo manipulada para no permitir la entrada en el expediente de ninguna versión que no corroborara la del fiscal Rodríguez Forero: que Galarza y Carvajal habían actuado solos. Pero ellos creían que no era así, y creían haber reunido suficientes indicios para desconfiar de la investigación oficial.

«Queremos pedirle, joven Anzola, que haga usted una investigación paralela», dijo por fin Julián Uribe. «Que siga la pista de Alfredo García. Que siga la pista de lo del salto del Tequendama. Que siga la pista de Ana Rosa Díez».

«¿Quién es Ana Rosa Díez?», preguntó Anzola.

«¿No le hemos hablado del caso de Ana Rosa Díez?», dijo Carlos Adolfo Urueta.

«Me parece que no», dijo Anzola.

Y entonces le hablaron del caso de Ana Rosa Díez. Era una mujer joven, muy pobre, que durante los últimos meses le había lavado la ropa a Alfredo García. Pero eso no era lo importante: lo importante era que vivía con Eloísa Barragán, madre del asesino Galarza. Poco después de haber escrito su memorando en el exfoliador de Tomás Silva, García llevó a la señorita Díez a la zapatería y le pidió que repitiera allí lo que le acababa de contar. Ana Rosa obedeció. Varios días atrás, le dijo a Silva, estando ella en la casa donde vivía, recibió la visita de un sacerdote jesuita que preguntaba por la madre de Leovigildo Galarza. Cuando Ana Rosa Díez le dijo que la señora no estaba, el sacerdote sacó una tarjeta, garabateó unas palabras y le pidió a Ana Rosa que se la entregara. ¿Y qué decía la tarjeta?, preguntó Tomás Silva. Eso lo tenía que ver él con sus propios ojos, dijo Ana Rosa Díez. ¿Y dónde estaba la tarjeta?, preguntó Silva. Ella la podía traer a la zapatería, dijo Ana Rosa Díez: intentaría sacarla sin que la señora se diera cuenta. Pero cuatro días después, cuando por fin vino Ana Rosa Díez a enseñarle la tarjeta a Tomás Silva, éste había salido. Los empleados de la zapatería vieron la tarjeta, pero Ana Rosa no quiso dejarla. Volvió a llevársela y dijo que regresaría más tarde. Y nunca regresó.

«Pues es cuestión de ir a buscarla», dijo Anzola.

«Justamente ése es el problema», dijo Julián Uribe. «La señorita Díez desapareció».

«¿Cómo que desapareció?»

«Ya no está. No está en la casa de la madre de Galarza. No está en ninguna parte. Se la tragó la tierra».

«¿Y qué dice la Policía?», dijo Anzola.

«La Policía tampoco la encuentra», dijo Carlos Adolfo Urueta.

«Pero ustedes no creerán...»

«Nosotros», lo interrumpió Julián Uribe, «ya no sabemos qué creer».

Fue en ese momento cuando sintió que el hermano del general Uribe, su mentor y su maestro, estaba a punto de repetir su petición. Y Anzola no podía permitir que después se dijera eso de él: que se había hecho de rogar para encontrar la verdad sobre el crimen del general. Miró a Julián Uribe y dijo:

«Será un honor».

«¿Eso quiere decir que nos va a ayudar?», preguntó Julián Uribe.

«Sí», dijo Anzola. «Y además que será un honor».

A la mañana siguiente, muy temprano, cuando el aire de Bogotá todavía quema las narices, salió de su casa y caminó la decena de cuadras que lo separaban del lugar del crimen. La plaza de Bolívar estaba en calma. Anzola se acercó al Capitolio desde el norte, pasando frente a la Catedral y luego frente al colegio de los jesuitas, y notó en esos metros la presencia en la zona de varios agentes de la Policía. Llegó hasta el lugar exacto donde dos meses antes Rafael Uribe Uribe se había recostado contra la pequeña pared de piedra, con la cabeza sangrando profusamente, mientras los asesinos eran aprehendidos, cada uno por su lado, a poca distancia de allí. Supo reconocer el lugar porque al levantar la cabeza hacia la pared oriental del Capitolio, sobre la cual empezaba a pegar un sol tímido, vio una placa de mármol pequeña como una ventana de baño. Le pareció demasiado discreta, le pareció que la placa quería pasar desapercibida, le pareció que se avergonzaba por lo que decía o tal vez (pensó entonces Anzola) por lo que no decía:

A Rafael Uribe Uribe.
El Congreso de Colombia.
15 de octubre de 1914

Anzola pensó que este Congreso no se merecía haber tenido al general Uribe. Ni siquiera el país, este país donde amenazar de muerte es casi una rutina y donde no es infrecuente que se cumplan las rutinarias amenazas, se merecía las batallas que por su suerte y su futuro había librado el general Uribe. Luego se agachó junto al muro de piedra, tal como le habían dicho que había caído el general tras el ataque, y trató de ver el mundo desde allí: la calle novena, el colegio de los jesuitas, la Catedral, todo recortado contra el fondo azulenco del cielo matutino. Buscó en el muro de piedra el rastro que, tal como le habían dicho, había dejado una de las hachuelas asesinas, y no lo encontró. Buscó un vestigio de sangre, una mancha o la silueta de una mancha, y no sólo no encontró nada, sino que además se sintió estúpido por creer que hubiera podido encontrar algo. Pero en el fondo no le importó. Estaba contento consigo mismo, orgulloso de la misión que le había sido encomendada, seguro de que esta investigación inminente sería lo más importante que había hecho con su vida. No podía pensar que acababa de echar por la borda, con esa decisión honorable, todo lo que hasta ahora se le aparecía en la mente cuando pensaba en su futuro.

«Y ahí comienza todo, Vásquez», dijo Carballo. A eso de las doce del mediodía había salido de su caverna de monstruo, después de un murmullo de aguas que corría entre las paredes, vistiendo una camisa limpia y con el escaso pelo pegado a las sienes; y así, caminando en medias blancas por el apartamento, había empezado a hablar como si reanudara una conversación de siglos. «Sí, así comienza todo. Todo este lío monumental, que nadie conoce en este país nuestro, este país de desmemoriados y de crédulos, todo este desorden al que yo he dedicado más tiempo que a mí mismo, comienza ahí, en ese final de 1914, con ese jovencito llamado Anzola: un misterio de la historia, un fantasma que salió de las sombras con el crimen y cinco años después había vuelto a ellas, un hombre que llevaba una vida común y corriente y tal vez feliz, y al que le cae encima una obligación: la de sacar a la luz una conjura. Es la labor más noble que puede llevar a cabo una persona, Vásquez: desbaratar una mentira del tamaño de un mundo. Enfrentarse a gente que no lo pensará dos veces antes de hacerle daño. Y correr riesgos, siempre correr riesgos. Buscar la verdad no es un pasatiempo, Vásquez, no es algo que uno hace porque esté desocupado. No fue un pasatiempo para Anzola y no lo ha sido para mí. Esto no es mamando gallo. De manera que prepárese para lo que va a ver aquí, conmigo, en estos días que vienen y entre estas cuatro paredes. Porque esta historia le va a cambiar más de una idea. Lo que le pasó a Anzola en los años siguientes le trastocó a él la vida entera, de modo que no espere pasar por esto y salir como si nada. Aquí nadie sale indemne. Nadie, nadie, ni usted ni nadie».

VI. La investigación

Durante los últimos días de 1914 y los primeros del año siguiente, mientras la ciudad trataba de celebrar el nacimiento del Niño Jesús al mismo tiempo que sobrellevaba la muerte del general Uribe, Marco Tulio Anzola dedicó su tiempo y sus energías a averiguar cuanto pudiera sobre los testigos de los hechos: los que vieron el crimen, los que no lo vieron pero estaban en la zona, los que dijeron palabras importantes que el fiscal decidió no tomar en cuenta. Lo primero que notó fue lo predecible: ni al fiscal Rodríguez Forero ni a Salomón Correal, director de la Policía, parecía hacerles mucha gracia que este muchachito imberbe viniera a meterse en un proceso tan delicado. Pero Anzola comenzó a hacer preguntas y vio que la gente respondía, se movió por la ciudad y fuera de ella y escribió cartas y recibió contestaciones, y así fue enterándose poco a poco de varias cosas preocupantes. La primera fue el apodo que la gente de la calle había inventado para Salomón Correal: General Hachuela. Así le decían en todas partes, siempre cuidándose de no ser oídos por agentes o amigos del director de la Policía; y aunque un apodo vulgar no tenía ninguna importancia dentro de la investigación que Anzola estaba llevando a cabo, también era cierto que la gente sabe por qué dice lo que dice, y es cierto también, como le dijo una vez Julián Uribe, que la voz del pueblo es la voz de Dios.

«General Hachuela», repitió Anzola. «Yo no sé si la voz del pueblo sea la voz de Dios, pero por lo menos no se anda con atajos».

Con el proceso seguían ocurriendo cosas muy extrañas. A pesar de que el fiscal sabía ya lo que el testigo Alfredo García había visto en la carpintería de Galarza la víspera del crimen, a pesar de que conocía la existencia del documento que se había redactado y firmado sobre el mostrador de la zapatería de Tomás Silva, todavía no había citado a García para que hiciera una declaración oficial que pudiera tener valor legal en el proceso. ¿Por qué? Sí, era cierto lo que había dicho Julián Uribe: a veces parecía que el fiscal estuviera decidido a impedir o entorpecer cualquier versión del crimen que no fuera la de los dos asesinos solitarios, o la entrada en la instrucción de cualquier elemento que complicara el relato más simple. Tomás Silva lo iba a buscar cada tercer día, casi acosándolo en la calle cuando se lo encontraba, suplicándole sin éxito que tomara esa declaración. El fiscal contestaba con evasivas; decía que no había recibido el documento de García; decía que ya lo había pedido. Y los días pasaban sin que se investigara quiénes eran los seis hombres bien vestidos que habían estado hablando con los asesinos la noche del 14 de octubre.

Mientras tanto, una pregunta incomodaba a Anzola: ¿dónde estaba la tal Ana Rosa Díez? ¿Qué había ocurrido con la supuesta tarjeta que un supuesto sacerdote jesuita le había supuestamente dejado a la madre del asesino Galarza? ¿Qué interés podía tener ese pedazo de papel, como para que Ana Rosa Díez hubiera tratado de entregárselo a Tomás Silva? ¿Y qué relación tenía ese interés con la desaparición de la mujer? Anzola la buscó por todas partes. Fue a la casa de la señora Eloísa Barragán, la madre de Galarza, y no la encontró. Habló con la señora Barragán, que le pareció una mujer más astuta de lo que aparentaba, y sólo pudo saber que Ana Rosa Díez se había largado sin avisar, como los ladrones, y que había dejado sin pagar una quincena de alquiler. Su pieza había sido ocupada de inmediato, por supuesto; pero la nueva inquilina no estaba en este momento, y Anzola no pudo asomarse al interior de la pieza. Se le ocurrió entonces buscarla en la pieza del asesino Galarza, en el número 205A de la calle 16, pero al llegar allí, tres días antes de Navidad, se encontró con que un inspector municipal estaba terminando una diligencia de desahucio. Los objetos de Galarza y de su concubina, María Arrubla, habían acabado en la calle: ahí estaban todavía sus muebles, sus cajones, la triste escena de la ropa tirada en el andén, a la espera de que alguien la recogiera. Anzola se enteraría más tarde de que la diligencia de desahucio había incluido un hallazgo de importancia. Detrás de unas cajas de madera, bien escondida, el inspector tercero municipal había encontrado una hachuela afilada; a pocos metros de la hachuela, un mango de madera con un cordel de pita. Era una herramienta idéntica a las que habían sido usadas por los asesinos para atacar al general Uribe. Lo extraño era que no la hubieran encontrado los agentes de la Policía que, en la tarde del día del crimen, habían llegado hasta la pieza de Galarza y llevado a cabo una requisa exhaustiva.

«Es nueva», le dijo a Anzola el inspector municipal. «Está sin usar».

«Está afilada», dijo Anzola.

«Afiladísima», dijo el inspector municipal. «Lo raro es que esté aquí. Estas cosas no se usan en carpintería».

«Desjarretadoras», dijo Anzola.

«¿Qué?»

«Así las llaman», dijo Anzola. «Y no, lo raro no es que esté aquí. Lo raro es que no esté usada».

Fue a partir de ese día cuando Anzola comenzó a sufrir dos obsesiones: primero, que el crimen se había planeado mucho antes de lo que alegaban los asesinos, que seguían insistiendo en haber tomado la decisión la víspera, después de encontrarse en una chichería; segundo, que la tercera hachuela debía de pertenecer a un tercer atacante: alguien que, por razones imposibles de adivinar, nunca había llegado a usarla. ¿Habría otro atacante dispuesto a agredir al general Uribe ese día? Anzola empezó a hablar del tercer hombre cada vez que interrogaba a alguien, tratando de reconstruir el momento del crimen a través de nuevos testigos o de una nueva lectura de los testimonios existentes. Se dio cuenta de que la escena del crimen cambiaba como cambian nuestras memorias: con cada nuevo día, con cada nueva conversación, con cada minúsculo descubrimiento, las imágenes que se figuraba en su mente se volvían vaporosas, y aparecían hombres en lugares de la carrera séptima donde antes no había nada, y en cambio de la calle novena desaparecía alguna silueta que él siempre había creído fija. Comenzó a notar que lo miraban de reojo: ya los bogotanos se iban enterando del encargo que le había hecho la familia del general asesinado. «Ése es», oyó que decía alguien a sus espaldas una tarde, en el café Windsor. «Tan jovencito», dijo otra voz. «Uno no sabe para qué ponen a niños en trabajos de grandes». Y una tercera concluyó: «Pues yo creo que el niñito no llega a Año Nuevo». Cuando Anzola se dio la vuelta, sólo vio gente leyendo los periódicos. Fue como si nadie hubiera estado hablando.

Sí llegó a Año Nuevo. Se pasó esos días (el puente que va de un año al otro) repasando las declaraciones de los testigos, tratando de encontrar una referencia, aunque fuera indirecta, a un agresor distinto de Galarza y Carvajal. Los testigos hablaban del ataque, de los asesinos, de la víctima; hablaban de los que habían pedido auxilio y hablaban de los que habían auxiliado. Pero Anzola no sacaba nada en claro. A comienzos de enero, sin embargo, sus investigaciones lo condujeron a dos hombres a los que no se había tomado declaración ninguna antes, a pesar de la importancia de lo que tenían para decir.

Lo abordaron ellos, y no al revés. Anzola iba por la carrera octava hacia el norte cuando se le acercó un hombre de corbatín y empezó a caminar a su lado. Dijo que se llamaba José Antonio Lema y que había tratado de hacerse oír por los fiscales del caso Uribe, pero sin éxito. «No le vengo a hablar de lo que yo vi», dijo Lema, «sino de lo que vio otra persona. Espero que me crea». La otra persona era un tal Tomás Cárdenas, empleado del Senado, que estaba saliendo del Capitolio poco antes del crimen, y alcanzó a ver todo. «¿Todo?», dijo Anzola. «Sí, todo», dijo Lema. Cárdenas se lo había contado a él y a otros amigos en un café, y lo había hecho con tanta claridad que era imposible no dar por buena su palabra. «¿Y qué fue lo que vio?», dijo Anzola. Lema respondió: «Que había alguien más con los dos asesinos».

«¿Ah, sí?», dijo Anzola. «¿Y quién era?»

«Cárdenas no lo reconoció», dijo Lema. «Fue el primero que le pegó al general. Cárdenas vio el arma, aunque de lejos, y le pareció que era una manopla. Fue a contarle todo a la Policía, pero no le recibieron la declaración».

«¿Qué le dijeron?»

«Que estas informaciones no eran útiles», dijo Lema. «Que tergiversaban el asunto».

A mediados de febrero, el señor Tomás Cárdenas confirmó todo lo que había contado Lema. Contó que el día del crimen, a eso de la una de la tarde, estaba viendo los carteles de la pared que hay junto a El Oso Blanco cuando vio al general Uribe (aunque en ese momento ignoraba todavía que se tratara del general Uribe) caminando por la acera oriental del Capitolio. Entonces vio que no iba solo: un hombre de bigote, de traje negro y sombrero de media calabaza, lo seguía muy de cerca. El hombre del sombrero aceleró el paso, se le acercó por detrás al general Uribe, levantó la mano y le asestó un golpe fuerte en la cara. Cárdenas alcanzó a ver que algo brillaba en su mano levantada y le pareció que era una manopla.

«¿Y trató de darle esta información a la Policía?», le preguntó Anzola.

«Sí», dijo Cárdenas, «pero no me la recibieron. Me dijeron que se les torcería el asunto».

La imagen del hombre de la manopla no abandonó a Anzola. Su presencia no constaba en los primeros informes del crimen: era como un fantasma. ¿Sería el hombre al cual le estaba destinada la tercera hachuela, la que se había descubierto entre los trastos de Galarza? ¿Y por qué, si así fuera, habría decidido cambiar de arma antes del ataque? En cualquier caso, una cosa quedaba confirmada con respecto al hombre de la manopla: aunque no era posible saber de quién se trataba, sí lo era saber que no se trataba ni de Galarza ni de Carvajal: que se trataba, por lo tanto, de un tercer hombre.

Al llegar a su casa, Anzola se encerró en el comedor y se puso a revisar la autopsia. Un golpe con manopla no era lo mismo que un golpe con hachuela, y de esa diferencia debería haber quedado constancia en el examen de los forenses: a menos, claro, que Cárdenas hubiera mentido, o creído ver algo que no vio, o impuesto sobre la escena sus propias ansiedades. Pero no: ahí, en la autopsia, en negro sobre blanco, estaba el paso de la manopla por la piel y los huesos del general Uribe. *En la cara*, leyó Anzola, *al nivel del surco orbitario inferior izquierdo, hay una herida de dirección transversal, de 4 centímetros de longitud que interesa la piel y parte de los tejidos blandos, y tiene los caracteres de herida practicada con instrumento cortante. Sobre la región frontal izquierda se encuentra una erosión de la piel, con equimosis, de forma circular, y de un diámetro de 3 centímetros; esta lesión es causada con cuerpo contundente. En la región malar derecha hay una herida de la piel de centímetro y medio de diámetro, causada con cuerpo contundente, y una lesión semejante en la mejilla derecha. En el dorso de la nariz se encuentra una erosión de la piel de un centímetro de longitud causada con cuerpo contundente.* Cada vez que se le aparecía la palabra *contundente*, Anzola pensaba en la manopla, en la mano descendiendo sobre la cara del general Uribe, preparándolo para que las otras fieras llegaran con sus hachuelas a terminar el trabajo, a destazar a la víctima. Aquí estaba: aquí estaba la prueba de que alguien más había atacado al general, pues las heridas con instrumento contundente no habrían podido en ningún caso ser producidas por una de las hachuelas que portaban los asesinos Galarza y Carvajal. Anzola hubiera podido sentirse vindicado, pero se sintió triste. Se sintió solo.

Para no correr el riesgo de hacer juicios equivocados, fue a ver al doctor Luis Zea, uno de los médicos que habían tratado de salvarle la vida al general Uribe. En el consultorio, mientras esperaba, Anzola registró el esqueleto, los diagramas en las paredes, el armario de puertas cristaleras y los vidrios biselados de las puertas, que hacían juegos de colores con la luz blanca. A Luis Zea no lo conocía bien, pero Julián Uribe le había hablado de él en términos tan elogiosos, que Anzola se sintió en presencia de un amigo. No: de un cómplice. El mundo comenzaba a dividirse entre los que estaban con él y los que estaban contra él. De un lado, los que buscaban la verdad; del otro, los que querían ocultarla, echarle tierra encima. Sintió también que el mundo a su alrededor estaba comportándose de maneras incomprensibles. Por esos días, un periódico publicó un anuncio de los hermanos Di Domenico, los italianos que proyectaban películas extranjeras en el salón Olympia. La empresa de los Di Domenico ofrecía comprar por cien francos un argumento sobre la vida del general Uribe. Anzola no logró imaginar el resultado de esa convocatoria, pero algo en ella le supo a sucio. Aquí estaba él, tratando de averiguar la verdad sobre un duelo nacional, y mientras tanto se ofrecía dinero en los periódicos a quien inventara una historia al respecto.

«Todo está a la venta en este país», le dijo al doctor Zea al llegar a su consultorio. «Hasta la muerte de los hombres ilustres».

Para su sorpresa, el doctor estaba perfectamente al tanto del anuncio del periódico, y además le hizo una revelación sorprendente: los hermanos Di Domenico habían estado presentes el día del atentado. No en la calle, aclaró el doctor, sino en la casa misma de Uribe, en los momentos en que el general se debatía entre la vida y la muerte (así dijo Zea) bajo los instrumentos quirúrgicos de los médicos que intentaban salvarlo. ¿Ellos estaban ahí?, exclamó Anzola. Y el doctor le dijo que sí, que ahí habían estado, mezclándose entre la gente con su caja negra que tomaba imágenes de destino incierto. ¿A Anzola le gustaba el cinematógrafo?, preguntó entonces el doctor Zea, y Anzola tuvo que confesar que sólo una vez había ido a ver proyecciones. Luego trató de regresar a aquella revelación que sentía como un disgusto: ¿ellos, los Di Domenico, habían estado en la casa del general durante su agonía?, volvió a preguntar, y el doctor Zea volvió a contestar: sí, allí habían estado. ¿Haciendo qué?, preguntó Anzola, y Zea se encogió de hombros:

«Vaya uno a saber».

Después Anzola explicó el motivo de su visita. Pronunció las palabras *equimosis* y *contundente* y *manopla*. El doctor Zea lo escuchó con cortesía, pero no parecía que estuviera atendiéndolo con demasiada solicitud. *Piensa que no valgo la pena,* se dijo Anzola. *Me ve como un niño, un niño en un trabajo de grandes.* Y entonces, sin mirarlo, dijo en voz baja que sí, que Anzola tenía razón.

«Explíqueme, doctor», dijo Anzola.

«Es muy sencillo, la verdad. No hay manera de que estas heridas de la cara pudieran haber sido causadas por las hachuelas».

«¿Ni siquiera con el lado romo?», preguntó Anzola. «No sé cómo se llama el otro lado, el que no es de filo. ¿Ni siquiera con esa parte de la hachuela?»

«Me parece improbable», dijo Zea. «Las hachuelas de los asesinos pesaban unos ochocientos gramos. Semejante cosa no puede causar estas heridas». Su dedo recorría los renglones de la autopsia. «Mire, mire aquí. Hay cuatro lesiones en la cara, en un espacio muy pequeño de la cara. Cada lesión es de un diámetro muy pequeño en sí misma. No, mi querido amigo, esto tiene un nombre propio. Esto sería un puñetazo si el agresor fuera un hombre superdotado. Un monstruo o un gigante. Pero no había monstruos ni gigantes ese día en la plaza de Bolívar, ¿no es cierto?»

«Es cierto».

«Pues entonces no queda otra. Esto es un golpe de manopla». Anzola debió de mirarlo con escepticismo, porque entonces el doctor Zea añadió: «Si no queda convencido, vaya a ver a los forenses. Tal vez ellos le puedan mostrar los huesos del general. Si usted es de los que necesitan tocarlo todo antes de creer en nada».

«¿Los huesos del general?»

«Bueno, los forenses se tuvieron que quedar con la calota. Es la parte superior del cráneo, lo que se quita para examinar el cerebro. En el caso del general, para examinar la herida en las meninges. Estaba rota, por supuesto: ahí estaba la huella de la hachuela asesina. Un pedazo de hueso roto en la calota. Por ahí se le va la vida a una persona». Se quedó en silencio un instante. «Yo estaba ahí cuando la retiraron, yo les ayudé a hacer todo. Y uno de ellos debe de haberse quedado con ella».

«¿Pero eso se puede?»

«Es prácticamente un mandamiento, mi querido amigo. Lea la autopsia: ahí verá que la herida mortal fue ésa. Y fue una sola, por lo que me acuerdo: la que rompió el hueso y abrió las meninges. Ninguna de las otras heridas lo hubiera matado, ¿no es verdad? Sólo ésa penetró la masa cerebral, sólo ésa causó finalmente la muerte del general Uribe. Y por lo tanto, esa parte del cuerpo se guarda para asuntos futuros. Es como un testigo, ¿me entiende? Esa parte, la calota y su segmento roto por el golpe, es el testigo. Por eso hay que conservarla. Yo creo que el doctor Manrique se hizo cargo».

«¿Pero qué queda en la cabeza del muerto?», preguntó Anzola. «¿Con qué la rellenan?»

«Mi querido Anzola, le pido el favor de que no pregunte bobadas», dijo Zea. «Mejor déjeme escribirle un par de recomendaciones. Eso sí, lo que yo pueda hacer para ayudarle no es sino que se pase por acá. Yo quiero saber tanto como usted qué fue lo que ocurrió ese día».

Y así sucedió. Con las cartas de Zea en la mano, Anzola llegó una mañana lluviosa al consultorio de Julio Manrique, profesor de Patología en la Facultad de Medicina y médico legista del Departamento de Cundinamarca. El doctor tenía la barba corta y terminada en punta, y unos ojos claros de niño tímido que provocaban de inmediato la ilusión de la confianza. A sus cuarenta y pocos años, Manrique era ya una eminencia de la medicina bogotana: había estudiado cirugía en París y órganos de los sentidos en Nueva York, investigado sobre la lepra en Gran Bretaña y en Noruega y trabajado en el lazareto de San Juan de Dios con pacientes afectados por enfermedades oculares. Sus logros no sorprendían a nadie, sin embargo, porque el doctor Manrique era el cuarto en una dinastía de médicos ilustres: su abuelo había sido médico; había sido médico su padre; era médico su hermano, una suerte de leyenda de la cirugía en el país, un hombre de manos mágicas que había fundado clínicas, regentado cátedras y tenido tiempo para ser parlamentario en Bogotá y luego ministro plenipotenciario ante Francia y España. «¿Usted sabe lo que me pasó ese día?», le preguntó a Anzola. «Todo el mundo en Bogotá sabe lo que me pasó ese día. ¿Usted lo sabe?» Anzola le dijo que no: no lo sabía.

«¿No lo sabe?», dijo Manrique.

«No lo sé», dijo Anzola.

El día de la autopsia, contó el doctor Julio Manrique, había llegado a casa del general Uribe en compañía del doctor Ricardo Fajardo Vega y de tres asistentes. Uno de ellos, un jovencito que estaba estrenándose en aquellas lides, no pudo soportar la emoción y rompió a llorar. Manrique lo comprendió en el fondo, porque abrirle la cabeza a un hombre como el general Rafael Uribe Uribe no es algo que se haga todos los días, pero no podía permitir ese tipo de actitudes en sus filas y acabó por echar al joven de la sala. «Vuelva cuando esté calmado», le dijo. Y mientras tanto cortó la piel, hizo funcionar la sierra, separó la calota, examinó el daño en la masa cerebral, y junto con el doctor Fajardo extrajo el cerebro, lo pesó y tomó nota de su peso, y dedicó un momento a pensar, como hubiera pensado todo el mundo, en lo que había ocurrido dentro de ese cerebro durante los últimos años. Los asistentes le ayudaron a abrir el vientre del general y a sacar sus vísceras para examinarlas; le ayudaron a romper el esternón para examinar el corazón y los pulmones. Y al final, cuando comenzaron a cerrar el cuerpo y él se disponía a reconstruir la cabeza, entró el jovencito expulsado y le dijo que lo perdonara, doctor Manrique, pero que alguien lo necesitaba afuera. Sin mirarlo, con algo de involuntario desprecio, el doctor respondió: «Pues dígale que estoy ocupado». Y añadió una pregunta que era más una admonición o un reclamo abierto: «O es que usted no se ha dado cuenta de lo que estamos haciendo aquí».

«Es que es urgente, doctor», dijo el jovencito.

«Esto también», dijo el doctor. «Y además es importante».

«Es que le traen una noticia», dijo el jovencito.

Así supo el doctor que su hermano había muerto. Después de su labor diplomática, Juan Evangelista Manrique había seguido practicando la medicina en París. Durante dos años fue una especie de gran tío para los colombianos que vivían en Francia: atendiéndolos, consolándolos, viéndolos enfermar y, en pocos casos, morir. Pero entonces estalló la guerra. Cuando Alemania invadió el territorio neutral de Bélgica y el ejército enfiló hacia París, Juan Evangelista Manrique prefirió empacar sus maletas junto con su esposa y su hermana y refugiarse, como tantos otros que podían permitírselo, en territorio español. Cruzó la frontera por el norte y se instaló en San Sebastián. Eso era lo último que había sabido su hermano Julio: una carta en que mencionaba la toma de Longwy, a la que llama la puerta de París, y luego la captura de las fortalezas de Lieja. «Son bárbaros», escribía su hermano acerca del ejército alemán. Ahora le llegaba la noticia a Julio: Juan Evangelista había enfermado de bronconeumonía, muy probablemente durante la travesía de la frontera, y su corazón enfermo sólo había complicado más su fragilidad. Sus pulmones habían dejado de responder en la noche del 13. Juan Evangelista no supo que en el momento de su muerte, en su ciudad lejana, alguien planeaba el asesinato de su admirado general Uribe. No hubiera podido imaginar tampoco que su hermano Julio se enteraría de su muerte mientras cosía, con primor de artesano, la cabeza del general.

«Los periódicos dieron la noticia en Bogotá», dijo Julio Manrique. «¿Pero a quién le iba a importar la muerte de un médico en otro continente, cuando aquí acababan de matar a hachazos a uno de los hombres más importantes de las últimas décadas?»

«Y usted haciéndole la autopsia», dijo Anzola.

«Y yo haciéndole la autopsia», dijo Manrique. Permaneció un instante en silencio, asomándose a tristezas recónditas. Luego volvió a hablar. «Así que usted quiere ver los restos del general Uribe».

«Es por la autopsia», dijo Anzola.

«¿Qué pasa con la autopsia?»

«La autopsia habla de un golpe con un objeto contundente, no cortante», dijo Anzola. «Las hachas no lo pudieron haber hecho».

«Ah, ya veo. Sí, ya veo adónde quiere llegar», dijo Manrique. «Lo que le voy a mostrar, mi estimado Anzola, no sirve de nada. Pero se lo voy a mostrar de todos modos. Para que luego no diga que le hice perder la venida».

El doctor Manrique se puso de pie y abrió un armario. Sacó la calota y la dejó sobre el escritorio de madera. El hueso era más pequeño de lo que Anzola hubiera esperado, y estaba limpio, limpio como si nunca lo hubieran cubierto la piel y la carne de un hombre. Anzola pensó que más parecía un cuenco para beber chicha en el campo que los restos de un caudillo que había cambiado el curso del país. Luego se avergonzó de este pensamiento.

Sobre la parte frontal de la calota se leían tres iniciales pirograbadas: *R.U.U.*

«¿Siempre se hace esto?», preguntó Anzola.

«Siempre», le dijo el doctor Manrique. «Para que no la pierdan ni la confundan. Tóquela, no sea tímido».

Anzola obedeció. Pasó un dedo por el borde de la herida, allí donde el hueso roto por el hachazo dejaba de ser liso y se volvía rugoso, y luego tocó el interior, como visitando unas ruinas, y sintió que se podía cortar con el filo del cráneo roto. «Esta herida la hicieron las hachas», dijo Manrique. «Las heridas con objeto contundente afectaron la mejilla derecha, si no recuerdo mal, y parte de la órbita del ojo. Es decir, todo lo que hay debajo de esta línea». Con estas palabras levantó la calota y dibujó en el aire una frontera imaginaria, como si allí, en el vacío, comenzara el resto del cráneo del general Uribe. «Son heridas que no dejan rastro en el hueso. Pero si lo hubieran dejado, ese hueso está enterrado. Con el resto del general, quiero decir».

«No están aquí», dijo Anzola.

«Me temo que no», dijo Manrique. «Pero si le sirve de consuelo, yo las vi».

«No me sirve mucho».

«No, claro», dijo Manrique. Y después de un silencio: «¿Le puedo preguntar una cosa?»

«Dígame, doctor».

«¿Por qué está haciendo esto?»

Anzola miró el cráneo. «Porque quiero saber», dijo. «Porque me lo pidió alguien que respeto. No sé, doctor.

Por lo que pueda pasar si nadie hace estas cosas. Yo sé que es difícil de entender».

«A mí me parece muy fácil», dijo Manrique. «Y muy admirable, si no le molesta que se lo diga».

Al salir, Anzola se dio cuenta de que no estaba decepcionado. Salía con las manos vacías, era cierto, pero salía también con la sensación de haber tocado un pedazo del misterio. Era una sensación falseada, por supuesto: falseada por el contacto con los huesos de un hombre muerto, falseada por la curiosa solemnidad del momento, falseada por el contacto repentino y efímero de ese momento de violencia con un momento grande de otra violencia, una violencia remota, una guerra que ocurría ahora mismo a miles de kilómetros y que había venido a tocarse con nosotros. Eso lo emocionaba estúpidamente. Se miró las manos, se frotó los dedos que habían estado sobre el pedazo de cráneo, su pacífico paisaje terracota. Pero no, no era pacífico: algo violento había ocurrido en él. La calota que habían trepanado, el trozo de hueso desprendido por donde, como había dicho el doctor, se había escapado una vida. Anzola pensó que pocas personas habían visto lo que él había visto. Era como una experiencia religiosa, sí, era como la cercanía de una reliquia. Como las experiencias religiosas, era rigurosamente incomunicable: un vacío se abría entre él y los demás, pensó, tan sólo por haber visto lo que había visto, por haber tocado lo que había tocado.

Pasó por el café Windsor, pidió un carajillo, notó que lo miraban. Le pareció que hablaban de él y luego pudo confirmarlo. Pero no le importó, y se sorprendió de que no le importara.

La siguiente persona que vino a hablarle —sí: ahora la gente se le acercaba, le contaban historias— se llamaba Mercedes Grau. El día del crimen, la señorita Grau había estado esperando un tranvía en la esquina de La

Torre de Londres, en la calle novena. Mientras esperaba, le llamó la atención un hombre elegante que estaba de pie a pocos metros, también en actitud de espera. Le pareció conocido, aunque no lograba recordar dónde lo había visto antes. El hombre llevaba botines de charol fino, pantalón de fantasía negro con listas blancas y ruana de color gris claro. Sí, era el mismo que Mercedes Grau había visto en otras oportunidades: reconoció el bigote y los ojos pequeños, y se dio cuenta, por el tono claro de la piel, de que el hombre estaba recién afeitado. Entonces lo recordó: lo había visto varias veces en la Catedral, asistiendo a misa, e incluso se lo había encontrado un día en alguna función cinematográfica del salón Olympia (tal vez *El conde de Montecristo*, tal vez *Los tres mosqueteros*, tal vez algún cortometraje de esos que los hermanos Di Domenico filmaban en otras ciudades: no lo recordaba con certeza). Se estaba preguntando si debía hacerle alguna señal con la cabeza, por no ser descortés o grosera, cuando el hombre elegante se dirigió a otro, a todas luces un artesano o un obrero, y le dijo:

«Ahí viene el general Uribe».

Mercedes Grau miró hacia donde había indicado el hombre elegante y vio que, en efecto, el general Rafael Uribe Uribe bajaba por la calle novena. El artesano, que ocupaba hasta ese momento la esquina del edificio del San Bartolomé, lo miró hasta que lo vio pasar hacia la carrera séptima, tan cerca que casi tuvo que cederle la acera, y comenzó a seguirlo. Sus manos se movían debajo de la ruana vieja, dijo Mercedes Grau, y sus pasos eran cortos. El hombre elegante, por su parte, no se movió: era como si estuviera clavado al pavimento de la acera. El artesano seguía al general Uribe, que había cruzado la carrera séptima y empezado a caminar por la acera del Capitolio, junto a la pared de piedra; fue entonces cuando Mercedes Grau notó que más allá, en la esquina de esa misma pared, aparecía otro hombre, también de ruana descuidada y también con aspecto de artesano, y sacaba una mano de debajo de la ruana y se lanzaba contra el general Uribe, asestándole dos golpes en la cabeza de manera que el general cayó de espaldas contra el muro de piedra. «Ay, se desnucó», oyó que alguien decía. El hombre que había seguido al general desde el principio se le acercó entonces y lo golpeó de nuevo. Alguien más gritaba: «¡Policía!» Y en ese momento el primer atacante, que había salido huyendo pero sin prisas hacia el sur, se cruzó con ella, con Mercedes Grau, y ella, aterrorizada, sólo supo exclamar: «¡Cómo matan a la gente en Bogotá!»

«Así se hace», respondió el atacante.

Mercedes Grau no fue capaz de mirarlo a los ojos, pero alcanzó a ver el arma —un cuchillo, tal vez; no, un machete pequeño— brillar debajo de la ruana negra. Y entonces el atacante se acercó o hizo ademán de acercarse al hombre elegante, el de los botines de charol, que al tener más cerca al atacante le habló con una voz horrible, una voz que Mercedes Grau no olvidaría nunca, aunque no supiera por qué la había impresionado tanto: una voz calmada que parecía salir de la boca sin que la boca se moviera: una voz que le producía escalofríos a Mercedes Grau cada vez que la evocaba en su mente.

«¿Qué hubo?», dijo el hombre. «¿Lo mataste?»

Sin mirarlo, o mirándolo de reojo, el atacante dijo: «Sí, lo maté».

Y enseguida dobló la esquina hacia el occidente, como para pasar por detrás del Capitolio. El hombre de los botines de charol, en cambio, empezó a caminar hacia arriba, hacia los cerros, por la calle novena. Mercedes Grau dio un par de pasos hacia la calzada para no perderlo de vista; lo vio encontrarse a media cuadra con otro hombre, más grueso que él pero bien vestido, la cabeza cubierta con un sombrero de fieltro. El de los botines de charol no lo saludó como se saluda a alguien en un encuentro, sino que los dos se juntaron como si uno hubiera estado esperando al otro. Y siguieron caminando hacia arriba, pasando en frente de la casa de la familia Uribe y por debajo del balcón del Noviciado, mientras el general, tirado en la acera, se desangraba a la vista de todos, entre gritos, pedidos de auxilio y gente corriendo por la avenida.

Y Anzola se preguntaba: ¿quién era el hombre de los botines de charol? ¿Quién podía ser el que le había preguntado a Galarza si *ya lo había matado,* y al oír la respuesta afirmativa se había alejado del lugar del ataque? Ni la Policía ni el fiscal parecían haberse interesado en averiguar la identidad de aquel hombre; desde el día del crimen, Mercedes Grau había creído verlo de nuevo varias veces, pero nunca había conseguido saber quién era. Lo vio o creyó verlo de lejos en la procesión que llevó al general Uribe al cementerio; lo vio o creyó verlo entre la comitiva que puso la placa de conmemoración en el muro oriental del Capitolio. Pero en ambas ocasiones estaba sola, sin nadie a quien preguntar nada, y el hombre desapareció de su vista tan pronto como había aparecido. ¿Se lo habría imaginado? La imaginación puede hacer estas cosas, eso lo sabía Anzola, y la de los bogotanos era febril por esos días, un animal frenético y feroz y descontrolado. Sea como fuere, Mercedes Grau no había imaginado al hombre de los botines de charol. Eso, por lo menos, era una mínima certeza. Ese hombre era real, tenía una voz real y sobre todo unos botines reales, y era la prueba de que Galarza y Carvajal no habían actuado solos: de que esto era algo más grande, mucho más grande, de lo que querían creer Salomón Correal y el fiscal Rodríguez Forero. No, pensó Anzola, Leovigildo Galarza y Jesús Carvajal no eran asesinos solitarios. El crimen del general Rafael Uribe Uribe, cuyo cráneo roto él había tenido en sus manos y acariciado con sus dedos, no había sido la obra improvisada de dos artesanos resentidos por su desempleo. Era otra cosa. En él habían intervenido un tercer atacante, que no llevaba hachuela, sino manopla, y un observador a distancia, vestido mejor que los asesinos y bien afeitado, que había avisado a Carvajal cuando se acercaba su víctima y que había preguntado a Galarza por el resultado de su misión. Anzola pensó *conjura* y luego pensó *conspiración* y las palabras resonaron en su cabeza incómodamente, como el insulto de quien nos quiere, y le hicieron cerrar los ojos.

Hacia el mes de marzo, Anzola comenzó a darse cuenta de que en todo el país se había producido un extraño fenómeno de profetas o de visionarios, de adivinos o de brujos, que se anticiparon en varios días al crimen del general. En Simijaca, a ciento treinta y cinco kilómetros de Bogotá, cinco testigos dijeron que Julio Machado había anunciado el asesinato del general Uribe con cuarenta días de anticipación. Tras cumplirse su profecía, Machado el clarividente se encontró con un tal Delfín Delgado: «¿Recuerdas lo que te dije?», le preguntó. «¿Lo recuerdas?» En Tena, a sesenta y seis kilómetros de Bogotá, un tal Eugenio Galarza dijo ser primo hermano del asesino de Rafael Uribe Uribe, y haber sabido de los planes criminales con meses de anticipación. «Yo no quise participar porque soy de buena familia», dijo. Más tarde, cuando tuvo que reafirmarse en lo dicho, aceptó que había mentido con respecto a su parentesco con el asesino, al que apenas conocía de nombre, y negó todo lo demás. No, él no le había confesado a nadie su conocimiento previo del crimen. Los testigos le habían entendido mal, seguramente, porque ese día él estaba borracho.

El más notorio de esos adivinos se llamaba Aurelio Cancino. Era mecánico de profesión; a principios de agosto de 1914 había comenzado a trabajar para la Sociedad Industrial Franco-Belga, y en las semanas anteriores al asesinato del general Uribe había formado parte de los técnicos contratados para montar una planta eléctrica en La Cómoda, cerca de Suaita, en el departamento de Santander:

a unos doscientos setenta kilómetros de Bogotá. Diecisiete días antes del crimen, sus compañeros de trabajo lo
oyeron decir que el general Rafael Uribe Uribe viviría
como máximo veinte días. «Yo lo sé y lo garantizo», dijo.
Después de cometido el asesinato lo oyeron hablar con
dureza del general: «Si me hubiera tocado a mí matarlo»,
decían que había dicho Cancino, «lo hubiera matado y me
hubiera bebido la sangre». También dijo que conocía a
Galarza y a Carvajal, que sabía muy bien a qué sociedad
pertenecían y que podía asegurar, sin temor a equivocarse,
que nada dirían los dos asesinos sobre el crimen. «Tienen
consigna de no decir nada más», fueron las palabras de Cancino según los testigos. Los mismos compañeros de trabajo
que habían escuchado la profecía se reunieron con Cancino después de confirmado el crimen en la prensa nacional,
y Cancino los recibió con una sonrisa y una exclamación
satisfecha:

    «Qué les dije yo, señores».

    Pocos días después, el alcalde de Suaita llamó a los
compañeros de trabajo de Cancino para tomarles declaración sobre estos hechos. Los testimonios fueron inequívo-
cos. Sus detalles variaban como varía la memoria de los
hombres, en riqueza y precisión pero no en contenido:
todos coincidían en afirmar el don profético de Cancino,
su clarividencia increíble, su conocimiento de detalles sobre
Galarza y Carvajal que sólo hubiera podido saber quien los
conociera de cerca. En ese momento, las declaraciones se
dieron como sigue:

Miguel Nieto
    Sí, él se acordaba bien. Estaban tomándose unas
cervezas en La Cómoda: ahí estaban ocho o nueve compañeros, todos trabajadores de la empresa Franco-Belga,
y hablaban del crimen del general Uribe, porque en esos
días todo el mundo hablaba todo el tiempo del crimen
del general Uribe: era como si en el país nunca hubiera

sucedido nada más. Entonces llegó el señor Aurelio Cancino, cuya predicción del crimen muchos de los presentes recordaban. Después de un par de cervezas, se le soltó la lengua. «Yo también lo hubiera matado», dijo. «Si me hubieran escogido a mí, lo hubiera hecho con todo el gusto y me hubiera bebido la sangre». Alguien le preguntó a quiénes se refería: quiénes lo hubieran podido escoger. Cancino habló entonces de la sociedad a la que pertenecían los asesinos Galarza y Carvajal, y dijo que se trataba de una sociedad grande, de unas cuatrocientas personas. «La dirigen gentes de gran cabeza y ricos», dijo Cancino. «Esa gente apoya a los socios. No van a dejar que les pase nada». Hablando de los asesinos, Cancino dijo: «Los conozco como si los hubiera parido. No van a decir palabra, porque ésa es la consigna».

Rafael Cortés

Cierto día de octubre, poco después del crimen, estaban reunidos con el señor Aurelio Cancino y otros compañeros de trabajo. A veces hacían eso: reunirse para tomarse unas cervezas y hablar de la vida. Cancino estaba recordándoles la profecía que había hecho antes del crimen: «¿Ven que todo salió como les dije?» Los demás se pusieron a preguntarle cómo lo había sabido, y Cancino habló libremente de la sociedad a la que pertenecían los asesinos. «Yo también soy miembro, y a mucho honor. A mí me hubiera podido tocar el sorteo. Por eso me vine para acá. Para que no me tocara». ¿El sorteo?, le preguntó alguien. ¿De qué sorteo hablaba? La sociedad, dijo Cancino, contaba con unos cuatrocientos miembros y tenía el patrocinio de gente muy encopetada, y era esta gente la que en un sorteo había escogido a Galarza y a Carvajal. ¿Y no era posible que se fueran de la lengua?, le preguntó alguien. No dirían nada, dijo Cancino, él los conocía como si los hubiera parido. No les convenía decir nada, porque allí donde estaban nada les iba a pasar, y además porque sus familias iban a quedar muy bien protegidas según el acuerdo. «Les va a ayudar una gente muy poderosa», dijo.

Ciro Cabanza

Cuando se recibió en la empresa el telegrama con la noticia del crimen del general Uribe, Aurelio Cancino llegó pavoneándose a una reunión con los compañeros. «Se me anticiparon unos días», dijo, «pero pasó lo que tenía que pasar». Los compañeros recordaron que, en efecto, Cancino había pronosticado la muerte del general: «No pasa de veinte días», había dicho. Ciro Cabanza le preguntó quién más había tenido participación en el crimen. «El pueblo», dijo Cancino, y luego cayó en un silencio misterioso, o falsamente misterioso: un silencio actuado. Cuando se le preguntó si los asesinos tenían el apoyo de otra gente más poderosa, Cancino respondió: «A ellos los apoyamos». «¿Usted los apoya también?», preguntó Ciro Cabanza. «Uribe era un traidor», dijo Cancino. «Si resucitara, yo volvería a matarlo y me bebería la sangre». Días después, encontrándose en medio de los trabajos en la planta eléctrica, Ciro Cabanza se acercó a Cancino y le preguntó qué pasaría si lo llamaran a declarar sobre lo que les había confesado a todos los compañeros de trabajo. Cancino movió una mano en el aire. «Pues diría que estaba borracho», dijo despreocupado. «Y que no me acuerdo de nada».

Nepomuceno Velásquez

Sí, por supuesto que Aurelio Cancino les había hablado del crimen. Lo predijo diecisiete días antes de que ocurriera. Cuando llegó la noticia de que había ocurrido, dijo que se le habían adelantado unos días, pero que todo había salido como estaba previsto. Hablando de la sociedad a la que pertenecen los asesinos Galarza y Carvajal, dijo muy ufano: «Tengo el honor de pertenecer también a ella». Refiriéndose al crimen, dijo que era un gran servicio el que se le había prestado al país. «La muerte de este hombre tenía que ser así, afrentosa», añadió, «porque era un infame y un traidor».

Enrique Sarmiento

Estaban en la casa de la empresa, pocos momentos después de que se recibiera, por telegrama, la noticia del asesinato de Uribe. Hablando con otros compañeros, Aurelio Cancino, el hombre que había llegado de Bogotá para trabajar en los remaches de las tuberías, dijo: «¿No les había dicho yo?» Y días después, cuando llegaron los periódicos que contaban el crimen con detalles, los compañeros de Aurelio Cancino se dieron cuenta de que él los había predicho todos. En un descanso del trabajo, Sarmiento estaba contándole del crimen a otro compañero, y no pudo recordar el nombre de uno de los asesinos. Aurelio Cancino, que estaba presente, dijo que se llamaba Leovigildo Galarza, que vivía en la calle novena y que era miembro de la Sociedad Recreativa. Sarmiento le preguntó entonces a qué se dedicaba esa sociedad. Se reunían a hablar de ciertos asuntos de interés, dijo Cancino, y también hacían paseos a los alrededores de Bogotá. Dijo que era un honor pertenecer a esa sociedad, que la conformaban más de cuatrocientos miembros y que sus patrocinadores eran personas de capital, grandes cabezas que iban a sostener a las familias de los asesinos.

En marzo llegó Cancino a Bogotá para dar ante el juez 2.º del Circuito su versión de estas declaraciones. Fue un prodigio de sencillez y economía: lo negó todo. No recordaba haber dicho esas palabras; recordaba la reunión con sus compañeros de trabajo, pero no lo que se discutió en ella. Justificó su desmemoria con el argumento de la embriaguez. Varios testigos dijeron haber oído sus predicciones y su satisfacción por verlas cumplidas, pero él lo negó todo y su voz singular pesó tanto como las varias voces que lo acusaban a coro. Dijo que lo habían malinterpretado, que se había expresado torpemente, que en ningún momento había pronosticado el crimen del general Uribe ni mucho menos se había jactado del pronóstico cumplido. Si le preguntaban quién había dicho que, si el general Uribe resucitara, él lo asesinaría de nuevo, Cancino respondía: «No sé». Si le preguntaban quién se había dicho capaz de matar al general Uribe y beberse la sangre, Cancino decía: «No sé». Negó que hubiera conocido a Galarza mientras no lo tuvo enfrente, y más tarde, sentado con él, recordó que sí, que había sido su vecino de casa dos meses antes del asesinato, que se había encontrado con él y con su amigo Carvajal en la chichería Puerto Colombia, que muchas veces los había oído hablar de sus actividades en la sociedad a que pertenecían. ¿Y qué sociedad era ésa?, le preguntaron. La Sociedad Recreativa, dijo Cancino, una agrupación grande que se dedicaba, desde hacía muchos años ya, a organizar piquetes y paseos con artesanos. Le preguntaron si la Sociedad Recreativa se dedicaba también a actividades políticas, y contestó con una negativa enfática, pero haciendo una aclaración que le pareció pertinente: «Yo de política no entiendo». Sin que nadie se lo preguntara, añadió que la sociedad, a su leal saber y entender, tampoco se dedicaba a actividades religiosas. Pero lo más llamativo fue que negó toda pertenencia a la sociedad. «Lo que dije», dijo Cancino, «fue que Galarza y Carvajal tenían una carpintería en Bogotá, y que en ella se reunía una sociedad que llamaban Recreativa, pero nunca supe con qué objeto». «¿Se reunían en la carpintería de los asesinos?», preguntó el juez. Cancino lo confirmó y luego dijo: «A mi leal saber y entender». El juez llamó entonces a los testigos. Frente a ellos, Aurelio Cancino se mantuvo firme en su versión de los hechos: estaba borracho, lo habían malinterpretado, él nunca había dicho esas cosas. Los testigos, por su parte —Nieto y Cabanza, Cortés y Sarmiento y Velásquez—, mantuvieron la suya.

Pareció que el asunto iba a quedar así, pero entonces un juez superior volvió a llamar a Cancino, esta vez para tomarle declaración frente al fiscal Alejandro Rodríguez Forero. Durante largas horas le hizo las mismas preguntas que se le habían hecho antes; él, por su parte, se defendió con las mismas respuestas. Pero luego comenzó a perder la compostura. Dijo que había una conspiración en su contra, que los testigos se habían puesto de acuerdo para meterlo preso. El juez lo presionaba, le volvía a preguntar sobre las declaraciones de los testigos, le señalaba las contradicciones en que había incurrido, le preguntaba cómo era posible que cinco individuos distintos fueran capaces de dar la misma versión de sus palabras. Entonces sucedió lo que nadie esperaba: Cancino aceptó haber hablado con sus compañeros de trabajo después del crimen.

«¿Qué les dijo?», preguntó el juez.

«Les aposté que yo podía decir quién había matado a Uribe Uribe».

«¿Y quién dijo usted que había matado a Uribe Uribe?», preguntó el juez.

«El general Pedro León Acosta», dijo Cancino. «Él fue el que mandó a los asesinos».

«¿Y en qué se basa usted para hacer esa afirmación?», preguntó el juez.

Y Cancino respondió: «Pues eso es lo que decía el *Gil Blas*».

El *Gil Blas*. Un periódico sensacionalista que se dedicaba a los rumores irresponsables y a la sátira más dura, que no respetaba ni los valores sagrados de la religión ni la dignidad de los altos miembros de la sociedad, que había publicado imágenes de niños arrollados por el tranvía y de cadáveres desmembrados tras una trifulca por motivos políticos. Un panfleto sin dignidad ni vergüenza: y Cancino lanzaba sus acusaciones temerarias basándose en esas lecturas.

Tanto el juez como el fiscal las desestimaron de inmediato.

*

Los cables que llegaban desde Europa llenaban los periódicos con noticias de la guerra. En la sociedad bogotana eran mayoría los que rezaban en las misas por el triunfo de Francia, y gente que nunca había oído hablar de Reims se rasgaba las vestiduras por la destrucción de su catedral, y gente que no sabía dónde quedaban las Ardenas opinaba que los bochos se habían portado allí como unos salvajes. Había los que seguían con admiración los avances del ejército alemán, y otros elogiaban la civilización germánica y decían que algo de su temperamento nos convendría a nosotros, a ver si nos salvábamos finalmente de las influencias nocivas de tanto negro y tanto indio. A mediados de mayo, un vago rumor se convirtió en noticia y luego en una suerte de leyenda: un colombiano había muerto combatiendo con la Legión Extranjera. Nada se habría sabido nunca, más allá de la curiosidad que el hecho despertó en los lectores de periódicos, si el muerto no hubiera sido un hijo predilecto de la burguesía capitalina. Pero lo era; y durante unos pocos días, mientras Anzola llevaba adelante sus investigaciones, su muerte en la batalla de Artois, donde el 2.º Regimiento de Marcha del Primer Extranjero tenía como misión apoderarse de las Obras Blancas, ganar la cota 140 y conservarla, fue el tema predilecto de todos los cafés, de todos los salones de sociedad y de todas las mesas de comedor en las casas privadas de la clase alta.

¿Era lo que necesitaban los bogotanos para salir por unos días o unas semanas del ambiente de claustrofobia y paranoia contenida que el crimen de Rafael Uribe Uribe había provocado? De cualquier modo, la muerte de Hernando de Bengoechea (así como la corta vida que la precedió) ocupó la atención de la gente, y quedó narrada con detalle en obituarios, celebrada en poemas de arte mayor que publicaban las revistas, explicada en memorias dispersas de sus amigos. En *La Patria,* Joaquín Achury habló del dolor que la muerte de Hernando había causado a su hermana Elvira, que aparecía en una crónica elogiando a los que dan su vida «no por una patria, sino por la civilización entera». En Londres se hizo eco de su desaparición la revista *Hispania,* del diplomático y escritor Santiago Pérez Triana. En París, Léon-Paul Fargue, buen amigo del joven muerto, le dedicaba ya páginas intensas y se ponía a publicar sus poesías como homenaje póstumo. Y la gente en Bogotá se enteraba de que Hernando de Bengoechea era un gran poeta; sí, señor, a sus veintiséis años había llegado a ser un gran poeta, y hubiera heredado el cetro de José Asunción Silva si una muerte heroica no se lo hubiera llevado tan pronto.

A Marco Tulio Anzola le interesó la historia del poeta soldado. Durante esos días de mediados de 1915 pensó en él con frecuencia; comenzó a seguir lo que sobre él se publicaba como se sigue una novela por entregas. No supo muy bien de dónde le brotaba ese interés exótico, parecido al de un coleccionista: tal vez de la extrañeza de que fuera noticia la muerte de un colombiano tan lejos, siendo que aquí morían tantos todos los días sin que nadie lo supiera; tal vez de un asunto generacional, pues Hernando de Bengoechea tenía apenas dos años más que él, y Anzola no pudo evitar ese pensamiento absurdo que tenemos todos alguna vez en la vida: *Hubiera podido ser yo.* En otra vida o en una vida paralela, Anzola hubiera podido ser Bengoechea. Con un mínimo cambio de la fortuna, con un desplazamiento milimétrico de las causas y los azares, el joven caído en los campos de Francia hubiera podido ser él, Anzola, y no Hernando de Bengoechea. Si su padre hubiera sido un negociante exitoso de familia adinerada, si hubiera estudiado en Yale y encontrado oportunidades de negocios en París, si se hubiera instalado allí como tantos otros latinoamericanos se instalaron a finales del siglo, tal vez Anzola habría nacido en París como nació Bengoechea, tal vez hablaría francés y español con la misma fluidez, tal vez habría leído a Flaubert y a Baudelaire como los había leído Bengoechea, tal vez escribiría ensayos para las revistas parisinas de lengua española: la *Revue de l'Amérique Latine,* por ejemplo, donde aparecía cada crónica que mandara Bengoechea sobre arte impresionista, sobre ballet ruso, sobre poesía nicaragüense escrita en los bulevares parisinos, sobre óperas alemanas con orquestas de fantasía donde Firmin Touche tocaba el saxofón. Anzola seguía hablando con testigos que lo remitían a otros testigos, seguía recibiendo declaraciones confusas que trataba de aclarar, seguía entrevistándose con gente de reputaciones ignotas que le decía haber visto a tal o cual enemigo del general Uribe en tal o cual circunstancia comprometedora, y mientras tanto pensaba en Bengoechea, leía sobre Bengoechea, se compadecía de los padres de Bengoechea que estarían lamentando quizás el momento en que decidieron quedarse en París, y luego se preguntaba dónde viviría en Bogotá el resto de la familia de Bengoechea y se compadecía también de ellos.

Por los días en que habló con dos monjas, que le juraron haber visto a Galarza y a Carvajal oteando la casa del general Uribe desde los bajos del Noviciado en los días anteriores al crimen (y le dieron una prueba más, por lo tanto, de que el crimen no había sido improvisado la víspera), Anzola se enteró de que para Bengoechea la nacionalidad colombiana había sido una decisión: a los veintiún años, obligado a escoger entre sus dos patrias, había escogido la de sus padres, la de su lengua materna. Los periódicos lo ponían como ejemplo insuperable de patriotismo, y cuando se enteraron de que además era católico devoto, su admiración no tuvo límites. En *La Unidad,* un columnista que firmaba como Miguel de Maistre le lanzaba los más vivos elogios al soldado muerto, pues no habría debido ser fácil mantener la fe en ese país de descreídos, en esa república del ateísmo que les había declarado la guerra a los católicos. Extensamente se refería en el artículo a la ley francesa de 1905, que decretaba la separación de Iglesia y Estado, y decía que por ese camino se iban los pueblos al infierno. Se refería también a la encíclica *Vehementer nos,* en que el papa Pío X condenaba aquella ley subversiva y la acusaba de negar el orden sobrenatural de las cosas. Y terminaba diciendo que *también entre nosotros hubo quienes pretendieron negar el rol sempiterno de la Santa Madre Iglesia, violentar los valores tradicionales de nuestro pueblo y abrogar de manera unilateral el Concordato, fuente de nuestra perseverancia y guardián de nuestras conciencias,* y que por eso *Dios, que no castiga ni con palo ni con rejo, había hecho de ellos un lamentable ejemplo.*

Anzola leyó con fascinación aterrada. En cuestión de pocas líneas, el tal Miguel de Maistre se las había arreglado para pasar del elogio al soldado muerto en Francia a la diatriba tácita contra el general asesinado en Bogotá. Sí, la columna de *La Unidad* hablaba de Rafael Uribe Uribe, y Anzola tuvo que leerla de nuevo para cerciorarse de que no hubiera más alusiones, como si de repente la muerte del joven Bengoechea se le hubiera convertido al columnista en un mero pretexto para otras cosas. ¿Y quién era este Miguel de Maistre? No era el primero ni sería el último en justificar de alguna manera el asesinato del general: opiniones parecidas se habían visto en otros periódicos —*El Republicano,* por ejemplo—, y las caricaturas de *Sansón Carrasco,* que se habían ensañado contra el general en los meses anteriores a su muerte, ahora se permitían uno que otro comentario ambiguo sobre las maneras que tiene Dios de escribir recto en renglones torcidos. Para Anzola, toda esa retórica era tristemente familiar. Semanas antes de la muerte del soldado Bengoechea había escuchado el relato de un lustrabotas de la plaza de Bolívar, un adolescente de apellido Cortés que había querido hablar de lo visto y lo oído el 15 de octubre. Cuando los asesinos atacaron al general Uribe, el muchacho lustrabotas estaba trabajando con los zapatos de un cliente en una esquina del atrio del Capitolio, frente al café de Enrique Leytón. El cliente, un hombre gordo y bajito, de nariz grande y roja y pelo negro y crespo, se paró entusiasmado.

«Así es como se mata esta canalla», dijo, pasándose una mano enguantada por la levita. «No es con palo, no es con rejo, no es con bala, sino con hacha como se debe matar».

El muchacho Cortés lo vio salir corriendo hacia el Capitolio y olvidar, en su repentino ataque de prisa, que sólo llevaba un zapato lustrado.

No se supo nunca quién era ese hombre que tanta satisfacción había demostrado ante el asesinato del general Uribe. Pero no importaba demasiado: como él, pensó Anzola, había muchos en Bogotá: muchos que se habían alegrado, considerando que el crimen de Uribe no era un crimen, sino un castigo; muchos como este Miguel de Maistre que condonaban el asesinato o lo toleraban de forma más o menos disimulada. ¡Qué solo había estado el general Uribe en sus últimos días! ¡Cómo le había dado la espalda esta ciudad trapacera! No era para sorprenderse que la muerte de Bengoechea hubiera desplazado al crimen del general en la atención de los bogotanos, aunque sólo fuera por unos días o de forma intermitente. Así como el crimen había eclipsado la muerte por bronconeumonía del médico Manrique en San Sebastián, ahora la bala que le había atravesado el cuello a un hijo de colombianos en Artois eclipsaba este asesinato que a todos los tocaba más de cerca, en el cual a veces parecía que todos estaban de alguna manera involucrados. Anzola recordaba la procesión que había llevado el ataúd del general Uribe el día de su entierro y pensaba: todos mentirosos, todos hipócritas. Luego se sentía injusto, pues era cierto que en esa multitud también iban los otros, los que habían defendido a Uribe o lo habían acompañado sin decírselo y, lo cual era más triste, sin que él lo supiera. Los que lo habían atendido el 15 de octubre, sosteniéndole la cabeza herida, enjugándole la sangre con sus pañuelos y guardando los pañuelos después como se guarda una reliquia; los que habían rezado por él en el zaguán de su casa; los que en estos meses habían buscado a Anzola para darle un dato o una sospecha que le permitiera avanzar hacia la luz en medio del barro de las mentiras y las distorsiones. Sí, ellos también existían, y Anzola les debía lo poco que había sacado en claro hasta ahora. Se lo debía a los testigos, sí: a Mercedes Grau, a Lema y a Cárdenas, al muchachito lustrabotas, a los doctores Zea y Manrique. Había también otros testigos antes que ellos, cuyos nombres ya comenzaba a olvidar, y habría otros testigos después, cuyos nombres olvidaría finalmente, en el tiempo todavía lejano en que todo esto pudiera olvidarse. Eran voces, voces que le habían hablado o le hablarían del crimen del general Uribe, voces amables o interesadas o rudas y toscas, voces precisas o desmemoriadas, voces como un ejército marchando por Bogotá para enfrentarse al otro ejército: el de la mentira, la distorsión, el encubrimiento.

Una de esas voces, una de las más importantes, era la de Alfredo García, el hombre que había visto a seis extraños bien vestidos hablando con Galarza y Carvajal la víspera del crimen, el hombre que había escuchado a los asesinos prometer que *esto se iba a hacer muy bien* y que *esto lo iban a ver ustedes muy bien hecho*. Tomás Silva, el zapatero que había tomado el testimonio de García en una minuta que ninguna autoridad quiso recibirle, llegó un día al despacho de Anzola. Esto ocurrió en el mes de octubre, mientras se libraba la tercera batalla de Artois y el ejército alemán, el ejército austrohúngaro y el ejército búlgaro unían fuerzas para invadir Serbia. El zapatero Silva estaba preocupado, pero no por lo que ocurría en Europa. «Quiere venderse», dijo.

«¿Quién?», dijo Anzola. «¿Quién quiere vender qué cosa?»

«García, el testigo. Es un tipo decente pero pobre. Y ahora me está diciendo que ya no puede esperar más. Que si a la Fiscalía no le interesa lo que él tiene para contar, tal vez sí le interese a Pedro León Acosta».

«No entiendo», dijo Anzola.

«El tipo está quebrado», dijo Tomás Silva. «No tiene con qué comer. Yo mismo le he dado billetes de cinco y de diez para que sobreviva, doctor Anzola, y mis empleados le han arreglado sus zapatos sin cobrarle. Y ahora cree que Pedro León Acosta le puede pagar por su testimonio. "Con el doctor Acosta me va mejor que con el sumario", me dijo. Así, con esas palabras: "Me va mejor". El tipo está desesperado, y los hombres desesperados hacen estas cosas».

«¿Y por qué Acosta?», preguntó Anzola. «¿Por qué Pedro León Acosta le pagaría por decirle lo que sabe?»

«Eso mismo me pregunto yo», dijo Tomás Silva. «Pero llevamos un año rogándole al fiscal que le reciba declaración a García. Llevamos un año pidiendo que se incorpore al sumario la minuta que García escribió en mi presencia. Nada de eso se ha hecho, y yo no sé ni siquiera dónde andará la minuta».

«Sí», dijo Anzola. «¿Pero por qué Acosta?»

El nombre del general Pedro León Acosta comenzaba a aparecer demasiadas veces en la investigación. Para Anzola era cada día más evidente que estaba involucrado de alguna manera. Y había buenas razones para creerlo: ¿no era Acosta uno de los conspiradores supervivientes del atentado contra el presidente Rafael Reyes? Su pasado era el de un hombre de violencia, y uno no se deshace de su pasado, pensaba Anzola; su pasado lo acompaña siempre, y quien ha tratado de matar una vez tratará de matar de nuevo. Era cierto que no había pruebas, pero había indicios fuertes. Acosta había sido visto con los asesinos en el salto del Tequendama, aunque el fiscal hubiera decidido no llevar a cabo las investigaciones necesarias para confirmarlo. Y ahora Alfredo García tenía razones para pensar que ese hombre estaría dispuesto a pagarle por su testimonio. Anzola pensó en eso y luego pensó: no, no le pagaría por su testimonio; pensó: le pagaría por su silencio. Y luego, como en un sueño, vio a Pedro León Acosta parado afuera de una carpintería en la noche del 14 de abril, rodeado de otros como él, cómplices o conjurados, y lo vio diciéndoles a los asesinos: *Todo está arreglado, entonces,* y vio a los asesinos contestarle: *Esto se va a hacer muy bien,* y después: *Esto lo van a ver ustedes muy bien hecho.*

«Acosta estaba ahí», le dijo Anzola a Tomás Silva. «Acosta era uno de ellos».

«Yo también creo», dijo Tomás Silva.

«Y Alfredo García debe de creerlo también».

«Quiere que Acosta le pague por no decir nada».

«No», dijo Anzola. «*Sabe* que Acosta le pagará por no decir nada. Se me ocurre que no sería la primera vez».

«¿Usted cree que ya le ofrecieron plata?»

«Yo creo que esto hay que hacerlo cuanto antes», dijo Anzola. «Lo buscamos, lo llevamos a ver al fiscal Rodríguez, y nos amarramos a la puerta hasta que le tomen declaración».

«¿Y si no se la toman?», dijo Tomás Silva.

«Se la tienen que tomar», dijo Anzola.

«¿Y si no se la toman?»

«Primero hay que llevarlo», dijo Anzola. «Después ya veremos».

Al día siguiente fueron a buscarlo a la casa de la calle 16 donde García alquilaba una pieza grande. No lo encontraron. Volvieron a intentarlo dos días después, y tampoco esta vez tuvieron suerte. Casi una semana más tarde, la mañana en que los cables contaban que el Reino Unido le había declarado la guerra a Bulgaria, fueron por tercera vez. Llamaron insistentemente a la puerta, gritaron el nombre de Alfredo García y un agente que daba la vuelta a la cuadra se acercó para preguntarles si había algún problema. Mientras le explicaban al agente que no había ningún problema, que estaban buscando a Alfredo García, una vecina salió (asomó primero la cabeza y luego el cuerpo, un cuerpo voluminoso) y les dijo que conocía al señor García y podía dar fe de que estaba ausente.

«¿Qué quiere decir ausente?», dijo Anzola.

«Que no está, doctor», dijo la mujer. «Que no lo hemos visto por estos lares en varios días».

Anzola le pegó una violenta patada a la puerta y la mujer se llevó las manos a la boca.

Se cumplía un año del crimen. En los salones se daban discursos en memoria del general Rafael Uribe Uribe; en las calles había procesiones de gente que a veces ondeaba pañuelos blancos y rezaba en voz baja, y a veces lanzaba consignas a grito en cuello y prometía justicia o venganza. En todas partes de la ciudad se pronunciaban discursos que lamentaban la partida del general Uribe, que echaban de menos su liderazgo cívico y su fuerza moral, que veían la profunda verdad contenida en sus controvertidas posiciones y se quejaban de que los otros, sus enemigos, no la hubieran sabido ver. En los balcones verdes había geranios nuevos y en las puertas, cintas negras atadas al aldabón o a la falleba.

Anzola participó en una de esas manifestaciones de dolor colectivo. Lo hizo por una sensación de deber, pero no con agrado: fue caminando con un grupo de cientos de personas vestidas de colores oscuros entre la Basílica y el cementerio Central, repitiendo ahora el mismo trayecto que había cubierto un año antes, el día del entierro. Un año, pensaba Anzola, y no había ninguna respuesta aún a las miles de preguntas que se hacían todos, que se hacía él, que él les había hecho a los demás. A Anzola le habían puesto en las manos el encargo de responderlas y estaba fracasando y su fracaso era todavía clandestino, y eso era más humillante o doloroso. Otro testigo se había esfumado. Después de la desaparición de Ana Rosa Díez, ahora era Alfredo García el que se había borrado de la faz de la tierra. Los testigos desaparecían bajo sus narices, o alguien los obligaba a desaparecer, y él no podía hacer nada al respecto. Anzola se sintió incompetente, un impostor; sintió que el encargo le quedaba grande, que se había metido a jugar en el juego de los adultos sin estar preparado para ello: se sintió enfrentado a fuerzas que no controlaba, que ni siquiera alcanzaba a sospechar, y sintió también que no luchaba contra ellas en igualdad de condiciones. Se miró los guantes negros mientras caminaba. Así, con las manos vacías, llegaría más tarde a visitar a la familia Uribe, con las manos vacías abrazaría a la viuda y saludaría al hermano. ¿Nada todavía?, le preguntaría Julián Uribe, y Anzola respondería: Nada todavía.

Sintió vergüenza: allí, caminando por la ancha avenida hacia el occidente, moviéndose con dificultad y en silencio en medio de las olas de gente que eran como un cortejo fúnebre donde ya no estaba el cuerpo, rozándose con otros cuerpos vivos de otros dolientes o simpatizantes de la víctima, Anzola sintió que le estaba fallando al hermano del general Uribe o que estaba demostrando ser indigno de su confianza. Eso le dolió. Se dio cuenta de que le importaba lo que Julián Uribe pensara de él: le importaba como nos importa la opinión de nuestros mayores cuando tienen algo que enseñarnos o han ganado la dignidad de la experiencia. Tuvo ganas de salirse de esta turba y de esconderse en su casa, sin escándalo, para mejor sentir en soledad la frustración y el cansancio. Los tacones de los dolientes resonaban en el suelo, pasando de calles adoquinadas a otras que no lo estaban, pisando a veces charcos de agua sucia, intentando no pisar mierda de perro. Anzola, por su parte, se concentraba también en no pisar a los demás. La gente que lo rodeaba (las mangas tocándose con las mangas) no le permitía saber muy bien dónde estaba poniendo sus pies. Levantó la mirada, vio el cielo gris en frente del cortejo y detrás, al oriente, una gran nube como una rata muerta sobre los cerros. Supo que más tarde iba a llover.

La procesión acabó frente al mausoleo. Allí estaban enterrados los restos del general (salvo una parte de su cráneo, por supuesto, una parte llamada calota, que Anzola había tenido en sus manos y tocado y acariciado). La multitud se había adelgazado para cruzar el portón del cementerio y ahora llenaba el espacio disponible frente al monumento, y sus movimientos y sus murmullos llenaban también el aire frío. Hubo discursos que Anzola escuchó mal y olvidó enseguida. Los oradores tomaron por turnos su lugar frente al mausoleo, empinándose para mejor énfasis y sacudiendo una mano abierta mientras sostenían en la otra las páginas arrugadas, y la multitud recibía sus palabras con respeto y a veces respondían a ellas sobriamente y luego comenzaba a retirarse en silencio. Anzola los miró irse. Miró el blanco de la piedra del mausoleo, ese blanco sin sombras que conservaba todavía el lustre de las cosas nuevas, y pensó que no tardaría demasiado en ensuciarse como se ensuciaban con el tiempo todos los monumentos a todos los muertos de este país. Entonces un murmullo sostenido recorrió la multitud, y Anzola levantó la cabeza y vio a una mujer vestida de túnica que subía al pedestal del mausoleo y comenzaba a agitar una bandera colombiana. Antes de que el hecho pudiera parecerle ridículo o banal, Anzola se dio cuenta de que más adelante, en las primeras filas, estaban los hermanos Di Domenico, que apuntaban con su caja negra a la mujer de la túnica. Uno de ellos (podía ser Francisco pero también Vincenzo: Anzola no los conocía y no los podía distinguir) acercaba la cara a la caja negra mientras hacía girar con la mano derecha una manivela; el otro se dirigía a los asistentes pidiendo espacio, apartándolos con las manos como a una turba molesta, para que no interfirieran en sus actividades, como si los intrusos fueran ellos, los que habían venido a llorar al general, y no él, que estaba aquí para recoger sus lamentos con su fastidiosa máquina incomprensible.

Sí, pensó Anzola, eso habían venido a hacer los Di Domenico. Estaban recogiendo las imágenes; sin duda habían recogido las de la procesión, y quién podía saber qué otras cosas habrían capturado con su aparato. ¿Tendría algo que ver aquello con el aviso del periódico? ¿Habrían encontrado los hermanos Di Domenico al escritor dispuesto a contar la vida del general Uribe? Anzola no pudo saberlo y no se animó a acercarse para preguntar: la presencia de los italianos allí, en medio de la tristeza de la gente, le parecía impertinente y grosera, mercenaria y oportunista. La mujer de la túnica se paseaba de un lado al otro del mausoleo, agitando la bandera, pero en su cara no había emoción ni salían palabras de su boca. ¿Cuál era su papel? ¿Cuál era el propósito de su presencia allí, sobre el mausoleo, vestida como se vestían las actrices en el teatro? Anzola no pudo saberlo en ese momento, pero lo sabría días después, a finales de noviembre, cuando los hermanos Di Domenico anunciaron con gran bombo la proyección en el salón Olympia de su más reciente obra cinematográfica: *El drama del 15 de octubre*.

Sobre las paredes de la ciudad, grandes cartelones de reclame promocionaban el estreno. Los bogotanos estaban acostumbrados a ser vistos desde aquellos rectángulos de papel por toreros o saltimbanquis o payasos de circo, pero encontrarse con la efigie del general Rafael Uribe Uribe, a quien muchos conocían solamente por retratos solemnes publicados en los periódicos, se pareció demasiado a un sacrilegio. La viuda del general se negó a asistir a la proyección; Julián Uribe, en cambio, no tuvo miedo de usar su apellido para conseguir las mejores sillas, y a su lado se sentaron Urueta y Anzola. Nada parecido se había hecho nunca. Los carteles hablaban de *Gran acontecimiento*, de *Primera función de instantes nunca antes vistos en la pantalla*, y los voceadores prometían un *homenaje al gran caudillo ultimado por manos criminales* y una *reconstrucción de los últimos momentos de un líder*. Algunos asistentes recordaban que los hermanos Di Domenico ya habían proyectado una cinta cinematográfica sobre la muerte del prócer Antonio Ricaurte en San Mateo, pero de eso había pasado más de un siglo, y en cambio el asesinato del general Uribe seguía siendo noticia y provocando tensión y enfrentamientos y disputas graves entre amigos. El salón Olympia se llenó con la mitad de los que hacían fila para entrar. Hubo que llamar a tres agentes de Policía para que controlaran a los asistentes que no lograron conseguir un puesto. Los de afuera se quedaron frustrados y los de adentro no daban crédito a su buena fortuna, pero ni los unos ni los otros sabían realmente qué esperar. Tampoco los hermanos Di Domenico, que observaban con satisfacción el maravilloso espectáculo de un teatro llenándose, hubieran podido anticipar lo que sucedió.

La película se abría con la imagen de Rafael Uribe Uribe (su frente amplia, sus bigotes en punta, su corbata impecable) rodeado de dos ramas que parecían laureles. La gente aplaudió; de alguna parte de la sala llegaron abucheos tímidos, pues ni siquiera los enemigos de Uribe se habían privado de asistir al acontecimiento de la proyección. Pero entonces, sin dar a los asistentes tiempo de acostumbrarse a nada, apareció en pantalla el cuerpo del general, rodeado de médicos que le practicaban la última cirugía. Anzola no lo podía creer. Algo en las imágenes le parecía fuera de lugar, como un mueble desplazado sin su permiso, pero no acertaba a identificar el desencuentro: ahí estaban los médicos, moviéndose alrededor del general y blandiendo herramientas que en la pantalla se veían blancas, no brillantes, y ahí estaba el cuerpo agonizante del general Uribe Uribe, ignorante de que eran inútiles o infructuosos los esfuerzos que se hacían para salvarle la vida. Entonces comprendió Anzola que las imágenes no correspondían a la realidad, sino que habían sido falseadas, puestas en escena como un teatrero pone una pieza de teatro.

Todo era una cachetada. ¿Cómo habían podido prestarse los médicos a una farsa semejante? ¿Pero eran los médicos de verdad los que operaban en la pantalla? El ruido de las voces que se levantaban ante el espectáculo grotesco retumbaba en las paredes de madera del Olympia. La gente parecía indignada por la indiscreción de las imágenes, pero nadie se iba: en una suerte de hipnosis colectiva, el público del salón bebió cada imagen indiscreta, pasando de la cirugía fallida al féretro que sale de la Basílica, de las multitudes que rodeaban al muerto en el día de los funerales a los carruajes con coronas de flores grises y caballos flacos. En la pantalla pronunciaban discursos mudos los simpatizantes de Uribe, y su hermano Julián dio un respingo cuando, sentado en la silla del salón, se vio a sí mismo hablando en la pantalla el día del entierro. Las imágenes registraban a los deudos que se acercaban al féretro para despedir al muerto, registraban a los hombres de sombrero negro y de bigotes tristes, registraban las bocas abiertas que no proferían sonido alguno, registraban las salvas que disparó el ejército y que no estallaban en el salón Olympia: eran como efímeras manchas claras en la pantalla gris. La gente que se había indignado con la exhibición del cuerpo moribundo del general pareció apaciguarse. Anzola, en cambio, había quedado más inquieto que antes. En la imagen lluviosa de la proyección había una presencia que lo incomodó: entre los notables de las primeras filas, de pie, con gesto de respeto como uno más de los deudos del general asesinado, estaba Pedro León Acosta.

Sí, ahí estaba Acosta: la cabeza descubierta, el vestido de tres piezas negras, los ojos mirando al cielo. Estaba junto a un sacerdote cuya animadversión por el general Uribe nunca había sido secreta; Anzola recordó que era español, pero su memoria no logró precisar su nombre. La cámara recogió el rostro impertérrito de Acosta durante dos o tres segundos breves, pero ese lapso fue suficiente para que Anzola lo viera y lo reconociera. El hermano del general también lo reconoció, porque le regaló a Anzola una mirada cómplice y a la vez melancólica, una mirada decepcionada en la que había menos camaradería que oscuro resentimiento. Allí, en el teatro, rodeados por oídos alertas y atentos ojos que espiaban, no podían decirse lo que hubieran querido: que muchas cosas habían ocurrido desde aquel 15 de octubre, y que el general Acosta, que el día del entierro había acompañado el féretro como un doliente más, se había convertido un año más tarde en uno de los sospechosos principales del crimen. Anzola vio a Julián Uribe acercarse a Urueta y decirle algo al oído. Supo sin pruebas que hablaban de eso mismo: de la presencia de Acosta entre quienes habían despedido al general Uribe, y de cómo esa imagen simple se había transformado con el paso de este año. La imagen de los funerales se convirtió en la del lugar del crimen: ahí estaba la pared oriental del Capitolio, la acera donde había caído el general, el muro de piedra en que se había recostado. La cámara registró la plaza de Bolívar con su parque y su cancela y sus paseantes que miraban (que nos miraban, pensó Anzola) con curiosidad. Entonces aparecieron los asesinos.

«No puede ser», exclamó para nadie Julián Uribe. Pero era: en la pantalla se había materializado el Panóptico, la cárcel donde Leovigildo Galarza y Jesús Carvajal esperaban el resultado del proceso que se adelantaba en su contra, y la cámara los mostraba hablando entre sí, riendo a carcajadas insonoras pero satisfechas, discutiendo con otros presos como compadres en una chichería. La rechifla hería los oídos de Anzola, que si no rechiflaba era por pasmo o incredulidad. Ahora los asesinos aparecían posando para la cámara, primero en sus celdas contiguas y luego fuera de ellas, en el patio de la prisión. Lo más extraño era su pinta: los dos estaban impecablemente vestidos, como si hubieran estado esperando a los operadores del cinematógrafo. Anzola sabía que hasta ese momento se habían negado a recibir en la prisión a periodistas o a fotógrafos: ¿cómo habrían conseguido los Di Domenico que se prestaran a estas poses? Algunas imágenes parecían tomadas sin que los asesinos se percataran de ello, pero en otras Galarza y Carvajal miraban a la cámara (sus ojos adormilados eran como una afrenta) y en otras más levantaban la mano para golpear con una hachuela imaginaria a una víctima imaginaria, como si los hombres detrás de la cámara les hubieran preguntado cómo había ocurrido el crimen. «Esto es un ultraje», dijo entre dientes Julián Uribe. «¡Sinvergüenzas!», gritaba Urueta, perdiendo por un instante la compostura, y Anzola no supo si se refería a los asesinos o a los empresarios del cinematógrafo. Una cosa era cierta: a los italianos les había salido todo al revés. Habían querido congraciarse con el público bogotano mediante la recreación de un suceso traumático, pero lo que hubiera podido ser un homenaje se había convertido en una cachetada, y lo que hubiera podido ser un memorial para un gran hombre se había convertido en un insulto a su memoria.

«¡Cínicos!», gritaba Urueta. «¡Sinvergüenzas!» De atrás les llegaban, en tonos más airados, peores insultos. Anzola se dio la vuelta para buscar con la mirada a los italianos, pero no los encontró por encima de las cabezas furiosas, de los puños iracundos que se agitaban en el aire. En la pantalla, los asesinos se arrodillaron mirando a cámara y juntaron las manos, pidiendo un perdón silencioso por el crimen cometido, pero no se les veía arrepentidos, sino mofletudos y campantes. Una nueva rechifla inundó el teatro. Alguien arrojó un zapato contra la pantalla, y el zapato rebotó y cayó sobre el entablado como un pájaro muerto. Anzola temió que la cosa pasara a mayores y empezó a buscar una salida fácil, tal vez por el lado izquierdo, junto a los palcos bajos, tal vez por una puerta que diera a los jardines. En la pantalla se hizo un negro súbito, y lo siguiente fueron imágenes que Anzola reconoció de inmediato: eran las del desfile del otro día. Poco más de un mes había pasado desde los homenajes que se hicieron por el año cumplido de la muerte del general, y ya estaban esos homenajes ahí, moviéndose mágica y torpemente en el telón. Anzola se preguntó si se vería a sí mismo. No se vio, pero reconoció el mausoleo que había visitado y lo asombró que las cosas cambiaran tanto cuando eran parte de una cinta; sobre el mausoleo, la mujer de la túnica blanca, la misma que él había visto con sus propios ojos, ondeaba durante largos segundos tediosos una incolora bandera de Colombia. Entendió que se trataba de una alegoría: la libertad (o quizás la patria) manifestándose sobre la tumba de su desaparecido defensor. La idea le pareció infantil y su ejecución mediocre, pero no lo comentó con nadie. Entonces la pantalla se oscureció de nuevo. En medio de un desorden luminoso de burbujas enloquecidas y rayones azarosos, terminó la proyección, y el salón Olympia se llenó con el estrépito de la gente levantándose de sus sillas.

Cuando Anzola salió a la calle, todavía se escuchaban los abucheos. La gente rodeó a Julián Uribe y a Carlos Adolfo Urueta para manifestarles su indignación, y Anzola aprovechó el momento para seguir adelante sin tener que dar voz a la suya. Bordeó los jardines y cruzó la calle y empezó a caminar en dirección a su casa, pero dando un rodeo, para tener más tiempo de soledad. Durante unos instantes siguió hirviendo a sus espaldas el rumor de la multitud. Fue entonces cuando se dio cuenta de que las mismas personas habían caminado en frente de él desde su salida del salón. Eran cuatro hombres vestidos con ruana fina y sombrero de cubilete, y hablaban animadamente de la proyección que acababan todos de ver. Anzola no estaba de ánimo para escuchar conversaciones ajenas; al tratar de adelantarlos, sin embargo, se fijó en ellos, para no cometer la descortesía de pasar junto a un conocido sin saludarlo, y sintió un ramalazo de pánico al reconocer a Pedro León Acosta, que pareció reconocerlo a su vez, se llevó dos dedos al ala del sombrero y asintió en son de saludo, pero arreglándoselas para que su saludo educado estuviera cargado de odio, más odio del que Anzola había visto jamás en la cara de alguien, un odio temible y espantoso porque se manifestaba en calma, porque era el odio de alguien que lo controlaba y lo manejaba a su antojo. Sabe quién soy, pensó Anzola, sabe lo que sé y lo que estoy haciendo. Pensó también, con la certeza de la suerte echada, que este hombre era perfectamente capaz de hacerle daño, que no le temblaría la mano ni lo molestarían los escrúpulos, y que además tenía a su disposición los recursos necesarios; y en un breve segundo imaginó los cuerpos muertos de Ana Rosa Díez y de Alfredo García, tirados al fondo barroso del río Bogotá o desbarrancados sin piedad por el salto del Tequendama, y se preguntó si un destino parecido le aguardaba.

Anzola dejó de caminar. Pedro León Acosta ya no lo miraba: volvía a dirigirse a sus acompañantes, y ya se habían alejado unos metros de Anzola cuando soltaron, en una suerte de coro infernal, una sonora carcajada. En ese instante se percató Anzola de que Pedro León Acosta llevaba botines de charol.

Anzola, parado en medio de la calle como un perro perdido, lo dejó alejarse.

Esa tarde, al llegar a casa, abrió sus cajones y buscó los periódicos del día del crimen. Los había guardado cuidadosamente, primero por una suerte de conmemoración o de ritual supersticioso, luego como documentos o aun memorandos de la tarea que estaba llevando a cabo, y con el tiempo le había tomado el gusto a repasarlos. El primero que encontró fue la edición de cuatro páginas que *La Republicana* distribuyó la tarde misma del 15 de octubre. Los titulares ocupaban tres líneas ruidosas: la mitad de la primera página. Primera línea: *El General Uribe Uribe.* Segunda línea: *Atacado cobardemente al entrar al Senado.* Tercera línea: *Los agresores son hechos prisioneros—La sociedad indignada y dolorida.* Abajo comenzaba el texto editorial, titulado «Nuestra protesta», y en medio del texto se destacaba un recuadro que no dejó de conmover a Anzola: *Tentativa de asesinato al Gral. Uribe Uribe.* Qué mundo simple se veía aún en esa página: un mundo donde Uribe no ha muerto todavía, donde su ataque es apenas una tentativa y no un homicidio consumado, donde los agresores ya han sido aprehendidos y la sociedad toda está indignada… Qué distinto era el mundo hoy, con el general muerto y frío ya en su tumba, con los responsables del crimen ocultos entre rumores y tinieblas, y los asesinos cobrando en dólares por aparecer en la película de los Di Domenico.

Anzola sacó el exfoliador que había usado hasta ahora para tomar notas sobre el proceso. Buscó una página en blanco y empezó a escribir un artículo de opinión —un artículo con el tono de los artículos de opinión— alrededor de la negligencia del señor fiscal, Alejandro Rodríguez Forero, y del director de la Policía, Salomón Correal. Pero cada frase que le salía era una acusación, y antes de pasar a la frase siguiente se daba cuenta Anzola de que no tenía pruebas. A medio camino perdió el entusiasmo y empezó a jugar sobre el papel. Con las fórmulas de los interrogatorios en el juzgado, empezó a desvariar. «Es verdad y me consta que el fiscal está escondiendo información, que se ha hecho el de la vista gorda con datos importantes y que dejó por puro desinterés que desapareciera un testigo clave. Es verdad y me consta que nosotros, los amigos del general Uribe, hemos perseguido hasta la saciedad a las autoridades para que investiguen las pistas que pudieran llevar a los verdaderos culpables, y nos hemos encontrado con un muro infranqueable de ocultamiento y corrupción». No, no era verdad: nada de eso le constaba realmente. Era cierto, era muy cierto, pero no le constaba, y así lo puso por escrito: «Todo esto es verdad pero no puedo probarlo. Todo esto es verdad pero no me consta».

Se recostó en la silla, sacudió la pluma fuente —una Waterman que había comprado en la librería Camacho Roldán— y siguió:

«Es verdad pero no me consta que los asesinos Galarza y Carvajal no actuaron solos, y que esa tesis es una patraña de los conspiradores. Es verdad pero no me consta que Pedro León Acosta, el mismo que trató de asesinar al presidente Reyes y fue perdonado, lidera y financia una sociedad de artesanos, junto con otras cabezas ricas del mundo conservador, todos ellos enemigos jurados del liberalismo. Es verdad pero no me consta que de alguna manera se hizo un sorteo en esa sociedad para escoger a los que debían cumplir un viejo anhelo de los conservadores: la desaparición de Rafael Uribe Uribe. Es verdad pero no me consta que la noche del 14 de octubre Alfredo García vio a un grupo de influyentes figuras conservadoras hablando con los asesinos en su carpintería, y es verdad pero no me consta que uno de ellos era Pedro León Acosta, quien esa noche contrató con los asesinos el fatídico destino del general Uribe. Es verdad pero no me consta —¡ya quisiera yo que me constara!— que Pedro León Acosta estaba presente en el teatro del crimen el día 15, vestido con ruana nueva y bien afeitado y calzando botines de charol que la señorita Grau vio y recuerda, y es verdad pero no me consta que tras el ataque se acercó a uno de los asesinos y le preguntó: "¿Qué hubo? ¿Lo mataste?" Es verdad pero no me consta que el asesino le contestó: "Sí, lo maté". Es verdad pero no me consta que en todo este tierrero hay involucradas gentes muy poderosas que pueden ir hasta el presidente de la República, quien se ha mantenido en este asunto mudo como una esfinge. Es verdad, es una verdad como una catedral, que Pedro León Acosta no está solo, que el General Hachuela no está solo, que el fiscal corrupto no está solo. ¿Pero quién maneja los hilos? ¡No me consta, mil veces no me consta! Lo que sí me consta, lo que sí es verdad y sí me consta, es que los conspiradores tienen todas las posibilidades de salirse con la suya. Lo que sí es verdad y sí me consta, lo que me consta todos los días, lo que me consta hasta cuando duermo y sueño, es que Dios se ha olvidado de nosotros».

Luego hizo una bola con el papel, lo puso sobre los troncos de la chimenea y fue a buscar con que encender un fuego antes de que llegara la hora de rezar la novena.

Los franceses reportaban más de ocho mil muertos enemigos en Yves y en Armentières. El gabinete inglés estaba en crisis por los desastres de la guerra. Los alemanes habían llegado al corazón de Rusia y se habían adueñado de Polonia, y en los Balcanes habían borrado a Serbia del mapa y abierto una vía de comunicación con Turquía.

Anzola leía esas noticias y sentía que también él estaba perdiendo su guerra, y luego el pensamiento le parecía indigno y frívolo (aunque cada uno sufre en la medida de su experiencia). Pero era cierto, en el fondo. La investigación no iba para ninguna parte: Anzola había llegado a la convicción invulnerable de que el asesinato de Rafael Uribe Uribe había sido una conspiración de proporciones gigantescas, pero su convicción se había dado de bruces contra la complicidad ya evidente del fiscal Rodríguez Forero, y así no había manera de lograr nada. La situación entera lo había afectado. Empezaba a ver enemigos por todas partes. El salón Olympia había cancelado, por orden de los comités de censura, las proyecciones de *El drama del 15 de octubre;* la película había sido oficialmente prohibida, y algunos decían que las autoridades habían llegado incluso a quemarla; y Anzola pensaba que allí se veía claramente la mano de los conspiradores, que habían desaparecido una prueba fundamental contra los verdaderos autores del crimen. Pero cuando pronunciaba estas palabras, cuando aireaba sus paranoias en público —aunque se tratara de los públicos reducidos y privados que conformaban sus conocidos y sus familiares—, recibía la misma respuesta: «Estás loco».

O bien: «Qué imaginación».

O bien: «Ves enemigos donde no los hay».

Le decían que lo encontraban distinto: más adusto, más callado, más encerrado en sí mismo. Se pasaba el día metido en el dosier del caso Uribe, estudiándolo hasta que le dolieran los ojos o le surgiera un peso en la nuca como si cargara a un niño dormido, y llegó a saber de memoria las declaraciones de los testigos y a sentir incómodamente que los conocía y había vivido con ellos. Con frecuencia visitaba a Julián Uribe para hablarle, como lo había hecho en más de una oportunidad durante las fiestas de diciembre, de su frustración y su impotencia. El hermano del general se había convertido para Anzola en un protector y un consejero, alguien que provoca la ilusión de resguardarnos, disipar nuestro desánimo, infundirnos confianza. Pero esta vez lo recibió con una expresión indescifrable.

«¿Se acuerda de Lubín Bonilla?», le preguntó.

Lubín Bonilla, sí: el antiguo jefe de Investigación de la Policía. El hombre que había sido puesto a cargo de la instrucción el día mismo del asesinato del general, y luego, por decisión de Salomón Correal, destituido de manera brusca, acusado de propalar rumores en contra del gobierno. Bonilla, por su parte, había sostenido siempre que su destitución se debió justamente a su eficacia: en muy pocos días de investigación se había acercado demasiado a ciertas verdades incómodas. «Me quemé como las polillas», le había dicho a Julián Uribe. «Por acercarme demasiado a la luz».

«Me acuerdo perfectamente», dijo Anzola.

«Bueno, pues el general Bonilla me buscó esta mañana al salir de misa», dijo Julián Uribe. «Y a mí me parece que a usted le va a interesar hablar con él».

«¿El general Bonilla está en Bogotá? Yo pensé que lo habían trasladado a Arauca. Para quitárselo de encima».

«Pues aquí está. No sé si volvió hace poco o si lleva ya un buen rato. Pero volvió con ganas de decir cosas, y yo le dije que se las dijera a usted».

«¿Y cómo puedo hablar con él?»

«Va a estar tomando onces en La Gata Golosa», dijo Julián Uribe. «Si se pasa por allá, seguro se lo encuentra».

Eran más de las cinco cuando llegó a la avenida de la República, pero el general Bonilla seguía allí, sentado solo en una de las mesas más discretas, alejada tanto de las ventanas como del espejo grande. Bonilla parecía más joven de lo que era en realidad. Tenía orejas pequeñas y un pelo negro tan rígido que parecía pintado, y sus cejas bajas imponían en su cara, en los huesos de su cara, cierta disciplina angular que a Anzola le gustaba. Los cubiertos dibujaban sobre la mesa una simetría perfecta. Uno llegaba a hablar con Bonilla y sentía de inmediato una suerte de orden: orden en la persona, en la mesa, en el local entero. «¿Cómo está, general?», dijo Anzola.

«Aquí me tiene», dijo Bonilla. Levantó la cara cansada, miró a Anzola. «Caramba. A mí sí me habían dicho que usted era joven, pero no pensé que tanto. Por algo se dice que la juventud ignora el peligro».

«No sabía que estuviera por estos lados», dijo Anzola. «¿No lo habían mandado a alguna parte?»

«Estuve un tiempo por fuera, sí», dijo. «Pero no fue porque me hubieran mandado para otra parte. Fue porque pensé que me iban a hacer algo».

En los últimos meses, Lubín Bonilla había tenido que pasar por un verdadero tormento. Días después de salir huyendo de Bogotá, mirando por encima del hombro y vigilando cada esquina, había llegado a San Luis, en el Cauca, y hasta esos confines fue a buscarlo el fiscal. Un día llegó a la alcaldía un telegrama: le ordenaban presentarse en Bogotá en el término de la distancia. «Esa orden es ilegal», le dijo Bonilla al alcalde. «Yo no soy un delincuente. Si el fiscal quiere mi testimonio, tiene que pedirle a usted que me lo tome». Tres días después se enteró de que una nueva comunicación ordenaba su captura.

«¿Lo querían meter preso?», dijo Anzola.

«Por orden del gobernador», dijo Bonilla. «Efectiva de inmediato».

«¿Y qué hizo?»

Se escondió, qué iba a hacer. Abandonó el pueblo en mitad de la noche y sin llevarse los medicamentos para su mal; un colega le ayudó a recuperarlos, notablemente disminuidos, mediante trampas y ardides. Bonilla nunca había vivido la vida de un fugitivo, pero allí, en las montañas, tuvo que hacerlo: mientras sus amigos trataban de averiguar qué delito se le imputaba y qué consecuencias podría tener su eventual entrega, pasó varias noches durmiendo a la intemperie, refugiándose de la lluvia bajo los árboles y contra las piedras, comiendo y bebiendo gracias a otros que se arriesgaban para ayudarle, y sólo de vez en cuando encontrando una cama alquilada donde pasar unas horas sin el miedo de que lo despertara una alimaña. Una de esas noches estuvo cerca de ser capturado por uno de los tantos pelotones que enviaba el Puno Buenaventura, jefe de Policía famoso por sus métodos sin piedad; el ladrido de unos perros lo salvó, pero no le dio tiempo para llevarse también su única cobija. Descalzo, casi desnudo, recurriendo a la caridad de los labriegos para meter algo en el estómago, llegó por las montañas a Ibagué. Allí se enteró de que el General Hachuela había ofrecido una recompensa de trescientos mil pesos a quien lo cazara y lo entregara. Entonces tuvo una certeza: si lo querían encarcelar, no era por acusarlo de algún delito, sino para que una mañana cualquiera amaneciera muerto a manos de un sicario hambriento.

Por eso había regresado a Bogotá. Se había enterado de que Anzola estaba llevando a cabo una investigación personal para la familia del general Uribe. ¿Era eso cierto?

«Por encargo de don Julián», dijo Anzola.

«Bueno», dijo Bonilla. «Y dígame, ¿ya habló con Eduardo de Toro?»

«¿Eduardo de Toro?»

«El que dirigía la Escuela de Detectives ese día. El que estaba con Salomón Correal cuando llegó la noticia del ataque».

«¿No estaba usted con él?», dijo Anzola.

«Yo llegué después», dijo Bonilla. «Pero luego he sabido cosas. O más bien: él me las ha hecho saber».

«¿Cosas como qué?»

«Como lo de los calabozos, por ejemplo. A Galarza y a Carvajal los pusieron separados el uno del otro e incomunicados, como es lógico. Pues Salomón Correal los cambió de calabozo apenas pudo. Los puso en calabozos vecinos, separados solamente por un tabique. Es como si les hubiera dado autorización escrita para comunicarse y ponerse de acuerdo en sus mentiras. Y los asesinos lo aprovecharon, señor Anzola, ni bobos que fueran. Cada vez que entraba uno de los asesinos a un interrogatorio, era como si se hubiera aprendido la lección. Y yo volvía a llamarlo y volvía a hacer preguntas, muchas veces las mismas. La primera tarde fue agotadora. Todos estábamos cansados. Había mucho nerviosismo en el aire, era verdaderamente insoportable. Galarza y Carvajal estaban nerviosos, y eso a pesar de que hacían lo que les viniera en gana. Pedían permiso para ir al excusado a cada hora y los guardias dejaban que entraran juntos. ¡A orinar juntos, con perdón! Las puertas de los calabozos estaban abiertas y también la que daba al patio.

Se habrían podido escapar si hubieran querido. Y con todo y eso estaban nerviosos, como si no soportaran tanta preguntadera. Y al final del primer día, después de un interrogatorio especialmente duro, Carvajal se enfureció. Se lo llevaban de vuelta al calabozo y dijo: "Si me siguen fregando, los delato". Lo dijo en voz alta, para que lo oyeran bien».

Fue al día siguiente de esos interrogatorios cuando le llegó a Lubín Bonilla el rumor de que personas elegantes, bien calzadas y ataviadas, habían sido vistas en la carpintería de Galarza en los días previos al crimen. Se decía que tenían reuniones allí; se hablaba de una sociedad de artesanos y de un agente de la Policía que guardaba la entrada, permitía el paso a algunos y se lo negaba a otros. Bonilla se empeñó en averiguar qué había de cierto en todo aquello, pues ese agente, de existir en realidad, podría tal vez dar testimonios útiles. Acudió a Salomón Correal, porque sólo el director de la Policía podía autorizar que se le diera a Bonilla la información solicitada: el nombre y número de todos los agentes que hubieran servido en esa cuadra en las noches previas al 15 de octubre. «Me dieron largas», dijo Bonilla. «Que para qué necesitaba eso, que por ahí no iba la cosa». Pero Bonilla insistió. «Esto era en la tarde del viernes, creo. El sábado, a primera hora de la mañana, me comunicaron mi destitución».

«Habrá pisado un callo con lo de las reuniones», dijo Anzola.

«Yo creo que sí», dijo Bonilla. «Gente prestante reuniéndose por las noches con artesanos... Eso no pasa en Bogotá, a menos que se tenga una buena razón».

«¿Y usted nunca averiguó quién iba a esas reuniones?»

«No. Pero sí averigüé que el general Pedro León Acosta se veía con los asesinos fuera de Bogotá».

«En el salto del Tequendama», dijo Anzola. «Eso fue en junio del 14. Sí, yo también me enteré de eso».

«Yo me refiero a otro paseo. Cuatro o cinco días antes del crimen».

«¿También lo vieron con los asesinos?»

«En el hotel Bogotacito. Yo hasta me fui allá para confirmarlo, y lo confirmé. Después los testigos se echaron para atrás».

De manera que el general Lubín Bonilla había seguido investigando por su cuenta, a pesar de haber sido apartado de la instrucción. Con razón se sintió amenazado Correal, pensó Anzola, pues Bonilla era uno de esos detectives que lo son de temperamento más que de oficio: un *sabueso*, les decían ahora. Afuera caía la tarde; Anzola levantó la mirada y se encontró una chapola negra que se había parado en la esquina del cielo raso, justo sobre sus cabezas. O tal vez había estado allí desde el principio.

«¿Y qué tiene que ver Eduardo de Toro en todo esto?», dijo Anzola.

«Ah, sí», dijo Bonilla. «El señor Toro».

Unos días después del crimen, acaso dos semanas, Bonilla se lo encontró saliendo de la Policía. «Ni se le ocurra entrar», le dijo Toro. «Usted es *persona non grata* en este edificio». Comenzaba a lloviznar, así que Bonilla le preguntó a Toro si lo podía invitar a un carajillo en alguna parte para hacerle unas preguntas. Sólo quería confirmar unos datos acerca del día del crimen. Un rato más tarde estaban los dos sentados en El Oso Blanco.

«Igual que estamos usted y yo sentados aquí», dijo Bonilla. «Yo saqué mi libreta y mi lápiz y me preparé para recitar las preguntas que había anotado. Pero no alcancé a hacer ni la primera».

Eduardo de Toro le aconsejó que no siguiera llamando la atención de Correal: que no lo siguiera contrariando, que suspendiera sus investigaciones ilegales. «No son ilegales», dijo Bonilla. «No importa lo que usted crea que son», dijo Toro. «El hombre lo tiene entre ojos». Y luego, sin transición aparente, le habló de las visitas que en los últimos meses había hecho el padre Berestain a la Policía. Rufino Berestain, uno de los sacerdotes jesuitas más influyentes de la ciudad, era el capellán de la Policía; y por eso no había nada extraño, dijo Bonilla, en aquellas visitas ocasionales. «Ocasionales no son», dijo Toro. «Da la impresión de que el padre Berestain pasa más tiempo en la Policía que en su parroquia. Viene, habla con Correal, se encierran a charlar a veces una hora entera. Yo soy un buen católico», dijo Toro, «pero el señor padre nunca me ha caído bien. Y después de lo de estos días, pues menos todavía». El 15 de octubre, desde las horas de la mañana, Eduardo de Toro había visto al padre Berestain en las instalaciones de la Policía. Se movía de un lado al otro, salía a los corredores de los pisos de arriba y hacía preguntas que nadie entendía demasiado bien, pero que tenían por evidente objetivo conseguir información sobre lo que estaba pasando en la calle.

«O sobre lo que no había pasado todavía», le dijo Bonilla a Anzola.

Después del crimen, la conducta del padre Berestain había molestado a muchos. El país estaba en duelo, la ciudad lloraba a Rafael Uribe Uribe y dentro de la ciudad estaban ellos, la gente como Eduardo de Toro, los que lo seguían o lo admiraban o simplemente condenaban aquel acto bárbaro. Y sin embargo, el padre Berestain se impuso: logró, con el peso de su autoridad, que se llevaran a cabo unos ejercicios espirituales que había planeado días atrás.

«Yo estuve allí», dijo Eduardo de Toro. «Yo me vi obligado, como todo el cuerpo de Policía, a asistir a los ejercicios espirituales del padre Rufino».

Durante varios días se reunieron agentes y detectives y sacerdotes jesuitas en la Casa de Cajigas. Era la antigua tenería de la calle 19, que ahora, bajo la administración y manejo de la Compañía de Jesús, servía de lugar de retiros y recogimiento. Ese fin de semana, la casa, que de ordinario recibía cantidades generosas de huéspedes, estaba a reventar. En su prédica final, frente a la flor y nata de la Policía y a dos pasos del director Salomón Correal, Rufino Berestain les pidió a los agentes recordar al difunto fray Ezequiel Moreno Díaz, obispo de Pasto, a quien Dios había llamado a su presencia hacía más de ocho años. Mencionó, como al pasar, al general Uribe Uribe, asesinado hacía unos días, y dijo que hoy le parecía más valioso concentrarse en la memoria sagrada de un siervo de Dios a los ocho años de su muerte que en la memoria profana de un enemigo de la Iglesia, aunque su cuerpo todavía fuera nuevo en la tierra. Ezequiel Moreno, dijo el padre Berestain: ¿qué había quedado de aquel hombre sabio y valiente, temeroso de Dios, que había venido a estas tierras desde la madre patria para traer un mensaje de resistencia ante los embates del liberalismo ateo? Había quedado su mensaje, hijos míos, y ese legado les correspondía a ellos. Les correspondía su protección; les correspondía su defensa. Ahora que la fe de la patria flaqueaba ante los ataques de los amigos de Satanás, convenía recordar a los santos como fray Ezequiel, que habían dejado el mundo de los vivos como habían pasado por él: con la valiente intransigencia de los verdaderos pastores de almas. Ocho años, ocho años habían pasado desde su muerte, y todavía quedaban vivas las palabras de sus *Últimas disposiciones*, y lo estarían siempre. ¿Conocían los miembros ilustres de nuestro cuerpo policial las últimas disposiciones de fray Ezequiel? Se resumían en una, muy simple y tristemente olvidada: el liberalismo es pecado, enemigo de Jesucristo y ruina de los pueblos. ¿Sabían qué pidió el santo varón? Que se pusiera esa frase en el salón donde estuviera su cuerpo sin vida, y también en el templo durante las exequias. Eso había dejado como testamento, o a cambio de su testamento: la petición de un cartel con esa verdad eterna. *El liberalismo es pecado.*

Terminados los ejercicios, cuando los asistentes no se habían comenzado a marchar todavía de la casa, Habacuc Arias, uno de los agentes que habían acudido a la acera del Capitolio el día del crimen, se atrevió a sugerir que rezaran también por el alma del general Uribe. Tal vez no había estado presente en la prédica, tal vez su ignorancia no le permitía entender lo que estaba pidiendo: pero lo pidió. Rufino Berestain se puso de pie y nuevas sombras aparecieron en la dureza de su cara. Miró al agente con unos ojos fríos y claros que nadie había visto nunca y que Eduardo de Toro, por su parte, no olvidaría en lo que le quedara de vida. Y entonces escupió:

«Esa bestia se debe estar pudriendo en el infierno».

VII. ¿Quiénes son?

Caminando por la ciudad a la mañana siguiente de su encuentro con Lubín Bonilla, Anzola sostenía contra su pecho una libreta de tapas de cuero que Bonilla había puesto sobre el mantel después de terminar su relato. «Aquí hay nombres y direcciones, y algunas notas más o menos legibles», le había dicho. «Sería un honor para mí que le sirvieran de algo». Le señaló dos o tres nombres que debía buscar de inmediato para tratar de obtener sus declaraciones. Uno de ellos era el del señor Francisco Soto, que Bonilla había subrayado con dos líneas firmes.

El señor Soto vivía en una gran casa de dos plantas, con un balcón que hacía esquina y geranios desparramándose por las barandas. Era una casa de gente acomodada. Una sirvienta le abrió la puerta y le hizo seguir al salón, a la izquierda de un patio interior enmarcado por macetas de barro, y Anzola alcanzó a ver al fondo a un niño descalzo que jugaba a tirar monedas frente a la pared de un corredor. Francisco Soto lo saludó con extrañeza: era un hombre joven, pero estaba acostumbrado a que le dieran aviso quienes quisieran verlo. Acababa de llegar de un largo viaje de negocios, explicó, un viaje extenuante que lo había llevado de Caracas a La Habana y de La Habana a Nueva York, y al volver a Bogotá había preferido que los periódicos no anunciaran su llegada. Muchos de sus amigos ni siquiera sabían todavía de su presencia en la ciudad. ¿Cómo la había averiguado el señor Anzola?

«El general Lubín Bonilla», dijo Anzola. «Él fue el que me habló de usted».

«Ah, el general Bonilla», dijo Soto. «El señor es más listo que el hambre».

«Me dijo que se habían encontrado hace más de un año, después del asesinato del general Uribe».

«Un par de semanas después, más o menos», dijo Soto. «Yo había ido a la oficina de Alberto Sicard, el abogado. Empezamos a hablar de su escuela de detectives, la que pensaba fundar por esos días. Me presenté y él reconoció mi nombre. Sacó una libreta y me dijo que desde hacía tiempo quería hablar conmigo».

«¿Del crimen del general?»

«Había escuchado que yo tenía ciertas informaciones», dijo Soto. «No sé cómo lo supo y no lo sé todavía. Un sabueso, el general Bonilla. ¿Al final montó su escuela de detectives?»

«La montó, sí», dijo Anzola. «¿Qué informaciones eran? ¿Algo relacionado con los jesuitas?»

Soto entrecerró los ojos. «¿Cómo lo sabe?» Pero no dejó que Anzola le contestara. «Sí, era eso. Yo le dije que era otro el que había visto lo que yo vi. O que yo sabía de alguien que había visto aquello, pero no le dije que había sido yo. No quería meterme en problemas. Él me dijo que nos encontráramos otro día en un lugar distinto, donde no nos fuera a ver la Policía». Hizo una pausa. «Pero nunca llegamos a vernos, porque a los pocos días, cuando me fui de viaje, él todavía no había venido a buscarme».

«Y hasta el sol de hoy».

«Sí», dijo Francisco Soto. «Y no le he hablado de esto a nadie o casi nadie. No sé cómo se enteró usted».

«¿Y qué fue lo que vio?»

En la noche del 13 de octubre, antevíspera del crimen del general Uribe, Francisco Soto bajaba caminando por la calle novena con su amigo Carlos Enrique Duarte. Era tarde y la calle estaba desierta. Pasaron por debajo del balcón del Noviciado y Francisco Soto señaló la casa de la esquina opuesta. «Ahí vive el general Uribe», le dijo a su amigo.

Su amigo no dijo nada. Siguieron caminando en dirección al Capitolio, pero antes de llegar a la esquina de la carrera séptima vieron a dos personas, una de sombrero de fieltro y la otra de sombrero de jipa, salir por una puerta pequeña.

«El edificio del San Bartolomé tiene una puertecita que da ahí, a la calle novena, una especie de puerta trasera», le dijo Soto a Anzola. «Por ahí salieron. Al del sombrero de fieltro lo reconocí de inmediato: era Leovigildo Galarza. A la otra persona no la pude ver bien, pero era una persona más alta y se veía mejor vestida».

A Galarza lo había conocido en la tienda El Meeting, allá por 1909; su amigo Carlos Enrique Duarte también lo conocía: Galarza le había hecho algunos trabajos de carpintería a su madre unos meses atrás. A los dos les extrañó ver a Galarza a esas horas de la noche, en compañía de un hombre que no era de su clase, saliendo del colegio de los jesuitas por la puerta trasera. Pero no volvieron a hablar del asunto hasta que apareció la foto de Galarza en los periódicos. «¡Galarza mató al general Uribe!», le dijo Duarte a Francisco Soto el viernes de esa semana. «¡Fue él!», decía y repetía. «¡Fue él!»

No acudieron a la Policía de inmediato. El día del entierro, Soto y Duarte hicieron parte de la multitud enlutada que acompañó al general Uribe de la Basílica al cementerio Central, y percatándose entonces de la magnitud de lo ocurrido, y viendo desde lejos a los sacerdotes que caminaban junto a la familia de la víctima, hablaron de la posibilidad de que los jesuitas estuvieran al tanto del crimen. Para nadie era secreta la antipatía pública y vocal que le profesaban al general asesinado; Francisco Soto había visto, como todos los bogotanos, la violenta campaña de desprestigio que le habían montado en los últimos años desde *La Unidad* y desde *Sansón Carrasco,* sus dos altavoces predilectos (Francisco Soto decía: sus dos mercenarios); y haber visto a uno de los asesinos saliendo del San Bartolomé le pareció demasiada coincidencia. Con

el amigo Duarte recordaron que el padre Rufino Berestain, el jesuita más importante de Bogotá y también el más
implacable, era capellán de la Policía. (El Rasputín de la
Policía, dijo Francisco Soto. Duarte no le rio la gracia.)
Y allí mismo, caminando como parte de la procesión
vestida de negro que despedía al muerto, se dijeron que
mejor sería guardar silencio, porque un crimen que toca
a la Policía y a los jesuitas es un crimen en el que es mejor
no verse envuelto. Luego se alegrarían, pues en el curso
del fin de semana comenzó a correr el rumor de que los
agentes estaban metiendo preso a todo el que se acercara
para dar informaciones. Ellos lo vieron después con sus
propios ojos: gente que conocían, gente cuya buena reputación daban por sentada, tenía que pasar unas horas
o una noche en la cárcel, como unos delincuentes, por cometer el error de decir lo que vieron.

«Los pobres no sabían que hay cosas que se ven
pero no se dicen», dijo Francisco Soto. «Especialmente en
estos tiempos».

«Pero ahora sí se pueden decir», dijo Anzola. «Ahora necesitamos que se digan. Si la gente como usted no las
dice, los que hicieron esto van a quedar impunes».

«¿Usted ha ido a verlos?»

«¿A quiénes?»

«A los asesinos. ¿Ha ido al Panóptico?»

Él sí. En diciembre último, poco después de llegar
de su largo viaje de negocios, pensó que no había entrado
en el edificio desde que su padre estuvo preso. «¿Su padre
estuvo preso en el Panóptico?», preguntó Anzola. Sí, dijo
Soto: eso fue tras el fin de la última guerra. Su padre, don
Teófilo Soto, era un liberal de armas tomar, un perdedor
de esa guerra infame como los miles de perdedores que
llenaron las cárceles de Colombia. Don Teófilo alimentó
a su hijo con historias de la guerra: historias de heroís-
mo cuando Francisco era niño, historias de dolor y fracasos e ilusiones truncadas a medida que fue creciendo.

«Pues me di cuenta de que nunca había visitado la cárcel como adulto», dijo Francisco Soto. «Y me pareció que estaba en falta».

Llegó al Panóptico una mañana soleada. En el patio, los presos buscaban la luz. Soto se paseó mirando a izquierda y a derecha, haciendo preguntas a los guardias, soportando el olor a orines y a comida vieja. Se dio cuenta de que todo había cambiado desde la guerra, pero también de que no podía precisar qué había cambiado exactamente. Tal vez, pensó, el que había cambiado era él, que había venido a visitar a su padre preso siendo niño, y ahora ya era un hombre y los espacios de la cárcel, sus corredores y sus muros, sus cuartos vistos desde afuera, se habían reducido. El lugar entero resultaba ahora menos impresionante que entonces; pero claro, entonces también había sido un lugar de miedo y de angustia, porque nadie le había explicado al niño que su padre no iba a morir encerrado, que no estaba asistiendo a sus últimos días. Así iba Francisco Soto, paseándose por ese lugar de tristeza como un turista en un museo, cuando reconoció, sentados en su cuarto, a los asesinos del general Uribe.

«Ahí estaban Galarza y Carvajal», dijo.

Galarza lo reconoció. Lo saludó tendiéndole la mano pero sin ponerse de pie, y mirándolo no a los ojos, sino a la corbata o los botones del chaleco: «Cómo está, señor Soto». Él se acercó a los asesinos y, sin agacharse, les preguntó cómo estaban ellos, si los trataban bien, si se aburrían.

«Ya ve usted, doctor», dijo Galarza. «Nos meten en estos asuntos y luego nadie nos voltea a mirar».

Antes de que terminara el año, el misterioso Alfredo García, aquel testigo desaparecido, había escrito una carta desde Barranquilla, en la costa Caribe, anunciando su viaje definitivo a Costa Rica. Anzola y los demás comentaron con extrañeza que la inicial de su segundo apellido fuera una *A,* pues nunca antes había firmado así; pero no le dieron más vueltas al asunto, porque de todas formas aquel tránsfuga ya no les servía para nada. Pero en febrero, el periódico *Etcétera* de Medellín publicó una carta extraña. La firmaba el mismo Alfredo García, pero la inicial de su segundo apellido había cambiado. «García B.», leyó Anzola, y un pliegue apareció en su ceño como si en el texto viniera una descortesía o un insulto. La carta, además, estaba fechada en Bogotá, con lo cual resultaba que Alfredo García no había viajado finalmente a Costa Rica. ¿Había cambiado de planes? ¿Era posible que estuviera en Bogotá clandestinamente? ¿O había sido el anuncio del viaje una farsa para desorientar a los investigadores, la prueba de que a García no le habían pagado sólo para que desapareciera sino también para que confundiera a la justicia? El contenido de la carta era explosivo: su autor denunciaba comportamientos sospechosos de ciertos individuos relacionados con el crimen de Uribe, y lo hacía en términos que no dejaban la menor sombra de duda. La carta era como el fallo que Anzola hubiera redactado si fuera el juez. Era, como dijo Julián Uribe, un sueño hecho realidad.

El autor de la carta comenzaba cargando contra el general Pedro León Acosta: «Yo vi a ese hombre el 11 de octubre de 1914 en el hotel Bogotacito, cuyo dueño era el señor Benjamín Velandia, como a las once y media del día, en compañía de Galarza y Carvajal. Los tres, después de cortas palabras que no pude oír, siguieron al salto del Tequendama». Enseguida involucraba a los jesuitas: «El 13 del mismo mes vi, por mis propios ojos, a eso de las diez de la noche, a Pedro León Acosta y sus compañeros Galarza y Carvajal, penetrar al colegio de San Bartolomé por una puertecita que tiene el convento a espaldas de la calle novena». Llegaba incluso a mencionar la famosa tarjeta que Ana Rosa Díez había querido entregarle a Tomás Silva antes de desaparecer de la faz de la tierra: «Después supe por una señora Rosa, amiga íntima de la madre de Galarza, que había recibido y tenía una tarjeta de un fraile cuyo nombre no puedo todavía decir». Alfredo García se daba entonces el lujo de parafrasear la tarjeta, como si la hubiera visto. «La tarjeta en referencia dice más o menos lo siguiente: "El reverendo padre recomienda a usted, de una manera muy especial, a la señora tal, para que se sirva permitirle que permanezca en su casa por algún tiempo, mientras vemos la manera de organizar ciertos asuntos"». Y terminaba refiriéndose al General Hachuela: «También sé de manera positiva que la madre de Galarza fue donde el general Salomón Correal y dijo que viera la manera de velar por su bienestar y por su vida; que a su hijo lo tenía preso, y que era el único que veía por ella; que no era justo que ella estuviera pasando trabajos. El señor Correal le contestó que no tuviera cuidado, que él iría a hablar con unos señores para que se le diera una suma de dinero mensualmente, por mano tercera, para que atendiera a sus necesidades».

Las revelaciones de *Etcétera* en Medellín sacudieron el proceso en Bogotá. El fiscal empezó a moverse como no se había movido en el año y medio transcurrido desde el crimen. Pedro León Acosta escribió al juzgado para pedir que se averiguara quién era el autor de la carta; el fiscal llamó a declarar a Acosta, a Galarza, a Carvajal; por fin, se decidió desesperadamente a encontrar a Alfredo García, y para ello comenzó a mandar comunicados a varias ciudades. Una tarde de finales de febrero, el periódico pasó de mano en mano en casa de Julián Uribe Uribe mientras las almojábanas se enfriaban y una nata delgada aparecía en el chocolate. Estaban presentes Tomás Silva y Carlos Adolfo Urueta, que habían sido llamados para celebrar el suceso como si se tratara de una condena a los verdaderos asesinos. «Es que aquí está todo», decía Tomás Silva. Y Julián Uribe daba vueltas excitadas a la mesa del comedor diciendo que sí, que por fin, que aquí estaba todo. La página del *Etcétera*, pensó Anzola, había llegado a la casa de los Uribe como hubiera llegado a una casa francesa la noticia del fin de la guerra.

Y sí, él había compartido al principio el entusiasmo de todos los presentes, pero con las horas fue cayendo en un desencanto que nadie lograba comprender muy bien y que él mismo, por más que lo intentaba, no lograba explicar. Algo en la carta rechinaba: era demasiado perfecta, demasiado pertinente, demasiado útil, demasiado oportuna. «Justamente, aquí está todo», decía. «Todo lo que necesitábamos, todo lo que hemos querido probar. Aquí están Acosta y los asesinos en el salto, aquí están Acosta y los asesinos saliendo del San Bartolomé, está la tarjeta del jesuita que nadie pudo encontrar hace año y medio, está la prueba de que Correal auxiliaba a los asesinos de maneras ocultas. Sí, aquí está todo».

«¿Y cuál es el problema?», decía Silva.

«No sé», decía Anzola. «Pero estas cosas no pasan así como así».

«Todo pasa de algún modo», dijo Silva.

«Sí», dijo Anzola. «Pero nada pasa así».

«Comienza a preocuparme, mi estimado Anzola», dijo Silva. «Está tan acostumbrado a buscar enemigos en todas partes, que ya no puede darse cuenta de si un tesoro le cae del cielo».

«Esto no es un tesoro».

«Tenga cuidado, es lo único que le digo. Porque así no le va a creer ni a Nuestro Señor Jesús cuando venga a salvarlo en el Día del Juicio».

Anzola trataba de poner en palabras su escepticismo. Después del crimen, Alfredo García había permanecido en Bogotá más de un año, esperando en vano a que el fiscal le tomara su declaración; en todo ese tiempo, nunca había mencionado lo visto en la noche del 13 de octubre, a pesar de la importancia del suceso. Nunca había mencionado lo de Salomón Correal, a pesar de que estaba al tanto de las sospechas que flotaban sobre el director de la Policía desde que se había negado a recibirle su declaración. Nunca había mencionado la tarjeta del jesuita y nunca, tampoco, había revelado que era capaz de parafrasear su contenido, a pesar de que había compartido con Anzola y Silva la preocupación por la desaparición de Ana Rosa Díez. «¿Por qué no?», decía Anzola. «¿Por qué no nos dijo nada de esto a nosotros? ¿Por qué estuvo con nosotros un año y medio hablando del crimen, hablando de todas estas cosas, sin mencionar precisamente éstas? ¿Por qué justo ahora, cuando hemos recogido testimonios que hablan de Galarza saliendo con un hombre misterioso del convento de los jesuitas? ¿Por qué ahora que comienza a ser evidente la complicidad de los jesuitas y el General Hachuela? ¿Por qué ahora se anima a decir que sí, que él sabía, que él también vio y él también supo? ¿Por qué don de la fortuna recibimos en un mismo documento todo lo que necesitaríamos para que el fiscal llegara por fin a la verdad sobre los asesinos? ¿Por qué lo que García menciona en su carta es casi lo mismo que hemos venido descubriendo por otros medios en estos días? ¿Y por qué cambia de inicial? Ahora su segundo apellido comienza con *B,* pero en la minuta comenzaba con *C* y en la carta de Barranquilla comenzaba con *A.* ¿Por qué?»

«¿Será una persona distinta?», dijo tímidamente Urueta.

«No es una persona distinta». Anzola, de repente, estaba irritado, y poco le faltó para ser insolente o aun grosero con sus mayores. «Está claro que es la misma persona. A menos que haya por pura coincidencia tres homónimos metidos en lo mismo. A menos que los tres sepan lo mismo del crimen del general Uribe. No, yo creo que son la misma persona, y creo también que esa persona se está prestando a este juego. Creo que alguien sacó a Alfredo García de Bogotá pagándole una buena suma. Lo compraron, como temíamos, y ahora están haciendo que su plata valga. Lo ponen a escribir cartas que nos despistan. Lo ponen a firmar con iniciales cambiadas. Y lo ponen a confesar en una carta todo lo que pueda implicar en el crimen a los conservadores y a los jesuitas».

«Pero es absurdo, Anzola, oiga lo que está diciendo», dijo Silva. «¿Para qué van a hacer eso? ¿Para qué quieren los conspiradores señalarse a sí mismos?»

«Mire quién señala», dijo Anzola.

«Un testigo», dijo Silva.

«Un testigo desaparecido o escapado», dijo Anzola. «Un hombre que escribe una carta a un periódico y la firma con una letra equivocada. Este documento no tiene ninguna credibilidad para un juez, porque no hay quien se responsabilice de él. ¿Dónde está el denunciante? Nadie lo sabe. ¿Está en Barranquilla? ¿Está en Bogotá? ¿Está en Medellín? No tiene cara, y el testigo que no pone la cara es como si no existiera. No, lo que hace esta carta es jodernos». Julián Uribe levantó una ceja. «De un solo plumazo, los conspiradores acaban de rodear todas nuestras denuncias de un desprestigio total. La participación de los jesuitas, de Salomón Correal, de Pedro León Acosta, todo queda ahora convertido en rumor barato. Una carta confusa enviada por un testigo escapado, cuyo paradero se ignora y que se cambia el segundo apellido cada vez que firma un papel: no, esto no produce la más mínima convicción, y ningún juez en su sano juicio le daría la más mínima credibilidad. Esto es lo que quieren, quitarle credibilidad a cualquier acusación que hagamos, convertirla en el rumor absurdo de un loco perdido. Y lo están logrando, a mí me parece claro. Nos están ganando antes incluso de que comience la pelea. ¿Quiere que haga una predicción? El fiscal va a empezar a buscar al denunciante por cielo y por tierra, a convertir esto en un gran espectáculo de persecución de la verdad oculta. Dentro de unas semanas o unos meses va a declarar que no lo encontró. Que a pesar de todos sus esfuerzos, no encontró al acusador, y entonces sus acusaciones se van a convertir en la voz de un loco. ¡La Compañía de Jesús, envuelta en el crimen! Absurdo. ¡El general Acosta y el director de la Policía, envueltos en el crimen! Absurdo. Claro, dirán, qué puede esperarse de un acusador anónimo que firma con nombre prestado y no se atreve a salir de su madriguera de cobarde. No, dirán, estas acusaciones no son más que el producto infame de una mente calenturienta. Mal podemos, dirán, tomárnoslas en serio». Hizo una pausa y luego dijo: «Es una jugada maestra. Si no fuera la obra de nuestros enemigos, no me costaría trabajo admirarla».

Más tarde, al despedirse de la concurrencia, notó que lo miraban distinto. ¿Era lástima lo que veía en sus ojos, era desconfianza o preocupación? Lo miraban como se mira a un pariente que desvaría: con la misma boca tensa, los mismos ojos afligidos. Al salir, Anzola pensó que había perdido algo esa tarde. Caminó dos o tres cuadras por la ciudad viendo las sombras de la luz amarilla sobre los adoquines. Pensando en Alfredo García A., en Alfredo García B. y en Alfredo García C., recordando al hombre al que había conocido en Bogotá y cuya conciencia había sido devorada por los conspiradores, se dijo que estaba enfrentándose a una maquinaria poderosa, y un escalofrío le cruzó la espalda. ¿Era capaz él de enfrentarse a esos monstruos? Luego se preguntó: ¿era miedo esto que sentía? Un corrillo de hombres lo miraron cuando entró a la plaza de Bolívar, y Anzola tuvo la convicción de que hablaban de él. Empezaron a moverse hacia la esquina, y del corrillo salió entonces una carcajada que resonó hueca y a la vez profunda en la plaza vacía, como una piedra al caer en un estanque. Anzola tuvo una idea. En minutos estaba de regreso en la casa de Julián Uribe, donde los comensales ocupaban los mismos puestos de antes, y donde los ojos lastimeros se fijaron en él igual que antes lo habían hecho.

«Doctor Uribe, doctor Urueta», dijo Anzola, «tengo un favor que pedirles». Y antes de que le contestaran, añadió: «Quiero que me metan a la cárcel».

Así comenzó a trabajar en el Panóptico. Su antigua ocupación como funcionario de Obras Públicas fue de utilidad; usándola como pretexto, Uribe y Urueta movieron sus influencias para que Anzola recibiera un empleo administrativo en la principal prisión de Bogotá. Nadie supo nunca cuáles eran sus tareas, aparte de rondar como un desocupado las obras que se llevaban a cabo en la cárcel; pero nadie preguntó, y durante varios meses pudo Anzola entrar al edificio de piedra fría donde Galarza y Carvajal convivían con criminales y delincuentes venidos de todo el país, y vio un odio cansado en la cara de los presos y vio también la derrota que desgasta la carne de las mejillas y dibuja sombras debajo de los ojos. Sí, el sueldo en el Panóptico era considerablemente menor que el de inspector de Obras Públicas, pero a Anzola no le importaba apretarse el cinturón durante un tiempo: le importaba su investigación, que ya para entonces era mucho más que un encargo y también que un oficio: era una vocación, algo que daba estructura y propósito a sus días. Buscaba a Galarza y a Carvajal. Los observaba de lejos, tratando de que ellos, por su parte, no lo vieran a él, y al llegar a casa en las tardes anotaba sus hallazgos. Se daba cuenta de que su conducta imitaba o repetía la que habrían tenido los asesinos antes del crimen, la vigilancia de una presa, la satisfacción de llevarla a cabo sin que la presa se percatara de nada; entendió o le pareció entender el poder que embriaga a quien observa a otro y piensa ya en causarle daño. A partir de cierto momento comenzó a descubrir un sentimiento novedoso que podía ser mera curiosidad pero también otra cosa más perturbadora. ¿Qué pensarían los asesinos durante el día?, se preguntaba al verlos. ¿Recordarían a su víctima? ¿Soñarían con ella? ¿Cómo era eso de matar a un hombre? Una tarde pidió a un guardia que le señalara a algún convicto por asesinato y se le acercó después, cautelosamente, como cualquiera se acerca a una fiera de circo.

«¿Usted sueña con sus víctimas?», le preguntó.

«Sí», le dijo el asesino. «Pero sólo cuando estoy despierto».

Anzola nunca había oído una definición tan certera de la culpa, y no le preguntó nada más al respecto. Pero a lo largo de los días ese preso lo condujo a otro, y éste a otro más, hasta que acabó teniendo diálogos sinceros con un hombre de apellido Zalamea que lo había visto merodeando la celda de Galarza y Carvajal. «¿Sumercé es detective?», le había preguntado el hombre. Anzola dijo que no, que estaba ahí para hacer unos trabajos por encargo del Ministerio de Obras Públicas, pero que no podía evitar un interés equívoco —y algo morboso, había que admitirlo— por los asesinos del general Uribe.

«Interesante más bien lo que pasa con ellos», le dijo el hombre.

«¿A qué se refiere?»

«Hacen lo que se les da la gana», dijo Zalamea. «Es como si fueran hombres libres».

El tal Zalamea era un hombre de cierta educación, eso era evidente, y por eso se atrevía a protestar ante los guardias por las injusticias del trato en la cárcel. Estaba preso, según decía, por cuestiones de deudas, pero nunca llegó a dar explicaciones más detalladas; sí explicó, en cambio, su sorpresa al ver que Galarza y Carvajal recibían tratos privilegiados que rayaban en la ilegalidad. Fue Zalamea quien le habló a Anzola de las cartas que el guardia Pedraza les sacaba clandestinamente a los asesinos; fue Zalamea quien habló de un incidente en que había venido un sacerdote jesuita para recibir él mismo sobres cerrados que los asesinos mandaban al mundo. «¿Seguro que era jesuita?», preguntó Anzola.

«El padre Tenorio», dijo Zalamea.

«¿Rafael Tenorio?»

«Ése», dijo Zalamea. «¿Usted lo conoce?»

Anzola lo conocía, sí, aunque no de vista. Julián Uribe había pedido que se le investigara por una conducta sospechosa: al parecer, el padre Tenorio había sido capellán del ejército conservador durante la última guerra, y en esa calidad había conocido una vez a un soldado de apellido Carvajal que se ofreció para asesinar al general Uribe y así terminar con la guerra por la vía más expedita. Después del crimen, cuando la foto de Carvajal apareció en los periódicos, el padre Tenorio le contó la anécdota a un tal Eduardo Esguerra, conservador y asiduo de su capilla. «Es el mismo», le dijo Tenorio. Pero meses más tarde, cuando por fin fue interrogado al respecto por el fiscal, se retractó. «Comparados el retrato y el recuerdo», dijo, «puedo asegurar que no son uno mismo». ¿Y éste era el hombre que visitaba a los asesinos? ¿Éste era el sacerdote que les servía de correo privado?

«Galarza y Carvajal lo reciben en la capilla, se hablan como amigos», dijo Zalamea. «Yo los he visto con estos ojos». Hizo una pausa y añadió: «Pero así ha sido todo el tiempo. El padre Tenorio los visita mucho, les trae regalos. Los consiente, mejor dicho».

«¿Qué regalos?», preguntó Anzola.

«Yo he visto paquetes», dijo Zalamea. «Libros, periódicos. Pero más no sé».

Zalamea refirió una conversación que había tenido con los asesinos un día, durante la hora de patio. Cuando les preguntó para qué se habían metido en semejante lío, alguno de los dos, Carvajal o Galarza, repuso con soltura: «Si no lo hubiéramos matado, lo hubiera matado otro». Estaban muy seguros de que no pasarían más de cuatro años en la cárcel, aunque habían cometido un crimen que comportaba veinticinco, y Zalamea creía que la arrogancia les venía de alguna forma de la impunidad. En cierta ocasión, contaba, les habían encontrado escondidos en su cuarto los martillos, los cinceles y las limas que otro convicto había usado para intentar evadirse, y esa falta, que en otro caso hubiera resultado en graves castigos, no había tenido para ellos ninguna consecuencia.

«¿No les hicieron nada?»

«Ni los regañaron», dijo Zalamea. «Por eso le digo, es que son cuerpos sagrados. Si hasta se ganan la vida como artistas de cine».

Se refería a la película de los hermanos Di Domenico, para la cual los asesinos habían posado aquí, en estos corredores, delante de estas celdas. Desde un principio había corrido el rumor de que la aparición de los asesinos en *El drama del 15 de octubre* había sido remunerada; ahora Zalamea lo confirmaba de viva voz.

«¿Así que les pagaron?», preguntó Anzola.

«Sí, les pagaron», dijo Zalamea. «Cincuenta pesos a cada uno. Mire lo bien que se visten, mire las cosas que se agencian. Y ni hablar de lo que tienen en las celdas».

Durante varios días, días monótonos de horas largas que la impostura igualaba, Anzola estuvo esperando la ocasión propicia para meterse en las celdas de los asesinos y ver qué podía encontrar. No fue fácil, sin embargo, porque Galarza y Carvajal tenían rutinas distintas a las del resto de los reclusos: no estaban obligados a asistir a las sesiones de Enseñanza, por ejemplo, y tampoco a levantarse a la hora cruel de los demás. A veces almorzaban con lo que los reclusos llamaban la comunidad, compartiendo los alimentos de todo el mundo a la misma hora que todo el mundo comía, pero a veces se les permitía recibir del exterior platos elaborados que les traían sus mujeres, y alguna vez se jactaron en público de comer como en restaurante, pues se había visto incluso que les llevaran la comida a su celda. Esos privilegios, notó Anzola, les habían granjeado la antipatía o el franco resentimiento de la comunidad. Los otros enjuiciados los miraban desde lejos, como se mira a un intruso, y cambiaban la conversación y hasta la manera de estar de pie cuando uno de los dos se acercaba. Llegó a oír incluso que Galarza y Carvajal prestaban dinero dentro de la cárcel, y además a intereses altos; que los reclusos más necesitados les vendían cadenas o anillos o botellas de aguardiente, y que ellos las pagaban a buen precio; que a veces mandaban traer comida cruda del exterior y la vendían dentro de la cárcel a los presos que no tenían esos permisos. También se dio cuenta de que los asesinos del general no iban a misa a las mismas horas que el resto: tenían una especie de lugar preferente en la capilla del Panóptico, de manera que recibían los oficios a horas distintas, encerrándose en el recinto a solas con el oficiante. Anzola tuvo una idea. El domingo siguiente se instaló en la cárcel desde tempranas horas. Al mediodía llegó un sacerdote calvo, se dirigió a la celda de los asesinos y se los llevó a la capilla. Anzola vio su oportunidad.

Las celdas de Galarza y Carvajal no eran sólo más espaciosas que las demás: eran otro tipo de habitación. Estaban separadas por un mero tabique, tan delgado que no hubiera bastado ni siquiera para impedirles conversar por las noches. Anzola escogió la de la izquierda, sin saber a cuál de los dos pertenecía, y quedó deslumbrado. En el suelo, un tapete y un cuero de ternero calentaban el ambiente. Un bombillo encendido flotaba desnudo y dibujaba sombras domésticas sobre un cuadro del Sagrado Corazón de Jesús; al fondo, un grifo soltaba una gota rítmica. Una celda con agua corriente y luz eléctrica, pensó Anzola: ¿qué tipo de gente velaba por los asesinos? Las dos camas simétricas estaban tendidas, cada una con dos cobijas de lana, cuatro almohadas con sus fundas y un cojín de forro bordado. En las esquinas no había mugre. Sobre una mesa de madera, apilados sin orden, los libros y papeles parecían más de los necesarios, como si allí no vivieran los carpinteros que habían asesinado al general Uribe sino algún estudiante pobre. No, pensó Anzola, no un estudiante sino un seminarista: junto a la pared, debajo de un cuadro de la Virgen del Carmen, se recostaba un banco acolchonado de los que sirven para rezar de rodillas.

Anzola vio misales y novenas para leer en Navidad, vio una Biblia de tapas de cuero, vio folletos y registró un título en especial: *El sí y el no*. Era la primera vez que lo veía, pero había escuchado hablar del libro en varias oportunidades, y siempre con la misma indignación. En 1911, años después de que el padre Ezequiel Moreno sostuviera que el liberalismo era pecado, el general Uribe había respondido con un panfleto brillante, lleno de sus mejores armas retóricas y de sus ideas precisas: *De cómo el liberalismo político colombiano no es pecado*. El opúsculo fue un escándalo: en él, Uribe alegaba que el Partido Liberal era tan católico como el otro, tan respetuoso como el otro de las instituciones familiares y sociales que informaban la vida colombiana, y enseguida animaba a los liberales colombianos a enfrentarse a los abusos del clero, denunciarlos y condenarlos. Eso, sin embargo, no fue lo peor: después de que la Iglesia colombiana prohibiera la lectura del libro, Uribe había cometido la afrenta más grave de todas: apelar ante la Santa Sede. Para los sacerdotes, ésta fue la cachetada definitiva; y *El sí y el no*, que ocupaba un lugar tan especial entre las pertenencias del asesino, era su respuesta. El autor se escondía detrás de un seudónimo impenetrable: Ariston Men Hydor. Anzola sacó el cuaderno de Lubín Bonilla y anotó, en la última página, el título, el autor y el nombre de la imprenta: Cruzada Católica. Era la misma imprenta que publicaba el periódico *La Sociedad*, cuyas páginas habían declarado al general Uribe fuerza inmoral y establecido, más allá de toda duda, que la guerra de 1899 había sido un castigo de Dios contra los acólitos de Satán. Anzola abrió el folleto al azar y leyó que Uribe Uribe era enemigo de la religión, de los principios conservadores y de la patria. Pero entonces un convicto que pasó aullando frente a la puerta abierta lo sobresaltó, y Anzola salió de la celda sin mirar a nadie, no fuera a ser que se encontrara en el corredor largo con los ojos de los asesinos.

A la mañana siguiente, antes de llegar a su trabajo simulado o fingido, Anzola pasó por las oficinas de la imprenta de la Cruzada Católica. Quería comprar un ejemplar de *El sí y el no;* también quería informarse sobre su autor. Pero en esto no tuvo éxito: nadie, en toda la imprenta, sabía quién era el hombre que se escondía detrás de aquel nombre extranjero. Un tal Marco A. Restrepo, sacerdote jesuita, había traído el manuscrito a la imprenta, pero la verdad sobre su autor sólo podría encontrarse en los libros de contabilidad. Anzola preguntó si podía verlos, pero le explicaron que estaban en poder de la curia y le dijeron, con palabras más elegantes, que los canónigos se cortarían un brazo antes que enseñárselos a un hombre con su reputación. Y sin embargo, salir con un ejemplar del folleto bajo el brazo le produjo la sensación absurda de una pequeña victoria.

Lo leyó en el curso del día, durante las comidas que tomaba en soledad y en momentos de descanso, y llegó hasta el final con disciplina, a pesar de que cada párrafo del libro era una mentira grotesca, una distorsión de la evidencia y una calumnia, un escupitajo que salía de la pluma de Ariston Men Hydor y ensuciaba la memoria del general Uribe como antes había ensuciado su imagen viva. Un párrafo le llamó la atención especialmente. En él se recordaban con indignación los pecados imperdonables de Rafael Uribe Uribe como senador de la República. ¿Y qué pecados eran aquéllos? No haber asistido a la sesión en que se discutiría la consagración de Colombia al Sagrado Corazón de Jesús; haber abandonado el recinto del Senado cuando se debatió si el país debía sumarse a los festejos del mundo católico, que celebraba el quincuagésimo aniversario del dogma de la Inmaculada Concepción. Sí, pensó Anzola, por eso lo había odiado a muerte este país de fanáticos: por no modelar las leyes colombianas con la arcilla de sus supersticiones, por no encomendar el futuro incierto de la patria a las magias lejanas de una teología descompuesta. Era fama que un congresista conservador, al ver a Uribe retirarse del recinto cuando se iba a votar la adhesión a los festejos, soltó una humorada que varios aplaudieron.

«El general es como el diablo», dijo. «Al oír el nombre de la Virgen, sale corriendo».

Enemigo de la religión católica. Culpable de las guerras civiles. Asesino de colombianos. Las acusaciones eran familiares. Anzola las había escuchado mil veces, mil veces las había leído en las páginas de los periódicos, pero ahora, leyendo el folleto, notaba algo más. Era un eco, un vago sabor, y le costó unos minutos llegar a esta revelación íntima: la voz de Ariston Men Hydor era singularmente parecida a la del autor que, bajo el seudónimo El Campesino, había atacado con saña al general Uribe desde las páginas de *El Republicano*. Eran artículos de opinión que Anzola había leído y lamentado durante años; había seguido las polémicas que suscitaban; había discutido sus implicaciones con otros liberales. También El Campesino culpaba a Uribe de haber enviado a la muerte a miles de jóvenes durante la guerra de 1899; también El Campesino acusaba a Uribe de desear la desaparición de la Iglesia, la destrucción de la familia y la eliminación de la propiedad, y de querer entregar el país al socialismo ateo. El Campesino acusaba a Uribe de buscar con sus escritos el deterioro de toda moral y el desprestigio de la fe que era sustento de la vida buena. ¿Quién era este hombre? Si la intuición de Anzola era correcta, El Campesino y Ariston Men Hydor eran la misma persona: dos seudónimos distintos y un solo calumniador verdadero. ¿Pero cómo confirmarlo?

Lo intentó visitando la imprenta de *El Republicano*. Habló con redactores y con un operador. Un reportero joven con un parche en un ojo salió a su encuentro. «Aquí no», le dijo, y lo tomó del brazo para salir. Mientras daban una vuelta a la cuadra, el joven se presentó como Luis Zamudio, le dijo que había sido reportero del periódico por la época de los artículos de El Campesino, le manifestó su admiración y su respeto y deseó que se llegara pronto a la verdad sobre el crimen del general Uribe. Enseguida le dijo que no sabía quién era el autor de los artículos contra el general.

«Nos llegaban escritos a máquina», dijo. «No se escribían en la redacción».

«¿No los escribía el director?»

«No, eso seguro que no», dijo Zamudio. «Entre nosotros se decía que los escribían los jesuitas. Aunque no haya que ser genio para darse cuenta».

«¿Pero quién los traía?»

«A veces, el padre Velasco, el superior de los franciscanos. Se encerraba a hablar con el director. A veces también el padre Tenorio. El jesuita, no sé si usted lo conoce».

«Sí, lo conozco», dijo Anzola. «¿Y usted no cree que ellos hubieran podido ser?»

«¿Ser El Campesino?»

«Sí».

«Ah, hasta ahí no sé. Los artículos venían a máquina, como le digo. Imposible saber de qué mano salían. Lo que sí sé es que no salían del periódico». Y luego: «Yo me avergüenzo, señor Anzola».

«¿De qué?»

«De que este periódico se haya vuelto así. De lo que le hicieron al general, de esa campaña grosera que le montaron», dijo Zamudio. Llegaban de nuevo a la puerta de la imprenta. «¿Le puedo preguntar una cosa?»

«Dígame».

«¿Por qué le interesa tanto El Campesino? La campaña contra Uribe vino de todas partes. ¿Por qué especialmente El Campesino?»

Anzola sintió un fogonazo de compañerismo: recordó lo que era confiar en alguien y, además, sentir que alguien confiaba en él; el sentimiento lo sedujo (acaso por una mezcla de vulnerabilidad y nostalgia) y estuvo a punto de explicarle la situación entera a aquel periodista desconocido con un ojo dañado. Casi le habló de Ariston Men

Hydor y de *El sí y el no;* casi le dijo que los autores de las columnas y del folleto eran, en su opinión, la misma persona, y que había encontrado ese folleto entre las pertenencias de los asesinos, en su celda privada; casi le explicó que, en su opinión, los asesinos habían recibido esos folletos de parte de los que habían ordenado el crimen, que se los regalaban para fortalecer su ánimo, alimentar su odio contra Uribe, neutralizar sus culpas y evitar su arrepentimiento. A Anzola se le había metido en la cabeza, por lo tanto, que el descubrimiento de esa identidad oculta echaría nuevas luces sobre los responsables, y allí, sobre la acera estrecha, estuvo a punto de explicárselo al reportero. Pero recapacitó a tiempo. Este Zamudio, después de todo, seguía trabajando para *El Republicano,* ¿no era así? ¿Quién podía saber qué intenciones secretas movían su locuacidad? ¿Qué hilos invisibles lo habían guiado alrededor de la cuadra? ¿Cómo era posible confirmar que no lo hubieran enviado en misión secreta Salomón Correal o el fiscal Rodríguez Forero?

Anzola echó una mirada a las esquinas, para confirmar que nadie los vigilaba. Se despidió del reportero y siguió su camino.

A finales de mayo ocurrió lo que Anzola había predicho con respecto a la carta misteriosa del periódico *Etcétera.* El fiscal Alejandro Rodríguez Forero, con grandes aspavientos, mandó buscar por cielo y tierra al testigo Alfredo García, que había hecho por escrito aquellas acusaciones temerarias. Escribió a Barranquilla, de donde había llegado la primera carta, dirigiéndose al alcalde de la ciudad en términos perentorios; pero lo hizo sin la astucia mínima de describir físicamente a García, con lo cual su petición no pudo llevarse a cabo. El alcalde de Barranquilla respondió pidiendo la descripción del individuo buscado, pero, a pesar de que la información constaba en el expediente, no recibió respuesta. La Fiscalía envió entonces un telegrama circular a todos los alcaldes de la República: *Suplícoles averiguar inmediatamente y avisar por telégrafo si en su jurisdicción reside Alfredo García A.* No hubo respuesta favorable. Cuando Anzola se enteró del contenido del telegrama, se dirigió sin perder tiempo a casa de Julián Uribe. «¿Por qué García A.?», le dijo al hermano del general. «¿Por qué no García B., por qué no García C., si la Fiscalía conocía la confusión de iniciales? Ahora sabemos por qué los criminales le pidieron al testigo que firmara de tres maneras distintas: para que luego pudieran buscarlo sin encontrarlo, para que parecieran esforzarse sin correr el riesgo de que sus esfuerzos funcionaran. Yo tenía razón. Yo tenía razón y no me creyeron». Julián Uribe tuvo que reconocerlo.

En la mañana del día 28, Anzola llevaba a cabo su trabajo en el Panóptico cuando uno de los guardias —el de apellido Pedraza, que al parecer era ficha de Salomón Correal y les ayudaba a los asesinos a comerciar con el mundo exterior— se le acercó para decirle que alguien lo esperaba afuera. Al salir a la calle, todavía húmeda por la lluvia reciente, Anzola se encontró con la figura de Tomás Silva, que traía en sus manos la edición de *El Tiempo* donde se había publicado un edicto del fiscal. La desdobló, la enderezó con un movimiento de las muñecas, leyó: «Alejandro Rodríguez Forero, fiscal del proceso sobre los responsables de la muerte del general Uribe Uribe, cita y llama al autor de la carta…» No tuvo que decir más. Anzola comprendió de inmediato: el fiscal le pedía públicamente al testigo que apareciera para declarar lo que supiera del crimen; le aseguraba que le prestaría todas las garantías; pero, de no presentarse, quedaría como encubridor.

Anzola caminó unos pasos y se sentó en una de las bancas que daban a la avenida, debajo de los árboles de hojas polvorientas. Vio pasar dos automóviles ruidosos, vio señoras de sombrero en el asiento trasero de los automóviles, vio un caballo que cagaba mientras avanzaba hacia el norte, hacia Barro Colorado. «Ya está, lo lograron», dijo. «Son magos, mi querido Silva, contra ellos no se puede. García no se va a presentar: su ausencia está ya pagada y asegurada. Dígame una cosa, Tomás: ¿cuánto cuesta desaparecer a un hombre sin quitarle la vida? ¿Cuánto cuesta convertirlo en redactor por encargo de cartas absurdas, y luego en fantasma, y luego en ficción, y luego en instrumento para desprestigiar toda una investigación? Eso es ahora Alfredo García: una invención nuestra para manchar el buen nombre de la gente distinguida de este país. Todas sus acusaciones, todo lo que escribió en la carta, ha quedado convertido desde ahora y para siempre en los delirios de un encubridor. Con esta maniobra, acaba de quedar sin valor la presencia de Pedro León Acosta en el salto del Tequendama. Acaba de quedar sin valor la salida de los asesinos por la puerta del convento de los jesuitas. Yo contra esto no puedo. Ni yo ni nadie. Dan náuseas, ¿pero qué se puede hacer? ¿Qué se puede hacer contra una fuerza tan grande, una fuerza capaz de lograr que a Ana Rosa Díez se la trague la tierra, que Alfredo García escriba lo que no sabe y luego convierta la verdad en mentira, que lo que sucedió ya no haya sucedido? Yo pensaba que sólo Dios podía llevar a cabo semejantes milagros, y resulta que no es así, que el poder lo tienen también otros. Sí, náuseas, eso es lo que siente uno, eso es lo que siento yo. ¿Y qué se puede hacer? Vomitar, Silva. Vomitar todo lo que uno lleva dentro, y tratar de que el vómito no salpique a nadie».

Del testigo Alfredo García no se volvió a hablar: ésa fue su desaparición del proceso y también del mundo. De vez en cuando le ocurría a Anzola pensar en él, preguntarse dónde estaría, si en Barranquilla o en Costa Rica o en Ciudad de México, o acaso enterrado un par de metros bajo tierra con un machetazo en el cuello, con dos tiros a quemarropa y por la espalda. A finales de septiembre comenzó a circular el rumor de que el fiscal Alejandro

Rodríguez Forero estaba terminando de recabar testimonios y de llevar a cabo investigaciones, y algunos, que no tenían por qué mentir, dijeron que ya había comenzado la redacción de la Vista fiscal. Anzola oyó los rumores y sólo pensó: *el testimonio de Alfredo García no estará en esa Vista. Han logrado que no esté. Lo han logrado.* Se acercaba el segundo aniversario del crimen, y Anzola se dio cuenta de que llevaba mucho tiempo sin visitar el sitio. (Se había acostumbrado a llamarlo así, *el sitio,* en sus monólogos y sus sueños y sus delirios.) Lo hizo una mañana. Se dirigía a otra parte, pero al pasar la iglesia de Santa Clara se permitió este desvío. Al entrar en la plaza de Bolívar por detrás del Capitolio, tuvo forzosamente que pasar por el lugar preciso donde un agente y un ciudadano habían arrestado a Leovigildo Galarza, incautándose de una hachuela manchada de sangre. «No uso eso», había dicho Galarza después, durante sus primeras declaraciones, «porque no he sido asesino». Anzola tuvo un estremecimiento, como si hubiera pasado una de esas ráfagas de viento frío que postran a los extranjeros, pues por un instante la ciudad entera se había convertido en *el sitio,* y cada calle y cada pared, en un testigo o un escenario del crimen de Uribe.

Anzola dio la vuelta a la esquina. Todavía lo separaban unos veinte pasos de la acera cuando notó la presencia en el paisaje familiar de un objeto novedoso; al acercarse, sin quitarle los ojos de encima, vio que se trataba de una placa: una nueva placa de mármol que alguien había puesto en estos meses para que los bogotanos no olvidaran nunca la tragedia. Leyó:

Aquí, en este luctuoso sitio, el día 15 de octubre de 1914, fue sacrificado por dos oscuros malhechores, traidoramente y a golpes de hacha, el egregio varón, doctor y General Rafael Uribe Uribe, amado hijo de Colombia y honra de la América Latina.

¿Quién la habría puesto? ¿Para quién? Desde luego no para estos transeúntes indolentes que pasaban frente a ella sin mirarla. *Dos oscuros malhechores,* leyó Anzola, y de repente se sintió engañado. No, no eran dos, eran muchos más: en esto, la placa era cómplice de la conjura. Por lo demás, la palabra *luctuoso* era una mentira, la palabra *sacrificado* era una cursilería, la palabra *hacha* era una imprecisión y la palabra *amado* era una hipocresía. Sí, pensó Anzola, toda esta placa era una gran impostura marmórea, puesta probablemente por órdenes de los enemigos del general, tan diestros en el arte de la distorsión, de las falsas pistas y de los ocultamientos a plena luz del día. *Escrito en piedra:* ¿no era así que se decía para referirse a una verdad eterna, algo que ya era cierto hasta el fin de los tiempos? Esta placa, con su apariencia de memorial inofensivo, era en realidad la consagración de los conjurados, un paso más en la imposición de esa realidad en la que dos carpinteros medio borrachos matan al general porque el gobierno no les ha dado trabajo. Esa placa era parte de la absolución irrevocable de los grandes lobos de la jauría; Anzola se figuró entonces una escena absurda en la que uno levantara la placa y debajo de ella, sobre la pared, se encontrara con los nombres de Salomón Correal y de Pedro León Acosta y de Rufino Berestain. Entonces tuvo esta revelación: que esa placa de mármol anunciaba, en cuarenta y tres palabras, lo que en muchísimas más diría la Vista fiscal, como arando la tierra para luego sembrar la semilla de la mentira. Leyó de nuevo, sacó la libreta de Lubín Bonilla y copió las cuarenta y tres palabras, y con cada trazo pensaba que no necesitaba ni siquiera leer la Vista fiscal, pues ya sabía lo que diría. Diría *honra de la América Latina,* diría *egregio varón* y diría, sobre todo, *sacrificado por dos oscuros malhechores.*

Dos lobos solitarios. Dos asesinos sin cómplices.

*

La Vista fiscal, el documento que declararía ante la ley quiénes eran los acusados en el caso Uribe, fue publicada en noviembre por la Imprenta Nacional. Era un libro de tapas de cuero y trescientas treinta páginas de palabras apretadas y tecnicismos jurídicos, pero la gente lo devoró como si fuera una novela de moda. «Ya salió, ya salió», se oía en las esquinas, y los voceadores lo anunciaban aunque no lo tuvieran para la venta. En la tarde del mismo día, Julián Uribe convocó a una reunión de urgencia, pero no en su casa, sino en el número 111 de la calle novena: la casa del general donde todavía vivía su esposa, donde su escritorio y su biblioteca seguían como los había dejado y donde su fantasma estaba presente en mil formas: en esas escaleras por donde había bajado su ataúd, en ese salón amplio donde lo habían velado, en esas ventanas por donde entró, la noche de su muerte, el llanto desconsolado de sus seguidores. En el escritorio del general estaban Julián Uribe y Carlos Adolfo Urueta, los dos de pie, los dos agobiados por la tristeza o la indignación.

«¿Ya se enteró?», le preguntó Urueta a Anzola tan pronto como lo vio entrar.

Anzola se había procurado un ejemplar en las oficinas de *El Liberal* y había saltado directamente a la tabla de contenido. Encontró *Conclusiones*, encontró *Auto de proceder,* y leyó con el corazón estrujado la vindicación de sus peores miedos. Después de declarar abierta la causa criminal contra Jesús Carvajal y Leovigildo Galarza, el fiscal concluía que no había prueba ninguna de la responsabilidad de los demás sindicados. Anzola leyó la lista de los inocentes, todas esas personas contra las cuales no actuaría la ley. Comenzaba con el nombre de Aurelio Cancino, aquel trabajador de la Sociedad Franco-Belga que predijo con semanas de anticipación el crimen del general Uribe y cuyo talento profético, sin embargo, nunca interesó a los investigadores. Revisó uno por uno y con cuidado los casi cincuenta nombres que la componían, y al final se encontró con el único que de verdad le interesaba: Pedro León Acosta ocupaba el último lugar de aquel inventario de la infamia. Era como si le hubieran querido jugar una broma, pensó Anzola, pues el nombre de Acosta, puesto en el último lugar del párrafo, servía como un puente obsceno para pasar al párrafo siguiente, donde se declaraba, más allá de toda duda, la inocencia de Salomón Correal. Y ahora había llegado a la casa del general, y su hermano lo miraba con los ojos hundidos de tristeza mientras Carlos Adolfo Urueta le preguntaba: «¿Ya lo vio?»

«Ya lo vi», dijo Anzola.

«Acosta, inocente», dijo Urueta sacudiendo el libro como un predicador. «Correal, inocente».

«Y de los jesuitas, ni una palabra», dijo Julián Uribe.

«Ni una», dijo Urueta. «Como si no existieran. Como si usted no hubiera averiguado todo lo que ha averiguado. A menos, claro, que todo sea pura imaginación suya».

«No es imaginación mía», dijo Anzola. «Yo sé que los jesuitas visitan a los asesinos. Yo sé que los asesinos estuvieron en el colegio de San Bartolomé. Yo sé que los jesuitas se reunían con Correal. Yo sé que hay un panfletario escondido tras el seudónimo de Ariston Men Hydor, y que ese panfletario es el mismo que firma como El Campesino artículos horribles contra el general Uribe».

«¿Y quién es ese hombre?»

«No lo sé», dijo Anzola.

«No, ¿verdad?», dijo Julián Uribe. «Usted tiene indicios, Anzola, sólo indicios. Está Acosta por aquí, Correal por allá, el cura Berestain un poco más allá… Yo quiero creerle, pero usted no me ha explicado todavía cómo están relacionadas las cosas que ha descubierto. Más allá de su imaginación, o mejor, de su teoría. Y si no me lo ha explicado a mí, ¿cómo se lo vamos a explicar al juez cuando comience el juicio? Yo quiero creerle, Anzola, pero el juez no va a querer, porque lo que usted sostiene no le va a gustar a nadie. Con esta Vista fiscal se nos acaba el tiempo. La ley es la ley: sólo los sindicados en la Vista irán a juicio. Los que no están en la Vista, es como si no existieran. Y eso lo sabe usted tanto como yo, ¿no es verdad?»

«Es verdad».

«El juicio va a comenzar en cosa de un año, más o menos. Tenemos un año para decirle al juez por qué la Vista fiscal es una mentira. Tenemos un año para convencerlo de que este libro está equivocado. Mejor dicho: el que tiene un año es usted, mi estimado Anzola. Tiene un año para no fallarnos y no fallarle a la memoria de mi hermano. Tiene un año para demostrarnos que no nos equivocamos cuando le encargamos un asunto tan delicado. Muchas cosas están en juego, Anzola, muchas cosas que van más allá de la justicia en el caso particular de mi hermano. Si lo que usted dice es verdad y hay una conjura, el futuro de este país depende de que los conjurados no se salgan con la suya. El que mata impunemente vuelve a matar. El que ha organizado esto volverá a hacerlo. ¿Cómo va a hacer usted para evitarlo?»

Anzola permaneció en silencio.

«Dígame, Anzola», continuó Julián Uribe. «¿Cómo va a hacer usted para convencer al juez de que este libro es una distorsión de la verdad, o más bien de que la verdad está en otra parte y somos nosotros los que la hemos encontrado?»

«Voy a escribir yo también», dijo Anzola. Pronunció las palabras con tanta certeza, que en ese instante tuvo la ilusión de haberlo decidido tiempo atrás. «Voy a contarlo todo. Y que después se caiga el cielo en pedazos».

El primero de sus artículos salió cinco días después.

El vil asesinato cometido en la persona de Rafael Uribe Uribe, eximio líder liberal y faro moral de la Repúbli-

ca, ha quedado impune sin que ni siquiera se haya dado inicio al juicio de los acusados. No otra conclusión nos exige la desventurada Vista fiscal del doctor Alejandro Rodríguez Forero, a quien creíamos hombre más recto y pulcro, o cuando menos más diligente y riguroso. Pero su documento es la triste prueba del poder que los autores intelectuales del crimen, quienes aún permanecen en las sombras, tienen sobre la ciudadanía toda; si pueden querer y lograr la muerte de un personaje tan ilustre como el general Uribe, si pueden organizar y perpetrar a plena luz del día un ataque cobarde y alevoso como el que nuestro patricio sufrió el 15 de octubre de 1914, preciso es aceptar que ninguno de nosotros está a salvo; que los poderosos deciden desde las sombras quién vive y quién muere en este país dejado de la mano de Dios.

La Vista fiscal es un documento formidable, pero no por su probidad y su justicia, sino por el talento con que logra enmascarar la verdad y ocultar a los responsables del crimen de marras. Tan evidente fue la voluntad torcida del Fiscal desde el principio mismo de las investigaciones, que el hermano de la víctima, el doctor Julián Uribe Uribe, se vio obligado por la sospecha, que en veces es buena consejera, a encargarnos una investigación paralela de los hechos. En su momento la asumimos con honor, el honor que nos cabía por haber conocido y admirado la obra del general Uribe y por habernos dolido su muerte; mal podíamos imaginar que nos toparíamos con este tejido de conjuras, falsificaciones, inmoralidades y mentiras. Durante meses no hemos escatimado en tiempo ni en recursos para traer a la luz pública la verdad de lo ocurrido, en contra de los intereses sombríos que han tergiversado los hechos y obstruido las investigaciones; y hoy, desde las páginas de este diario valeroso, nos atrevemos a levantar el dedo acusador, tal como lo hizo el ilustre Emilio Zola en tiempos recientes y parejamente duros, y decir: Nosotros acusamos.

Nosotros acusamos al general Salomón Correal, Director de la Policía, de haberse apropiado del caso Uribe sin *la autoridad necesaria, y aun de haber mentido acerca de un supuesto encargo personal que le hubiera hecho el presidente de la República. Acusamos al general Correal de haber perseguido y acosado a los investigadores que, como el general Lubín Bonilla, pensaron ilusoriamente que su deber era encontrar a los asesinos de Rafael Uribe Uribe, no esconderlos tras cortinas de humo. Acusamos al general Correal de haberse negado a recibir las pruebas que inculparían a individuos distintos de los asesinos materiales, como cuando hizo lo posible, con la complicidad del Fiscal, para que un testigo valioso se quedara sin declarar. Acusamos al general Correal de ocultar evidencias, como cuando recibió un atado de papeles encontrados en casa de los asesinos y a la vista de sus subordinados escogió unos, los guardó en su bolsillo y devolvió los otros, dejando a la posteridad la pregunta de qué informaciones contenían esos documentos desde entonces desaparecidos. Lo acusamos [de] haber permitido la libre comunicación entre los asesinos tras su arresto; lo acusamos de indicarles con el dedo cuándo debían callar y cuándo responder ante las preguntas que les hacían los investigadores; lo acusamos de haber dispuesto que los asesinos tuvieran sólo un tabique de por medio en sus celdas del Panóptico, cosa de poder ponerse de acuerdo en sus mentiras y sus estrategias; lo acusamos de haber asignado a cada uno de los asesinos un ordenanza personal que les cocina lo que pidan, les tiende las camas en las mañanas y les saca las aguas en las noches, y de permitir que cada uno reciba cantidades inusitadas de mercado que rondan, según algunos presos, las seis libras de carne y gordana. Lo acusamos, en fin, de usar su poder, que no es poco, para extenderles a los asesinos beneficios que ningún otro preso de Colombia tiene derecho a esperar. ¿Por qué? Porque sólo estos asesinos podrían hablar en contra de los verdaderos culpables del crimen de Rafael Uribe Uribe; porque sólo estos asesinos son dueños de un silencio que vale oro.*

La conducta del general Correal está rodeada de sospechas para cualquier mirada desapasionada, para cualquier libre inteligencia cuya intención no sea otra que la de encontrar la verdad. No así para el Fiscal Rodríguez Forero, que ha sido su cómplice desde los albores del proceso, y cuyo comportamiento, menos que el de un funcionario íntegro, ha sido el de un esclavo que obedece a sus amos. Así, se ha negado a perseguir la posible verdad en las declaraciones de tantos testigos que vieron al general Pedro León Acosta en compañía de los asesinos en el Salto del Tequendama; se ha negado a contemplar siquiera la posibilidad de que el general Pedro León Acosta fuera aquel hombre que fue visto la víspera del crimen hablando con los asesinos en la puerta de la carpintería. Se ha negado, en fin, a involucrar al general Pedro León Acosta, a pesar de que mil indicios lo comprometen de mala manera en los hechos criminales. El señor Fiscal, frente a los testimonios concordantes de decenas de testigos, ha preferido la palabra del sospechoso, que ha negado incluso su presencia en Bogotá en los días previos al trágico momento. Los lectores de La Patria *recordarán, pues se trató de asunto muy publicitado, que el general Pedro León Acosta fue el mismo que en cierto día malhadado intentó asesinar al presidente de la República, general Rafael Reyes. ¿Es su palabra la que el Fiscal decide creer por sobre la de otros? ¿Qué nos dice de un funcionario como el Fiscal Rodríguez Forero, supuesto representante de los intereses de la comunidad, cuando otorga pleno crédito a la palabra de un golpista y en cambio se lo hurta a la de ciudadanos de pasado limpio?*

Hoy por hoy, sólo la miopía deliberada o la mala fe pueden negar la evidencia de que el general Pedro León Acosta tuvo en el asesinato de Rafael Uribe Uribe más responsabilidad de la que le asigna la Vista fiscal. Sólo la corrupción o la indolencia pueden sostener sin ruborizarse que el Director de la Policía esté libre de toda culpa y sea inocente de toda negligencia. Y sólo la ignorancia o la desmemoria pueden obviar el hecho de que los dos hombres siniestros tienen algo en común: alguna vez trataron de matar a un presidente de la República. Salomón Correal, torturando al anciano doctor

Manuel María Sanclemente; Pedro León Acosta, atentando cobardemente contra el general Rafael Reyes. ¿Qué más pruebas se necesitan de su complicidad y su identidad de fines?

Pero hay un tercer vértice en este triángulo del mal que ha borrado del mapa a un caudillo del pueblo liberal y se ha salido con la suya. El tercer vértice, lectores de La Patria, *colombianos de bien, hay que buscarlo en la Compañía de Jesús. ¿Escándalo, gritan los lectores, blasfemia? No: simplemente, la osadía de poner en negro sobre blanco ciertas verdades que a todos nos duelen pero que pocos aceptamos.*

A las pruebas nos remitimos. ¿Quiénes eran los hombres que sostenían conferencias a puerta cerrada con el Director de la Policía? Los jesuitas, representados por el padre Rufino Berestain. ¿Quiénes fueron los que utilizaron el púlpito de los ejercicios espirituales para insultar y agredir la memoria del general asesinado apenas una semana después del día fatídico, quiénes los que desearon que su alma se pudriera en el infierno? Nuevamente, los jesuitas; nuevamente, representados por el vasco Berestain, reconocido carlista, maquiavélico Rasputín de la Policía. ¿De dónde salían los asesinos la noche del 13 de octubre de 1914, según testimonios que hemos podido recabar? Del colegio de los jesuitas, que tiene una puertecita por la calle Novena. ¿Quiénes visitan y acompañan a los asesinos en el Panóptico, quiénes les llevan como regalo libros que calumnian y defenestran al general Uribe, sin duda para fortalecer su ánimo y convencerlos de que la fe católica condona y aun felicita su crimen horrendo? Los jesuitas. Los jesuitas. Los jesuitas.

Al lanzar estas difíciles aseveraciones desde la tribuna de la prensa libre, no pretendemos establecer responsabilidades penales, que de eso deberá ocuparse la justicia de nuestro país. Nos conformamos, en cambio, con denunciar las fallas y los errores de una Vista fiscal que parece diseñada más para encubrir que para dilucidar. La Vista fiscal del doctor Rodríguez Forero opina que no hay más responsables en el crimen del general Uribe Uribe que los dos asesinos confesos que esperan en la cárcel a que comience el juicio; pero el sentido común y la investigación diligente sugieren un abanico más amplio de complicidades y culpas que involucra a miembros prestantes de nuestra sociedad. En los días que siguen, si Dios nos da vida y las páginas de este diario heroico nos prestan su espacio, diremos lo que hemos podido averiguar en el curso de nuestras propias investigaciones, vírgenes ellas de todo interés espurio y todo afán de venganza. Pues sólo perseguimos la respuesta a nuestras lícitas preguntas. ¿No tiene el pueblo colombiano derecho a salir del engaño, la conspiración y la patraña? ¿No lo tiene a saber la verdad sobre quienes rigen su destino? ¿Quiénes son los verdaderos autores de la muerte del general Uribe Uribe?

¿Quiénes son?

Cuando Marco Tulio Anzola leyó en las páginas de *La Patria* su propio artículo publicado, pensó que ahora sí era cierto: ya no había vuelta atrás. En los meses posteriores, no sin frecuencia, siguió enviando al periódico los resultados de sus investigaciones, o más bien dándole forma escrita a lo que habitaba en desorden en el universo insondable de sus apuntes y sus documentos, y lo hacía con la conciencia de no estar publicando simplemente columnas indignadas, sino adelantos de un libro futuro: un libro que habría de ser su respuesta valiente a la Vista fiscal, su demostración de que Julián Uribe no se había equivocado al encomendarle esta tarea: un libro que sería, sí, su *Yo acuso*. No escribía aquellos artículos con seudónimo, como lo hacían El Campesino o Ariston Men Hydor con las diatribas y las falsedades contra Uribe Uribe, sino que usaba su nombre en orgullosas letras mayúsculas, y le halagaba que los lectores azarosos lo interceptaran en la calle (en el parque de los Mártires, por ejemplo, o en La Gata Golosa) y elogiaran su coraje. Se había corrido la voz de que aquellos artículos escandalosos eran parte de un libro en curso, y en los ojos y en la voz de esos pocos lectores había respeto y a veces admiración. Anzola nunca había conocido como entonces la vanidad, la terrible vanidad de ser valiente.

Fue por entonces cuando empezó a ver gente sospechosa en las esquinas. Todo comenzó una mañana, al asomarse a la ventana para ver si llovía y ver, a cambio de la lluvia, a dos hombres que parecían mirar hacia su casa. Los volvió a ver —creyó al menos que eran los mismos, pero luego no hubiera podido confirmarlo ni siquiera si en eso le fuera la vida— al salir de su oficina un viernes por la noche. No le habló a nadie del asunto, mucho menos a Julián Uribe: no quiso ser de esos hombres que miran por encima del hombro. El general Uribe, pensó, no había mirado por encima de su hombro aquel día, no había sido uno de esos hombres. ¿Qué derecho tenía Anzola para albergar miedos que el gran general había desdeñado?

Sin embargo, escribió una carta al ministro de Gobierno. Le achacó la responsabilidad de salvaguardar los derechos ciudadanos y las garantías individuales; le habló del interés que había tomado en el esclarecimiento del crimen del general Uribe; le dijo que, como parte de esa tarea «perfectamente lícita», había comenzado a publicar en el diario *La Patria* una serie de columnas que demostraban los errores cometidos por los responsables del proceso. Desde entonces, explicaba en su carta, había sido víctima de una «disimulada pero no menos peligrosa persecución por parte de individuos desconocidos», y le solicitaba al señor ministro el apoyo de agentes o inspectores de Policía para capturar a estos individuos. «Esto no quiere decir que el suscrito pida protección personal», escribió Anzola, «pues tan sólo se propone encontrar un eficaz y oportuno apoyo de las autoridades para cuando el caso se presente».

Un mes después le llegó la respuesta. Más que una negativa, era un escarnio: «Tan pronto suceda lo que el memorialista dice, la Policía Nacional le prestará el auxilio que sea necesario». Anzola vio en el sarcasmo desdeñoso el sello de Salomón Correal. Se alegró de no haber mencionado el asunto, para no contribuir a su propio ridículo. Mientras tanto, *Sansón Carrasco* publicaba una caricatura barroca en la que aparecían enfrentados los bandos de esta guerra: de un lado estaba Anzola, con expresión feroz, nariz aguileña y dientes prominentes, de cuerpo entero bajo las figuras difuminadas de Uribe Uribe y de una Muerte con guadaña; del otro estaba Salomón Correal sosteniendo serenamente una cruz. La leyenda decía: *Los cobardes atacan en gavilla*. La caricatura apareció un lunes; al día siguiente, Anzola acudió a una conferencia que pronunciarían los seguidores de Marco Fidel Suárez, un gramático de barbas blancas, viejo miembro correspondiente de la Real Academia Española, que había comenzado a sonar como candidato conservador para las elecciones presidenciales del año siguiente. La reunión tenía lugar en el parque de la Independencia, entre árboles cansados y casas bajas que no protegían a nadie del viento que soplaba desde los cerros orientales. Allí estaba Anzola, de pie en medio de la multitud anónima, esperando a que subiera el primer orador a la tarima, cuando alguien lo reconoció.

«Usté es el ateo», le dijo de cerca un hombre de ruana oscura.

Y antes de que Anzola se diera cuenta, había comenzado una rechifla. «¡Ateo!», le gritaban bocas que él no veía. «¡Ateo!» Anzola intentó defenderse: «¡Yo soy católico!», gritaba absurdamente. «¡Yo voy a la iglesia!» Detrás de las caras amenazantes, más allá de los dientes de oro que brillaban en las bocas injuriosas, las copas de los árboles habían comenzado a sacudirse. Recordó lo que le había sucedido al general Uribe poco antes de su muerte: en un parque como éste o quizás aquí mismo, durante una conferencia de Ricardo Tirado o de Fabio Lozano, una multitud enfurecida le había gritado, lo había rodeado y estaba a punto de atacarlo a golpes cuando sus acompañantes abrieron un paraguas negro a manera de escudo y lo sacaron casi en volandas. Anzola pensó en Uribe y pensó en el odio y en la facilidad del odio, y pensó que todo hombre tiene razones en todo momento para matar a otro. Entonces empezó a llover. La lluvia distrajo a los hombres amenazantes, como si fueran niños o fieras, y Anzola dio tres pasos largos para situarse fuera del parque, en la acera contigua. Había dejado de interesarles: la chispa de la ira colectiva se apagó con tanta presteza como fue encendida. En minutos estaba de camino a casa, cansado y tenso, con los ojos abiertos y un temblor ligero en las manos.

Por esos días escribió a Ignacio Piñeres, director general de Prisiones, para pedirle que ordenara y llevara a cabo una requisa de las celdas de los asesinos. ¿Habría allí pruebas, pistas valiosas, documentos comprometedores que le permitieran sostener sus acusaciones? Anzola lo creía posible, al menos a juzgar por los que había llegado a ver mientras llevaba a cabo su misión secreta en el Panóptico; pero para eso era esencial hacer la requisa con todas las formalidades de la ley y, al mismo tiempo, sin que los asesinos lo supieran. No le costó convencer al funcionario: el 14 de marzo, a eso de las nueve y media de la mañana, llegaban Anzola y Piñeres a la puerta del Panóptico. Los acompañaba el director de Cárceles, un joven de apellido Rueda que hablaba y se movía como si estuviera sosteniendo algo entre las nalgas, y a cuya voz aguda costó tiempo acostumbrarse. Piñeres, en cambio, le cayó bien a Anzola desde un principio. Lo notó diligente y dispuesto a complacerlo. Cuando llegaron frente a las celdas de Galarza y Carvajal, se adelantó para imponer su autoridad, en lugar de dejar que Anzola se las arreglara como pudiera; les informó a los asesinos, que lo miraron con displicencia desde sus camas, de lo que iba a suceder; y les pidió, en tono firme pero no descortés, que se pusieran de pie y esperaran en el corredor. Galarza salió primero, descalzo, y Anzola vio sus pies lampiños y sus uñas sucias, salvo la del pulgar izquierdo, que era violeta como si hubiera sufrido un golpe; Carvajal se tardó un poco más, y al salir por fin se dio el tiempo de echar una rápida mirada alrededor, barriendo la celda como si quisiera confirmar que nada comprometedor o incriminatorio se hubiera quedado vagando por ahí. Los asesinos se recostaron a la pared del corredor, sin mirarse. En sus bocas, en esos labios pálidos y delgados que los bigotes ralos no ocultaban, había una expresión hostil pero a la vez serena, como si todo aquello les estuviera sucediendo a otros. Galarza, clavando los ojos achinados en la corbata de Anzola, dijo:

«¿Sumercé no es el que trabajaba aquí?»

«Sí», dijo Anzola.

«¿Y no lo habían echado?»

«No, no me echaron», dijo Anzola. «Me trasladaron, me promovieron. No me echaron».

«A nosotros nos dijeron que lo habían echado».

«¿Quiénes?»

«La gente».

«Pues no es verdad. No me echaron. Me promovieron. Me trasladaron».

Galarza dijo: «Ah».

Entonces comenzó la requisa. Durante tres horas y media, los dos funcionarios recorrieron las dos habitaciones contiguas mirando y tocando y separando y describiendo, y luego anotando todo lo que encontraban en un exfoliador parecido al que había usado Alfredo García siglos atrás para una declaración inútil. En la habitación de Carvajal, que visitaron primero, encontraron un traje completo de paño en buen estado, un saco y un pantalón nuevos y bien planchados, tres camisas de fabricación extranjera y una caja llena con calzoncillos y franelas de buena clase. Encontraron un lazo de diez brazadas, un zuncho enrollado, una sierra y tres agujas. Encontraron una caja con chocolates y pandeyucas, una cartera con dinero y un llavero sin llaves, y una cantidad de cartas, libros y cuadernos que Anzola se puso a revisar mientras Piñeres y Rueda se movían por las habitaciones espaciosas, saliendo de una y metiéndose a la otra ante la mirada impasible de los asesinos. En la habitación de Galarza encontraron cobijas de lana, tres pares de botines casi nuevos, un flux de paño verde en perfecto estado, cuatro pantalones de paño, dos sombreros tiroleses, media docena de cuellos recién comprados, una caja de corbatas y una de calzoncillos de buena clase. Tras revisar el inventario, Piñeres resumió la situación en siete palabras:

«Estos desgraciados se visten mejor que yo».

Mientras tanto, Anzola hojeaba los libros y los cuadernos de los asesinos como si en ellos estuviera la verdad revelada, y transcribía sus hallazgos en el cuaderno de Lubín Bonilla. Cuando hubo terminado de hacerlo, poco antes de la una, salió al corredor; pero en lugar de dirigirse a los asesinos, cruzó el patio y encaró al guardia con una frase que hubiera podido ser una pregunta, pero que salió en forma de acusación:

«Ustedes les avisaron que veníamos».

«No, sumercé», dijo con voz rota. «Fue que anoche vino mi general, yo no he hecho nada».

El guardia interpelado se llamaba Carlos Riaño. Por su declaración supieron que la noche anterior, poco antes de que dieran las doce, Salomón Correal había llegado al Panóptico junto con uno de sus hombres de confianza, el oficial Guillermo Gamba. El director del Panóptico en persona los acompañó a las celdas de los asesinos, y luego los dejó a solas con ellos. La reunión duró una media hora, pero ni el guardia Riaño ni los presos ni el director supieron de qué se había hablado en ella.

«¿Y quién le avisó a Correal?», dijo Anzola. «Los únicos que sabían de esto eran ustedes y nosotros. Y nosotros no fuimos».

«Mi general tiene oídos en todas partes, sumercé», dijo Riaño. «Sobre todo en lo que tiene que ver con Carvajal y Galarza. No hay nada que pase en ese rastrillo sin que él se entere. Cada vez que esos dos se agarran, o aparece mi general o aparece el padre Tenorio. Le juro, es como si en el Panóptico se pudiera ver todo».

Pues Galarza y Carvajal, contó entonces, se comportaban desde hacía varios meses como un matrimonio mal avenido. Sólo la intervención de Correal o del sacerdote les permitía reconciliarse. El último incidente había tenido lugar apenas unos días antes: Riaño estaba en su habitación, contigua a las de los asesinos, jugando ajedrez con unos compañeros, o más bien viéndolos jugar en su tablero de madera. Entonces oyeron los primeros gritos. Carvajal le decía al otro que por su culpa estaban ahí metidos, que eso era por comprometerse con esa gente y que él ya no sabía por qué le había hecho caso, con lo bien que estaban antes. Y Galarza empezó a escupir insultos. «Cállese, gran hijueputa», le decía. «Y vea a ver si afloja la lengua para que le corte el pescuezo». Carvajal respondía con gritos de mujer ofendida que no le tenía miedo, pero lo evidente era todo lo contrario. Fue en ese momento cuando Galarza fue a buscar su navaja y, a la vista de todos, se la guardó en el bolsillo del pantalón. Carvajal corrió a esconderse en el excusado.

«¿Y de todo esto se enteró Correal?»

«No sé si se habrá enterado, pero al día siguiente llegó el padre Tenorio, se los llevó a la capilla y cerró la puerta. Eso es lo que siempre pasa. Y de ahí, de la capilla, salen como si nada», dijo Riaño. Y luego: «Por algo dicen que la confesión aliviana los pesos del alma».

«Por algo lo dicen», dijo Anzola. Enseguida preguntó: «¿Y se llevaron algo? Correal y sus subalternos, quiero decir. ¿Sacaron algo de las celdas?»

«No que yo haya visto», dijo Riaño.

Anzola le hizo ciertas recomendaciones al director de Prisiones: que les quitaran a los asesinos la soga y las herramientas, para evitar que se hicieran daño, hicieran daño a otros o trataran de fugarse, y que se incautaran también de los sombreros tiroleses, pues los asesinos podían usarlos para disfrazarse en caso de que alguien les permitiera la salida. Todo se hizo. Al regresar a casa, Anzola estaba satisfecho y a la vez preocupado, pues había comprobado de primera mano lo que sabía por testimonios: que el General Hachuela y los jesuitas se habían convertido, para todos los efectos prácticos, en padrinos o protectores de los asesinos. ¿Tanto le temían a lo que pudieran decir? *La confesión aliviana los pesos del alma*, había dicho el guardia Riaño, y Anzola pensaba que no: no era la confesión de los asesinos, sino las promesas de sus superiores. El motivo de aquella visita nocturna era el mismo por el que habían llegado a las celdas los libros de calumnias contra Uribe Uribe y los folletos que lo declaraban enemigo de Dios y de la Iglesia. Anzola escribió: *Fortalecer el ánimo de los asesinos*. Escribió: *Tranquilizar sus conciencias*. Escribió también: *Asegurarles que no irán al infierno*.

Unos días después de la requisa, llegó para los asesinos un paquete de parte del capellán del Panóptico. Al abrirlo, se encontraron dos pares de botines nuevos y un atado de ropa interior. Carvajal escogió los botines de cuero amarillo, Galarza se quedó con los de lona blanca y entre los dos se repartieron las franelas nuevas y los calzoncillos de diagonal. Todo esto lo contó el guardia Riaño. También contó que un día, en las horas de la tarde, había visto a los asesinos regresar a sus celdas cargando dos jotos de ropa de paño. No supo de dónde venían, ni de ver a quién, pero contó que Galarza metió su bulto al baúl sin mirarlo, como si no le hiciera falta, pero que Carvajal, en cambio, se quedó unos segundos desdoblando sus prendas nuevas y levantándolas para contemplarlas mejor, y entonces se dio cuenta de que Riaño lo observaba, metió todo en el baúl y dejó caer la tapa con fuerza y también con insolencia. Anzola lo escuchó dar testimonio, y fue tanta la carga de envidia y resentimiento que detectó en sus palabras, fue tan evidente su desprecio por aquellos reclusos que vivían mejor que los guardias, que tuvo una especie de iluminación molesta. Pensó que le bastaría ofrecer un par de monedas para que Galarza y Carvajal murieran una noche cualquiera, mientras dormían, con un tajo en la garganta y desangrándose sobre los forros bordados de sus cojines finos.

En días pasados, acompañados por el Director General de Prisiones, nos dirigimos al Panóptico con el fin de llevar a cabo una requisa sorpresiva de las celdas de Jesús Carvajal y Leovigildo Galarza. Cuál no sería nuestra sorpresa al percatarnos de que el general Salomón Correal, Director de la Policía, se había enterado por artes misteriosas de nuestra visita, y había visitado él mismo a los asesinos la víspera de nuestra llegada y al filo de la medianoche. Los lectores de La Patria se preguntarán, como nos preguntamos nosotros, qué tenía que hacer el Director de la Policía a tan altas horas de la noche en la celda de los asesinos confesos del general Rafael Uribe Uribe. No se necesita ser Sherlock Holmes para sospechar que no eran honorables las intenciones de quien recibe informaciones de sus espías y actúa con nocturnidad y secreto.

Pero ahora dejaremos de lado las acusaciones, que son muchas y muy siniestras, contra el hombre que el pueblo en su sabiduría ha bautizado como General Hachuela. Quisiéramos presentar al público ciertos hallazgos que nos deparó la fortuna durante la mencionada visita, y que el público les otorgue el valor que su conciencia le dicte. El primero es un libro de apuntes perteneciente a Jesús Carvajal, libro del cual alguien había arrancado siete páginas con anterioridad a nuestra visita, sin que nos fuera posible descubrir qué información contenían. Pero las manos cómplices no podían arrancar todas las páginas; e informaciones suficientes se encontraban en otras páginas. Por ejemplo, esta anotación del día primero de julio de 1916: «Le compré a José García Lozano un colchón de lana en cuatrocientos cincuenta pesos ($450) papel moneda». La mente más obtusa, frente a una prueba semejante, se preguntaría: ¿cómo hace un preso para agenciarse una suma tan generosa? Según consta en la tristemente célebre Vista fiscal, Galarza y Carvajal eran tan pobres en el momento del crimen que se vieron forzados a empeñar un berbiquí por cincuenta pesos. Ahora, por lo que hemos podido investigar, gastan cientos de pesos en ropa y en comodidades, y les sobra dinero para prestar a los demás presos en calidad de agiotistas. ¡Qué misterioso cambio de fortuna! Pero nada de ello ha sido juzgado digno de atención por el Fiscal Rodríguez.

Observemos ahora lo que les ha sucedido en estos años a quienes rodeaban a los asesinos. La madre de Galarza se entrevistó varias veces con el Director de la Policía; según testimonios que el Fiscal no ha querido tomar en cuenta, durante una de esas entrevistas le manifestó su preocupación por el hecho de que su hijo, quien la mantenía y velaba por ella, estuviera preso; el general Correal le pidió que no se preocupara y le aseguró que vería la manera de hacerle llegar dinero de terceras manos. María Arrubla, la concubina del mismo Galarza, pasó de llevar una vida de escaseces a contratar sirvientas y hacer piquetes para los vecinos. La Arrubla estuvo detenida una temporada en la cárcel de mujeres del Buen Pastor, mientras se dilucidaba su situación jurídica; pues bien, dicen los testigos que allí gozaba de privilegios inusitados, siéndole encargada la supervisión de las demás reclusas y recibiendo diariamente un litro de leche y un portacomidas a los cuales nadie más tenía derecho. Una testigo ha declarado: «Me consta que antes del asesinato del general Uribe Uribe, María Arrubla vestía pobremente, con trajes de zaraza y alpargatas, y que después la he visto calzada de botín, con pañolones de seda y faldas de paño, y sé además que usa dos apellidos». ¿No merecía esta situación una mínima indagación por parte del Fiscal? No sorprenderemos a nadie si hacemos constar aquí que nada se ha llevado a cabo.

Los familiares de Carvajal han tenido pareja suerte. En el cuaderno mencionado más arriba hemos encontrado la siguiente anotación: «El día 19 de mayo se fue Alejandro de Bogotá con dirección al Tolima». El tal sujeto es Alejandro Carvajal, hermano del asesino Jesús, quien estaba presente en el teatro del crimen —misteriosa coincidencia en la que el Fiscal no ha querido indagar— y lo protegió de la posible furia de la multitud. Hechas nuestras averiguaciones, las mismas que el Fiscal no ha podido o no ha querido hacer, descubrimos que el hermano del asesino, antes pobre de solemnidad, es ahora un próspero comerciante de Ibagué que trabaja bajo el nombre de Alejandro Barbosa. Juzguen los lectores si no hay algo profundamente sospechoso en tan súbito cambio de fortuna, y si quien cambia de nombre no quiere, por fuerza, disimular y esconder.

Y sin embargo de todo lo anterior, el Fiscal en su Vista desestima el probable móvil del lucro en el caso del crimen de Rafael Uribe Uribe. Las señales y los testimonios pululan a su alrededor desde el comienzo del proceso, pero el Fiscal ha llevado a cabo esfuerzos sobrehumanos para no darse por enterado. ¿Por qué? Porque si llegase a admitir que los asesinos actuaron movidos por el lucro, tendría ipso facto que buscar el origen del dinero y preguntarse quiénes son sus pagadores. Para forjar su fábula sobre el crimen, su Vista tenía que ignorar cualquier pista que lo llevara por otros caminos; ahora sabemos que no se trató de simple negligencia, sino de la voluntad inequívoca de ocultar a los verdaderos responsables: las manos negras que, con dinero manchado de sangre, contrataron y pagaron el asesinato de un hombre y partieron en dos la historia de un pueblo. Nosotros seguimos preguntando: ¿Quiénes son esas manos negras?

¿Quiénes son?

A mediados de julio, Julián Uribe mandó llamar a Anzola. «Tengo otro testimonio», le dijo, «pero no es uno más. Si esto no sirve para convencer al juez, entonces ya no hay nada que hacer».

Y ahora Anzola estaba aquí, sentado en el salón de Julián Uribe, igual que había estado tantas veces en los últimos años, a veces sintiéndose en un remanso de paz mientras afuera se desplomaba un país en guerra, a veces creyéndose un conjurado que se enfrentaba desde este lugar secreto a la otra conjura, la conjura asesina de los poderosos. En la calle había comenzado a caer una lluvia delgada que el viento empujaba contra los vidrios biselados. En una silla, la más próxima a la ventana de la carrera, estaba Julián Uribe, fumándose un cigarro grueso cuya punta incandescente dibujaba figuras en la penumbra; frente a Anzola, sentados en el borde del cojín de terciopelo de sendas sillas de mimbre, estaban Adela Garavito y su padre. El general Elías Garavito era un hombre de barba densa y ya cana, con el mentón rasurado como era más común en otros tiempos. Era también un antiguo miembro de la Guardia Colombiana que había conocido y admirado al general Uribe. Fue él quien habló primero.

«Cuéntele, mija», susurró. «Cuéntele lo que sabemos».

Su hija era una cuarentona tímida y religiosa, de largas faldas negras y modales castos, que iba a misa mucho más de lo que su padre liberal hubiera querido. Tardó un buen rato en atreverse a mirar a Anzola a los ojos, pero así, hurtándole la mirada, hablando más con la alfombra que con su interlocutor, le contó de viva voz cosas que alguien más mundano, más animoso o más valiente habría callado por miedo.

Su relato tenía lugar el 15 de octubre de 1914.

«El día del crimen», dijo Anzola.

«Para mí», dijo la señorita Adela, «el día de santa Teresa de Jesús».

Después de haber ido a misa de nueve en la Capilla del Sagrario, la señorita Adela regresaba a su residencia de familia, subiendo por la calle novena, cuando le pareció reconocer al general Salomón Correal, que hacía entrar a otro oficial de la Policía al zaguán de una casa que parecía desierta. La señorita dio un par de pasos y confirmó que se trataba de Correal, pues lo conocía bien; el otro llevaba espada y chaqueta, pero no lo pudo identificar. No lo había visto nunca.

«¿Estaban en la casa contigua?», dijo Anzola. «¿Contigua a la del general Uribe, quiere decir?»

«Sí», dijo la señorita Adela. «Fue desde ahí que les hicieron señas a los otros».

«¿A quiénes?», dijo Anzola.

Desde el zaguán de la casa vecina, tras haber hecho entrar al policía que lo acompañaba, Correal se asomó, miró hacia la esquina de la carrera quinta y comenzó a mover un brazo en el aire. En la esquina, pocos pasos arriba de la puerta del general Uribe, había dos hombres de aspecto humilde, los dos de ruana y sombrero de jipa. Aun desde lejos, la señorita Adela pudo darse cuenta de que toda la situación era anormal: los hombres de la esquina estaban preocupados, y parecían mirarse entre ellos como preguntándose qué debían hacer. Tratando al mismo tiempo de comprender mejor una situación tan sospechosa y de no parecer impertinente o entrometida, la señorita Adela siguió caminando calle arriba, hasta pasar junto a los dos artesanos. Fue entonces cuando notó que escondían algo debajo de la ruana.

«¿Los dos?», dijo Anzola. «¿Está segura?»

«Mi hija ni miente ni exagera», dijo el general Garavito.

«No quiero decir eso», dijo Anzola. «Sólo pregunto si está segura».

«Como que Dios existe», dijo Adela Garavito. «Los dos tenían las manos escondidas debajo de la ruana y movían algo. Los dos tenían algo escondido».

«Las hachuelas», dijo Anzola.

«Yo eso no lo sé», dijo la señorita. «Pero estaban nerviosos, eso se veía a la legua».

En ese momento se cruzó con ella la señora Etelvina Posse, con tanta prisa que no se detuvo a saludarla, a pesar de que se conocían bien. «Ni siquiera se dio cuenta de que era yo», dijo Adela Garavito. Doña Etelvina nunca le había caído simpática: de ella se decía que era demasiado amiga de Correal, y que su marido, en cambio, odiaba al director de la Policía; se decía también que Correal la había reclutado para la Policía secreta, un ejército de ciudadanos que informaban sobre otros ciudadanos. Adela Garavito se dio la vuelta disimuladamente, y entonces vio a doña Etelvina detenerse a hablar con el general Correal. No pudo oír lo que se decían, porque ya en ese instante había doblado la esquina, pero al llegar a su casa, media cuadra más al sur, le contó lo visto a su padre.

En la tarde les llegaron las noticias: el general Uribe Uribe había sido atacado a golpes de hachuela por dos artesanos. El general Garavito salió a la calle enloquecido, por ver qué podía averiguar, y llegó hasta la casa del general Uribe, pero no logró encontrar a los familiares en la anarquía del zaguán. Habló con dos o tres liberales que reconoció, pero todo el mundo estaba igual de desorientado, así que tuvo el instinto de volver a casa para estar con su familia en estos momentos en que el mundo parecía a punto de acabarse. Entró sin golpear al cuarto de su hija y no le importó que ella lo viera con lágrimas en los ojos. No tuvo que explicarle a qué se refería cuando se sentó en su cama, apartando los cojines, y habló como si alguien pudiera oírlos.

«No repitas lo que me contaste esta mañana», dijo. «Mira que pueden hasta envenenarnos».

Ella obedeció. Días después volvió a encontrarse con doña Etelvina Posse, pero esta vez la señora se detuvo a conversar de cualquier cosa y acabó mostrándole el periódico que llevaba en la mano, abierto en la foto de los asesinos Galarza y Carvajal.

«Los reconozco», dijo Adela Garavito. «Eran los mismos que estaban parados allí, en la esquina, el día en que lo mataron».

Sus palabras tomaron por sorpresa a doña Etelvina. «Fue como si hubiera entendido de repente que se había equivocado conmigo», dijo Adela Garavito. «Fue como si hubiera creído que yo estaba con ella, o con los que se alegraron de la muerte del general Uribe. No se le ocurrió que yo no fuera parte de ellos. Le cambió la cara».

«¿Parados dónde?», dijo doña Etelvina.

«Ahí, en la esquina de la casa del general», dijo Adela. «Y mi general Correal les hacía señas desde el zaguán de los vecinos. A mí sí me pareció raro».

«Salomón no estaba ese día», dijo.

«Claro que estaba», dijo Adela Garavito. «Yo lo vi con estos ojos».

«Pues yo no vi nada», dijo doña Etelvina.

«Y no estaba solo», dijo Adela. «Había alguien con él, les hacían señas a los asesinos».

Sin mirarla, doña Etelvina le alargó el periódico.

«Tenga, niña, que yo ya lo leí», dijo y empezó a irse. «Y disculpe».

«¿A quién más le han contado esto?», preguntó Julián Uribe.

«A nadie más», dijo el general Garavito. «Por esos días se decía que la Policía estaba maltratando a los que llegaban con testimonios. Que los acosaban, los intimidaban. Yo supe de varios: gente que se acercaba para decir lo que habían visto y acababan pasando dos o tres noches presos. Así que le ordené a Adelita que no fuera a decir nada, y ella me ha obedecido».

Julián Uribe se puso de pie y caminó hasta el centro del salón. En la penumbra de las seis de la tarde, pareció que su figura se alargaba.

«¿Y ustedes testificarían?», preguntó.

Adela Garavito miró a su padre y vio en su rostro algo que Anzola no pudo ver.

«Si sirve de algo», dijo.

«Sirve enormemente», dijo Anzola. Luego se dirigió al padre, no a la hija, a pesar de que se refería a lo dicho por ella. «Yo lo organizo todo, mi general. Pasado mañana viene el señor juez y le toma el testimonio a la señorita. Y a usted también, si no le importa».

«No me importa», dijo el general. «Pero yo ya he dicho lo que tenía que decir».

«Pero no ante un juez», dijo Anzola.

«Debería ser lo mismo», dijo el general. «La palabra de un caballero es la palabra de un caballero, con o sin testigos».

«Ojalá fuera así de simple», dijo Anzola.

Anzola salió de la casa de Julián Uribe en un estado de exaltación que no había sentido en muchos días. Sabía que el optimismo era cosa de horas, y sin embargo se permitió esos breves instantes que eran como un antídoto contra el desánimo. Se hacía de noche, pero todavía no se habían encendido todas las luces de la calle. Las lámparas de las casas, en cambio, se reflejaban en los charcos y en los adoquines todavía mojados después de la lluvia. El viento comenzaba a arreciar. Anzola sentía el pelo desordenarse en su cabeza y tuvo que cruzarse de brazos para que las ráfagas no le abrieran el abrigo, pues no era cosa de agarrar una pulmonía en estos momentos críticos. La gente debía de haber sentido el mismo frío y la misma incomodidad, pues se habían metido todos a sus casas a una hora más temprana que de costumbre, de manera que los pasos de Anzola resonaban en el adoquinado como resuenan los de un intruso en el corredor de una casa sola. En eso iba pensando cuando se percató de otra presencia en la calle.

Al mirar por encima del hombro, Anzola vio a dos hombres de ruana. ¿Era su imaginación, o las ruanas ondeaban como si los hombres escondieran algo? Aceleró y el taconeo rebotó en las paredes de cal. Dobló la esquina y al hacerlo se descubrió dando pasos largos, como saltos, para alejarse de los hombres de ruana sin que ellos se dieran cuenta. Los hombres doblaron la esquina también, y otra vez Anzola los miró por encima del hombro, y otra vez vio que algo se movía bajo las ruanas, y se preguntaría siempre si fue verdad lo que creyó ver: que una de las ruanas se levantaba con un aleteo de mantarraya y dejaba ver, por un instante fugaz, una hoja de metal que soltó un destello plateado en la luz de la calle. Entonces, ya con la sospecha de estar en peligro, aceleró aún más, y el taconeo imitó su corazón acelerado. Sintió que el pecho se le empapaba de sudor. Vio en el fondo de la noche una luz que se desparramaba sobre los adoquines, y avanzó hacia ella y encontró una chichería abierta y llena de gente. Al entrar, dio una mirada rápida hacia la calle, pero ya no había nadie: ni hombres de ruana ni nadie más. Anzola sintió un golpe de calor, el calor de los alientos ajenos. Los oídos le palpitaban. Quizás por eso tardó en contestar a la pregunta que le hacían:

«¿Qué le sirvo, sumercé?»

Una mañana, antes de salir a la calle, se encontró con que le habían dejado un sobre. Era un recorte del periódico *Gil Blas* del día anterior, que Anzola no había visto: no por andar encerrado en la difícil compañía de las tres mil páginas del expediente, sino porque el *Gil Blas* le parecía tan irresponsable y temerario como a sus enemigos ideológicos. El recorte había sido arrancado a mano, no con tijeras, de manera que en una esquina faltaban algunas letras, pero eso no impedía la lectura. Era una carta: una carta que un preso del Panóptico dirigía al director del periódico y en la que declaraba, públicamente, haber sido víctima de torturas por parte de la Policía de Salomón Correal. El preso era un tal Valentín González, de quien Anzola no sabía nada salvo lo que informaba la misma página del *Gil Blas:* que estaba en el Panóptico sindicado del robo de la custodia de las Nieves. Anzola recordaba el caso: la custodia había desaparecido de la iglesia de las Nieves un día de julio del año anterior; una semana después, tras la detención y luego la liberación de un ciudadano español, un presbítero y una cantante de ópera, la Policía había encontrado, en un rincón oscuro de la iglesia, debajo de la estatua de san Luis, partes del botín. Ahí estaban la peana de la custodia, algunos restos de la hostia, un pañuelo, colillas de cigarrillos y huellas de pisadas: el rastro inequívoco del ladrón. La Policía hizo seis arrestos; declaró que estaba resolviendo el robo y la sociedad podía estar tranquila. Igual que tantos, Anzola se había preguntado en ese momento cómo era posible que todas las pistas necesarias se encontraran en la misma iglesia ocho días después de ocurrido el robo, como si en ese tiempo ni siquiera hubiera pasado alguien a barrer los pisos. Ahora, el asunto volvía brevemente a sus manos.

«Por nueve días», escribía el sindicado Valentín González, «se me tuvo en un brete sin permitirme tomar ningún alimento, ni siquiera un pan, y sin dejarme abrigo de ninguna especie; solamente era sacado de aquel inmundo lugar todas las madrugadas, de una a tres, para conducirme a una oficina del primer patio, tiritando de frío y muriéndome de hambre, y allí, en aquella oficina, se me sometía a la tortura del cepo de campaña, que consistía en amarrarme los dedos pulgares y cruzarme el cuerpo de fusiles». Después de estos tormentos, el comisario a cuyo cargo estaba, Manuel Basto, lo hacía llevar de regreso al brete, y al llegar se encontraba el preso con que los agentes habían bañado su celda en orines ajenos y agua de mierda. Un día, vencido ya por el dolor y el hambre y el frío y las vejaciones, Valentín González les pidió a sus carceleros que lo mataran de una vez.

«Eso no tendría gracia», le dijeron. «Hay que hacerlo, pero poco a poco».

Y a eso, por lo visto, dedicaban los días. Valentín González hablaba de las agresiones de los policías secretos, que lo sacaban con frecuencia de su celda, lo ataban de manos, le arrojaban aserrín a los ojos y comenzaban a darle bofetadas que lo hacían trastabillar, mientras los demás agentes soltaban carcajadas cuyo eco llenaba el patio. Después de varios días con este régimen lo sacaron de su brete y lo llevaron a un calabozo, donde estuvo dos días incomunicado. Ahora, según decía, tenía los dedos llagados por las torturas y la humedad del calabozo le había dejado un reumatismo de dolores crueles. «Pedí, insistente pero inútilmente, que se me trajera un médico», escribía en su carta. «El señor Basto opinó que no convenía que nadie se enterara de mi situación». Y terminaba diciendo que cualquiera podría acercarse al Panóptico para confirmar la verdad de estas acusaciones: que allí estaban, para todo el que quisiera verlas, las cicatrices de sus dedos. No se declaraba inocente del robo de la custodia, notó Anzola. Eso no le interesaba: le interesaba que en el mundo exterior se conocieran sus sufrimientos.

Anzola leyó el recorte y luego lo volvió a leer. Lo primero que pensó fue que no todo estaba perdido si todavía sucedían estas cosas: si ciudadanos anónimos, gentes de bien, se tomaban el tiempo y el trabajo de recopilar y enviarle las pruebas necesarias para denunciar ante la opinión pública la verdadera cara de la Policía, para despojar de sus máscaras a Salomón Correal. ¡Si tan sólo hicieran lo mismo todos los que estaban de su lado, todos los que buscaban como él la verdad sobre el crimen! ¡Si los conjurados sintieran la presión de la indignación popular! Ah, sí, cuánto le agradecía a la sombra anónima que le había dejado este sobre quizás corriendo graves riesgos, quizás escondiéndose de los policías secretos… En eso estaba pensando Anzola cuando recuperó el sobre, decidido a encontrar alguna pista sobre la identidad de su benefactor, y se tropezó en cambio con un pedazo de papel amarillento que no había visto antes. Leyó las breves palabras manuscritas sintiéndose víctima de una broma infantil, pero no de cualquier broma infantil, sino de una en que el niño tiene un machete en la mano y una líquida oscuridad en los ojos.

Doctor Anzola: para que mire las cosas que pueden pasarle si no deja de buscar lo que no se le ha perdido.

Después se daría cuenta de que en ese momento había ocurrido mucho más de lo aparente. Lo primero fue el miedo; lo segundo, y lo que no había previsto, el miedo de su propio miedo. ¿Y si claudicaba? ¿Y si se dejaba vencer por la amenaza, por la perspectiva del dolor físico o de una muerte violenta? ¿En qué quedarían entonces estos años de esfuerzos, de poner a otros en riesgo y arriesgarse él mismo, de buscar una confusa idea de verdad y justicia en el barro de las conjuras? Todo esto había cambiado brutalmente desde la noche de 1914 en que Julián Uribe y Carlos Adolfo Urueta fueron a visitarlo para pedirle un favor. El mundo era más simple entonces, pero sólo para él: para el general Uribe, las amenazas escritas se habían convertido en el ataque real que le había quitado la vida. Había dos maneras de pensar en esto: por un lado, sería un insensato quien, conociendo de primera mano las posibles consecuencias de un acto, continuara con su ejecución; por otro lado, plegarse a las amenazas sería deshonrar la memoria del general asesinado. Anzola no guardó la nota amenazante entre sus documentos, sino que la tiró a la chimenea. El recorte del *Gil Blas,* en cambio, lo puso sobre su escritorio con la intención de transcribirlo más tarde. Aunque no se diera cuenta, en esa acción sencilla estaba ya la decisión agazapada de seguir adelante. Algunas semanas después, un encuentro casual lo decretó sin remedio.

Anzola asistió a una conferencia sobre la guerra europea organizada por un grupo llamado Amigos de la Entente, que reunió a más de trescientas personas en el salón Olympia. Durante dos horas largas oyó hablar de lo que sucedía en Europa ahora que se cumplían tres años de esta guerra: este infierno que había devorado países fuertes, y en cuyos cinco millones de muertos se podía ver la amputación de una generación entera. Oyó hablar de los embajadores franceses en Estados Unidos, de las nuevas batallas en Ypres, de las millas de trincheras que los alemanes habían ganado en la frontera de Bélgica, y oyó a un ciudadano español decir que los liberales estaban haciendo grandes esfuerzos para que también España entrara a la guerra, para que no se avergonzara después de quedarse por fuera de la lucha contra la barbarie. No supo quién le reveló que adelante, sentados en las primeras filas, estaban los familiares del soldado Hernando de Bengoechea; o tal vez no fue necesario que nadie se lo dijera, porque el conferencista de turno estaba mirándolos desde la tarima, haciendo vivos elogios del valor del joven soldado y de la calidad excelsa de sus poemas y permitiéndose incluso recordar un verso que Anzola no alcanzó a entender bien, pero en el cual se hablaba de París y había la palabra *fuegos* y había la palabra *astral*. Entonces el público prorrumpió en aplausos; en la primera fila dos siluetas se pusieron de pie, y luego se puso de pie el teatro entero, y Anzola descubrió que estaba conmovido.

Terminada la conferencia, avanzó hacia delante, a contracorriente del público que intentaba salir del teatro. Tenía ganas de conocer a la familia de Bengoechea, de estrechar sus manos y saber cómo sonaban sus voces, y no se decepcionó cuando supo que no se trataba de la familia entera, sino sólo de Elvira, la hermana del soldado, que había asistido a la conferencia con Diego Suárez Costa y una chaperona. Suárez, al parecer, había sido el gran amigo colombiano del soldado; Anzola no entendió si estaba en Bogotá de paso o si vivía aquí, pero tampoco se interesó demasiado, porque su atención estaba puesta sobre Elvira. Era una joven de ojos grandes con una moña densa en la cabeza, y llevaba en el cuello un prendedor con la bandera de Francia. «Me hubiera gustado conocer a su hermano», le dijo Anzola cuando se la presentaron. Le tomó la mano, levantándola como un pañuelo caído, y acercó la boca cerrada a los dedos sin llegar a tocarlos. «Marco Tulio Anzola», añadió.

«Ah, sí», dijo ella. «Usted es el que escribe esas cosas que nos tienen tan preocupados».

«Usted perdone», comenzó él. «Yo no…»

«A mi hermano también le hubiera gustado conocerlo», interrumpió Elvira. «Eso es al menos lo que se dice en mi familia».

Hablan de mí, pensó Anzola. Y también: *Le hubiera gustado conocerme*. Recordó absurdamente ese breve diálogo en los meses que siguieron, mientras su tiempo y sus energías se hundían en la redacción final de su libro. A veces pensaba que las palabras de la joven Elvira contenían una vindicación; otras, que eran una exigencia. A veces, mientras escribía un párrafo que denunciaba a Salomón Correal o a Pedro León Acosta, pensaba que a su edad ya Hernando de Bengoechea estaba muerto, pero que sus veintiséis años le habían alcanzado para dejar páginas que hoy se aplaudían en público y para morir una muerte heroica en defensa de valores eternos. Y a él, pensó Anzola, ¿para qué le habían alcanzado sus propios veintiséis años, que se cumplían por esos días? Y este libro que estaba escribiendo, este libro que no era de poesía sino de prosa grosera, este libro cuya intención era tan sólo denunciar una conjura asesina sin más adornos que la precisión de la ley y la tosca retórica del sentido común, ¿podría traerle en efecto la muerte? ¿Estaría cavando Anzola su propia tumba, párrafo tras párrafo, artículo tras artículo, testimonio tras denso testimonio? En cada página manuscrita, cada borroneo que Anzola llenaba con su caligrafía inclinada, estallaba una revelación subversiva o se hacía una denuncia que era como una bomba o un torpedo. Sí, pensó Anzola, así era: el manuscrito era un submarino de guerra y ciertos párrafos eran torpedos que apuntaban al trasatlántico del poder colombiano, listos para abrir una tronera debajo de la línea de flotación y que todo se hundiera en los mares para no salir nunca más.

Para comprobar la fuerza de lo que estaba escribiendo, siguió publicando columnas en *La Patria,* pero esta vez ya no estaban hechas con el material que después transformaría en libro, sino que eran fragmentos enteros del manuscrito definitivo. Sacaba páginas para enseñárselas a la gente que estaba de su lado, a veces para pedirle a un testigo que confirmara su versión de las cosas, a veces para que un experto mayor —un penalista más docto que él, un experto en Derecho Procesal— pudiera corregir una interpretación mala o vulnerable de la ley. Una vez, sólo por ver qué pasaba, llevó a la Asamblea de Cundinamarca un capítulo entero dedicado a la corrupción del fiscal Alejandro Rodríguez Forero. La Asamblea era la encargada de presentar la terna de la cual se elegiría el siguiente fiscal. Les bastó leer las páginas de Anzola para quitarle todo su apoyo al señor Rodríguez, y Anzola sólo lamentó que allá afuera, en el mundo de la gente común y corriente, no estuviera sucediendo lo mismo. En un artículo de prensa, Rodríguez Forero había declarado que la familia Uribe estaba indignada con el trabajo del señor Anzola, a quien juzgaba un mitómano sin remedio, y que desaprobaba el camino que había tomado su investigación. Y cuando Anzola fue a visitar a Julián Uribe para hablarle del asunto, se encontró con una cara avergonzada que no pudo mirarlo a los ojos cuando le dio la noticia.

«La familia acaba de nombrar abogado para el juicio», le dijo. «Le quiero decir que no he tenido nada que ver».

«¿Quién es?», preguntó Anzola.

«Pedro Alejo Rodríguez», dijo Julián Uribe. «Y no, yo tampoco lo entiendo».

Algo incomprensible había sucedido. Pedro Alejo Rodríguez, joven abogado, era hijo del fiscal Alejandro Rodríguez Forero. Nombrarlo como representante legal de la familia Uribe en el juicio contra los asesinos del general no era una torpeza: era un suicidio en toda regla. Pero esa noticia la traía el hermano del general, que evidentemente no hubiera querido ser el mensajero: Pedro Alejo Rodríguez era oficialmente el abogado de la familia de la víctima, a pesar de tratarse del hijo de uno de los conjurados, o de quien había puesto todos los medios a su alcance para proteger a los conjurados. No, no era posible que Julián Uribe hubiera caído en una trampa tan grosera. Anzola se llevó las manos a la cabeza, pero la dignidad le impidió decir todo lo que deseaba.

«De manera que es cierto», dijo. «Ya no confían en mí».

«Yo no sé cómo pasó esto exactamente, mi querido Anzola», dijo Uribe. «Fue cosa de doña Tulia, eso sí. Quién sabe qué le habrán dicho a la pobre».

«Las viudas no deberían decidir nunca nada», dijo Anzola.

«Cuidado, mi amigo», dijo Uribe. «Esa viuda es mi cuñada. Y sigue mereciéndonos respeto».

«Pues con todo respeto, esa viuda se acaba de tirar todo», dijo Anzola. «¿Y los hijos qué opinan?»

«No sé».

«¿Y el doctor Urueta? Él me encargó esto igual que usted. Él tiene derecho…»

«El doctor Urueta está en Washington».

«¿Cómo? ¿Y qué hace allá?»

«Lo nombraron en la legación», dijo Uribe. «Y se fue, qué más iba a hacer».

«Bueno, eso no importa. También un ministro puede estar en desacuerdo con esto».

Julián Uribe se impacientó. «Como le digo, yo estoy tan sorprendido como usted. Pero también es cierto que no conocemos al joven Rodríguez. No tenemos por qué esperar lo peor».

«Pero sí que tenemos, doctor Uribe, sí que tenemos», dijo Anzola. «Lo peor y lo de más allá».

La noticia lo dejó tan maltrecho que se encerró durante tres semanas para terminar su libro, no fuera a ser que la decepción o el desencanto lo hicieran abandonarlo. Estuvo a punto de hacerlo: ¿para qué arriesgar su reputación y aun su vida en una empresa que ya no contaba con la admiración, ya no digamos la mera solidaridad, de la familia del general Uribe? Y sin embargo siguió escribiendo, dejando que el horario de los días se le trastocara, durmiendo hasta tarde y trabajando en las noches, con mala luz y ardor en los ojos. El expediente con sus tres mil páginas de hechos irrefutables lo acompañó, y también la Vista fiscal con las mentiras y las distorsiones de sus trescientas treinta. Ya había dejado de sentir indignación, ya se le había olvidado incluso la razón por la que aceptó este encargo una noche remota, cuando escribió, a la madrugada de una noche de septiembre, la palabra *Conclusiones,* que sobre el papel le pareció más larga de lo normal. Y debajo:

1ª. Que Leovigildo Galarza y Jesús Carvajal son, únicamente, en el asesinato del caudillo liberal, General Uribe Uribe, los instrumentos materiales del hecho.

2ª. Que el asesinato del gran patriota fue fraguado por ese grupo de conservadores carlistas que cuenta entre sus víctimas al Presidente de la República, doctor Manuel María Sanclemente; que atentó contra la vida del Presidente de la República, General Rafael Reyes, y que seguramente continuará su serie de crímenes contra todo aquel que por sus condiciones superiores se coloque en situación de poner el país en marcha hacia la democracia; y

3ª. Que el alma de esta torva y tenebrosa agrupación es la llamada Compañía de Sacerdotes Jesuitas.

Luego escribió la palabra FIN, en tres letras mayúsculas y separadas, tan gruesas que la punta delicada de su Waterman alcanzó a rasgar el papel. Pensó que ni siquiera valía la pena perder el tiempo ofreciendo el libro a la Imprenta Nacional, que no lo tomaría ni aunque se lo ordenara el papa en persona. Así que lo decidió: tan pronto como pudiera, llevaría el libro a la Tipografía Gómez y pagaría la impresión de su bolsillo. Se fue a la cama, pero la excitación le impidió conciliar el sueño. Al día siguiente, con las primeras luces, agarró una hoja de papel nuevo y escribió el título:

¿Quiénes son?

Lo metió todo en un maletín de cuero y salió a la ciudad recién despierta. Hacía frío y el viento mordía la cara. Anzola respiró hondo y el aire le quemó las narices y le inventó una lágrima en un ojo. Todo parecía normal, pero ya nada lo era. Estaba cumpliendo el encargo que tres años antes le había hecho la familia de Uribe, y ahora la familia ya no lo apoyaba; estaba levantando un dedo acusador contra todos los que eran poderosos en este país, y nadie le podía asegurar que no fueran a hacerle daño. Todavía podía cambiar de opinión, torcer el rumbo en la siguiente esquina, darle la vuelta a la cuadra, tomarse un chocolate caliente y olvidarse de todo esto, y volver a la vida de antes, a la vida en paz. Pero siguió adelante, pensando en lo que veía la gente que lo miraba al pasar: un hombre solitario pero no del todo derrotado, joven pero ya sin ilusiones, arrastrando los zapatos. ¿Se veía en su exterior la decisión fatal que cargaba por dentro? Y si alguien supiera reconocerla, ¿intentaría disuadirlo? Pero no lo lograrían, no. Había que resistir, había que seguir adelante, y así un día podría decir que por lo menos había cumplido la promesa hecha a Julián Uribe: había escrito su libro, lo había contado todo, y ahora sólo le quedaba sentarse a esperar que el cielo le cayera sobre la cabeza.

Anzola se detuvo en una esquina para que pasara un Ford. Una jovencita con sombrero levantó la cara, tímidamente, y su mirada atravesó a Anzola, como si fuera invisible.

VIII. El juicio

Marco Tulio Anzola publicó su libro subversivo sin saber que noventa y siete años después, en un apartamento pequeño y oscuro de esa ciudad que lo había olvidado, dos lectores se reunirían para hablar del autor como si estuviera vivo y de lo narrado en el libro como si acabara de suceder, y que lo harían además con el libro en la mano. No pude saber si la intención de Carballo había sido desde el principio mostrarme el libro, porque la relación entre ellos dos —el objeto y su lector— era de una intimidad que no he visto nunca y acaso nunca haya sentido. No pude saber tampoco si en su mente hubo temores o incertidumbres a la hora de ponerme el libro en las manos, o si lo hacía porque me consideraba merecedor de esa confianza. Habíamos estado hablando de Anzola, del encargo que le habían hecho Julián Uribe y Carlos Adolfo Urueta; yo le pregunté a Carballo cómo había llegado a averiguar todo lo que me contaba, dónde estaba esa información. Por toda respuesta, él se puso de pie y se dirigió a su habitación, no a su biblioteca: era evidente que había estado revisando el libro recientemente. Me lo extendió con las dos manos.

«Lo que pasa es que hay que leerlo veinte veces», me dijo. «Si no, no hay quien le saque los secretos».

«¿Veinte veces?»

«O treinta, o cuarenta», dijo Carballo. «Este libro no es un libro cualquiera. Hay que merecerlo».

Era un volumen oloroso a viejo, con lomo de cuero y letras repujadas en el lomo. *Asesinato del General Rafael Uribe Uribe,* se leía en la primera página; debajo, la firma de Carlos Carballo; debajo de la firma, el título que, más que un título, era toda una declaración de paranoia: *Quiénes son?* A esta línea le faltaba la interrogación abierta e invertida, ese signo que sólo tiene la lengua española desde un remoto día del siglo XVIII en que la Real Academia lo hizo obligatorio; junto al signo de interrogación final y cerrado, por otra parte, había la silueta de una mano rellena de tinta: una *mano negra,* pensé, cuyo dedo índice *señalaba.*

«¿Esto es la denuncia de una conspiración?», pregunté. «La verdad es que muy sutil no era, el señor Anzola».

Pero a Carballo no le pareció gracioso mi comentario. «Este libro estuvo en todas las bibliotecas de Bogotá», me dijo secamente. «Lo compraron todos: unos para hacerle un altar, otros para quemarlo en una hoguera. Pero

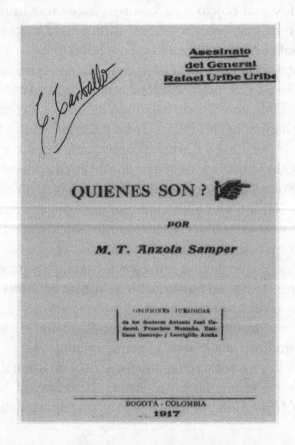

Asesinato
del General
Rafael Uribe Uribe

QUIENES SON ?

POR

M. T. Anzola Samper

OPINIONES JURIDICAS
de los doctores Antonio José Cadavid, Francisco Montaña, Emiliano Restrepo y Leovigildo Acuña

BOGOTÁ - COLOMBIA
1917

en 1917 todo el mundo tuvo este libro en la mano en un momento o en otro. A ver cuándo va a ser capaz usted de hacer algo igual».

«¿Un libro de escándalo?», dije.

«Un libro de valor», dijo él. «Un libro con un propósito noble». Y luego: «Aunque esa palabra no le diga nada a la gente de su generación».

Decidí hacer caso omiso del ataque. «¿Y qué propósito es, si puede saberse?»

«Pues no, no se puede saber», dijo Carballo, «hasta que usted no tenga ciertas informaciones en la cabeza. Primero tiene que leerse este libro y entenderlo bien. Moverse en él como pez en el agua, mejor dicho. No le estoy diciendo que lo lea veinte veces como lo he hecho yo. Pero sí cuatro o cinco, como mínimo. Hasta entenderlo, mejor dicho».

Abrí *Quiénes son?* y pasé las hojas sin disimular el tedio. Eran casi trescientas páginas de letra apretada. Leí: *Para quienes merecimos el honor de ser amigos del General Uribe Uribe y de haber profesado el más sincero cariño por tan eximio patricio, nos es altamente satisfactorio tributarle a su memoria un sentido recuerdo.* Ahí estaba todo lo que me repele: la pomposidad, la grandilocuencia, el plural afectado que los colombianos adoran y yo detesto más que los peores vicios de la especie humana. Miré, por una vieja costumbre, la última página, donde ciertos lectores suelen anotar datos o impresiones, y sólo encontré una fecha de 1945, rastro de alguno de los muchos lectores que un libro puede tener en casi un siglo de vida útil.

«Usted quiere que me lea este libro cuatro o cinco veces», dije.

«Para entenderlo», dijo Carballo. «Si no, no hay manera de seguir adelante».

«Pues tal vez yo no quiera seguir adelante, entonces», dije. «Yo no tengo tiempo para esto, Carlos. Ésta es su obsesión, no la mía».

Carballo, sentado con las piernas abiertas, los codos sobre las rodillas y las manos entrelazadas, bajó la cabeza y yo hubiera jurado que alcancé a oír un suspiro. «También es la suya», dijo entonces.

«No. No es la mía».

«También es la suya, Vásquez», insistió. «Créame que también es la suya».

Lo recuerdo entonces dejando que la mirada se le colgara durante un instante sobre la pared del fondo, sobre el retrato de Borges o más allá, sobre la ventana oscurecida cubierta por una cortina blanca de encaje, y luego diciendo: «Espéreme un segundo, no me demoro». Lo recuerdo desapareciendo tras la otra puerta, la que no era de su cuarto, y esto también lo recuerdo: que pasó un tiempo largo, más tiempo del que yo hubiera creído necesario para buscar y encontrar un objeto que nos es precioso y cuya ubicación, presumiblemente, no olvidamos nunca. Luego he especulado con la posibilidad de que Carballo se hubiera arrepentido de todo aquello —de haberme invitado a su casa, de haberme dejado regresar a su vida para escribir ese libro que yo, aunque él no lo supiera, nunca escribiría— y lo he imaginado pensando en excusas verosímiles para no mostrarme lo que me iba a mostrar. Pero cuando volvió a salir, llevaba entre las manos un paño de color naranja que asocié arbitrariamente con sus bufandas chillonas. El paño recubría un objeto de contornos ambiguos o irregulares (o eran sus dobleces impredecibles los que me impedían distinguir la forma precisa del objeto). Carballo se sentó en el sofá verde, comenzó a desdoblar el paño punta por punta y descubrió su contenido, y a mí me costó un breve instante entender que lo que veía debajo de la luz intensa era un hueso, un hueso humano, la parte superior de un cráneo. «Bueno, aquí está», dijo. El cráneo, limpio y resplandeciente bajo la luz blanca que llovía del techo, estaba roto: había un trozo de hueso desprendido. Pero mi atención se fijó de inmediato en las tres letras oscuras que parecían pirograbadas sobre el frontal: *R.U.U.*

*

No recuerdo si había cierta reticencia de mi parte, si a mi entendimiento le costaba un cierto esfuerzo darse cuenta de lo que estaba presenciando, y no recuerdo qué dije, si es que dije algo, mientras Carballo me mostraba el objeto, con orgullo pero también con desparpajo y al mismo tiempo con preocupación evidente, manipulándolo y dejando que yo lo manipulara como si no fuera único e irrepetible, como si su daño (al caerse al suelo, al golpearse contra algo) no hubiera representado una pérdida irreparable para el mundo. A medida que aceptaba el milagro, yo sólo podía pensar que aquella parte antiguamente viva de un cuerpo antiguamente vivo había sido la parte por la cual la vida se le había escapado a ese cuerpo, y cuando Carballo separó el hueso roto con cuidado y me lo dio para que yo lo sostuviera entre dos dedos temerosos y lo acercara a la luz y lo examinara por ambos lados, como si fuera una piedra preciosa, una sola frase se dibujó en mi cabeza: *Por aquí murió Rafael Uribe Uribe.*

Y Carballo, como si hubiera adivinado mis pensamientos (y en el ambiente transformado del apartamento, bajo la luz fantasmal del tubo de neón, no fui capaz de descartar del todo esa posibilidad), dijo:

«Por ahí se le fue la vida, por ese hueco. Increíble, ¿no? Tiene que estar orgulloso, Vásquez», bromeó enseguida, «porque esto lo han visto muy pocas personas en el mundo. Y la mayoría están muertas. Está muerta la persona que me lo dejó, por ejemplo».

«El doctor Luis Ángel Benavides».

«Que en paz descanse».

«¿Se lo dejó a usted?»

«El maestro usaba esto en sus clases. Yo no sólo era su alumno: fui su confidente en los últimos años, la persona que lo acompañó. Yo fui su apoyo y además soy el que entiende de estas cosas. Soy el que sabe cómo usarlas.

Soy el que les va a sacar provecho. Así que sí, me lo dejó a mí. No se sorprenda tanto».

«¿Qué quiere decir *estas cosas*?», pregunté. «¿Qué quiere decir *usarlas,* Carlos? ¿Hay algo más? ¿Le dejó algo más el doctor Benavides?» Y luego: «Además, ¿cómo le llegó esto al doctor? ¿Cómo acaba algo así en sus manos, si él ni siquiera había nacido cuando mataron a Uribe?»

Lo vi pensar; casi pude oír los mecanismos de su cabeza midiendo riesgos, haciendo estimados sobre mi lealtad, tratando de leer en mi cara lo que yo haría o no haría con determinadas informaciones.

«A mí me parece que tenemos que ir por partes», dijo al fin, «que del afán no queda sino el cansancio. Y el que mucho abarca, poco aprieta».

«Pero es que no entiendo. Esto es maravilloso, Carlos, no me entienda mal. Tener esto en las manos, poder tocarlo… Nunca dejaré de agradecerle que me lo haya permitido. Pero no entiendo cómo encaja en nuestro proyecto».

«¿De verdad me lo agradece?»

«Infinitamente», le dije.

Fue quizá la palabra más genuina que había pronunciado hasta entonces. Así lo sentía: tener en mis manos aquellos restos, dejar que mis dedos vivos pasaran por ese hueso, me estaba provocando emociones que no había sentido desde la noche del año 2005 en que vi en casa de Benavides la vértebra de Gaitán, pero esta vez el contacto directo con la reliquia estaba enriquecido por mi propia experiencia, por los nueve años transcurridos desde entonces. De manera que allí, sentado en la sala por cuya ventana ya se anunciaba el día, sosteniendo en mis manos tímidas los restos de la cabeza de Uribe Uribe, sentí que la vida me había conducido a este momento por caminos imposibles de rastrear; pero sentí, al mismo tiempo, que algo se me estaba escapando, como quien está demasiado cerca de un cuadro como para ver con claridad lo que en él sucede.

«Bueno, pues esto cambia las cosas», dije. «Me llevo el libro, lo leo lo antes posible y vuelvo para que hablemos».

«Imposible», dijo Carballo. «Este libro no sale de mi apartamento».

«¿Y entonces qué? ¿Vengo a leer aquí, como si fuera una biblioteca pública?»

«¿Por qué le parece absurdo?», dijo Carballo. «Yo llego todos los días a las cinco de la mañana. Nos encontramos aquí, usted lee mientras yo duermo y *luego* hablamos. Lo siento, pero es la única manera. Porque este libro, le repito, no sale de mi apartamento».

Iba a protestar, pero la sensatez intervino a tiempo: lo que este hombre me estaba ofreciendo, creyendo que me obligaba y que yo aceptaría de mala gana, era pasar horas seguidas en su apartamento, en soledad y libre de su mirada, mientras él dormía. Me estaba ofreciendo la posibilidad de escudriñar impunemente cada rincón visible del lugar en busca de la vértebra perdida. Hubiera sido idiota decirle que no.

«¿Comenzamos mañana?», le dije.

«Si usted se le mide», dijo Carballo.

«Yo me le mido», dije. «Pero tengo otra duda».

«Dígame».

«¿Qué hay en la cabeza de Uribe en vez de esto? ¿Por qué la autopsia dice que lo reconstruyeron?»

«Es que reconstruir no implica poner la calota en su puesto», dijo Carballo. «A mí esto me quedó claro de tanto visitar al maestro Benavides. Pongamos, por ejemplo, un banco de huesos. Cuando uno quita los huesos de un muerto para el banco de huesos, reconstruye el cadáver con una estopa y palos de escoba. Mire, cuando yo empecé a pasar tiempo con el maestro, hace muchos años, me encontré con muchas cosas de las que no tenía noticia. Por ejemplo, me encontré con que en las salas de cirugía hay una nevera con calotas guardadas. Iguales a ésta, sí. A un paciente con trauma craneoencefálico, por ejemplo, se le quita un pedazo de cráneo, para que el cerebro se expanda y el paciente no se muera, y el pedazo se guarda. A veces no se puede guardar en la nevera por la razón que sea. Entonces se guarda el pedazo de cráneo en el abdomen, que protege los tejidos humanos y evita la infección. Al paciente se le puede quitar el pedazo de cráneo y que siga teniendo forma de cabeza, porque hay una capa que queda. A este señor nadie va a tocarle la cabeza a ver si es dura. Se puede quitar el pedazo de hueso y dejar solamente la piel. Me imagino que así estará Uribe, allá en su tumba, bien enterrado en el cementerio Central».

Al llegar a mi casa, cerré las persianas de mi habitación (ni mi esposa ni mis hijas estaban: mejor así, porque no me sentía con fuerzas ni claridad mental para explicarle a nadie lo que acababa de pasarme), y de repente me cayó encima todo el cansancio de esa noche en vela. Me puse en los oídos los tapones azules que uso para escribir y me metí en la cama. Alcancé a temer que, a pesar del agotamiento, fuera a serme difícil conciliar el sueño en el estado de excitación que me dominaba. Pero en segundos había ya perdido la conciencia, y dormí profundamente, dormí como no había dormido en horas diurnas desde la adolescencia, hundido en un sueño que no era distinto al sueño de la anestesia: un lugar donde no hay percepción del tiempo ni del espacio, un *no lugar* donde no somos ni siquiera alguien que sabe que duerme, donde sólo al despertar comenzamos a entender cuánto nos reclamaba el cuerpo su descanso. Un sueño sin sueños del cual nos cuesta salir inicialmente: y hay desorientación, y hay sensación de soledad, y hay una cierta melancolía; y queremos encontrar al abrir los ojos a alguien que nos abrace y nos recuerde con un beso dónde estamos, qué vida tenemos, cuán afortunados somos de que sea ésta, y no otra, la vida que nos tocó en suerte.

Esa noche llamé por teléfono al doctor Benavides. Cuando le hablé de lo que había visto en casa de Carballo, un silencio de muerte se hizo en la línea.

«La calota», dijo Benavides al fin. «Él la tiene».

«¿Usted sabía que esto existía?»

Otro silencio. Al fondo, detrás de la estática, se oían los choques de los cubiertos con los platos. Benavides estaba almorzando con la familia, supuse, y yo lo había interrumpido. No parecía importarle.

«Mi padre la trajo a casa varias veces. Yo era niño en esa época, tendría siete años, ocho. Mi padre me mostraba la calota, me explicaba cosas. Me dejaba cogerla, darle la vuelta, mirarla por todas partes, ponerla al revés. ¿Y es Carballo el que la tiene?»

«Pues sí. Lo siento», dije, sin saber muy bien por qué.

«Con las letras, ¿verdad? Las iniciales en el hueso frontal».

«Sí», le dije. «Ahí están las iniciales: *R.U.U.* Ahí están».

«Me acuerdo perfectamente», dijo Benavides. Ya no había ruido: debía de haberse encerrado en una habitación, lejos del barullo del comedor familiar. «Esas letras me fascinaban, me parecía fantástico que estuvieran en la frente de alguien. Mi padre se divirtió mucho con esto. Me decía: "Es que todos las tenemos. Todos venimos con nuestras iniciales grabadas en la frente". Y yo me pasaba horas frente al espejo del baño, parado en una banquita de madera para acercarme más a la luz, quitándome el pelo con una mano y con la otra tocándome la frente para ver si alcanzaba a sentir las iniciales. *F.B.* Las buscaba con la yema del dedo, me la pasaba por la frente buscando la *F* y la *B*, la *F* y la *B*. Luego iba y me quejaba. Le decía: "Papá, no las encuentro". Y él me tocaba la frente, sería mejor decir que me la acariciaba, y me decía: "Pero ahí están, ahí las siento". Y luego se pasaba él mismo la mano por su propia frente y ponía cara de concentración, de concentración profunda, y me decía: "Sí, sí, aquí están también: *L.A.B.* Mira a ver si las sientes tú". Yo trataba y con él tampoco sentía nada, era muy frustrante. Me parece estar viéndolo: poniendo cara de concentración también cuando yo lo tocaba, dejándose tocar por su hijo pequeño. Yo también me he dejado tocar así por los míos, Vásquez. Me imagino que usted sabe de qué le estoy hablando».

Nunca había oído tanta nostalgia en su voz. Me pareció que se había entristecido, porque en su voz limpia se sentía una suerte de humedad, pero pensé que era impertinente y además inútil preguntárselo: de haber sido cierto, Benavides nunca me lo habría confesado. Pero mi revelación sobre la calota de Uribe Uribe le había despertado una memoria dormida y, con ella, sus emociones. Las memorias de la infancia son las más poderosas, quizás porque en esos días todo es un desgarro o una sacudida: cada descubrimiento nos obliga a reubicarnos en el mundo conocido y cada muestra de cariño nos llena el cuerpo: el niño vive en carne viva, sin filtros ni escudos ni mecanismos de defensa, lidiando como puede con lo que lo avasalla. Sí, quise decirle a Benavides, yo sé de qué me está hablando, yo también me he dejado tocar la frente por mis hijas, por las manos de mis hijas, por esos dedos largos que me han heredado. Aunque ellas nunca han tenido en sus manos los restos de ninguno de los hombres asesinados en este país que también heredarán. Son muchos, eso sí, y sin duda serán muchos más en los años de sus vidas; y uno puede pensar entonces que un día el azar les depare lo que me ha deparado a mí: el extraño privilegio de tener en las manos las ruinas de un hombre.

«Sí», le dije. «Sé de qué me está hablando».

«Sí, ¿verdad?», dijo Benavides.

Y yo le dije: «Sí».

Hubo un nuevo silencio en la línea. Benavides lo rompió diciendo: «Tráigamela, por favor».

«Está bien», le dije.

«Esa calota es mía también, igual que la vértebra, igual que la radiografía».

«Pero usted me había dicho lo contrario, Francisco. Que estas cosas no eran suyas, que eran de todos, que las iba a dar a un museo. No estará cambiando de opinión».

«Tráigamelo todo, por favor. ¿Me lo promete?»

«No es tan fácil», dije. «Pero le prometo que voy a tratar».

«¿Me lo promete, Vásquez?»

«Sí, Francisco. Se lo prometo».

«Pues espero que cumpla», dijo Benavides. Y de repente se puso serio, muy serio. «Mire», añadió, «los restos de un cuerpo muerto no son para que anden dando tumbos por ahí. Los restos de un cuerpo son armas potentes, y cualquiera los puede usar para cosas que ni usted ni yo podemos imaginar. No se puede permitir que estén en manos equivocadas».

Le dije que claro, que entendía. Y luego no le dije nada más.

Fueron tres días, tres días enrevesados en que seguí la misma rutina inverosímil. Me despertaba a las cuatro de la mañana, salía de mi casa a las cuatro y media y llegaba a la calle 18 a las cinco o pocos minutos antes de las cinco —una hora en la que esta ciudad inhóspita parece más amable, porque el tráfico escaso produce la ilusión de que mandan los seres humanos—, y allí estaba Carballo, tomándose un café aguado aunque su intención fuera dormirse en unos minutos. Me dejaba solo con el libro de Marco Tulio Anzola y yo leía como suelo leer cuando estoy trabajando en uno de mis propios libros: con mi libreta negra abierta al lado y un lapicero de mina delgada puesto sobre la libreta. Tomaba notas y organizaba cronologías, luchando con el caos del libro, desbravando su tosca indignación, y poco a poco iba naciendo entre las cronologías y las notas un perfil del indignado autor, ese jovencito atrevido que había desafiado a los hombres más poderosos del país. Anzola me producía al mismo tiempo fascinación y desconfianza; su valor era incontestable, y sin embargo me parecía evidente que las acusaciones de su libro no estaban todas fundadas, pues ningún lector juicioso podría encontrar en los jesuitas de *Quiénes son?* la responsabilidad que se les achacaba (el tal Berestain, por ejemplo, era un tipo intolerante y antipático, pero nada en el libro de Anzola demostraba que fuera un asesino). Al mediodía empezaba a sonar el murmullo de las cañerías, y al cabo de un rato Carballo emergía de su habitación, listo para empezar el día, siempre con sus medias blancas y algunas veces con un pañuelo atado desde el principio al cuello. Me contaba cosas que no estaban en el libro de Anzola; me enseñaba otros documentos. Y así, tarde a tarde, acabé enterándome de lo sucedido después de la publicación de *Quiénes son?*, o, debería decir, *debido* a su publicación.

El libro salió a la luz en noviembre de 1917. Las respuestas de los enemigos de Anzola no se hicieron esperar, y en muchos casos fueron más duras de lo que él mismo, incluso en sus momentos más consternados, hubiera podido prever. Al mismo tiempo, Anzola comenzó a darse cuenta de que muchos de quienes lo atacaban no habían leído el libro. Eran meros sicarios de la letra imprenta, enviados por los poderosos para desprestigiar su libro y su persona, aunque a veces actuaran en nombre propio, tristes figuras movidas por la envidia y el resentimiento. En *El Nuevo Tiempo* se llegó a hacer esa confesión sin vergüenza alguna: «No tenemos que manchar nuestra mirada con el contenido de esta obra para saber que es el fruto de una imaginación calenturienta y una educación desnortada», escribía un columnista que firmaba como Aramis. La prensa conservadora en general lo tildó de anarquista, asesino moral y calumniador a sueldo; en largos artículos prominentes, seudónimos inverosímiles lo llamaron enemigo de la Iglesia católica, paladín de la inmoralidad y aun mensajero del diablo. A Anzola lo consolaba pensar que los mismos cargos habían sido formulados una vez contra el general Uribe, y le sucedía quedarse despierto en las noches preguntándose cómo hubiera respondido él a tal o cual afrenta especialmente injusta o dolorosa. «Algunos que se fingen cristianos», escribió en *La Sociedad* el hombre que firmaba como Miguel de Maistre, «se han dado por misión sobre esta tierra la de manchar el buen nombre de la Santa Madre Iglesia; en libelos inmorales atacan a los representantes de Dios entre nosotros, y al hacerlo atacan a cada uno de los hombres de bien, a cada una de nuestras castas mujeres, a cada uno de nuestros niños inocentes. Desde páginas que han sido factores de nuestras guerras intestinas y sembradoras de discordia, estos mensajeros del mal buscan la conversión de la patria al socialismo ateo. Pero se encontrarán con que los guerreros de Dios somos más numerosos de lo que piensan; y que estamos dispuestos a defender nuestra fe, si llegase el tiempo, con la fuerza bendita de las armas».

Durante las semanas siguientes, Anzola tuvo que soportar que un escritor bogotano llamara a su libro «mera novela criminalista» y a él, «detective desorbitado»; tuvo que soportar los cuchicheos cuando entraba a un café, por ejemplo, y un día decidió evitar la conferencia de Luis López de Mesa en el ciclo de «Culturas», a pesar de lo mucho que le interesaba, sólo por no encontrarse solo y en medio de un público impredecible. A comienzos de diciembre se organizó una manifestación obrera en la plaza de Bolívar; Anzola tuvo que dar un rodeo para llegar a su casa, pues la memoria de lo que había estado a punto de pasar en otra plaza y en el curso de otra manifestación estaba viva todavía. Nunca se había sentido tan solo. Se sabía en boca de todos y sin embargo notaba que todos le rehuían la mirada. En Navidad le llegó un paquete de parte de Julián Uribe, y al abrirlo se encontró con una cajita de Chocolates Equitativa y una tarjeta con la leyenda *Felices fiestas,* y ése fue el primer indicio de que la familia no lo había desterrado de su vida. Así dejaba que se le fueran los días, yendo de su casa a la oficina, de su oficina a la casa, inspeccionando las obras que se sucedían en el mapa de la ciudad extensa. Entre la Navidad y el Año Nuevo tuvo que revisar las reparaciones de un puente sobre el río San Francisco. Le explicaron que una mujer había caído del puente en días pasados y se había destrozado la cara contra las piedras lisas. Anzola oía estas explicaciones, sí, pero no les prestaba ni atención ni simpatía, porque estaba pensando en la última mentira que se había dicho sobre él desde la prensa, en la última vez que un artículo le había lanzado un escupitajo de tinta. En eso ocuparía las primeras semanas de 1918: en la observación de lo que le estaba ocurriendo, una verdadera campaña de difamación cuyo único objetivo era que Anzola no llegara entero a la fecha señalada para el juicio.

O por lo menos así lo imaginé. Cuando hablé con Carballo, él estuvo de acuerdo: sí, así debió de suceder. «Sí, es verdad que una parte de la ciudad le declaró la guerra, y era la parte más poderosa», me dijo. «Ni usted ni yo podemos imaginarnos lo que tuvo que atravesar el muchacho». Carballo lo llamaba muchacho, como si fuera su hijo o el hijo de algún conocido, y cada vez que lo hacía yo recordaba la edad de Anzola: en el momento de la publicación del libro, tenía veintiséis años o estaría a punto de cumplirlos. En el mes de noviembre de mis veintiséis años yo estaba llegando a Barcelona, después de publicar dos novelas que me habían dejado una sensación de desorientación primero y de fracaso después, y me preparaba para empezar de nuevo, empezar una nueva vida en un nuevo país, empezar por segunda vez a tratar de ser escritor. Anzola, por su parte, no sólo había publicado un libro que lo había convertido en el hombre más incómodo de un país donde los hombres incómodos suelen sufrir retaliaciones diversas, sino que estaba preparándose para ser testigo en el juicio por el crimen más sonado de la historia reciente. *El crimen del siglo*, lo llamaban muchos a pesar de que el siglo estaba todavía empezando y nos depararía varios candidatos al dudoso premio. Del crimen de Gaitán se diría lo mismo, pero también, años después, del de Lara Bonilla y del de Luis Carlos Galán. En eso mi país ha sido pródigo.

«El crimen del siglo», rio Carballo en algún momento. «Ni sabían lo que se nos venía encima».

El juicio contra Leovigildo Galarza y Jesús Carvajal, sindicados por el asesinato del general Rafael Uribe Uribe, comenzó en el mes de mayo de 1918. Venía precedido de las denuncias de Anzola, que no se había conformado con publicar *Quiénes son?*, sino que había comunicado su intención de aportar treinta y seis nuevos testigos al proceso y revelar, según dijo en la prensa, detalles inéditos sobre el crimen del general Uribe. El abogado de la parte acusadora, Pedro Alejo Rodríguez, pidió que se declararan esos testimonios improcedentes y se prohibiera a Anzola participar de ninguna forma en el juicio.

«Pedro Alejo Rodríguez», dije. «Sí, el hijo del fiscal que había llevado el sumario. El hijo del enemigo, mejor dicho».

«Exacto», dijo Carballo. «Pidió que Anzola no participara en el juicio, ni siquiera como testigo. Y el juez le dio la razón».

Pero Anzola no se amedrentó. El día señalado, salió de su casa al mediodía y se dirigió al Salón de Grados, cuya autoridad era tanta y tan vieja que a nadie le parecía raro estar juzgando a los asesinos del general en el mismo espacio donde lo habían velado cuatro años atrás. Llevaba un atado de papeles bajo el brazo, y nunca, en todo el trayecto, dejó de arrepentirse de no haberlos traído en un maletín. Caminó largas cuadras bajo una llovizna que no mojaba, sintiendo a cada paso que arrastraba los zapatos temerosos sobre los adoquines, pero también que no acudir sería una claudicación o una renuncia. Antes de asomarse a la carrera sexta, ya el barullo de la gente llenaba la calle, como un abejorreo de tierra caliente. Anzola bajaba por la calle 10; pasó frente a la ventana por donde Simón Bolívar escapó de los conspiradores —hombres que asesinaron a uno de sus guardias antes de encontrarse con su cuarto vacío y su cama todavía tibia—, y siguió caminando con la mirada en el suelo, para no tropezarse, hasta que se le acabó la pared. Se detuvo. Entre los documentos que llevaba bajo el brazo había un ejemplar de *Quiénes son?*: Anzola no supo si había sido un error traerlo. Respiró hondo, se dio una bendición rápida y se besó la uña del pulgar derecho. Y entonces doblar la esquina fue como salir a la arena, enfrentarse a las fieras y sentir que la puerta grande se cerraba a sus espaldas.

«¡Ahí está!», gritó alguien. «¡Ahí está el del libro!»

Anzola sintió las miradas de la muchedumbre como una sola, un solo monstruo con un solo ojo que lo había detectado. «¡Que se vaya!», gritaba un coro furioso. «¡Que se vaya! ¡Que se vaya!» Otras voces sonaron en otra parte, más cerca de la calle novena, como si salieran del balcón de las monjas: «¡Que entre! ¡Que entre!» Anzola se abrió paso en la muchedumbre, sosteniéndoles la mirada a algunos para que no se oliera su ansiedad, y llegó a la gruesa puerta de madera con sus aldabones de hierro macizo y su aire sagrado. Debajo del escudo tallado en la piedra, uno de los dos policías que guardaban la entrada le cortó el paso: «Prohibido», dijo.

«¿Y por qué?», dijo Anzola.

«Por orden del juez».

Entonces Anzola se aclaró la garganta y le dijo al policía, para que todo el mundo lo oyera:

«Ahí adentro no están los que deberían estar».

La multitud empezó a gritar. «¡Calumniador! ¡Ateo!» Desde abajo del balcón de las monjas, otros seguían pidiendo que lo dejaran entrar, y lo hacían con voz tan beligerante que Anzola temió por un momento convertirse en causante de una batalla campal. Los esfuerzos de esas voces sin rostro fueron inútiles, de todas formas, pues la orden del policía era clara. Anzola no pudo entrar.

«Pero al día siguiente», dijo Carballo, «tuvo mejor suerte».

«¿Qué cambió?», pregunté.

«Nada y todo», dijo Carballo. Se quedó pensando algo. «¿Usted ha entrado, Vásquez? ¿Ha entrado al lugar donde quedaba el Salón de Grados?»

«Nunca», le dije.

«Ah, pues le propongo un paseo», dijo él. «Nadie ha dicho que estamos obligados a quedarnos todo el tiempo en este apartamento».

Salimos a la calle y empezamos a caminar por la carrera quinta hacia el sur. Le pregunté de nuevo a Carballo qué había cambiado, qué había sucedido para que a Anzola le permitieran la entrada al juicio al día siguiente de habérsela prohibido.

«La prensa», dijo Carballo. «Todos los periódicos protestaron por la exclusión de Anzola. Protestó *El Tiempo* y también *El Liberal* y también *El Espectador* y también *El Republicano*. Todos los editoriales del día saltaron en defensa del autor de *Quiénes son?* y de su derecho a presentar a sus treinta y seis testigos. Y la gente se unió a la protesta. El escándalo fue tal que el juez Garzón, contra todo pronóstico, se vio obligado a retractarse. No sé: tal vez pensando que la vaina podía salirse de madre si insistía en su negativa». Atravesamos la avenida Jiménez y pasamos frente a los billares Aventino, donde pasé tantas horas ociosas, y al toparnos con el muro de la calle 14, frente al cual fue asesinado Ricardo Laverde una tarde de 1996, giramos a la derecha y continuamos hacia el sur por la carrera sexta.

«Al día siguiente Anzola volvió al Salón de Grados. Los periódicos reseñaron cada uno de los días del juicio, transcribiendo los interrogatorios y luego opinando sobre ellos, y por eso uno puede saber con cierto detalle lo que pasó. Un periódico habla de Anzola: lo describe llegando con un atado de papeles bajo el brazo. Libros, cuadernos, papeles sueltos. Yo no tengo nada de eso ahora, pero otras veces he venido trayendo de todo, para entrar y estudiar la escena y tratar de saber qué hubiera visto mi muchacho en ese momento».

Mi muchacho, había dicho Carballo. Íbamos llegando a la esquina de la calle 10, donde comienza la mole de piedra que hace un siglo albergó el Salón de Grados, y sólo entonces me cayó encima una revelación que habría debido surgir mucho antes: la relación intensa que había entre Carballo y Anzola, o más bien el vínculo profundo que Carballo sentía con ese otro cazador de conspiradores. *Mi muchacho.* Lo miré sin que se diera cuenta, mientras caminábamos en fila india por las aceras estrechas. Hasta debe de creer en reencarnaciones, pensé burlonamente, y luego me arrepentí del pensamiento. Entonces llegamos al imponente arco de piedra tallada y al portón de madera, y cruzamos el zaguán oscuro para salir al patio iluminado, aquel patio de rosales vivos con una fuente de piedra en el medio, y pensé que así, caminando por los corredores de columnatas solemnes, Carballo habría sentido o querido sentir lo que sintió en su momento Anzola: por ejemplo, al entrar en la amplia nave de techos altos donde se llevaban a cabo las audiencias; por ejemplo, al oír el ruido que lo recibió desde las barras como el coro de las cosas sacudidas durante un temblor.

«¿Aquí fue?», pregunté.

«Aquí fue», dijo Carballo.

Era un espacio suficiente para albergar a cientos de asistentes en bancas de madera. Por eso se llamaba Salón de Grados, claro: porque en otros tiempos había sido el lugar más importante de una universidad que allí funcionó. Carballo me habló de las fotos que salieron en la prensa de esos días. Desde la puerta del recinto frío, me explicó dónde se hubiera sentado Anzola, y me dijo que al fondo, en un solio imponente donde un dosel oscurecía el espacio, habría estado el doctor Julio C. Garzón, juez segundo superior de Bogotá. Los jurados lo acompañaban, y sobre las cabezas de los cuatro colgaba un crucifijo de madera cuyo cristo era grande como un niño de cinco años. Delante de ellos, en una mesa distinta, parapetado tras una torre de papeles de cuatro palmos de alta, estaba el secretario del juzgado. El día en que Anzola entró por primera vez para dar testimonio, se enteró de que Pedro León Acosta se había peleado a garrote y puño limpio con un ciudadano que lo acusó en plena calle de haber participado en el crimen. La pelea había sido tan violenta que un agente del orden tuvo que separarlos a la fuerza, y los habría llevado a pasar la noche en la comisaría si no se hubiera percatado a tiempo de que se trataba de un hombre ilustre.

«Yo me imagino a Anzola pensando: *Mi libro hizo esto*. Me lo imagino levantando la mirada, viendo cómo desde las tribunas lo insultaban o le aplaudían, y pensando que su libro había hecho eso. En todo caso, debió de ver al fiscal Rodríguez Forero, sentado como si fuera un asistente más. Lo más probable es que Rodríguez Forero se haya sentado allá, en esas tribunas, porque ya no estaba participando en el juicio. Había redactado la Vista fiscal y la había publicado, pero luego había sido reemplazado en sus labores de fiscal por alguien más. Y su hijo estaba defendiendo a la familia Uribe, con lo cual tampoco hubiera podido participar, ¿verdad? Habría tenido que recusarse».

«¿Y dónde hubieran estado los asesinos?»

«Ahí, mire».

Miré hacia donde me señalaba Carballo. Galarza y Carvajal estaban sentados contra una pared lateral, sobre una banca sin espaldar, rodeados de agentes. Atendían sin interés a lo que sucedía, como si no fuera a pasarles nada a ellos, y lo que se veía en sus caras, más bien, era la poquedad de su entendimiento. Llevaban ambos un pañuelo atado al cuello, tan grueso que la cara les quedaba oculta cada vez que inclinaban la cabeza. Galarza estaba calvo, como si se hubiera rapado recientemente, y Carvajal tenía en los ojos la mirada líquida de un hombre cansado. Se giraba de vez en cuando para ver la hora en el reloj de la pared desnuda. Acerca de la expresión de su cuerpo entero, un periodista escribió que no estaba cansado: estaba aburrido.

Tan pronto como el juez declaró iniciada la audiencia, el abogado de la familia Uribe pidió la palabra. Pedro Alejo Rodríguez tenía una frente demasiado amplia y entradas profundas, a pesar de sus treinta años escasos, y sus ojos de párpados grandes parecían siempre adormilados, y su voz aguda siempre sonaba como una queja malcriada. Señaló con un dedo a Carvajal y a Galarza, y dijo:

«Éstos son los asesinos. Aquí no se va a hablar de nadie más ni se va a acusar a nadie más».

La gente empezó a silbar; las manos golpearon la madera.

«Silencio en las barras», dijo el juez.

«El jurado está aquí para fallar en la responsabilidad de Galarza y Carvajal», continuó Rodríguez. «En realidad, nada tiene que ver la justicia con los demás individuos. Para este juicio nos preparábamos, pero entonces se presentó en el juzgado este hombre».

Señaló a Anzola. Se oyeron murmullos en la tribuna de arriba. «¡Que se vaya!», gritaron de alguna parte.

«Silencio», dijo el juez.

«Este señor», dijo Rodríguez, «se presentó al juzgado y pidió que se le llamara a declarar aquí. Y no sólo a él, sino a treinta y seis testigos más. Pero el señor Anzola no es un testigo cualquiera: es el autor de un panfleto en el cual se hacen inculpaciones a personas distintas de Galarza y Carvajal. Y es muy probable, señor juez, que venga aquí a hacer esas mismas inculpaciones. Pues bien, oiremos a los testigos, como manda la ley. Y sus testimonios nos llevarán a una de dos conclusiones: o las pruebas nuevas son perfectas a la faz de la ley, o son meras sospechas que no deben tomarse en cuenta por no llegar a ninguna conclusión. Nosotros, por nuestra parte, cumpliremos con los deseos de la familia del general». Tomó una de sus carpetas y sacó un papel. «Ésta», dijo, «es una carta que nos envió desde Washington el doctor Carlos Adolfo Urueta, yerno del general. Dice: *Usted sabe cuál ha sido nuestro anhelo en lo relativo a la investigación. Que se haga toda la luz que sea posible, pero sin escándalos inútiles y sobre todo sin que el nombre del general sea tomado como instrumento de difamación contra nadie.* Y eso, señor juez, es lo que haremos desde la acusación».

«Muy bien», dijo el juez. Hizo sonar una campanilla que Anzola no había visto hasta ese momento. «Que venga el testigo».

«Anzola se paró y caminó hasta allá», dijo Carballo, indicando con un dedo. «Hizo este recorrido. Los periódicos hablan de la cantidad de papeles que tenía. Se le caían y los recogía. Estaba nervioso, claro. Sus enemigos estaban presentes: Alejandro Rodríguez Forero, Pedro León Acosta».

«¿Acosta estaba?»

«En primera fila», dijo Carballo. «El que no estaba era Salomón Correal».

«¿Por qué no?»

«No necesitaba», dijo Carballo. «Había mandado a sus espías. De hecho, todos los agentes eran espías de Correal».

«Señor Anzola», dijo el juez. «¿Jura usted por Dios decir verdad en todo lo que le sea preguntado, según le conste, advirtiéndole que si dijera alguna cosa falsa puede ser castigado hasta con años de prisión?»

«Sí», dijo Anzola. «Juro. Pero advierto que no soy orador. Le pido al público que me tenga paciencia si resulto pesado o digo alguna barbaridad. De las cosas que vengo a declarar, he sido testigo presencial en unos casos. En otros, testigo referencial».

«Que conste lo que acaba de decir», dijo Rodríguez.

«Que conste todo», repuso Anzola. «Porque de lo que aquí diré, después no retiraré nada».

«Los hechos», dijo el fiscal. «A ver los hechos».

«Allá voy», dijo Anzola. «Aquí voy a demostrar que el antiguo fiscal, señor Alejandro Rodríguez Forero, mutiló el expediente para favorecer la teoría de que Galarza y Carvajal actuaron solos. Suplico al acusador particular, don Pedro Alejo Rodríguez, que tome la Vista fiscal. Y sugiero al antiguo fiscal que, ya que nos acompaña, tome la suya y siga la lectura. Para que no se aburra».

Una carcajada estalló en las gradas.

«Los hechos, señor Anzola», dijo el fiscal.

«Yo voy a demostrar aquí un hecho: que el fiscal Rodríguez Forero adulteró el expediente».

«La acusación le exige la prueba, señor Anzola», dijo el hijo de Rodríguez. «Preséntela ahora mismo».

«Con mucho gusto», dijo Anzola. «Señor secretario, abra el expediente en el folio 1214. Señor acusador, abra la vista de su padre en la página 270. Se trata de una reunión que hubo en la carpintería del asesino Galarza quince días antes del crimen. En ella, un policía de Salomón Correal montó guardia. La reunión es de suma importancia, porque se trataba de determinar quién asistió a ella. Pues bien, en el expediente se lee: "Quince días antes del crimen…" Miremos lo que pone el señor Rodríguez Forero en la vista: "Días antes del crimen…" De manera que ya no son quince días exactamente, sino una fecha vaga. Y yo pregunto: ¿cuándo prefiere un fiscal la vaguedad a la precisión? Y yo, señor juez, respondo: Cuando la precisión pondría en aprietos a algunas personas, y se trata de evitar eso a toda costa. ¡Esto es una adulteración!»

Anzola esperó aplausos y los aplausos llegaron.

«¡Pero no!», dijo Rodríguez. «Adulterar es quitar algo de lo que figura en el proceso o cambiarlo con mala intención. Aquí lo único que hay es una condensación. El fiscal puede, al resumir los hechos del expediente, cambiar unas palabras por otras».

«¿Puede hacer eso?», dijo Anzola con sarcasmo.

«Claro que sí. El fiscal no adulteró nada, porque su frase no está entre comillas».

«Pero no es sólo esto», dijo Anzola. «Hay otras muchas mutilaciones».

«Cítelas todas», dijo Rodríguez.

«Un hombre llamado Alejandrino Robayo estuvo también esa noche en la carpintería del asesino. En el expediente, Robayo cita a las personas que lo acompañaban, e incluye a un tal Celestino Castillo. Pero lea la Vista, señor secretario, léala: ahí el nombre del acompañante ha desaparecido, y en su lugar se lee: "Un compañero con quien iba en esos momentos…" Claro, el nombre de Castillo ha sido eliminado. ¿Por qué? ¡Porque era uno de los hombres de Salomón Correal!»

Rodríguez manoteó. «Señor secretario», dijo, «sírvase decirnos si este pasaje está entre comillas».

El secretario dijo: «No veo comillas».

«Por lo tanto, no hay adulteración», dijo Rodríguez.

Anzola se giró hacia las barras. «¡Yo le hablo al acusador de la verdad, y él me habla de comillas!»

Las barras se levantaron. El griterío era ensordecedor, pero sobre las voces que lo acusaban, sobre las fauces abiertas de sus enemigos, Anzola oyó a alguien llamarlo por su nombre y decir: «¡Tranquilo! Aquí está el pueblo listo a defenderlo». Las palabras fueron un espaldarazo. Anzola levantó la voz.

«¡Yo declaro», exclamó, «que el fiscal Rodríguez Forero es un encubridor!»

La gente estaba de pie en la tribuna, el puño en alto, y las bocas abiertas vociferaban. Anzola sintió que tenía en sus manos la posibilidad de provocar una revuelta, allí mismo y en ese mismo momento, y por primera vez supo lo que sentía el general Uribe en sus discursos: el poder sobre una muchedumbre y la posibilidad terrible de usarlo. Los jefes de Policía habían tomado sus posiciones frente a las barras para preservar el orden, y eso fue tomado por los que apoyaban a Anzola como una amenaza. «¡Que se vengan!», gritaban. «¡Que echen bala, y verán que el pueblo sabrá defenderse!» El juez trataba de elevar su voz por encima del escándalo, del estrépito de las manos que golpeaban las bancas de madera. «¡Orden!», gritaba. Desde una esquina llegó un grito: «¡Mueran los asesinos!» «¡Muera el godo Acosta!», llegó desde otro lado. Y el juez seguía agitando su campanilla metálica y gritando: «¡Se suspende la sesión! ¡Se suspende la sesión!»

«Y la sesión quedó suspendida», me dijo Carballo. «De manera que ya ve cómo era el ambiente. Y lo que pasó ese primer día de testimonio de Anzola siguió pasando los demás días. El griterío. Las protestas. Los aplausos. Las barras divididas entre la hostilidad y el apoyo, el ambiente de levantamiento a punto de estallar… Y Anzola ahí, dando su testimonio. Y después, cuando comenzó a llamar a sus testigos, el ambiente no mejoró».

«¿Él llamaba a sus testigos? Pero eso no se puede en un proceso, Carlos».

«Sí, ya sé», dijo Carballo. «Usted es abogado también, casi se me olvida. Pues sí, era posible si el juez se lo permitía. Por ahí tengo el número de la ley y el artículo que le permitían al juez dirigir el debate como quisiera. No sé si eso se pueda todavía, pero en esa época se podía. Y Anzola no era un testigo cualquiera, porque había escrito el libro, porque había anunciado sus treinta y seis testigos propios y porque tenía a la prensa de su lado, o eso parecía. Así que le permitieron traerlos y hablar con ellos, interrogarlos, aunque no fuera representante de ninguna de las partes. Era algo excepcional, pero es que todo era excepcional en este proceso, y se trataba de que no hubiera motines populares. Así trajo Anzola a dos guardias del Panóptico que hablaron de las condiciones privilegiadas en que vivían Galarza y Carvajal, que describieron la relación que tenían los asesinos con Salomón Correal. Uno de ellos contó que un día, estando él de requisador, vio que llegaba la mujer de Galarza a visitarlo. En un momento en que lo creyeron descuidado, la mujer le dio a Galarza un papel. Él se lo escondió en el botín. Después de que ella se fue, el guardia le ordenó a Galarza que se lo mostrara».

«¿Y qué decía el papel?», le preguntó el juez al testigo.

«Las palabras eran éstas», dijo el testigo. «*Hablé con el doctor, quien me dijo que en la calle todo estaba bien. Pero acuérdense de que ustedes solos no son los responsables. No sean tan bobos de seguir pagando el pato cuando hay otros responsables*».

«Las barras gritaban con estas revelaciones, y había varias cada día», dijo Carballo. «Y Anzola seguía interrogando a sus testigos y haciendo que dijeran en el juicio todo lo que le habían dicho para su libro. Pero se dio cuenta muy pronto de que iba a hacer falta mucho más que las páginas de *Quiénes son?* para convencer a los jurados».

Adela Garavito dijo haber visto a Salomón Correal junto a la casa del general Uribe Uribe en la mañana del crimen; de inmediato el agente de Policía Adolfo Cuéllar, secretario de Correal, declaró que el general había permanecido la mañana entera en la oficina, y el público aplaudió emocionado. Ana Beltrán, que decía ser madre de una hija de Carvajal, habló de una reunión en la carpintería de Galarza, y aseguró que en ella se hablaba de matar a Uribe Uribe; enseguida el juez la llevó a confesar que tenía otra hija de otro hombre, y el público se rio de ella y sus palabras mágicamente perdieron todo valor. Un testigo llamado Villar, que había estado preso en el Panóptico, declaró que Anzola le había propuesto recompensarlo si testificaba a su favor, y llegó incluso a decir que así serían todos los testigos de Anzola en este proceso: comprados. «Casi tengo la seguridad», dijo, «aunque no puedo probarlo». No necesitaba probarlo: las barras gritaron que todo esto era una farsa. Villar lo calumniaba, pero las barras gritaban que Anzola era un calumniador.

«Y lo peor», me dijo Carballo, «es que eso no servía para nada. Los tres miembros del jurado en este juicio tenían una sola obligación: juzgar a Galarza y a Carvajal. La ley era muy clara: se juzgaba a los que aparecieran sindicados en la Vista fiscal. A nadie más. De manera que los jurados no podían tomar ninguna decisión sobre los señalados por el libro: para eso hubiera sido necesario comenzar otro proceso distinto. Lo que sucedía en el Salón de Grados era un juicio ante la opinión pública, y Anzola lo sabía muy bien, y había llegado a aceptarlo. Su tarea era sólo una: demostrar que Correal, Acosta y los jesuitas tenían responsabilidad en el crimen, y luego dejar que esa misma opinión pública se encargara del resto. No podía hacer nada más. Siguió adelante. Y empezó a pagar el precio por hacerlo».

«¿Qué quiere decir?»

«Venga conmigo, Vásquez». Carballo me hizo seguirlo por el corredor que bordeaba el viejo claustro. Desde el centro del patio nos llegaba el susurro constante de la fuente, y entre la fuente y nosotros crecían los rosales: un lugar de fábula en el cual, como en tantos lugares de fábula, habían sucedido cosas de horror. Habíamos llegado frente a una puerta. «Esto era la habitación de los testigos durante la audiencia», me informó Carballo. «Aquí los reunían antes de que fueran llamados, para que nadie pudiera hablar con ellos. ¿Sabe qué pasó aquí?» Pero era una pregunta retórica: por supuesto que yo no lo sabía; por supuesto que él me lo iba a explicar. «Aquí pasó algo que al principio sólo fue un escándalo, pero que para Anzola tuvo más tarde consecuencias horribles. Llevarían seis o siete audiencias, no recuerdo exactamente. Un día cualquiera, Anzola llegó al Salón de Grados más temprano que de costumbre, porque quería hablar con algunos asistentes al juicio: periodistas, simpatizantes de su causa, un capitán que no era testigo pero que podría serlo. Pero el jefe de Policía no se lo permitió».

«Son órdenes del juez», le dijo.

«Esto es inaudito», dijo Anzola. «¿No puedo hablar con la gente?»

«El juez dispone que se vaya usted a la pieza de los testigos», dijo el policía. «Camine, señor Anzola, yo lo llevo».

«Pues no», dijo Anzola. «No voy si no es por la fuerza».

Ante el pasmo de los presentes, el jefe de Policía lo agarró del brazo y trató de arrastrarlo. Anzola clavó los tacones en los pretiles, y el jefe tuvo que llamar a dos agentes más. En el forcejeo, Anzola cayó al suelo, y de ahí lo levantaron los agentes a empujones, mientras él preguntaba a gritos si no había en el lugar ningún liberal que lo defendiera. «¡Me apresan porque he querido demostrar la culpabilidad de Correal!», iba diciendo. Los policías lo pusieron contra la pared y, al requisarlo, encontraron su revólver. Anzola se quedó encerrado en la pieza de los testigos, al lado del zaguán, mientras los agentes se llevaban el revólver para mostrárselo al juez. Después se enteraría de que lo habían acusado de sacar el revólver para dispararles. Frente al juez, cuando al fin lo llamaron, Anzola acusó a los agentes de ultrajarlo y golpearlo, y lanzó además otra acusación: dijo que los agentes de la Policía que se habían atrevido a declarar contra Correal estaban sufriendo represalias por parte de su propio cuerpo.

«¡Más que represalias!», exclamó Anzola. «¡Es una verdadera represión!»

«Anzola traía una carta de uno de esos agentes represaliados», dijo Carballo. «Trató de leerla, pero el juez se lo prohibió diciéndole que él no era fiscal, sino testigo. Entonces, antes de que pudieran impedírselo, Anzola llegó hasta donde estaban los periodistas, les entregó la carta y les pidió que la publicaran. El exfiscal Rodríguez Forero se levantó para protestar y la gente gritó con él. "¡Se nos trata de censurar!", dijo Anzola, y casi ni oyó sus propias palabras. El juez ordenó desalojar la sala. Los agentes cumplieron la orden: de repente parecía que se hubieran multiplicado, pero la gente de las barras se les resistía con tanta obstinación que acabaron levantando las armas. Empezaron a lanzar culatazos, y los periódicos cuentan que en ese momento, en medio de los gritos, se alcanzó a oír que alguien decía: "Nos sacan porque empieza a hacerse la luz". Eso debía de pensar Anzola también, porque esa tarde tenía pensado llamar a un testigo importantísimo. Debió de pensar: se enteraron, los enemigos se enteraron, y por eso me agreden, y por eso suspenden la audiencia. Pero no: la audiencia sólo se suspendió quince minutos, quince minutos fueron apenas suficientes para que se calmaran los ánimos y desapareciera la posibilidad de una catástrofe. Eso hubiera podido pasar: huesos rotos y culatas ensangrentadas. Y no pasó. Quince minutos y se reanudaron las declaraciones. Y Anzola, el testigo Anzola, llamó a declarar a otro testigo. Era un obrero joven, de saco marrón y pañuelo negro. Se llamaba Francisco Sánchez, aunque su nombre no importa. Importa lo que le preguntaron: que si era verdad que Emilio Beltrán le había propuesto matar al general Uribe».

«Emilio Beltrán», dije. «Me suena, pero no me acuerdo de quién era».

«Sí, se le menciona un par de veces en *Quiénes son?* Pero cuando publicó su libro, Anzola no había averiguado todavía lo que ahora sabía».

Emilio Beltrán era un compañero de farras de Carvajal. Se les veía con frecuencia en chicherías, borrachos las más de las veces, o jugando póker en El Molino Rojo. Durante unos meses Beltrán llegó a ser inquilino de Carvajal, tan mal le iban sus negocios, y sin embargo, al dar su declaración, lo había negado todo: que conociera a Carvajal, que hubiera sido su inquilino, que se encontrara con él para jugar, que hubiera estado en la carpintería de Galarza la mañana del crimen.

«Es verdad», dijo Francisco Sánchez. «Yo era amigo de Emilio Beltrán y dejé de serlo cuando me propuso que lo acompañara a matar al general Uribe».

«¿Cuándo fue eso?», preguntó el juez.

«De la fecha no me acuerdo. Pero sí de lo que me dijo: que si entrábamos en este negocio, nuestra suerte iba a cambiar».

«¿Por qué no dio aviso a las autoridades?»

«Porque no quería traicionar a un amigo. Pero sí le aconsejé no meterse en eso. Le dije que yo no era uribista, pero que no me iba a meter en esa vaina, y que él tampoco debería. Le dije que cómo le iba a hacer eso a su mamá».

«¿Y usted por qué cree que él le hizo esa propuesta?»

«Porque sabía que yo no estaba con Uribe, me imagino. Un día me invitó a su taller y me dijo: "La cosa está muy mala. Estamos muy fregados, y eso es culpa del general Uribe. Ayúdeme a salir de él y verá". Eso me dijo».

«¿Le habló de alguien más que estuviera en el complot?»

«Le entendí que sí había alguien más, por la seguridad con que me hablaba. Pero no me mencionó a nadie».

«¿Le ofreció algún dinero?»

«No me ofreció, pero le entendí que sí me darían. Sí noté que cambió su situación después del asesinato. Mejoró mucho. Antes era carpintero, ahora es hombre de plata».

Anzola intervino entonces. «Eso es verdad», dijo. «Beltrán ahora tiene casa propia y es dueño de su carpintería. ¿Cómo ocurrió este cambio? Eso es lo que el señor fiscal, el padre del doctor aquí presente, no quiso averiguar».

Pedro Alejo Rodríguez alzó los hombros: «No es el momento...».

«Señor juez», dijo Anzola, «pida por favor que entre el señor Emilio Beltrán».

«Beltrán estaba elegantísimo», dijo Carballo. «Hasta el redactor de *El Tiempo* se pregunta cómo hizo un carpintero para vestirse con flux nuevo y sombrero elegante».

Se veía nervioso. El juez se dirigió a Sánchez para preguntarle si se ratificaba en todo lo declarado contra su amigo Beltrán.

«Sí», dijo Sánchez. «Me ratifico».

«No es cierto», dijo Beltrán.

«Acuérdese, hombre», le dijo Sánchez. «Usted me lo dijo el día que fui a su casa para sacar unas piezas de madera».

«No lo recuerdo».

«Cómo no, hombre, acuérdate», le dijo Sánchez, que había pasado misteriosamente al tuteo. «El día en que fui a tu casa, delante del puente de San Juanito».

«¿Ha ido el testigo a su casa?», le preguntó el juez.

«Dos o tres veces», dijo Beltrán.

«Entonces acuérdate, que no hay para qué negarlo. Acuérdate que me propusiste matar al general Uribe».

«No recuerdo tal cosa», dijo Beltrán. «Eso es una calumnia que este señor me quiere levantar desde hace días».

«Beltrán, ¿es verdad que usted trabajaba en la carpintería de Galarza?», preguntó Anzola.

«Es cierto».

«Y en esa época, ¿usted estaba en mala situación?»

«Sí, señor. En mala situación».

«¿Y ahora cómo está?»

«Ahora estoy en peor situación».

«Pero es muy raro que en esa época no tuviera plata y ahora sea propietario».

Beltrán no dijo nada. Anzola le preguntó entonces por los hechos del 15 de octubre. El interrogatorio fue una hora de tortura, porque Beltrán se empeñaba en responder con monosílabos, y sus monosílabos, las más de las veces, eran desmemoriados. Nada se sacó en claro: fueron largos intercambios sobre las horas de entrada y salida de los asesinos, sobre las hachuelas que se afilan y sobre la manera de reparar los mangos rotos, sobre los comentarios que se hacen mientras se afilan las hachuelas, sobre los lugares donde almorzaron los asesinos y sobre el villamarquín que empeñaron.

«Y sin embargo, estaba claro», dijo Carballo.

«No le entiendo», dije.

«¿No lo ve?», dijo Carballo. «Pero si está claro como el agua: allí, sentado en el banquillo, estaba el tercer atacante».

«¿El de la manopla?», pregunté.

«Exactamente», dijo Carballo. «El que iba a usar la tercera hachuela, la que se encontró por accidente. No la usó, usó la manopla. Y ahí estaba».

«¿Pero Anzola consiguió probar eso?»

«No», dijo Carballo. «Pero lo que consiguió fue casi tan bueno».

Al final de su declaración, Anzola sintió que tenía suficientes indicios para sostener en público que la complicidad de Emilio Beltrán estaba demostrada. «Era íntimo de Galarza y Carvajal», dijo. «Vivía con ellos, hizo declaraciones amenazantes contra el general Uribe y finalmente propuso a otro que lo acompañara a asesinar al general». Y concluyó: «Este hombre debería ser reducido a prisión. Para ordenar la prisión de un individuo, basta que exista el cuerpo del delito e indicios graves. En nuestro caso existe el cuerpo del delito y hay los más serios indicios contra Beltrán». Anzola se dirigió entonces al abogado defensor de los asesinos. «¿No le parece que Beltrán debe ser reducido a prisión?» En otras palabras: ¿por qué habrían de estar presos sus clientes y libre este hombre? ¿No creía el abogado que Beltrán debía estar en el mismo lugar de Galarza y Carvajal? Las barras aplaudieron cuando Murillo dijo que sí. Y entonces Anzola levantó la cara, como si se dirigiera a los techos altos y a las vigas de madera, y dijo con voz victoriosa:

«Por todo lo anterior, hemos llegado a la conclusión de que sí existe un tercer sindicado. Queda pues por tierra la Vista fiscal».

«El público estalló como si fuera una fiesta de pueblo», dijo Carballo. «Imagínese, Vásquez, imagínese lo que fue eso: Anzola acababa de demostrar que la Vista fiscal era un documento defectuoso. Eso era la mitad de una victoria. Hasta ahora, los verdaderos culpables habían estado a salvo porque la Vista fiscal los declaraba inocentes y los dejaba por fuera del proceso. Pero si la Vista fiscal no era tan confiable, ¿en qué quedaba esa inmunidad? En otras palabras: Acosta y Correal se habían escondido detrás del escudo de la Vista fiscal. Pero Anzola acababa de quitarles ese escudo. Ahora podía pasar cualquier cosa. Y Anzola comenzó a poner todo su empeño en que pasara. Estaba emocionadísimo, mi muchacho estaba emocionadísimo. ¿Y sabe qué? Yo creo que fue por eso por lo que acabó cagándola. Sintió que ya lo tenía todo en sus manos. Algo le salió mal entonces y perdió el control. Tengo que decir que a mí me hubiera pasado lo mismo».

El desmoronamiento de Anzola ocurrió como sigue. Tras su victoria contra la Vista fiscal, Anzola debió de sentir que el camino le quedaba libre para emprenderla contra los acusados de su libro: Pedro León Acosta, Salomón Correal y los jesuitas. Decidió empezar por Acosta, pues la publicación de *Quiénes son?* le había deparado un encuentro interesante. En el mes de febrero, según lo había podido averiguar Carballo, un italiano de nombre Veronesi se le había acercado a Anzola para decirle tres cosas: primero, que había leído su libro; segundo, que él era apenas un huésped de la gran nación colombiana y que no quería meterse en problemas con nadie; tercero, que eso no le había impedido oír las cosas que contaba la gente con respecto al crimen de Uribe Uribe. Y una de esas personas trabajaba para él. Se llamaba Dolores Vásquez y había visto algo importante. Tal vez el señor Anzola lo consideraría importante también.

Dolores Vásquez era una viejecita de chal oscuro, voz delgada y ademanes calmos, una de esas mujeres que parecen vivir a cierta distancia del mundo y observar desde una silla resignada el mal de los hombres. Llevaba varios años trabajando ocasionalmente para el italiano Veronesi y vivía cerca de Puerto Colombia, la chichería donde se habían encontrado los asesinos la víspera del crimen. Podemos imaginar que Anzola estaba satisfecho de haberla descubierto. Desde mucho antes de publicar su libro, había sospechado que en esa chichería se habían encontrado los asesinos muchas veces más, y que otras personas se habían reunido allí con ellos para hablar de la muerte del general Uribe, pero no había logrado obtener testimonios que lo ratificaran. Dolores Vásquez le habló de hombres elegantes que se encontraban con los asesinos en Puerto Colombia, y entre ellos se refirió con frecuencia a uno en particular que solía llevar sombrero de cubilete y sobretodo, y que poco antes del crimen se presentó allí buscando a Galarza. Anzola, al parecer, le preguntó si se trataba del general Pedro León Acosta, y ella dijo no conocer al general. Anzola consiguió una imagen vieja, de los tiempos de la conjura contra el presidente Rafael Reyes, y se la llevó una tarde a la tienda del señor Veronesi, y ella miró el recorte amarillento y dijo que no estaba segura, pero que tal vez lo reconocería si lo viera con sus propios ojos. Anzola decidió que propiciaría ese encuentro, y que el encuentro se daría en el Salón de Grados.

Pero el día en que Dolores Vásquez tenía que reconocer a Pedro León Acosta, algo sucedió. Según una versión publicada en la prensa bogotana, Anzola estaba esperando a que se le permitiera la entrada al Salón de Grados cuando se le acercó un hombre de guantes y bastón. «Lo felicito», le dijo con desprecio. «Ya está usted recogiendo los frutos de su trabajo». Resultó que acababa de morir la madre de Pedro León Acosta. La gente lo culpaba a él, pero eso no era lo grave; lo grave fue que el secretario comenzara la audiencia leyendo el telegrama que Acosta había enviado a uno de sus amigos íntimos:

Solamente mi madre adorada agonizante y que hoy a las 10 a.m. nos dio el último adiós, dejándonos en el supremo dolor, pudo eximirme de cumplir un deber público. Manifiéstalo así al juez, sin que por eso quede eximido de él.

De manera que Acosta no era parte del público cuando Dolores Vásquez fue llamada para testificar. La frustración de Anzola debió de ser insoportable. En ninguna parte están consignadas sus emociones, pero yo puedo pensar en la anticipación con que habrá llegado al Salón de Grados, creyendo acaso que hoy comenzaba el final de los culpables —su desenmascaramiento definitivo e inapelable—, y que la justicia de este país no tendría más remedio que enfrentarse, como lo había hecho él, a los poderosos; pensando, en fin, que hoy era la culminación de sus últimos cuatro años de esfuerzos y dificultades y sacrificios, y el destino, que no suele reconocer sus deudas, le pagaría lo que le debía por haberle quitado tanto tiempo a cambio de convertirlo en un paria de su ciudad. Pero no: el destino no lo había querido. O tal vez, debió de pensar Anzola, los que no habían querido habían sido sus enemigos.

(Esto era, en todo caso, lo que creía Carballo: que se había filtrado la información, se había sabido que Dolores Vásquez iba a declarar, se había sabido quién era Dolores Vásquez y qué podía llegar a decir, y los titiriteros del mundo habían movido sus hilos para que Pedro León Acosta no se presentara. Con algo de vergüenza, porque era él quien había investigado y quien tenía los documentos, le dije que nadie fingía la muerte de una madre para no ir a una audiencia en un juicio tan sonado. «Esta gente era capaz de eso y más», dijo Carballo.)

A la frustración de Anzola se añadió el hecho de que Dolores Vásquez resultó ser un testigo formidable, de esos que seducen al público y desarman a la parte contraria. Contó que durante los meses anteriores al asesinato había trabajado todas las noches en la tienda del señor Veronesi, en la calle novena a la altura del puente Núñez. Por esos días vivía en un pasaje contiguo a la chichería Puerto Colombia y a tres puertas de la pieza que ocupaba entonces Jesús Carvajal. La noche del 1.º de octubre, a eso de las once, terminó sus labores de limpieza en la tienda del señor Veronesi, cerró con llave y se fue para su casa. Cuando llegó a su pasaje se encontró con un vecino que vivía en la misma casa; y ahí estaban los dos, esperando juntos a que alguien les abriera, cuando Dolores Vásquez vio a un hombre de sobretodo elegante y sombrero de cubilete que llegaba caminando rápido y golpeaba en la puerta de Carvajal. Iba acompañado de un muchacho que cargaba bajo el brazo un paquete sin forma. La puerta de Carvajal se abrió y los dos hombres, el hombre del cubilete y su acompañante o asistente, entraron de prisa.

«¿Reconoció al señor de cubilete?»

«No, señor».

«¿Lo podría identificar si lo viera?»

«Yo creo que sí, señor».

«Bueno. Pasemos a otra cosa. ¿Usted conocía a Carvajal?»

«Sí, señor», dijo la mujer. «Lo conocía de verlo en Puerto Colombia».

«¿Y qué hizo usted esa noche?»

«Le dije a mi vecino lo que acababa de ver y él se acercó a la casa de Carvajal. Luego me dijo que había oído varias voces».

«Es decir, que había otras personas».

«Sí, señor. Una reunión grande, según mi vecino».

«¿Y de qué se trataba la reunión?»

«Eso sí no me lo dijo mi vecino. Me dijo que no había alcanzado a oír de qué hablaban, pero que eran gente importante. Y a mí sí me pareció raro que gente importante fuera a meterse así en la casa de un artesano, casi a la medianoche, y como queriendo que no los vieran».

«Por favor, señor juez», dijo el fiscal, «que la testigo se abstenga de hacer interpretaciones».

«La testigo está describiendo una actitud que le pareció sospechosa», dijo Anzola. «Tiene todo el derecho».

«Que continúe la testigo», dijo el juez.

«¿Dónde estaba usted la víspera del asesinato del general Uribe?», preguntó Anzola.

«¿Usted quiere decir el 14 de octubre?», preguntó la mujer.

«Sí, el 14 de octubre en horas de la noche».

«Ah, sí. Estaba trabajando en la tienda del señor Veronesi».

«¿Y qué vio allí?»

«Vi a un grupo como de quince artesanos llegar a pedir trago. Nosotros desconfiábamos. Y cuando el señor vio que no le servíamos, se sacó del bolsillo un rollo de billetes y nos dijo: "Vean que tengo plata, vean que voy a responder. Nos sirven lo que les pidamos, me hacen el favor". Yo me fijé mucho en él, porque me pareció raro que un artesano tuviera tanta plata. Y cuando los demás muchachos que lo acompañaban salieron, yo le dije al agente de la cuadra que viera que no lo robaran, porque le habían visto toda esa plata. El agente salió con él y al rato volvió y me dijo: "Ahí lo dejé en la carpintería. Tranquila, señora. Ya no lo roban"».

«Repita, por favor. ¿Dónde lo dejó el agente?»

«En la carpintería».

«¿Y al día siguiente qué pasó?»

«Al día siguiente mataron al general Uribe. Y como tres o cuatro días después yo vi en los periódicos las fotos de los asesinos, y me sorprendió mucho darme cuenta de que uno de ellos era Carvajal. Y su compañero era el mismo al que yo había visto: el que tenía toda la plata en la tienda».

Los periódicos del día siguiente —y en particular *El Tiempo,* cuyas crónicas y transcripciones eran las más detalladas de todas— estuvieron de acuerdo: Anzola estaba ganando pequeñas batallas. Viendo todo desde la distancia de un siglo, yo puedo interpretar lo que sucedió entonces como la prueba de que sus enemigos notaron lo mismo. Pues al día siguiente (era un viernes) Anzola llegó a la audiencia y se encontró con un público cambiado. Las barras del Salón de Grados, que en las últimas sesiones habían acogido por igual a los amigos de Anzola y a sus enemigos, las barras cuyos aplausos y cuyos abucheos se habían repartido el aire a partes iguales, de un día para otro se vieron ocupadas solamente por aquellos que la prensa había comenzado a llamar *antianzolistas*. Eran todos hombres, todos capaces de rechiflas ensordecedoras, todos rápidos con el puño en alto y la mueca de feroz desprecio, todos capaces, mediante el gesto simple de estirar una mano hacia Anzola y señalarlo con el dedo mientras le escupían un insulto incomprensible, de llenar el lugar con un odio inédito. Eran agentes disfrazados. Los unía la misma condición clandestina: tres cuartas partes del público estaban compuestas por miembros de la Policía secreta del general Correal. Se habían tomado el recinto: intimidaban, amedrentaban, distraían.

Y entonces subió el testigo Luis Rendón. La suya tenía que ser una declaración como tantas otras de estos días: el testimonio de un preso del Panóptico sobre los privilegios que la Policía les concedía a Galarza y a Carvajal. Rendón, un hombre de ojos achinados, había encontrado a su amante con otro hombre, lo había asesinado a él y a ella la había atacado en el curso de una audiencia, durante un careo que no hubiera podido salir peor. Por esos delitos lo habían condenado a dieciocho años, pero se comportaba como los condenados a cadena perpetua: era violento y desaseado, y más de una vez había acabado en el calabozo por comportamientos inmorales o ultrajes a la autoridad. Y éste era el hombre que Anzola había escogido para seguir demostrando, frente al jurado, la corrupción del general Correal.

Después de una serie de intercambios insulsos, el abogado de Carvajal le preguntó a Rendón sobre el régimen alimenticio de los acusados. Rendón habló de la carne y la manteca que les traían de la calle; de las velas que les regalaban para iluminar la celda hasta la hora que quisieran; del dinero que Galarza y Carvajal daban a los otros presos por motivos diversos y no siempre transparentes. Luego dijo que Galarza y Carvajal llevaban un buen comportamiento en la cárcel, pues casi nunca salían de sus celdas, y que de todas maneras había una orden de la Dirección: todo el que los ofendiera recibía graves castigos. «Son protegidos», dijo Rendón.

Entonces, en un intento por desprestigiar la declaración, el secretario leyó la sentencia por asesinato. Una voz gritó desde la parte trasera de las barras:

«¡Que Anzola lo defienda!»

Era una burla, por supuesto: una alusión a los testigos que Anzola había traído de la cárcel en los días previos. Él se defendió como pudo, tratando de no ceder a la provocación.

«No se trata de eso, señores», dijo. «No se trata de defender a los testigos que tienen cargos más o menos graves. ¿Qué importa eso? ¿Qué importa que un testigo haya cometido cien delitos si dice la verdad? ¿Acaso quieren ustedes que yo, con un crimen fraguado en la chichería Puerto Colombia, llame a declarar al cuerpo diplomático? ¿Quieren tal vez que traiga a los ministros del despacho a declarar sobre lo que ocurre en el Panóptico? No: cuando hablemos del momento del crimen, sí traeré a los ministros que estaban allí presentes. Por ahora, tengo que apelar al hampa. Y traeré incluso a las revolvedoras de la chichería, si me parece que ellas me pueden acercar a la verdad».

Los suyos aplaudieron tímidamente.

«Anzola, hágame el favor de no venir a perorar aquí», dijo el juez.

Y entonces sucedió. Ahora, mientras escribo, me pregunto qué puede habérsele pasado por la cabeza a Marco Tulio Anzola para decir lo que enseguida dijo: qué mala jugada de las emociones le hizo perder el control de su propia retórica.

«Yo tengo que volver sobre todos los incidentes que se han visto aquí», dijo, «para que el público pueda entender sus consecuencias. Tengo que demostrar que Pedro León Acosta estuvo cuatro veces en el salto del Tequendama, y no dos, como dijo aquí. Tengo que insistir sobre el señor de cubilete que fue a buscar a Galarza a Puerto Colombia. Porque debo decirles, señores, que ya tengo datos muy precisos sobre quién es ese hombre».

Tan pronto como pronunció las palabras, supo que no habría debido hacerlo. Eso es lo que creo, porque no es posible que no lo haya sabido, no es posible que no se haya dado cuenta de que acababa de mentir: pues no tenía ningún dato preciso sobre el señor de cubilete. Yo tengo para mí que se produjo un trueque en su cabeza: tantos años de trabajar con las declaraciones de los testigos, tantos años de compenetrarse con los hechos del crimen hasta el punto de escribir un libro sobre ellos, le habían permitido confiar en su instinto; y su instinto, desde que la señora Dolores Vásquez había hablado del hombre del cubilete, le había puesto en mente a Pedro León Acosta. ¿Quién más podría ser?, habrá pensado Anzola. Estaba mágica, supersticiosamente seguro de que el hombre de cubilete que había buscado a Galarza en Puerto Colombia, que había visitado a Carvajal en su casa después de las once de la noche, era el mismo que la víspera había sido visto por el testigo desaparecido Alfredo García en la puerta de la carpintería de Galarza, y el mismo también que el día del crimen había sido visto por Mercedes Grau vestido elegantemente, con pantalón de listas y botines de charol, y preguntándole a uno de los asesinos: «Qué hubo, ¿lo mataste?» Pero esa certeza sin prueba le acababa de jugar una mala pasada. En cualquier caso, acababa de caer en una trampa, y no era menos grave el hecho de que la trampa se la hubiera puesto él mismo.

«¡A ver el nombre!», gritaron voces furiosas desde la barra. «¡El nombre, Anzola!»

Otras se unieron al coro indignado: «¡El nombre, si es capaz!»

«Señor Anzola, diga inmediatamente el nombre de ese individuo», le dijo el fiscal. «So pena de quedar como encubridor».

«Se conmina al señor Anzola», dijo el juez, «para que dentro de tres días precise los cargos que ha hecho».

«Por favor, señor juez», repuso Anzola, «haga desalojar las barras».

«Yo les pido a las barras que guarden compostura», dijo el abogado Murillo. «Para que no pierda la paciencia el juez».

Anzola, pienso yo, tuvo que saber en ese momento que no podía seguir callado: su silencio ahora era el silencio de la derrota. Necesitaba una cortina de humo, una distracción, así que hizo lo que mejor sabía: protestar. Se quejó de que todo en este proceso parecía diseñado para entorpecer su gestión. Se quejó de que los testimonios que lo beneficiaban se quedaban inconclusos; se le permitía interrogar a los testigos sólo cuando lo quería el juez; ahora se le quería obligar a revelar sus cartas —confesar en público una identidad que era mejor mantener en secreto—, y a perder así la poca ventaja que había podido conseguir. En cambio, el juez se había negado a ordenar la presencia de Salomón Correal, para que en un careo desvirtuara lo dicho por los testigos en su contra. «¿Por qué?», se preguntaba Anzola, y enseguida se respondía a sí mismo: «Porque eso perjudica al director de Policía».

Pero su estrategia no dio resultado. El hijo de Rodríguez Forero, que hasta entonces había permanecido quieto y callado en su silla, se puso de pie.

«Señor juez», dijo, «la acusación particular exige en este momento al señor Anzola el nombre del famoso señor de cubilete, y pide que se le obligue a darlo».

«¡Que se le obligue!», gritaron las barras.

«A eso no me pueden obligar», dijo Anzola. «Hasta que yo termine una investigación que estoy haciendo, no lo voy a dar y no pueden obligarme. A mí no me cogen ustedes las pruebas para luego traer policías contratados a desvirtuarlas. Muy bonito así».

«¡Fuera!», rugió una voz en la tribuna.

«Señor Anzola», dijo el fiscal, «usted tiene la obligación de respetarnos. No puede venir a ofendernos con cargos como ése».

«Usted es un testigo», dijo el abogado de Carvajal. «Como testigo, tiene que dar ese nombre si lo sabe. De lo contrario, se le seguirá un sumario como encubridor».

«Ese nombre lo sabrán», dijo Anzola, «el día en que yo lleve mis pruebas al juzgado».

«Si no quiere darlo en público, se lo dará en privado al juez».

«No se lo daré a nadie. Y nadie me puede obligar a darlo».

El escándalo en las barras era tanto, y tanta la hostilidad de los hombres que las integraban, que el juez decretó un receso de diez minutos. Anzola no salió: el patio de la fuente y los corredores de ladrillo estaban llenos de hombres que no dudarían ni un segundo, ni una fracción de segundo, si se les presentara la oportunidad de hacerle daño. No era imposible que entre los asistentes a la audiencia de hoy estuvieran los hombres de ruana que, según cuenta en *Quiénes son?*, lo habían seguido amenazadoramente por las calles. ¿En qué habrá pensado en ese momento? Es posible que haya visto, como en una imagen de cinematógrafo, todo el camino que le faltaba por recorrer en esta labor terca. Faltaba que regresara Pedro León Acosta para ser identificado; faltaban los testimonios que trajeran al centro del escenario el asunto de los jesuitas. Faltaban muchas páginas de su libro, muchos de los treinta y seis testigos que había reclutado.

Entonces salió el juez. Para sorpresa de todos, ni siquiera tomó asiento. Agitó su campanilla, esperó a que se hiciera el silencio, se dio una larga bendición mirando al crucifijo.

«Todo esto que ha pasado hoy aquí es una burla», dijo. «Y como yo no puedo seguir admitiendo que el señor Anzola se burle de todos, he decidido fijarle un plazo. El señor Anzola tiene cuatro días, hasta el martes próximo, para presentar todos los testigos que le falten y también para que haga todas las declaraciones que le falten. Pasado ese término, no se le permitirá que hable más».

«Usted no puede hacer eso», dijo Anzola.

«Claro que puedo», dijo el juez.

«Yo estoy hablando aquí en virtud de un auto suyo, señor. Y no sabré mucho de Derecho, pero sé que los autos son ley en el proceso. De manera que usted no puede venir ahora a decidir hasta cuándo puedo hablar».

«Usted está hablando aquí porque yo tengo un poder discrecional para dirigir estos debates», repuso el juez. «Y cuando yo quiera puedo, discrecionalmente, ordenarle que se calle».

«¡Que se calle!», gritaron las barras.

«A mí no me importan esos gritos», dijo Anzola. «Mañana publicaré en mi periódico la lista de los que me hacen este escándalo. Son empleados públicos y agentes de Policía que han dejado sus puestos para venir a insultarme, y lo hacen por orden de Correal».

«Sírvase concretarse a los cargos que ha venido a hacer», le dijo el juez Garzón. «Y sepa que si no me respeta, lo voy a multar».

«Antes de eso, aclaremos lo de este plazo que usted me puso».

«No, señor. Haga los cargos. Luego yo citaré a los testigos que los confirmen».

«Yo tengo pruebas muy grandes contra personajes que nadie se imagina», dijo Anzola. «Pero no diré sus nombres todavía, para que no se traiga aquí a falsos testigos que los contradigan. Haré valer mis pruebas ante un juez imparcial. Las que tengo sobre Emilio Beltrán, sobre el señor del cubilete y sobre todos los demás».

«¡Farsante!», le gritaron.

El fiscal le exigió a Anzola, una vez más y en nombre del pueblo, el nombre completo del tan mentado señor del cubilete.

«Si no lo da», dijo, «le voy a pedir al juez que lo multe».

El juez no esperó a que se lo pidiera.

«Bajo multa de diez pesos oro», dijo, «diga usted el nombre de ese señor de cubilete a quien cree comprometido en el asesinato del general Uribe».

«Si no lo doy», contestó Anzola, «es por culpa de todos ustedes». Se daba cuenta de que debía forzar la garganta para que se le oyera por encima del griterío, de los insultos, de las palmas golpeando las barandas; se daba cuenta, también, de que perdía el control sobre el desarrollo de la audiencia. «Yo no puedo dar ese nombre porque no tengo confianza en que se sigan contra él las pistas que tengo. En cuanto a la multa, tengo mucho gusto en pagarla. Pero antes habré de demostrar al país quiénes son los encubridores de los verdaderos asesinos del general Uribe. Señor juez, dicte usted un auto que me permita rendir declaración ante un juez imparcial, ¡y entonces sí que llevaré mis pruebas!»

Era un gesto desesperado. Yo lo sé, aunque no estoy seguro de que él lo supiera. ¿Ante quién iba a llevar lo que no había sido capaz de demostrar allí? Entonces se puso de pie el fiscal. Dijo que los cargos hechos por Anzola resultaban de extrema gravedad; que Anzola se había quejado mucho del matoneo de los demás aunque nadie le había prohibido nunca hablar como había querido. Y esto era cierto. Dijo que se le debía exigir de modo perentorio que presentara todas sus pruebas; no hacerlo significaría que Anzola, lejos de buscar la luz en el proceso, buscaba por todos los medios embrollarlo. Esto también podía parecer cierto. Dijo que el señor Anzola no había aportado, hasta aquel momento, ni una sola prueba concreta. Y esto era incontrovertiblemente cierto. Dijo que Anzola había querido mostrarse aquí como un abanderado de la justicia, y en cambio les había traído una farsa. Y el público gritaba, lo insultaba y había comenzado a amenazarlo: cuánto les gustaba esa palabra, *farsa*, cuánto se la habían echado en cara en las audiencias. Y todo lo que decía el fiscal era cierto. ¿Se habrá preguntado Anzola si tenían razón? ¿Habrá llegado a dudar de sus certezas?

«Si Anzola no presenta sus pruebas», dijo el fiscal, «el señor juez está en la obligación de retirarlo de las audiencias. Si no las presenta, no puede alegar que no se le dejó hablar, mucho menos que en este proceso hay encubridores».

Las crónicas cuentan que el juez Garzón se inclinó en este momento hacia los tres jurados y se cubrió la boca al hablar, y los jurados se cubrían la boca para contestarle. Cuando volvió a acomodarse en su silla, anunció:

«De acuerdo con el jurado, se ha decidido someterlo a usted, señor Anzola, a un interrogatorio. Sírvase formular concretamente todos los cargos contra las personas que considere comprometidas en el asesinato del general Uribe. Sírvase, también, decir sus nombres».

«No puedo», dijo Anzola.

«Sírvase decir los nombres de los que usted considere responsables».

«No puedo», dijo Anzola.

«Por última vez, ¿da o no los nombres?»

«No puedo darlos», dijo Anzola.

«Muy bien. Entonces su presencia aquí es inútil. Queda terminada su actuación. No podrá hablar más».

La audiencia acabó como una manifestación callejera, con la misma violencia agarrotada, la misma sensación de mecha encendida. Otra manifestación igual esperaba a Anzola afuera, en la calzada de la carrera sexta, y era tan feroz que el periodista Joaquín Achury trató de cortarle el paso y aconsejarle que no saliera. «Espere un momento», parece que le dijo, «espere a que se vayan. Hágase ese favor». Pero Anzola no lo escuchó. Cuando atravesó el portón de madera, lo recibió un alud de amenazas: que lo iban a matar, que era un hijo de perra y lo iban a matar. Malparido, le gritaban desde las esquinas; hijueputa, le decían, y otros lo llamaban traidor, y otros, por fin, lo acusaban de haber robado y matado y sobornado. Bajó la cabeza para que no le cayeran los gargajos de la gente; lo rodeaba un piquete de Policía, única razón por la que la muchedumbre furiosa no se le echó encima para destazarlo con sus propias manos. Una de esas manos se alzó sobre los agentes y alcanzó a darle un golpe entre los hombros, y otra le tumbó el sombrero de una cachetada que le habría hecho daño de haberlo alcanzado en el rostro. Entre sus agresores estaban muchos de los mismos hombres que una semana atrás lo habían vitoreado: ¿los habrá reconocido Anzola? Así, entre los policías, metido en aquella alucinación de violencia, sin tomar parte en la decisión sobre sus movimientos, llegó a la plaza de Bolívar. Achury, desde lejos, vio un coche que aparecía de ninguna parte y una puerta que se abría, y vio que Anzola entraba como metido a empellones y oyó una voz que ordenaba:

«Lléveselo para la casa. Y no pare, no pare por nada del mundo».

De lo que pasó entonces no hay testigos. Sólo podemos inferirlo a partir de la siguiente noticia que se tiene sobre Anzola: su arresto y encarcelamiento. Tuvo que ser inmediato, pues la mañana siguiente lo sorprendió ya en los calabozos de la Policía; es lícito suponer que ese coche, que tenía orden de llevarlo a su casa, en realidad lo llevó a la Central. Imagino a Anzola en esos segundos previos a su arresto: lo imagino pensando que llegaría a su casa y se refugiaría en su cama, entre las cobijas de lana de su cama, y dándose cuenta de repente de que no estaba frente a su casa, sino frente a las oficinas de la Central de Policía. Dos agentes lo rodean en la acera, lo apresan y comienzan a arrastrarlo al interior del edificio. Un tercero, cuya cara Anzola nunca llega a ver, va diciéndole que está arrestado.

«¿Bajo qué cargos?», grita Anzola, tratando de resistirse. «¿Cuáles son los cargos?»

«Irrespeto a la autoridad», le dice una voz grosera. «Y tratar de usar un arma de fuego contra un jefe de Policía».

Así pudo haber pasado. Pues los cargos bajo los cuales se hacía el arresto tenían más de una semana de viejos: salían de aquel incidente en los corredores del Salón de Grados, cuando un jefe de Policía había tenido que usar la fuerza para llevar a Anzola al cuarto de los testigos. El único herido en el incidente había sido él, que cayó al suelo y fue llevado a empellones. Pero ahora lo demandaban por eso; y, lo cual era más absurdo, lo acusaban de haber tratado de usar su revólver, siendo que el jefe de Policía se lo había quitado durante la requisa. Esto era su venganza; esto era la venganza de toda la Policía, de cada agente desprestigiado por las declaraciones de sus testigos. Esto era Correal, sí, Salomón Correal, explicándole que con la Policía de este país no había que meterse.

No sé cuántos días pasó Anzola en la cárcel, porque no hay constancia de ello, pero sí sé que el proceso avanzó sin él en el Salón de Grados, ese lugar donde Anzola era ahora un apestado, donde su nombre era una infamia. No sé si alguno de los agentes que lo vigilaban le haya hecho el favor de contarle cómo iban las audiencias, ni si habrá recibido la visita de alguien —Julián Uribe, por ejemplo— que pudiera dejarle los periódicos de los últimos días como una limosna de información. Si hubiera podido verlos, habría sabido lo que se pensaba de él en ese mundo, el mundo de afuera, el mundo al que él había tratado de restituir un poco de justicia (quizás torpemente, sí, quizás creyendo que podía probar en la práctica las convicciones que había adquirido en lo más íntimo de su alma). Bajo el titular *Impresiones de audiencia*, el redactor de *El Tiempo* había escrito unos párrafos que eran como un espejo roto: en ellos hubiera podido mirarse Anzola durante los días de su encarcelamiento, sintiéndose reflejado pero al mismo tiempo deforme o incompleto, mientras oscuras fuerzas sin nombre decidían —lenta, morosamente— cómo disponer de su vida.

El señor Anzola Samper ha dejado de concurrir a las audiencias del proceso seguido contra los asesinos del General Uribe Uribe. Durante trece días él fue la figura culminante

en causa tan sensacional; trece sesiones se emplearon en oír a
sus testigos y en practicar los careos que él exigía, y al cabo de
ellas terminó la actuación de este inquieto joven, porque él
mismo le puso fin, negándose a precisar cargos y hacer fran-
cas acusaciones. Se presentó ante el jurado como un exponen-
te de la verdad y de la luz, y se retiró de él envuelto en la
sombra, negándose a dar los nombres de los responsables que
dice conocer, negándose claramente a hacer las terribles acu-
saciones que todos esperamos ver salir de sus labios. Después
de esa negativa no tenía razón de ser su presencia en el jura-
do, ni tenía ya él nada que hacer allí.

Veámoslo, intentemos verlo. Por las mañanas,
muy temprano, lo despierta un agente irritable y cansado, acaso por haber pasado la noche de guardia. Lo saca
a los excusados —le permite entrar solo— y lo espera del
otro lado de la puerta entreabierta cuyo pestillo no funciona, y Anzola tiene que hacer contorsiones para acu-
rrucarse sobre un hueco maloliente sin perder el equilibrio. Por fortuna, la alimentación escasa y los efectos del
asco le han desarreglado los hábitos del estómago, de
manera que durante tres días puede pasar sin hacer sus
necesidades. A veces le permiten lavarse las manos, pero
no siempre. Sus ropas comienzan a oler a orines y a sudor rancio, y ya está acostumbrándose a su propio hedor
cuando aparece el mismo agente que lo arrestó, le entrega un paquete de papel atado con una cabuya, y le dice:
«Agradezca que tiene amigos». Es una muda fresca. Nadie le explica quién se la ha llevado; Anzola se cubre con
ella la cara y respira hondo: nunca ha sentido tanto gusto al frotarse la piel con paños recién planchados. Cuando
se cambia, el cuello almidonado le trabaja la nuca durante todo el día. No le importa. Al llegar la noche tiene una
irritación molesta, pero se da cuenta de que concentrarse
en esa incomodidad banal le evita pensar demasiado en
su desgracia.

Durante los trece días de su intensa actuación, el señor Anzola no logró probar nada; sus testigos insinuaron la sospecha de ciertos hechos, magnificaron algunos detalles o sirvieron para destruir leyendas tan insostenibles como las relacionadas con el general Pedro León Acosta, quien quizá en todo este proceso no ha hecho otra cosa que expiar su participación en el atentado del 10 de febrero, ya que sólo por ella pudo tratar de complicársele en un crimen en el cual no se le puede probar ni la más leve, ni la más lejana culpa. Los grandes testigos, los que vieron al General Correal, acompañado de otro jefe, conversando con los asesinos tres horas antes del crimen, en pleno día, a las puertas de la casa de la ilustre víctima y dándoles allí instrucciones, no tienen otro inconveniente que el de decir cosas pura y simplemente inverosímiles, porque esas declaraciones indicaban en el General Correal, a más de su complicidad, una estupidez tan monumental, una ligereza tan enorme, una imprevisión tal, que no son creíbles no ya en el Director General de la Policía, sino ni siquiera en el más inconsciente de los analfabetos. Podría afirmarse como un axioma que precisamente si el general Correal hubiera tenido alguna participación en el horrendo crimen, no se habría dejado ver por ningún motivo conversando públicamente en la calle con los asesinos el día del crimen y frente a la casa de la víctima. Eso es elemental y evidente.

Después de unos días —¿tres, cuatro?— lo mudan al Panóptico. No se puede decir que sus carceleros no tengan sentido del humor: su celda queda a pocas puertas de las que ocuparon antes los asesinos Galarza y Carvajal, que ahora han sido trasladados, en espera de su sentencia, a otro lugar. Un par de veces le permiten ir solo a la capilla para rezar. Anzola ajusta apenas la puerta de madera y se arrodilla en la piedra fría, y en la media penumbra el padrenuestro intenta formarse en sus labios, pero entonces se interrumpe: Anzola piensa que lo mismo hicieron los asesinos con los curas jesuitas. Sí, los que venían a visitarlos, a exigirles templanza y a recomendarles lecturas; los que no dejaron más rastro que unos artículos bajo seudónimo y unos pocos rumores, lo que alguien dijo que alguien oyó que alguien dijo. Se han quedado en las sombras, esos curas, han salido victoriosos de la conjura contra Uribe... ¿Pero quiénes son? Anzola ni siquiera les ha visto las caras: no podría reconocerlos si se los encontrara en la calle. Por las noches hace frío; Anzola se envuelve en su frazada y acerca las rodillas al pecho, y conciliar el sueño le cuesta enormemente, quizá por haber pasado el día inactivo: leyendo la prensa, tomando notas ociosas por una vieja costumbre, comentando lo que, según los periódicos, se dice en el Salón de Grados. Lo llaman desleal, mentiroso, calumniador, y el público aplaude, feliz de habérselo quitado de en medio, sí, feliz de haberlo defenestrado. Anzola, mientras tanto, sale al patio a la misma hora que los demás presos, recibe la misma comida que los demás presos y usa los excusados a las mismas horas. De vez en cuando visita las obras que vigiló durante su empleo ficticio; de vez en cuando conversa con los presos. Uno de ellos, aquel hombre de apellido Zalamea que le dio informaciones generosas sobre los asesinos y sus privilegios, se le acerca una mañana y le habla como se habla a un niño: «Ay, mi querido amigo, sólo a usted se le ocurre», le dice. «Sólo a usted se le ocurre».

¿Pero los nuevos responsables? Por ninguna parte aparecieron de modo claro. Labor sencilla y facilísima es la de sugerir, en no importa qué asunto, vagas y tenebrosas complicidades; el espíritu popular es tierra fecundísima para esa clase de semillas; en él prende la sospecha, aun la más absurda, con rapidez maravillosa; pero no era eso lo que se esperaba del señor Anzola, sino pruebas y acusaciones concretas, y el país se quedó esperando. Sentimos, al oír hablar al

señor Anzola, la sensación de que él, en el fondo de su espí-
ritu, en lo íntimo de su sinceridad, no sabía de seguro más
de lo que saben el Juez, el Fiscal y el gran público. Por eso
apenas pudo mantenerse unas horas en la conciencia ciuda-
dana; su aparición de acusador valeroso, decidido, audací-
simo, sedujo a muchos y le atrajo la atención de todos, pero
su caída era irremediable, porque no estaba erguido sino so-
bre vaguedades que le formaban un pedestal, y a la luz de
los debates ese pedestal se deshizo. La intensidad angustiosa
de las primeras sesiones se convirtió en divertida farsa en las
últimas, y la gente que había empezado por sentir sobre sus ca-
bezas el soplo escalofriante de Némesis, acabó por sonreír
o por bostezar.

Cuando Anzola es puesto en libertad, después de
una serie de maniobras jurídicas y cobros de favores viejos
cuyo artífice es Julián Uribe, lo primero que hace es irse a
su casa y darse un baño de agua caliente, tan largo que su
sirvienta tiene que dejar dos aguamaniles más en la puerta del cuarto de baño. Al salir Anzola nota, con sorpresa,
que su maletín le ha sido devuelto: está tirado junto a su
silla de trabajo, como un perro de compañía. Allí se queda los días siguientes, sin que Anzola tenga el gesto de
acomodarlo mejor o de organizar su contenido: el maletín es un memorando del fracaso, un archivo de años perdidos. Pasa unos días encerrado en su casa, prisionero del
odio de los bogotanos, sin siquiera asomarse a las ventanas para ver la calle adoquinada, pues teme encontrarse
con una mano que lo señale o con una mirada de desprecio. Pero la primera vez que sale, obligándose a recuperar
la vida, se cruza, casi llegando a la droguería para comprar unas Píldoras Rosadas, con la señorita Adela Garavito. La saluda llevándose una mano al sombrero y da un
paso hacia ella, pero Adela Garavito lo disuade. «Usted
nos hizo quedar como unos mentirosos», le dice con un
tono que ya ha pasado por la repugnancia y ahora se ha

asentado cómodamente en el rencor y el resentimiento. «Señorita, yo…», intenta Anzola, pero ella le corta la justificación. «Ni se aparezca por mi casa», le dice, «que mi papá le pega un tiro». Acelera el paso, como si Anzola tuviera lepra, y desaparece detrás de la primera esquina. A Marco Tulio Anzola no le quedan arrestos para llegar hasta la droguería.

Y mientras tanto se suceden los discursos en el Salón de Grados, las eternas peroratas que aparecen en los periódicos ocupando dieciséis columnas de letra estrecha, y cuyos oradores parecen tener todos un objetivo secreto: hundir en el barro del oprobio a Marco Tulio Anzola. En los discursos del fiscal y de los abogados de los asesinos, Anzola es un fanático liberal con irreprimibles ansias de venganza o un tinterillo sediento de una gloria efímera, y en todo caso un irresponsable, un agresor de las reputaciones ajenas, un pirómano suelto en los altares de la patria y un violador de los valores sagrados de la verdad, la justicia y el honor. Bogotá es durante una semana una hoguera puesta para que arda Anzola, el enemigo de todos. Los discursos —con los cuales los abogados de uno y otro lado van cerrando el proceso— lo llaman cobarde, vulgar escudero que ataca por la espalda, oportunista cuya pequeñez lo oculta a la mirada de los hombres honrados. Una o dos veces en el curso de la noche insomne (o cuando un perro lo despierta de su sueño ligero y turbado) Anzola se pregunta, como suele ocurrirle últimamente, si no tendrán razón.

Ahora todos los que aparecieron en el libro intentan apartarse de él, corregir su participación o incluso obliterarla. La instancia más reciente de esos afanes correctivos ocurre durante la última audiencia. Según los periódicos, el detective Eduardo de Toro, que le habló a Anzola de las visitas de Rufino Berestain a las oficinas de Salomón Correal y de lo ocurrido durante los ejercicios espirituales en Cajigas, envió al abogado de Galarza un cuaderno en que aparecen anotadas sus impresiones de aquellos días de 1914. El abogado de Galarza leyó el cuaderno en voz alta, y así el público supo finalmente cuál era la opinión del detective Toro sobre todo este asunto: «He llegado a la conclusión de que los asesinos cometieron el crimen sugestionados el uno por el otro, por el odio que los obreros le tenían al general Uribe, y que no hubo otros autores del atroz crimen».

Cuando terminó el juicio en el Salón de Grados, el secretario del juzgado se dirigió a los tres miembros del jurado, que se erguían en sus sillas, y leyó un cuestionario de dos preguntas: «¿El acusado Leovigildo Galarza es responsable de haber dado muerte voluntaria y premeditadamente al señor general Rafael Uribe Uribe, por medio de heridas causadas con instrumento cortante y contundente, hecho verificado en la carrera 7 de esta ciudad, cuadra 10, el 15 de octubre de 1914? ¿El acusado Leovigildo Galarza es responsable de haber cometido el hecho que se menciona en el cuestionario anterior, con las siguientes circunstancias o alguna o parte de ellas: 1.ª, con previa asechanza, 2.ª, con alevosía, a traición y sobre seguro por haber sorprendido descuidada, indefensa y desprevenida a la víctima?» Luego leyó lo mismo, pero cambiando el nombre de Leovigildo Galarza por el de Jesús Carvajal. El jurado, por unanimidad, respondió que sí. Que sí a todo. Que sí en ambos casos.

El 25 de junio de 1918, en horas de la tarde, el juez Garzón dio lectura a la sentencia contra Jesús Carvajal y Leovigildo Galarza. Por el asesinato del general Rafael Uribe Uribe se les condenó a veinte años de prisión, privación de sus derechos políticos y una multa de ochenta mil pesos oro, más los gastos procesales. Las barras estallaron en aplausos, en vivas al fiscal y en mueras a Anzola y a su libro. Comentando la sentencia, y usando para hacerlo las mismas palabras que había usado el juez, un periódico dijo:

«Este veredicto no satisfará a quienes han querido usar el crimen para echar cargas pesadas sobre sus adversarios políticos. No satisfará a quienes han querido ventilar pasiones partidistas mediante el abuso del dolor de todo un pueblo. Este veredicto satisface, en cambio, a los patriotas genuinos, pues algunos, al intentar manchar con la sangre de un gran hombre la bandera de los partidos, amenazaron también con manchar de deshonor la de la patria. Este veredicto, colombianos, os devuelve la honra, os hace don de la justicia, os libera de un pasado incierto y os regala un porvenir en paz».

IX. La forma de las ruinas

No sé cuándo comencé a darme cuenta de que el pasado de mi país me resultaba incomprensible y oscuro, un verdadero terreno de tinieblas, ni puedo recordar el momento preciso en que todo aquello que yo había creído tan confiable y predecible —el lugar donde crecí, cuya lengua hablo y cuyas costumbres conozco, el lugar cuyo pasado me enseñaron en el colegio y en la universidad, cuyo presente me he acostumbrado a interpretar y fingir que comprendo— se empezó a convertir en un lugar de sombras del cual saltaban criaturas horribles no bien nos descuidábamos. Con el tiempo he pensado que es ésta la verdadera razón por la que los escritores escriben sobre los lugares de su infancia y adolescencia y aun de su temprana juventud: no se escribe sobre lo que se conoce y comprende, y mucho menos se escribe *porque* se conoce y comprende, sino justamente porque se da cuenta uno de que todo su conocimiento y su comprensión eran falsos, un espejismo, una ilusión, de modo que sus libros no son, no podrán nunca ser, más que elaboradas muestras de desorientación: extensas y multiformes declaraciones de perplejidad. *Todo esto que yo creía tan claro,* piensa uno entonces, *resulta ahora lleno de dobleces y de intenciones ocultas, como un amigo que nos traiciona.* Ante esa revelación, que siempre es molesta y muchas veces francamente dolorosa, el escritor responde de la única forma en que sabe hacerlo: con un libro. Y así intenta paliar su desconcierto, reducir el espacio entre lo que se ignora y lo que puede saberse, y sobre todo resolver su profundo desacuerdo con esa realidad impredecible. «Cuando tenemos una disputa con los otros, hacemos retórica», decía Yeats. «Cuando tenemos una disputa con nosotros mismos, hacemos poesía». ¿Y qué sucede cuando las dos disputas se dan al mismo tiempo, cuando pelearse con el mundo es un reflejo o una transfiguración del enfrentamiento subterráneo pero constante que uno mantiene consigo mismo? Entonces uno escribe un libro como el que ahora escribo, y ciegamente confía en que el libro signifique algo para alguien más.

Es posible que estas ideas estuvieran ya en mi mente aquel día, el día de las revelaciones. Era el último día de febrero, un viernes; llegué al apartamento de Carballo a la hora del almuerzo, cuando aquella ave nocturna estaría, según mis cálculos, ya duchada y lista para comenzar su enrevesada rutina. Y así era: me lo encontré vestido, sí, pero no con el cuidado que solía poner en su indumentaria y sus accesorios, sino envuelto en una sudadera gris cómoda y suelta que había vivido mejores días. Parecía listo para salir a correr, como uno de esos viejos que han sufrido un preinfarto y se obsesionan demasiado tarde con el ejercicio, de manera que nunca se les ve a gusto en sus ropas deportivas: se ven como intrusos, impostores, actores disfrazados para un papel que detestan. Así se veía esa mañana Carlos Carballo. ¿Sería su aspecto lo que me hizo percibir una especie de melancolía en el aire, o era la melancolía lo que había dictado y de alguna forma producido su aspecto? Lo vi, por primera vez, realmente cansado; pensé que el trabajo de la memoria nos cansa, aun cuando se ocupe de los pasados que no conocimos (cuando se ocupa de nuestro pasado, no sólo nos cansa, sino que nos desgasta como el agua desgasta una piedra). Eso pensé al llegar: que Carballo estaba cansado de tanto mirar, para mi información y provecho, hacia el pasado oculto de este país. Cuando puse mi morral negro y vacío en el suelo, junto a una torre de novelas policiales, y me senté como un alumno juicioso, no me imaginé que en ese momento comenzaba la jornada más memoriosa de cuantas nos había tocado compartir. No me imaginé que ese 28 de febrero lo iba a pasar muy lejos del año 2014, metido de cabeza en otro día y en otro año remoto, asistiendo al espectáculo pavoroso de un hombre que recuerda lo que le duele y escuece, y no lo hace porque quiere, sino porque no tiene más remedio.

Para ese momento ya había perdido la cuenta de las horas que había pasado metido en *Quiénes son?*, escudriñando sus páginas, cuestionando sus conclusiones, diciéndome en ocasiones que todo esto era falso, que en mi ciudad no podían haber sucedido estas cosas, y la prueba era que ya nadie sabía de ellas ni hablaba de ellas: que esta denuncia insensata no había sobrevivido. Y luego pensaba: es cierta precisamente porque no ha sobrevivido, porque la historia colombiana ha probado una y mil veces su extraordinaria capacidad para esconder versiones incómodas o para cambiar el lenguaje con el cual se cuentan las cosas, de manera que lo terrible o inhumano acaba convirtiéndose en lo más normal, o deseable, o incluso loable. Y luego volvía a pensar: no ha sobrevivido, nadie habla de ella, se ha hundido en el olvido y por lo tanto es falsa, pues la historia, que tiene sus propias reglas, filtra y selecciona como la naturaleza selecciona las especies, y así van quedando atrás las versiones que intentan violentar la verdad, mentirnos o engañarnos, y sólo sobrevive lo que resiste nuestros cuestionamientos, nuestro escepticismo de ciudadanos. Y luego ya no sabía qué pensar, pues no dejaba de atormentarme el hecho de que Anzola se hubiera hundido de esta manera en el pozo maloliente de la historia colombiana. El hombre que durante más de un mes ocupó el centro de las noticias, apareciendo todos los días en las páginas principales de los periódicos y viendo todos los días publicadas sus palabras; el hombre que durante los cuatro años precedentes dividió a sus ciudadanos con la promesa (algunos decían *la amenaza*) de su investigación y de su libro, desaparece de la escena pública a partir de junio de 1918. Después de su entrada en la cárcel, los medios no vuelven a saber de él. No hay noticias suyas, no se menciona su nombre más que para denigrarlo, y después del fallo no se menciona ni siquiera para eso. Lo único que Carballo había podido encontrar tras años de perseguir el rastro de aquel joven, el único resto miserable de información que se le había cruzado en el camino, era una misteriosa entrada bibliográfica de la Biblioteca del Congreso en Washington. Estaba fechada en 1947 y éstos eran los datos:

SAMPER, MARCO TULIO ANZOLA, 1892- © New York. *Secretos de la ruleta y sus trampas técnicas; revelaciones de un croupier,* 32 p., illus.

Todo en estas líneas le parecía extraño a Carballo y me pareció extraño a mí: la clasificación alfabética del autor (que se hacía por su segundo apellido, no por el primero), la extensión de la obra (un breve folleto ilustrado) y, por último, su tema impredecible (no logré imaginar al autor de *Quiénes son?* redactando un manual para ludópatas). En nuestra última conversación estuvimos un buen rato especulando sobre ese viejo hallazgo. Le pregunté si no se había interesado realmente, pero *realmente,* con la fuerza de la obsesión, en encontrar los *Secretos de la ruleta;* le pregunté si no había llevado a cabo una verdadera cacería, aunque nada tuvieran que ver las revelaciones de un crupier con Rafael Uribe Uribe ni con Jorge Eliécer Gaitán ni con la violencia o la política o la violenta política de nuestro triste país. En pocas palabras: aunque no le sirviera para nada.

«Por supuesto que sí», me contestó. «En una época busqué ese librito condenado por tierra y por mar. Llamé a todos los bibliófilos que conozco y pedí ayuda contactando a todas las librerías de libros raros y antiguos. Y por supuesto, ni bobo que fuera, llamé a la Biblioteca del Congreso. Y nada. El folleto no existe. En la Biblioteca no está, y se supone que allá está todo lo que tenga páginas en este cochino mundo. Pero eso no quiere decir que no me haya servido de nada».

«¿A qué se refiere?»

«Comencé a preguntarme por el lugar de publicación», dijo Carballo. «Nueva York. ¿Por qué Nueva York? Siempre me había parecido que la desaparición de Anzola era demasiado total, demasiado perfecta. Nadie desaparece así. O mejor: hay sólo una manera de desaparecer así de los medios colombianos después de haber estado tan presente en ellos».

«Irse de Colombia».

«Sí. Y tenía lógica, ¿no? ¿Qué habría hecho usted? Si hubiera escrito un libro como *Quiénes son?*, si hubiera participado en el juicio más sonado de la historia, y si su libro y su participación en un juicio lo hubieran convertido, a sus veintipocos años, en el hombre más odiado de Colombia… Usted también se habría ido, Vásquez, y yo también, yo también me habría ido. Pensé en eso y luego pensé: ¿y adónde se va un joven como Anzola? A un lugar donde conozca a alguien, donde tenga contactos por lo menos. Y luego me acordé de que Carlos Adolfo Urueta era diplomático en Washington. Pensé: Estados Unidos. Anzola se fue para Estados Unidos. Todavía creo que eso fue lo que pasó».

«Ah, ¿no está seguro?»

«Cien por ciento seguro, no», dijo Carballo. «Pero tiene su lógica, ¿no es verdad? Y además, no me importa».

«¿Cómo que no le importa?», le dije. Yo había comenzado a escuchar su raciocinio pensando en una revelación: *Ahora me dirá que le siguió la pista*, llegué a pensar, *me dirá que encontró su rastro en Nueva York, me dará una sorpresa*. No le oculté mi contrariedad. «¿Cómo que no le importa, Carlos? Ahí hay una historia, ¿no le parece? Hay un hueco en la historia. ¿No le gustaría llenarlo? ¿No le gustaría saber qué le pasó a Anzola?»

«Me gustaría, pero no me interesa. Son dos cosas distintas».

«¿No le interesa?»

«Pues no», dijo Carballo. «Me puedo imaginar la situación muy bien: Anzola se fue del país como se va de Colombia tanta gente cuando dice una verdad molesta. Se volvió incómodo y se tuvo que ir: igual que tantos. Si nos pusiéramos a hacer la lista, no acabaríamos nunca. Pues Anzola es un ejemplo viejo, no el más viejo, pero sí uno de ellos. Y ya está, no hay que darle más vueltas. Yo creo que fue así y eso me basta, porque la vida de Anzola en realidad no me importa. Mejor dicho, lo que me importa es su libro, ¿me entiende?, lo que me importa es que haya escrito su libro. Para que un lector se lo encuentre, ¿no? Ahí es cuando comienzan a pasar las cosas».

No puedo decir que en ese momento me haya llamado la atención esa última frase, cuyos significados profundos me hubiera sido imposible adivinar o prever en el momento en que la escuché. La tomé como un lugar común, tal vez; tal vez creí que Carballo estaba descubriendo los milagros del encuentro entre un lector cualquiera y cualquier libro. No pensé que tuviera en mente a un lector concreto cuando pronunció esas palabras, ni un libro específico, ni pensé tampoco que el encuentro imaginario y aun abstracto ocurriera en un lugar y una fecha bien definidos. Pero así era. Enseguida le hice una pregunta inocente, más por cortesía que por verdadera curiosidad:

«Carlos, ¿usted no cree que la partida de Anzola tiene explicaciones más simples?»

Carballo se pasó una mano por la barba nueva. «Como cuáles», me dijo con tono seco.

«Tal vez Anzola no se haya ido porque lo persiguieron. Tal vez se fue de Colombia simplemente porque fracasó».

Entrecerró los ojos y en su cara apareció una mueca de desprecio. No me importó. Le dije lo que me parecía una verdad incontrovertible: que más allá de lo que hubiera sucedido en realidad, más allá de las acusaciones que hubiera hecho en el libro, lo cierto era que Marco Tulio Anzola no había sido capaz de demostrar nada en el juicio. En eso, por lo menos, el redactor de *El Tiempo* había tenido razón. Y entonces Carballo se indignó como nunca antes.

«¿Cómo que tiene razón?», dijo, poniéndose de pie. «¿Cómo que Anzola no probó nada? ¿No están ahí los testigos?»

«No se me sulfure, Carlos», le dije. «Los testigos están ahí, pero no prueban nada. El libro es muy convincente, claro, y a mí me encantaría abandonarme a una teoría de la conspiración de trescientas páginas. Pero lo que importa no es la teoría del libro sino lo que pasó en el juicio, y el juicio fue un fracaso. Un fracaso total: un fracaso estrepitoso y hasta humillante. Una decepción, mejor dicho, una traición a toda la gente que apoyó a Anzola. El pobre tipo no tiene más que pistas sobre sus acusados: que a Correal lo vieron aquí, que a Pedro León Acosta lo vieron allá. Los dos personajes me caen bastante mal, pero eso no quiere decir que hayan hecho lo que Anzola dice en el libro. De acuerdo: Acosta trató de matar a un presidente unos años antes. De acuerdo: Correal maltrató y hasta torturó a otro. Pero eso no es prueba de nada, salvo de su pasado. ¿Y qué me dice de los jesuitas? Contra los jesuitas, que son acusados también en el libro, no hay nada, absolutamente nada en el juicio. Ni se llega a tocar el tema».

«¡Porque Anzola no alcanzó!», gritó Carballo. «¡Porque lo sacaron antes de que pudiera llegar a los jesuitas!»

«Bueno, pero así es muy fácil la cosa. "Sí, son culpables, pero es que yo lo iba a probar después". Eso no es serio».

«No me lo puedo creer», dijo Carballo, bajando la voz.

«Pues al parecer», le dije con sarcasmo, «el jurado tampoco».

«¿Y en qué quedan entonces las reuniones del cura Berestain con Correal? ¿Y en qué quedan los testimonios de la gente que vio a los asesinos salir de la puerta del San Bartolomé?»

«Se quedan en eso, Carlos: en reuniones y en testimonios. Pero Anzola no probó que eso condujera a nada».

«¿Y en qué quedan las palabras de Berestain? Cuando desea que Uribe se esté pudriendo en el infierno. ¿En qué quedan?»

«Ay, Carlos, por favor», dije. «En este país la gente se desea el infierno con una facilidad pasmosa. Todo el mundo lo hace todo el tiempo. Eso no quiere decir nada concreto, no me diga que no se da cuenta».

Carballo se sentó de nuevo. Su cara y su expresión (el cruce de brazos, la manera de doblar las rodillas) estaban bañadas de una decepción intensa. Le dije que sentía mucho hablarle así, pero que los hechos estaban muy claros: una cosa era el libro y otra el juicio. Recuperé el asunto de los jesuitas: ni siquiera se les había mencionado una sola vez en todo el juicio, por lo menos tal como él me lo había referido. «¿O sí?», le dije. «¿Se da alguna prueba contra los jesuitas en el juicio?»

Una vocecita dijo: «No».

«¿Y entonces?»

«Entonces, ellos ganan».

«¿Cómo?»

«Usted está haciendo lo mismo que ha hecho el país entero durante un siglo, Vásquez. Como no se ganó el juicio, como no hubo un fallo claro en contra de los acusados de Anzola, entonces lo que dijo Anzola es una gran mentira. Pues la suya es una verdad muy pobre, mi amigo, porque la verdad de los tribunales a veces es muy distinta a la verdad de la vida. Usted dice que Anzola no logró probar nada en el juicio y por eso el libro es mentira. ¿Pero se ha preguntado por qué no logró probar nada en el juicio? ¿No es evidente que todo el juicio está manipulado para que Anzola no pueda probar lo que tiene? ¿No es evidente que lo silenciaron de una forma muy sutil, con toda la apariencia de la legalidad?»

«Pero, Carlos, si le dejan decir todo lo que quiera. Le dejan traer todos los testigos que quiera. ¿Cómo que lo silenciaron?»

«Está repitiendo lo que dijo *El Tiempo*, no sé si se dé cuenta.»

«Me doy cuenta perfectamente», le dije. «Y déjeme que le diga una cosa: el comentarista de *El Tiempo* tiene toda la razón. No sé quién fue, es una lástima que no haya firmado su comentario, porque tiene razón. Tiene razón cuando dice que Anzola no fue capaz de probar nada contra Acosta ni contra Correal. Tiene razón cuando dice que encender la sospecha en la gente es muy fácil, pero que lo necesario es probarla. ¿Por qué no dijo Anzola quién era el hombre del cubilete? ¿Usted realmente cree que sabía quién era, Carlos? Si lo sabía, ¿por qué no soltar el nombre ahí, delante de todo el mundo? ¿Usted no cree que si no lo dijo fue porque no lo sabía? Dígamelo, Carlos, dígamelo sinceramente: ¿no cree que Anzola estaba faroleando?»

«Faroleando no», dijo Carballo. «Esto no es un juego de póker.»

«No aclara nada sobre las publicaciones de los jesuitas. No aclara nada sobre las sociedades donde supuestamente se sortea entre varios el asesinato de un hombre. ¿Quién le puede creer? Dígame, Carlos, ¿quiénes son el tal Ariston Men Hydor y el tal Campesino que escribían contra el general Uribe? Bogotá no era una ciudad de millones de habitantes: era apenas un pueblo. Nadie podía esconderse tan bien, me imagino yo. Entonces, ¿por qué no puede probar nada contra dos columnistas un poco fanáticos cuyo único escondite es un seudónimo, dos locos calumniadores como existen hoy en todas las redes sociales? La respuesta: porque no son más que locos, fanáticos y calumniadores. Y en cuanto a las sociedades, ¿de verdad pasa eso? ¿De verdad hay grupos financiados por gente rica que escogen asesinos por sorteo y les encargan la muerte de cualquiera que les resulte incómodo? ¿Dónde da Anzola la prueba de eso?»

«Ellos ganan», musitó, o eso creí oír.

«No sé quiénes son ellos», dije. «Pero no es que ganen, es que ésta es la verdad de que disponemos ahora. No hay pruebas suficientes para cambiarla».

Carballo se quedó en silencio. Subió los pies al sofá y se encorvó como un perrito asustado. Y luego, con una voz en que se mezclaban la derrota y la testarudez, empezó a hablar. Lo hizo sin mirarme, como pensando en voz alta. Y sin embargo, no estaba pensando en voz alta: me estaba hablando: a nadie le hablaba más que a mí.

«Pero hay otras verdades, Vásquez», dijo. «Hay verdades que no quedan en los periódicos. Hay verdades que no son menos verdaderas por el hecho de que nadie las sepa. Tal vez ocurrieron en un lugar raro adonde no pueden ir los periodistas ni los historiadores. ¿Y qué hacemos con ellas? ¿Dónde les damos espacio para que existan? ¿Dejamos que se pudran en la inexistencia, sólo porque no fueron capaces de nacer a la vida de manera correcta, o porque se dejaron ganar de fuerzas más grandes? Hay verdades débiles, Vásquez, verdades frágiles como un niño prematuro, verdades que no se pueden defender en el mundo de los hechos probados, de los periódicos y los libros de historia. Verdades que existen aunque se hayan hundido en un juicio o aunque las olvide la memoria de la gente. ¿O me va a decir usted que la historia conocida es la única versión de las cosas? No, por favor, no sea tan ingenuo. Eso que usted llama historia no es más que el cuento ganador, Vásquez. Alguien hizo que ganara ese cuento y no otros, y por eso le creemos hoy. O más bien: le creemos porque quedó escrito, porque no se perdió en el hueco sin fin de las palabras que sólo se dicen, o peor aún, que ni siquiera se dicen, sino que sólo se piensan. Llega el periodista de *El Tiempo,* llega el historiador del siglo XX, y cuentan algo por escrito: puede ser el crimen de Uribe, puede ser la llegada del hombre a la Luna, puede ser lo que usted quiera: la bomba atómica o la guerra civil española o la separación de Panamá. Y eso es la verdad, pero lo es sólo porque *ocurrió en un lugar que se podía contar y alguien lo contó en palabras concretas.* Y se lo repito: hay verdades que no ocurren en esos lugares, verdades que nadie nunca escribió porque eran invisibles. Hay millones de cosas que pasan en lugares especiales, y se lo repito: son lugares que no están al alcance del historiador o del periodista. No son lugares inventados, Vásquez, no son ficciones, son muy reales: tan reales como cualquier cosa que se cuente en los periódicos. Pero no sobreviven. Se quedan por ahí, sin nadie que las cuente. Y eso es injusto. Es injusto y es triste».

Y fue entonces cuando comenzó a hablar de su padre. Lo hizo sin aspavientos ni sentimentalismos, acaso con algo de melancolía pero contando sin trastabillar una historia compleja, y eso me permitió intuir que una de dos cosas era cierta: o bien había contado esta historia muchas veces, o bien había esperado toda la vida para contarla. Me decidí por la segunda, y resultó que tenía razón.

He corregido las pocas instancias en que la memoria prodigiosa de Carballo falla o se confunde, y he completado su relato con informaciones necesarias para que se entienda mejor o mejor se aprecie. Aparte de eso, he tratado de recordar que mi tarea era la de un notario, porque lo más probable es que nunca en el curso de mi vida vuelva a encontrarme con una historia semejante. Mi labor, dificilísima y simple al mismo tiempo, es hacerle justicia o por lo menos no malversarla.

La historia es la siguiente.

*

César Carballo nació en una casa del barrio de La Perseverancia, en el oriente bogotano, once o doce cuadras al norte de la calle donde su hijo viviría (y me contaría todo esto) mucho tiempo después. En ese año de 1924, su madre, Rosa María Peña, era lavandera para los barrios de gente adinerada a los que se llegaba bajando la colina, atravesando la carrera séptima y luego la línea del ferrocarril, y caminando unas cuadras hacia el norte: esos barrios que en mañanas limpias podían verse desde las terrazas de su calle, cuando se quedaba hablando con las vecinas de la cuadra, ayudándolas a tender la ropa mojada en cabuyas que dejaban rasguños en las telas más finas. El padre de César era el único zapatero en ese barrio habitado, sobre todo, por artesanos: mecánicos y albañiles y carpinteros. Siendo apenas un adolescente, Benjamín Carballo había comenzado a aprender el oficio en el taller de calzado de don Alcides Malagón, un viejo que parecía haber nacido con la ciudad y tener toda la intención de morir con ella. Cuando murió el viejo Malagón, Benjamín Carballo tenía veintidós años, una mujer embarazada y mucho sentido común, de manera que heredó la zapatería sin hacerse demasiadas preguntas. Más tarde se alegró de ello, porque al pasar los años se fue convenciendo de que el arte de la zapatería era eso, un arte, y de que no había más dignidad en esculpir una estatua que en fabricar un zapato a medida: en explorar las irregularidades de un pie, tomar un molde de yeso que sea preciso y limpio, construir las hormas reproduciendo en ellas los rasgos del modelo vivo, pues no hay dos pies iguales, y secar las pieles sobre el molde, de manera que no pierdan su relación preciosa. A aprender el oficio dedicó toda su vida; guardaba la esperanza de que su hijo César lo aprendiera de él.

Tenía buenas razones para quererlo, porque César manejaba el cuadrante y la regla curva como un profesional, y era capaz de trazar patrones perfectos desde los diez años. El problema —el problema para su padre, que hubiera querido tenerlo de ayudante ocho horas al día— es que también era un alumno sobresaliente. Su escuela era un lugar con techos mal remendados donde no se podía dar clase cuando llovía, donde no había cuadernos para todo el mundo y los libros eran artículos de lujo, pero que estaba regentada por una mujer de vocación invulnerable que se dio cuenta muy pronto de las capacidades del niño. La maestra, que sabía bien cómo iban las cosas en el barrio, convenció a Rosa María de que le dejara al niño terminar los estudios, pero lo hizo mucho antes de que ella hubiera pensado siquiera en sacarlo para que ayudara a la familia. A los doce años, el hijo del zapatero conocía de memoria no uno, sino todos los poemas infantiles de Rafael Pombo, y había tenido tiempo de aburrirse con ellos y cambiar algunas palabras por obscenidades, de manera que Mirringa Mirronga, la gata candonga, quería que *todos los gatos y gatas / mostraran el culo y se alzaran las batas*. Rosa María le hizo caso a la maestra. César siempre hablaría de los trabajos por los que pasaban sus padres para que ni él ni su hermano menor tuvieran que dejar la escuela. Fue allí, en un salón de clases de suelo de tierra, donde César Carballo vio por primera vez a Jorge Eliécer Gaitán.

Por esos días, Gaitán llevaba apenas unos meses como alcalde de Bogotá, pero ya le había dado la vuelta entera a la ciudad, viendo y dejándose ver, cultivando su imagen de hombre del pueblo. En ese momento tenía treinta y tres años, un hambre extraordinaria de poder y una hoja de vida de fábula: era de origen humilde, hijo de una maestra de escuela y un vendedor de libros usados, pero llevaba ya quince años intensos sacudiendo el mundo político con la oratoria más feroz que se había visto por estos lados desde Rafael Uribe Uribe. A los dieciocho años había dado un discurso tan encendido en apoyo de un candidato liberal que sus enemigos le dispararon desde la multitud; el tiro le pasó por debajo del brazo gesticulante, y Gaitán conservaría después el saco abaleado y se lo llevaría de regalo a su candidato. En Roma, durante los estudios de doctorado que hizo con el maestro Enrico Ferri, había descubierto y admirado y aprendido las formas con que Mussolini hipnotizaba a multitudes de miles de personas. Tenía un talento natural para la improvisación, pero él mismo se enseñó un manejo virtuoso de las pausas y los silencios, y encontró una alquimia misteriosa entre el lenguaje de la calle y los tonos más exaltados. El resultado fue un orador capaz de llevarse por delante a cualquier antagonista en la plaza pública, pues los políticos colombianos, convencidos de que no tenían que seducir a su auditorio, sino intimidarlo, comenzaban sus discursos hablando de Palas Atenea o de Cicerón o de Demóstenes, y luego llegaba Gaitán y comenzaba a lanzar sus frases feroces con una precisión de arquero, y todo se transformaba. Gaitán entraba en trance; el público entero parecía dispuesto a seguirlo a ese lugar desde donde hablaba. A veces parecía que no importara lo que dijera Gaitán: importaba que fuera él quien lo dijera. Era esto lo que sentían sus públicos de sombreros raídos y olor a sudores viejos. Él era uno de los suyos, pero nadie (y mucho menos uno de los suyos) les había hablado nunca así. Con esa misma oratoria fulminante había montado en el Congreso uno de los debates más duros que hubiera tenido que sufrir un presidente colombiano. En 1928, tras una huelga fallida, el ejército había asesinado a un número indeterminado o secreto de trabajadores de las plantaciones bananeras del Caribe. Gaitán denunció aquel hecho que todo el mundo, por otra parte, conocía bien; pero cuando lo hizo pareció que la masacre se acabara de producir o que el país la viera realmente por primera vez. Después referiría alguien el momento en que el orador, este indio de pelo engominado del cual se burlaban los congresistas de clase alta, se devoró el recinto con un discurso estremecedor y terminó sus palabras con un golpe de efecto: sacando y enseñando a todo el mundo un cráneo, un cráneo pelado, el cráneo de una de las víctimas de la masacre de las bananeras. Era el cráneo de un niño.

Siete años después, el agitador convertido en alcalde visitaba una escuela pública. El barrio de La Perseverancia se paralizó con su visita. Lo vieron llegar a pie, con su traje cruzado y su sombrero de fieltro, y subir las polvorientas calles empinadas desde la carrera quinta, a buen paso, sin sudar ni agitarse, rodeado de una comitiva que muy pronto se confundió con los curiosos y los necesitados. Lo oyeron felicitar a la maestra por su labor, lo oyeron recordarle al público agolpado que su propia madre era maestra de escuela, lo oyeron decir que no había profesión en el mundo más bella y más noble que la de educador. Lo oyeron prometer la creación de comedores escolares, porque un niño aprende mejor con el estómago lleno. Lo oyeron preguntarle a un niño por qué venía descalzo a clases y lo oyeron prometer que el calzado para los alumnos de la escuela pública sería gratuito y obligatorio. Entre los asistentes a su discurso improvisado estaba el zapatero Benjamín Carballo, que nunca había oído a un político hablar de zapatos, y que se pasó el resto del día y de la semana y del mes recordando cómo su hijo César había interrumpido las palabras del alcalde para gritar una oferta con su voz cambiante de adolescente: «¡Mi papá los puede hacer!» Gaitán sonrió pero no dijo nada. Después, terminada su visita, se cruzó a César en la puerta de la escuela. Casi sin mirarlo, dijo: «El chino del zapatero». Y siguió su camino hacia abajo.

César Carballo diría después que fue en ese momento cuando comenzó a ser gaitanista. Se miró en Gaitán como en un espejo; con los años, Gaitán se fue convirtiendo en su modelo, el patrón sobre el cual trazar el diseño de su vida. Si un hombre de Las Cruces, un barrio que no era muy distinto de La Perseverancia, había llegado a ser congresista y alcalde, ¿por qué no podía él seguir un camino semejante con la sola fuerza de la disciplina y el estudio? César Carballo quiso estudiar Derecho, como Gaitán, y en la Universidad Nacional, como Gaitán, pero cuando terminó los estudios escolares le cayó encima la realidad con todo su peso: no había dinero para mandarlo a la universidad. Tenía dieciséis años. En enero de 1941, menos de un año después de que Gaitán fuera nombrado ministro de Educación, César Carballo madrugó una mañana, se puso una camisa limpia y se fue caminando hasta las oficinas del ministerio, en la carrera sexta con calle 10. Preguntó por Gaitán y le dijeron que no estaba. Una hora más tarde volvió a preguntar por él, y le volvieron a decir que no estaba. Miró a su alrededor —tres niños con sus madres, un joven de libros bajo el brazo, un hombre mayor de gafas y bastón—, y se dio cuenta de que no era el único que había preguntado por el ministro con la intención evidente de pedirle un favor. Entonces tuvo una intuición: le dio la vuelta a la cuadra y se plantó junto a la puerta trasera, pensando que Gaitán, cuando saliera, saldría por aquí para no tener que lidiar con las peticiones de tanta gente. A la una de la tarde lo vio salir, se le acercó y le dijo: «Soy el chino del zapatero». Atropelladamente le dijo que quería estudiar en la universidad, necesitaba una beca y había oído decir que el ministro Gaitán podía concedérsela. Gaitán iba acompañado de dos señores bien vestidos; César Carballo vio una sonrisa de sarcasmo en sus caras y alcanzó a pensar que estaba perdiendo el tiempo. «Soy liberal», dijo, sin saber muy bien de qué le serviría eso. Gaitán miró a sus acompañantes, lo miró a él y le dijo: «Eso no importa. El hambre no es liberal ni conservadora. Las ganas de salir adelante, tampoco». Se miró el reloj y añadió: «Vuelva mañana y vemos qué se puede hacer».

Eso hizo César. Gaitán lo recibió en su oficina, le ofreció un tinto y lo trató como a un hijo, o por lo menos eso contaría César el resto de su vida. Contaría también que había visto el diploma de abogado de la Nacional y se había impresionado, pensando que un día tendría uno así en sus manos, pero que la verdadera impresión se la causó otro de los marcos que adornaban las paredes de la oficina: una foto en que Gaitán, con veinticinco años, aparece junto a su maestro, el gran penalista Enrico Ferri. La foto estaba dedicada por la mano misma del maestro Ferri a su discípulo Jorge Gaitán, que había escrito en Roma una tesis laureada y admirada. César preguntó sobre qué era la tesis y Gaitán se lo explicó en tres frases de contenido incomprensible. Por supuesto que César, un humilde artesano que no había llegado a la mayoría de edad, no hubiera tenido cómo entender en ese momento lo que era la premeditación, mucho menos cómo los atenuantes de la pena podían relacionarse con ella, pero las frases de Gaitán le sonaron como sortilegios, y el hecho mismo de que el gran hombre hubiera intentado explicárselas le permitió sobrellevar la decepción siguiente: no había becas. Pero César Carballo vio a Gaitán intentarlo de verdad: lo vio llamar a su secretario, preguntarle si ya se habían cerrado los plazos y escuchar que sí, doctor, que ya se habían cerrado; luego lo vio preguntarle al secretario si alguno de los últimos adjudicatarios no se había presentado, como solía suceder, y si en tal caso le podríamos dar esa beca a este muchacho, y escuchó al secretario decir que no, doctor, que no había becas sin reclamar, que este año se había presentado todo el mundo. Y entonces Gaitán le dijo: «Ya ve, joven. Lo lamento mucho. Si viene dentro de un año, antes de que se venza el plazo, yo mismo me encargo de que salga con su beca».

Pero una conspiración de azares se le cruzó en el camino a César Carballo. Cuando Gaitán, cinco semanas después de recibirlo, salió prematuramente del Ministerio de Educación, César vio solamente un obstáculo más: se dijo que la vida nunca se la había puesto fácil, que él era capaz de ganar la beca con o sin ayuda de un político, y que se presentaría en noviembre y al año siguiente estaría comenzando su nueva vida. Pero no llegó a presentarse. Una tarde de mayo, poco antes de cumplir los diecisiete, César llegó al taller y se encontró a su padre tirado en el suelo, entre hojas garabateadas y todavía con el metro en el cuello. Al parecer, acababa de tomarle las medidas a un cliente y estaba sacando las cuentas matemáticas para el patrón, pero el cliente ya se había ido cuando sobrevino el infarto, y en cualquier caso todos estaban de acuerdo en que muy poco hubiera podido hacer. César Carballo quedó al frente de la zapatería y, por supuesto, de la manutención de su hermano menor. La carga le exigió todo su tiempo y casi toda su atención. Cualquier idea de estudiar en la universidad era impracticable ahora. César Carballo se olvidó de esas ilusiones, o las archivó en un lugar profundo de su conciencia, y se dedicó a las hormas y a los moldes y al cuero que le compraba a un talabartero de la calle 8, abajo del Observatorio. Así se le fueron los años siguientes.

Hubiera sido un destino triste, pero César Carballo no tenía tiempo de pensar en eso. Se las arregló, además, para no caer en el victimismo. Cuando podía cerrar el taller a las cinco y no a las seis, se iba a los cafés de la avenida Jiménez y leía los periódicos y oía a los estudiantes de Derecho y de Medicina hablar de política como si no hubiera nada más en el mundo. En esos momentos se sentía vivo. El día entero se le iba en el taller, pero una de las pocas ventajas de no haber llegado a los veinte años era la soltería impune. Nadie esperaba a César en ninguna parte, ninguna mujer le reclamaba sus ausencias ni su olor a cigarrillo ni las demasiadas cervezas que una o dos veces al mes, si las cosas iban bien, se consentía. En los cafés les agarraba el culo a las meseras y recibía bofetadas por hacerlo, y podía pararse horas detrás de los jugadores de dominó y ver sus partidas, siempre y cuando lo hiciera con cuidado de no ir a tumbarles las fichas, y veía de lejos a escritores famosos en El Molino y se enteraba de que las figuras de las paredes eran los personajes del *Quijote* y oía a los escritores famosos hablar del *Quijote* con estudiantes de ojos abiertos y se daba cuenta de que nada de eso le interesaba. No es que no le interesara el *Quijote:* es que no le interesaban las historias inventadas. Tampoco le interesaba la poesía que se escuchaba con frecuencia en las mesas bohemias del café Automático, debajo de la caricatura que alguien le hizo al poeta León de Greiff, aunque llegó a reconocer palabras a fuerza de oírlas, y alguna vez, para tratar de llevarse a una muchacha a la cama, le soltaba unos versos que seguiría recitando toda la vida.

> *Esta rosa fue testigo*
> *De ese que, si amor no fue,*
> *Ningún otro amor sería.*
> *¡Esta rosa fue testigo*
> *De cuando te diste mía!*

No: lo único que le interesaba era la política. Con los meses se fue llevando a sus amigos del barrio a esas excursiones, y a veces se unían a hombres mayores que él, artesanos de treinta o cuarenta años (mecánicos, albañiles, carpinteros) que se iban a los cafés más populares para tomarle, según decían, la temperatura al país.

Y así se fue enterando César Carballo de que el país tenía fiebre. La guerra en Europa estaba llegando a Colombia: no era tanto que el precio del café fuera más bajo que nunca, ni tampoco la escasez de materiales que se estaba llevando por delante la construcción y por lo tanto a ellos, los obreros que construían, sino que los conservadores hablaban del triunfo del fascismo y se quejaban de que, al apoyar a Estados Unidos, el gobierno liberal los había obligado a jugarle al caballo perdedor. Todos creían que Alemania iba a ganar la guerra y que eso le vendría bien al país: porque todos eran franquistas, por convicción o por contagio, y la victoria del Eje sería también la victoria de Franco, y la victoria de Franco sería la victoria del ala dura del Partido Conservador. Para César Carballo y sus camaradas de La Perseverancia, ellos eran el enemigo. Contra ellos había que luchar: porque un triunfo del Partido Conservador en Colombia no sería sólo el regreso a los momentos oscuros del pasado, sino la invasión de los fascismos europeos.

Pero entonces, como un mal rumor, una serie de nuevas ideas fueron recorriendo los barrios humildes de Bogotá. Jorge Eliécer Gaitán estaba viajando por todo el país y dando discursos que la prensa no reseñaba, y que se transmitían de boca en boca igual que un evangelio secreto. En ellos estaba diciendo cosas extrañas: que el hambre no era liberal ni conservadora, y tampoco lo era el paludismo; que había un país nacional, el del pueblo, y un país político, el de la clase dirigente; y que el enemigo común de todos, el artífice de las injusticias y los desastres que agobiaban a los trabajadores colombianos, era una serpiente con dos cabezas: una se llamaba oligarquía y la otra se llamaba imperialismo. En febrero de 1944, cuando Gaitán reunió a sus seguidores más fervientes en el bar Cecilia y lanzó de forma oficial su campaña política para las elecciones del 46, César Carballo y los camaradas de La Perseverancia estaban ahí, en primera fila, bebiendo las palabras del caudillo y prometiéndose que harían cualquier cosa, que darían la vida si fuera necesario, para que Gaitán llegara a la presidencia de Colombia.

La semana comenzó a girar alrededor de los Viernes Culturales. Eran los discursos que daba Gaitán en el teatro Municipal: se ponía de pie, sin ningún lugar donde apoyar las manos vacías, frente a un micrófono cuadrado que transmitía sus palabras por radio, y levantaba el puño y llenaba el lugar de una electricidad que nadie había sentido nunca. César Carballo vivía para esos discursos; cada momento que no pasaba en el taller de calzado, o adiestrando al hijo de unos vecinos que había comenzado a trabajar con él, Carballo estaba pensando en lo que Gaitán había dicho en el Municipal el viernes pasado y anticipando lo que diría el próximo viernes. Y cuando el día llegaba, bajaba caminando desde las tres de la tarde, para no quedarse por fuera, y hacía la fila de cuatro horas hasta que las puertas se abrieran. Era tiempo robado de mala manera a sus obligaciones en el taller, y su madre empezó a reclamárselo. «Yo sé que se va a oír al Jefe, mijo», le decía. «Yo sé que eso es importante. Pero no sé por qué tiene que irse desde tan temprano, así, dejando todo tirado, como si esta familia no tuviera un negocio. Como si no hubiera radio en esta casa, mijo. Qué diría su papá si no se nos hubiera ido». ¿Cómo explicarle a su madre lo que él sentía en presencia de Gaitán? No podía, así que se limitaba a decirle: «Es que si no bajo ahora me quedo sin entrar, madrecita». Y era verdad: el Municipal se llenaba con los seguidores del caudillo, cada silla de abajo y de arriba pero también cada espacio libre de los corredores. La misteriosa solidaridad que los unía era algo que César no hubiera cambiado por nada en el mundo; además, no entrar era posiblemente perderse de un evento irrepetible, como cuando se estropearon los parlantes del teatro y Gaitán, con un gesto de impaciencia y molestia, apartó el micrófono de un manotazo, respiró hondo y lanzó un discurso de cuarenta minutos a puro pulmón, con la fuerza desnuda de su garganta sobrenatural y con una dicción tan clara que el último desgraciado de la última fila entendió todas y cada una de sus palabras.

Lo que pasaba después de los discursos del Municipal era igualmente importante. Terminado el momento de la magia, cuando se encontraban en los andenes atiborrados de la carrera séptima, los camaradas de La Perseverancia se iban a los cafés del centro para hablar de lo que acababan de oír. No todos podían permitírselo, desde luego, porque muchos comenzaban a trabajar con las primeras luces; a muchos otros, por lo demás, el interés político no les daba para tanto. Pero Carballo estaba siempre allí, caminando por las calles nocturnas donde ya mordía el frío, rodeado de hombres jóvenes como él, en cuya compañía se sentía invulnerable. La Policía no les hacía nada, porque en esos días los agentes eran casi todos liberales y muchos de ellos clandestinamente gaitanistas, pero a veces se cruzaban un par de palabras con un conservador altanero, y Carballo se creía capaz en esos momentos de un raro valor. Luego entraban a los cafés o a las chicherías como si se tomaran el lugar, y todos sabían sin decirlo que esa actitud no hubiera sido posible antes del caudillo: Gaitán les había regalado ese nuevo orgullo, y gracias a él sentían que la ciudad, esta ciudad para la cual habían trabajado durante generaciones, les pertenecía también a ellos. Allí, durante esas largas noches de cervezas y aguardiente en El Inca o en El Gato Negro o en el bar Cecilia o en el Colombia, parecía durante unas horas que fuera cierto, o parecían vivir en una ciudad paralela y fantasmagórica donde los dueños fueran todos. En esos momentos, César Carballo recibió una verdadera educación sentimental. Ahora que intento reconstruir aquellos días, no podría yo menospreciar lo que sucedía en esos aquelarres que sólo llamaré tertulias porque así los llamaban sus participantes.

Eran discusiones caóticas que podían acabar a las dos o tres de la mañana, a gritos y con mesas volcadas por borrachos torpes, y de las cuales nunca salían los que habían entrado. Por esos días, los gaitanistas empezaban a organizarse más y mejor: la ciudad se dividió en barrios y los barrios en zonas y las zonas en comités. Y a las tertulias de los cafés o las chicherías, que comenzaban con la gente del comité de La Perseverancia, se unían a medida que avanzaba la noche otros comités, venidos casi siempre de barrios vecinos pero a veces de algún lugar apartado: hombres de todas las edades para los cuales, igual que le sucedía a Carballo, el Viernes Cultural no se terminaba cuando el Jefe se apartaba de su micrófono y se marchaba en su carro fino del teatro Municipal. Pero a veces también llegaban bohemios perdidos, poetas o novelistas o caricaturistas, columnistas de *Jornada,* cronistas de las páginas judiciales que acababan de cubrir un hecho de sangre, fotógrafos que habían acompañado a esos cronistas y cuyos ojos cansados habían visto ya todo lo que había para ver en la maldad de los hombres. Y estaban, sobre todo, los estudiantes: los de la Nacional o los de la Libre o los burgueses rebeldes del Rosario que aparecían al filo de la medianoche, después de estudiar Derecho o Medicina en otros cafés, o de hablar en otras tertulias de Franco y de Mussolini, de Stalin y de Roosevelt, de Churchill y de Hitler, o de visitar burdeles en grupos para conseguir descuentos insultantes en lugares que ya eran de hambre.

Carballo sintió una inmediata simpatía hacia ellos, a pesar de que representaran todo lo que a él le había sido negado. Los veía llegar así, vociferantes y satisfechos, preñados de entusiasmos políticos y de confusas ganas de cambiar el mundo desde su mesa de café (que en esos instantes era del tamaño del universo conocido), agitando las manos como posesos e intercambiando libros entre botellas vaciadas. Eran en su mayoría liberales, porque los comités gaitanistas se cuidaban mucho de acercarse a los cafés donde predominaban los otros, pero también había flamantes comunistas que llegaban con cuadernillos de marxismo conseguidos a precios de saldo en las librerías de Bogotá, e incluso un pequeño grupo de tres o cuatro anarquistas melancólicos —todos vestidos de negro, todos con aspecto de gato callejero— que solía ocupar una mesa de esquina en La Gran Vía y quedarse allí durante horas enteras sin hablar con nadie. De esas tertulias salía Carballo con la cabeza hinchada de ideas y con documentos que le quemaban las manos, y luego anotaba, en los cuadernos de balances de la zapatería, los títulos que había logrado retener. Leyó con furia en esa época: libros prestados, libros robados, libros comprados en locales de segunda mano. Sentía por ellos una cierta reverencia supersticiosa: los libros habían salvado a Gaitán, y acaso también lo salvaran a él. A él, como a Gaitán, le había tocado en suerte una vida estrecha, de escasas posibilidades y mediocre fortuna. Los libros —esos libros que conocía y acababa leyendo en los cafés y las tertulias, gracias a estudiantes más afortunados— eran el túnel de escape.

En los años que siguieron, el gaitanismo se organizó con la presteza de una conjura. La Perseverancia debía mucho, acaso sin saberlo, al entusiasmo del hijo del zapatero; en su comité, César Carballo era el más activo de los miembros. Por las noches, después de que en su casa se hubiera dormido su madre y se hubieran terminado algunos trabajos atrasados, se iba a pegar carteles por el barrio y también por los barrios vecinos. Algunas veces entraba en altercados más o menos violentos con los dueños de casas que no querían carteles de Gaitán ni sobre sus muros ni sobre los postes de su calle. César aprendió a hacerse acompañar de los bandoleros más conocidos, los matones o los exconvictos, de manera que los reparos de la gente desaparecieron como por arte de magia. Las calles de La Perseverancia se cubrieron con carteles de papel amarillento que Carballo muchas veces redactaba, y que anunciaban el siguiente discurso del Municipal («Acuda usted con su familia», comandaban) o la visita del Jefe a algún barrio conservador (y la gente iba a acompañarlo, sólo para que los locales supieran que Gaitán nunca estaba desamparado). El comité recibió o se dio un sobrenombre sonoro, *Los Empolvados*, que salía de la suciedad con la cual bajaban sus miembros de la montaña a la ciudad, pero luego se enteraron de que fuera del barrio se los llamaba Rojos. Las reuniones se llevaban a cabo en casas distintas cada vez; los miembros se peleaban por el honor de recibir a los gaitanistas; en cocinas despojadas y frías donde olía a gas butano se pasaba un sombrero para que los asistentes dejaran caer una moneda en su fondo manchado de sudor. En esa época, el liberalismo estaba dividido: por un lado, Gabriel Turbay, un hijo de la clase política de siempre; por el otro, el Jefe. En una de las reuniones del comité, fue César Carballo quien tuvo la idea de recorrer la carrera séptima con escaleras de obra y bombas de fumigar repletas de ácido férrico, deteniéndose debajo de cada poste para rociar los lujosos pendones de tela del candidato Turbay. Al día siguiente amanecieron hechos jirones, y toda Bogotá lo vio. El éxito de la maniobra fue total. César Carballo no había cumplido los veintidós años, pero ya era uno de los hombres más respetados del comité. Se iba fortaleciendo en su barrio y el gaitanismo se iba fortaleciendo en Colombia. Al mismo tiempo, bajo el nuevo mandato del presidente Ospina, se iba recrudeciendo la violencia en el campo.

Apenas si podía darse crédito a los rumores. A Bogotá comenzaron a llegar noticias de los desmanes de la Policía conservadora, que acosaba y perseguía a los liberales y a sus familias como no se había visto desde la guerra de 1899. Un día se sabía del joven liberal que, en la plaza de Tunja, había sido descuartizado a machete por no responder las vivas al presidente, y otro día se sabía del grupo de policías de Guatavita que había llegado a una casa liberal a la mitad de la noche, ultimado a tiros a sus siete ocupantes y prendido fuego a los muebles. Un niño de ocho años logró escapar por la puerta de la cocina: le dieron alcance en una zanja de pastos crecidos, le cortaron la mano derecha de un machetazo y lo dejaron para que se desangrara, pero el niño sobrevivió y contó lo ocurrido. Parecidas víctimas de parecidas atrocidades contaban parecidas historias en todas las esquinas del país. Nada de esto molestaba demasiado al gobierno: eran casos aislados, decían sus voceros, la Policía no hacía sino responder a provocaciones. Pero los liberales de Bogotá, y en particular los seguidores de Gaitán, estaban preocupados. Carballo, en cuanto a él, se hubiera preocupado mucho más de no haber estado atravesando por entonces su propia incertidumbre. Un viernes de diciembre, a eso de las tres de la tarde, estaba cerrando la zapatería para bajar al Municipal cuando se dio cuenta de que alguien lo esperaba. Era Amalita Ricaurte, la hija de don Hernán: un mecánico respetado y querido por todos, que llevaba en el brazo derecho la cicatriz honorable de un machetazo conservador y en cuyo taller, un garaje a espaldas del antiguo Panóptico, se habían celebrado ya cuatro reuniones del comité. Amalita saludó a Carballo sin acercarse, como un animal temeroso, y comenzó a caminar a su lado sin preguntarle ni siquiera para dónde iba. Lo acompañó sin hablar durante tres cuadras, y fue sólo al llegar a la séptima con 26 cuando le dijo, con un hilo de voz y mirando al suelo, que estaba embarazada.

Era el resultado de un encuentro fortuito, una trampa de la sangre, pero se convirtió a partir de ese instante en una realidad permanente. Amalita era una mujer pequeña y delgada, de ojos muy grandes y pelo muy negro, que tenía tres años más que Carballo y había comenzado a sentir ya que se le iba el tren. Solía ir a los discursos de los Viernes Culturales, menos por entusiasmo hacia las palabras de Gaitán que por cumplir con el mandato paterno, y así debió de acercarse a Carballo, poco a poco, en los entresijos del activismo político que su padre compartía con este jovencito de voz recia que ya se había echado sobre los hombros el bienestar de una familia entera. Años después, contándole el episodio a su único hijo, Amalita hablaría sin pudor de amor a primera vista, disfrazando aquel encuentro clandestino y fugaz con palabras grandes como *inevitable* o *destino,* de manera que no es posible saber en realidad cómo ocurrieron las cosas: sólo es posible saber cómo quiso recordarlas la única mujer que las podía contar. Sea como fuere, a comienzos de 1947 ya Amalita estaba viviendo en la pieza de César Carballo, vomitando en las mañanas en el baño de los Carballo y encontrándose en la cocina con la madre de Carballo, que le preparaba una changua inmunda mientras la miraba con cara de pocos amigos, y que ya había comenzado a acusarla de robarle a su hijo, invadir su familia y querer apoderarse del negocio de su marido muerto. Hubo un matrimonio apresurado pero feliz en una iglesia del centro y una celebración con aguardiente y empanadas. Esa noche, con una copa vacía en la mano, don Hernán Ricaurte abrazó a su flamante yerno y le dijo:

«Este nieto va a nacer en un país mejor. Usté y yo vamos a meterle el hombro a esta vaina y mi nieto va a nacer en un país mejor».

Y Amalita, viendo a su marido asentir medio borracho, se dio cuenta de que también ella lo creía.

Los meses de su embarazo estuvieron marcados por las reuniones del comité de La Perseverancia, que se convirtió en el más fiel de los de la zona, y por la organización de manifestaciones y discursos en Bogotá y en los alrededores. La dedicación de su padre y su marido no era menor que la del resto de los miembros. Cuando el Jefe comenzó a hablar de la gran marcha de antorchas, un espectáculo que les parara el corazón a los más escépticos, nadie se sorprendió de que el comité de La Perseverancia recibiera el encargo o el desafío de organizarla. Amalita tenía entonces seis o siete meses de embarazo. Así, sufriendo sin ayuda de nadie los rigores de llevar a una criatura en su vientre cansado, vio a su marido ponerse a la cabeza de la recaudación de fondos, ir casa por casa pidiendo monedas y encargándose de pasar el sombrero en las reuniones del comité, y luego recorriendo el barrio para lograr que la gente se comprometiera con la fabricación de las antorchas. César visitó los talleres del barrio para conseguir estopa barata; visitó patios de ropas y salió de cada uno de ellos con un mango de escoba o de trapero. Los carpinteros donaron patas de sillas rotas y los mecánicos, combustibles recién comprados. Carballo consiguió aceite en los ferrocarriles y donó puntillas de su propia zapatería, y los gamines le traían tapas de las basuras que le servían para pegar la estopa a la madera. En teoría, cada comité debía aportar un determinado número de antorchas, que luego se vendían a dos pesos para financiar el movimiento. El de César Carballo no fue sólo el que más antorchas aportó, sino que fabricó suficientes para que ningún gaitanista tuviera que pelearse con otro por un pedazo de fuego. Don Hernán Ricaurte les dio una satisfacción de las grandes cuando abrazó a su yerno en público y declaró una banalidad que era también una medalla: «Nos salió bueno el muchacho». Mientras tanto, ni Amalita ni su padre ni su marido se preguntaban realmente por qué marcharían los gaitanistas. El Jefe lo había pedido, y eso era suficiente.

Nunca se había visto nada parecido en Bogotá. Aquella noche de julio, el barrio entero bajó de la colina hasta San Agustín, donde se encontró con las otras antorchas venidas de otros barrios: de San Victorino y de Las Cruces, de La Concordia y de San Diego. A las tres de la tarde, no cabía un alma en la plaza. El cielo estaba nublado pero no llovía, y alguien dijo que eso se debía sin duda a que Dios era gaitanista. La marcha comenzó a andar con paso lento, tanto por su propia solemnidad aterradora como por la cantidad de hombres y mujeres que no hubieran podido moverse más rápido sin tropezar los unos con los otros. A medida que la tarde iba cayendo, las teas se encendían aquí y allá, y César Carballo hablaría después del calor que empezó a sentirse de repente en el interior de aquella bestia. Tomaron la carrera séptima en dirección a Palacio cuando el cielo se había puesto púrpura y a los cerros orientales se los tragaba la oscuridad. Cuando la noche llegó, fue como si las luces de la ciudad entera se hubieran apagado de timidez. Era, tal como había pedido Gaitán, un río de fuego. Carballo, metido entre su gente, marchando hombro con hombro junto a otros gaitanistas, sudaba de calor y los ojos le ardían por el humo de las teas, pero por nada hubiera abandonado ese lugar de privilegio. Las caras de sus camaradas eran amarillas y luminosas y fuera de la marcha Bogotá era oscura y el horizonte se confundía con el cielo, y las siluetas se asomaban a las ventanas entre la admiración y el espanto, sin siquiera encender las luces de sus salones o sus oficinas, como si les diera un poco de vergüenza existir y no estar aquí, existir y no marchar con la marcha, existir y no ser parte del pueblo capaz de producir este milagro. César oyó el discurso de Gaitán al final de la marcha, pero no entendió gran cosa, porque la emoción de las últimas horas había hecho del entendimiento algo prescindible o acaso superfluo. Llegó a su casa con la ropa oliendo a humo y la cara tiznada, pero feliz, feliz como Amalita nunca lo había visto y nunca lo vería después.

El país amaneció cambiado. Los liberales de clase alta se unieron a los comunistas para tildar la marcha del Jefe de ejercicio fascista; no supieron nunca que él, en sus reuniones privadas, les hubiera dado la razón. Había visto la entrada de Mussolini en Roma y se había inspirado en ella, y la inspiración le había dado resultado: ahora le temían, todos le temían, todos habían visto lo que podía despertar en sus seguidores, y todos se preguntaron qué sería capaz de hacer aquel hombre si se le abrían las puertas del poder. Luego le llegó a Carballo el rumor de que Gaitán, en su oficina, había felicitado a sus lugartenientes: «Muy bien, mis pequeños fascistas. ¿A quién hay que darle las gracias por esto?» Y alguien había mencionado a Carballo. El rumor no consistía en nada más: alguien lo había mencionado. Para Carballo, nada tan importante había sucedido en su corta vida. A Amalita le decía: «Lo hicimos nosotros. Esto lo hicimos nosotros». Y acercaba la cara al vientre de su mujer y le decía lo mismo a la criatura que crecía detrás del ombligo prominente: «Nosotros fuimos, lo hicimos para el Jefe y el Jefe supo». Ese recuerdo, el de su joven marido hablándole a su vientre con la cara iluminada como si tuviera delante una tea encendida, la acompañaría toda la vida, pues veinticinco días después, cuando nació el niño, no les costó ningún trabajo llamarlo Carlos Eliécer: Carlos por el abuelo paterno de Amalita, que murió en la batalla de Peralonso combatiendo a las órdenes del general Herrera, y Eliécer por el hombre que le había dado a su padre una misión sobre la faz de la tierra.

Eran días de horror. Lo que antes eran los desmanes de una Policía conservadora salida de madre se había convertido ahora en el temible espectáculo de todos los días: las gargantas abiertas a golpe de machete, las mujeres violadas, las zanjas abiertas en mitad del campo para enterrar cuerpos sin nombre. En la radio, el obispo de Santa Rosa de Osos exhortaba a los campesinos a ser soldados de Dios y combatir el ateísmo liberal, y a los demás obispos les ordenaba defenestrar a los rojos apóstatas. Y la violencia ya estaba en la ciudad, tímida, trapacera, asomándose en las esquinas, saliendo de vez en cuando para mostrar su cara peligrosa. A partir de la proclamación de Gaitán como jefe único del Partido Liberal, los liberales, en lugar de festejar, comenzaron a tener miedo. A un embolador, un viejo que había trabajado en la misma puerta del mismo café desde que era niño, le cortaron la corbata roja con unas tijeras de modistería y luego le pusieron las tijeras en el cuello, esperando a que se quejara. A una muchacha vestida de rojo la persiguieron durante cuadras, insultándola primero y tocándola después, hasta que un agente se dio cuenta de lo que ocurría, y sólo sacando la pistola y dando tres tiros al aire consiguió que los acosadores se dispersaran. En la carretera del Norte comenzaron a aparecer cuerpos con tiros de gracia: eran liberales que huían de Boyacá y que no habían alcanzado a llegar. El inventario de muertos no paraba. El maquinista de la línea Bogotá-Tunja salió un domingo a las doce del día y fue asesinado a cuchilladas por no estar en misa, y en los pueblos de Santander se supo de curas que iban vestidos de civil señalando con el dedo a los enemigos de Dios, cuyos cuerpos (a veces sin cabeza) aparecían en los días siguientes bajo los árboles de la plaza. El terror estaba en las cartas que los liberales le escribían a Gaitán, pero no en los periódicos: para el gobierno del presidente Ospina, aquéllos eran muertos invisibles. Los gaitanistas esperaban una señal de su líder para saber qué hacer; a comienzos de 1948, Gaitán la dio. Hizo lo que mejor sabía hacer: organizar una multitud y hablar delante de ella. Pero esta vez no fue como las otras.

Después se hablaría de ese 7 de febrero con el tono de las leyendas. Hay que imaginar la escena: la plaza de Bolívar, bajo el cielo gris de la ciudad, se había llenado con más de cien mil personas, pero se podía oír el taconeo de los que llegaban de atrás, la tos de un viejo, el llanto de un niño cansado del otro lado del espacio abierto. Cien mil personas: la quinta parte de la ciudad entera estaba allí, acudiendo al llamado de su líder. Pero la multitud no gritaba su apoyo ni sus vivas ni sus mueras ni encendía antorchas ni levantaba manos cerradas, porque el Jefe les había pedido una sola cosa: silencio. Los suyos eran asesinados como bestias en todo el país, había dicho, pero no responderían a la violencia con violencia. Darían una lección, sí: marcharían en silencio, y su silencio pacífico sería más fuerte y más elocuente que la furia del pueblo amotinado. Sus amigos le habían dicho que era imposible, que no se podía callar a miles de indignados deseosos de gritar su ira, que las muchedumbres no se pueden controlar así. Gaitán, sin embargo, dio la orden; y cuando llegó el momento, esa muchedumbre incontrolable, hecha de gente humilde y colérica y nerviosa, obedeció como si se tratara de un solo cuerpo hechizado. Eso fue lo que oyó César Carballo, que se había acomodado, con los compañeros de La Perseverancia, en los escalones de piedra de la Catedral. Desde ahí, una o dos cabezas por encima del resto de la multitud, veía la tarima donde el Jefe se disponía a lanzar el discurso de su vida. Una viejita de alpargatas, que descansaba de cargar un atado de leños, lo puso en palabras que otros hubieran firmado: «El doctor tiene pactos con el diablo».

Entonces Gaitán subió a la tarima. En medio de aquel silencio sobrenatural, que le permitía a Carballo oír el roce de sus ropas contra las ropas de los otros, Gaitán se dirigió al presidente de la República para pedirle que cesara la violencia, pero no lo hizo con los efectismos de otros días, sino calladamente, con solemnidad pero también con sencillez, como si hablara en el velorio de un amigo. La gente que hoy lo acompañaba, dijo, venía de todas partes de Colombia con la intención única de defender sus derechos, y su presencia aquí era testimonio de su disciplina. «Dos horas hace que ellos desembocan en esta plaza y no hay sin embargo un solo grito», dijo, «pero como en las tempestades violentas, la fuerza subterránea es mucho más poderosa». También dijo: «Aquí no hay aplausos, sino millares de banderas negras que se agitan». También dijo: «Si esta manifestación sucede es porque hay algo grave, y no por triviales razones». Y entonces, con el mismo tono sosegado con que había hablado hasta entonces, dijo algo que César Carballo tardó un breve instante en comprender, pero que enseguida le heló la sangre.

«Aquí están las grandes mayorías obedeciendo una consigna», dijo Gaitán. «Pero estas masas que así se reprimen también obedecerían la voz de mando que les dijera: Ejerced la legítima defensa».

César Carballo miró a su alrededor, pero nadie parecía extrañado: ni sus camaradas de barrio, ni un grupo de hombres de camisa cerrada aunque no llevaran corbata, ni el otro grupo que lo flanqueaba, donde Carballo reconoció a un fotógrafo de bigote delgado que había visto en otras manifestaciones o tal vez en las tertulias de los viernes. *La legítima defensa:* ¿lo había entendido bien? ¿Estaba Gaitán lanzando una amenaza? ¿Era todo esto una demostración de fuerza, dirigida a la mitad del país para que supieran de lo que era capaz este hombre? «Señor presidente», continuaba el Jefe, «esta enlutada muchedumbre, estas banderas negras, este silencio de masas, este grito mudo de corazones, os pide una cosa muy sencilla: que nos tratéis a nosotros, a nuestras madres, a nuestras esposas, a nuestros hijos y a nuestros bienes, como querríais que os tratasen a vos, a vuestra madre, a vuestra esposa, a vuestros hijos, a vuestros bienes». Y la gente que agitaba sus banderas negras o miraba al suelo empedrado parecía oír lo que decía Gaitán igual que lo oía Carballo, y sin embargo nadie fruncía el ceño, nadie miraba a nadie para saber si era verdad lo que estaban oyendo, porque nadie parecía entender lo mismo que Carballo entendía: que Gaitán acababa de convertirse, por virtud de unas pocas frases de volcán dormido, en el hombre más peligroso de Colombia. Sólo una persona se hizo eco de su preocupación secreta, sólo una puso en palabras lo que él estaba pensando tras terminar el discurso. El pueblo seguía en silencio, porque ésa era la orden del Jefe, y en silencio abandonó la plaza de Bolívar por sus cuatro esquinas; pero al pasar frente a la Casa del Florero, justo cuando dejaron de estar bajo el balcón y fue como si un tabú se levantara, un individuo más alto que Carballo, de barba cerrada y negra, soltó una observación que parecía casual en un acento que no era colombiano:

«Este hombre acaba de firmar su sentencia de muerte».

La idea obsesionó a Carballo a partir de entonces. Los comités de barrio habían dejado de reunirse, pero él consiguió que su suegro, don Hernán Ricaurte, convenciera a algunos camaradas de La Perseverancia, y al cabo de unos días fueron varios militantes los que lo acompañaron en el empeño absurdo de pedirle a Gaitán que se cuidara. Pero no lo hicieron de viva voz: conseguir una cita con el Jefe, en aquel mes de marzo, era una tarea imposible. Se acercaba la IX Conferencia Panamericana, que reuniría en Bogotá a los líderes de todo el continente, y Gaitán estaba demasiado ocupado como para lidiar con las alucinaciones de sus fieles: tenía las manos llenas con la afrenta del presidente, que lo había excluido de la delegación colombiana. ¡A él, jefe único del Partido Liberal! Los gaitanistas estaban indignados. El argumento inverosímil del gobierno era que Gaitán, siendo un brillante penalista, no era experto en Derecho Internacional; pero el país entero sabía que la verdad, muy distinta, era que el presidente se había plegado a las exigencias de Laureano Gómez, líder del Partido Conservador, que había amenazado con retirarse de la conferencia si el indio Gaitán era incluido. Laureano Gómez era el hombre que, durante los largos años en que los liberales habían estado en el poder, había sugerido a los conservadores *la acción intrépida y el atentado personal* como manera de recuperar el país perdido. Era un simpatizante de Franco que había deseado pública y expresamente la derrota de los Aliados. Era el enemigo, y el enemigo —esto era claro para Carballo y para los *empolvados* de La Perseverancia— había ganado esta batalla. Gaitán, sin embargo, no tenía miedo. Cuando lograron hacerle llegar la propuesta de formar para él un grupo de guardaespaldas, el Jefe respondió con lógica implacable que a él nadie podía matarlo, porque su asesino tenía que saber que sería de inmediato asesinado. «Ése es mi seguro de vida», decía Gaitán. ¿Y si al asesino no le importaba la muerte?, le decían. ¿Y si el asesino, como ocurrió en el caso de Gandhi, ha aceptado morir? El Jefe no hacía caso. «A mí no me pasan esas cosas», decía. Carballo nunca llegó a oír estas palabras. Se las refería su suegro, y con la palabra de su suegro le bastaba.

A pesar de las recomendaciones, Gaitán siguió haciendo la vida de siempre. Iba a trotar al parque Nacional en las mañanas, antes de llegar a la oficina, y lo hacía sin compañía ninguna: se quitaba el saco y se aflojaba la corbata, y daba una o dos vueltas al parque sin que nadie se explicara por qué no sudaba como la gente normal. Por las noches salía solo y sin avisar, para visitar a un amigo o para dar una vuelta en el Buick y pensar en asuntos que nunca revelaba a nadie, y volvía tarde a su casa. Carballo lo sabía —sabía que Gaitán iba a trotar solo al parque Nacional y que daba aquellas excursiones nocturnas— porque muchas veces lo acompañó sin que él lo supiera, siguiéndolo desde lejos, mirándolo como lo hubiera mirado su asesino. Así es: los *empolvados* habían decidido tomar turnos para servirle al Jefe de guardaespaldas clandestinos. Una mañana, Carballo lo siguió hasta el parque Nacional, y allí lo vio dejar el Buick frente al reloj y comenzar a trotar por el camino de abajo; por el de arriba, siguiéndolo de lejos, trotando al ritmo del Jefe, iba Carballo. Pero era difícil mantener al mismo tiempo la atención en la figura delgada de Gaitán y en las piedras del tamaño de un puño, en los baches con los que un desprevenido podía romperse un tobillo. Al bajar la colina, ya terminando el recorrido, Gaitán aceleró. Carballo tuvo que cambiar de dirección bruscamente para no perderlo de vista, y al hacerlo pateó una piedra que cayó unos pasos delante de Gaitán. Carballo, desde detrás de un eucalipto, lo vio detenerse y mirar a todas partes, y descubrió por primera vez algo parecido al miedo en su cara. Supo que en ese instante fugaz, Gaitán consideró la posibilidad de que lo estuvieran apedreando y de que lo siguiente sería una emboscada o un ataque: una *acción intrépida*, un *atentado personal*. Carballo no tuvo más opción que salir de su escondite. En el rostro de Gaitán, el alivio cedió el paso a la irritación.

«¿Y esta vaina qué es?», gritó. «¿Y usted qué hace ahí metido?»

«Yo aquí siguiéndole el ejemplo, jefecito», dijo Carballo.

«No sea bobo, Carballo», le dijo Gaitán, furioso. «Qué ejemplo ni qué nada. Vaya más bien a conseguir votos en lugar de estar fregando la vida».

Se subió a su Buick y arrancó hacia el sur. Carballo estaba contento, porque se había dado cuenta de que el Jefe conocía o recordaba su nombre, pero al mismo tiempo una revelación apareció en su mente: *También él cree que lo quieren matar. También el Jefe ha comenzado a sospechar que alguien lo acecha.*

No tenía pruebas, por supuesto. Pero cuando habló de sus inquietudes con los compañeros de La Perseverancia, descubrió que muchos habían comenzado a pensar con frecuencia en la posibilidad de que el Jefe sufriera un atentado, y que uno de ellos había llegado incluso a recibir una nota en mal español: *Dígalen a Gaitán que se cuide*. No estaban solos en sus aprensiones: un aire de paranoia se había comenzado a respirar en Bogotá. Era cierto que la Conferencia Panamericana los tenía a todos nerviosos: la Policía había recorrido barrio por barrio recogiendo y encerrando a las putas y a los pordioseros, limpiando la ciudad para que los delegados internacionales la encontraran pulcra y digna, con el único resultado de que los habitantes de esos barrios la encontraban espectral y tensa: un lugar en las fronteras de un toque de queda. Todo estaba cambiando. El Panóptico, la prisión que primero había sido un convento, había sido transformada en museo, como si se quisiera decir que en esta ciudad ya no había maleantes, sólo artistas y filósofos. Pero fuera de la ciudad pacificada, la guerra seguía viva.

Sus noticias llegaban por conductos irregulares. Se comentaba que la Policía boyacense estaba poniendo bombas en las puertas de las casas liberales, y que a un liberal de Duitama lo habían llevado a un despeñadero cercano para arrojarlo al vacío. Voces fantasiosas decían que a Bogotá habían llegado los peronistas de Argentina para ayudar en el derrocamiento del gobierno; otros decían que quienes habían llegado eran los yanquis, que pululaban por la ciudad disfrazados de negociantes o de periodistas, y que en realidad eran agentes de inteligencia entrenados para combatir la amenaza del comunismo. De todo esto se hablaba en los cafés. En los debates y en las conferencias estaban César Carballo y don Hernán Ricaurte, que ya parecían más padre e hijo que suegro y yerno. Es lícito pensar que cada uno de ellos encontraba en el otro lo que le faltaba, pues por esos días se volvieron inseparables: estuvieron juntos en el café Asturias cuando un grupo de estudiantes de izquierda, venidos de la Universidad Libre, denunció la Conferencia Panamericana como una manera velada de imponer un Plan Marshall en Colombia; estuvieron juntos en el café San Moritz cuando otro grupo de estudiantes, venidos de la Universidad de La Salle, denunció la presencia en Bogotá de *agents provocateurs* al servicio del socialismo internacional. Menos raro es que hayan estado juntos también la noche del 8 de abril, cuando Jorge Eliécer Gaitán defendió al teniente Cortés, el hombre que había matado por el honor del Ejército. A eso de la una de la madrugada, cuando Gaitán recibió el veredicto de inocencia y salió en hombros de una muchedumbre variopinta en que se mezclaban los militares y los revolucionarios, César Carballo y don Hernán Ricaurte gritaron sus vivas y aplaudieron hasta que les dolieron las manos, y luego se fueron caminando hasta La Perseverancia. Se despidieron sin solemnidades. Era una noche victoriosa, sí, pero era también una noche cualquiera. No tenían cómo imaginar que el día siguiente les cambiaría la vida.

Según contaría después don Hernán Ricaurte, único testigo de los hechos de ese día o de su secuencia, la mañana se le había ido trabajando en un Studebaker color palo de rosa, y poco antes del mediodía bajó a la carrera séptima para buscar con quién almorzar. Caminó hacia el sur por una avenida gozosa o alborozada, cuyos postes se adornaban con las banderas de la Conferencia y cuyas aceras eran las más limpias del mundo. El cielo se estaba nublando: en la tarde llovería. A la altura del hotel Granada, Hernán Ricaurte decidió cruzar el parque Santander hacia la avenida Jiménez: leería las noticias en el tablero de tiza de *El Espectador,* se indignaría por lo que no decían tanto como por lo que decían y luego buscaría una mesa de gaitanistas, almorzaría sin afanes (era viernes) y volvería al taller. Pero no tuvo ni siquiera que encontrar a los camaradas: los camaradas lo encontraron a él. Salían de una ferretería de la avenida Jiménez, muertos de risa como una pandilla de adolescentes; se saludaron sin dejar de caminar, y la costumbre de otros días dirigió sus pasos hacia el café El Inca, cuyo balcón privilegiado se abría a la carrera séptima.

Don Hernán Ricaurte no sabía que un poeta había bautizado para siempre ese lugar como la mejor esquina del mundo, pero hubiera estado de acuerdo. La vista le gustaba: le gustaba ver la iglesia de San Francisco, su esquina de piedra oscura, y el Palacio de la Gobernación recién lavado para los extranjeros; le gustaba, sobre todo, ver el edificio Agustín Nieto, donde el Jefe tenía su oficina de abogado. Alguna noche, cuando Gaitán salía tarde de la oficina, los camaradas de La Perseverancia se habían apostado allí para seguirlo con la mirada, para acompañarlo hasta el lugar del parque Santander donde él solía dejar su carro. Don Hernán Ricaurte, que conocía las rutinas de Gaitán como si fueran suyas, pensó que el Jefe estaría a punto de salir a almorzar, quién sabe con qué acompañantes. Después recordaría haber consultado la hora en ese momento: era la una menos cinco de la tarde. Recordaría también la ubicación precisa de sus compañeros de almuerzo: en la mesa cuadrangular, Gonzalo Castro y Jorge Antonio Higuera se sentaron de espaldas a la ventana; de frente quedaron él y César Carballo —el suegro y el yerno que parecían un padre y un hijo—, tan cerca del balcón que los tranvías parecían pasar bajo sus pies. No recordaría, en cambio, qué conversaciones llenaron los minutos distraídos que transcurrieron hasta que Carballo, mirando hacia la calle, dijo tranquilamente: «Miren, ahí sale el Jefe...» Pero no terminó la frase. Ricaurte lo vio abrir los ojos y ponerse de pie, y en el recuerdo que guardaría siempre, en la escena que se le aparecería en sueños el resto de la vida, Carballo alargaba una mano, como para agarrar algo, en el momento en que sonaba la primera detonación.

Ricaurte oyó dos tiros más y alcanzó a ver al hombre de la pistola disparar el cuarto. Le pareció que los disparos habían sonado como fulminantes, como los fulminantes que los gamines ponían en los rieles del tranvía para hacerlos estallar; pero no eran fulminantes, porque el Jefe había caído en la acera y la gente gritaba. «¡Mataron a Gaitán!», chilló alguien abajo. Una mesera de El Gato Negro había salido a la calle y lanzaba aullidos y se llevaba las manos a la cabeza y luego se las limpiaba con el delantal: «¡Mataron a Gaitancito! ¡Lo mataron!» Los cuatro de la mesa habían bajado a trompicones, abriéndose paso con la fuerza del desespero entre la multitud aterrorizada, y ya abajo, sobre la séptima, Ricaurte vio a un policía capturar al hombre que había hecho los disparos, y que trataba de huir hacia la Jiménez, caminando torpemente de para atrás. Desde lejos lo escrutó —mal trajeado, mal afeitado, una mezcla de furia y de miedo en el rostro— y también se dio cuenta de que ya la multitud iracunda comenzaba a rodearlo. Al Jefe, en cambio, lo rodeaban los amigos: Ricaurte reconoció al doctor Cruz y al doctor Mendoza, que pedían aire para el herido, mientras la misma mesera de El Gato Negro se agachaba junto al cuerpo y trataba de hacerle beber un vaso de agua. La gente, movida por un impulso incontrolable, se acercaba a Gaitán para tocarlo, y entre ellos llegó a estar Carballo: Ricaurte lo vio agacharse junto al cuerpo caído y ponerle a Gaitán una mano en el hombro. Fue un movimiento fugaz, lleno de intimidad pero también de timidez, al cual Gaitán respondió con un gorjeo de pajarito. Está vivo, pensó Ricaurte; pensó, también, que el Jefe sobreviviría. Le dio la vuelta al corrillo y llegó junto a su yerno, que tenía la mirada deformada por el odio pero que a la vez era dueño de una suerte de pavorosa razón. Abrió la mano y le mostró a Ricaurte lo que había encontrado al agacharse junto a Gaitán: era una bala. «Guárdesela bien», le dijo Ricaurte, «échesela al bolsillo y no la pierda». Y entonces lo oyó decir la primera de muchas frases raras que le oiría ese día: «Hay que encontrar al otro».

«¿Al otro qué?», dijo Ricaurte. «¿Eran dos?»

«El otro no disparó», dijo Carballo sin mirarlo a los ojos, buscando algo más allá. «Era más alto, tenía un vestido elegante y una gabardina en el brazo. Fue el que avisó, don Hernán, yo lo vi desde arriba. Hay que encontrarlo».

Pero el momento se había llenado de una inercia fatal. La gente se había volcado a la carrera séptima desde El Gato Negro y el Colombia y El Inca y el Asturias, y los tranvías se habían quedado parados en sus rieles y los curiosos, atraídos por los gritos, comenzaban a desembocar en el lugar desde las calles adyacentes, y en un momento eran tantos que nadie supo cómo habían hecho dos taxis para abrirse camino. En uno de ellos, negro y reluciente, subieron a Gaitán: en medio de la confusión, de las órdenes y contraórdenes y taconeos que iban y venían y pequeñas o grandes histerias, Ricaurte vio que Jorge Antonio Higuera estaba entre los que levantaron el cuerpo, pero luego ya no lo vio más. «A la clínica Central», gritaban algunos. Otros gritaban: «Que llamen al doctor Trías». Los taxis arrancaron hacia el sur; en el trance del momento, varios de los presentes se agacharon para mojar sus pañuelos en la sangre de Gaitán. Ricaurte los imitó sin pensar: se acercó al lugar donde había caído el Jefe y le sorprendió el tamaño del charco, negro sobre el pavimento, la sangre negra y brillante a pesar de que no hacía sol. Un estudiante mojó una página de *El Tiempo* y la mesera mojó la punta de su delantal impecable. «Mataron al doctorcito», decía, y una compañera que ya había comenzado a llorar le decía que no, que no lo habían matado, que el doctor era fuerte.

«Tranquila, comadre», sollozaba. «Va a ver cómo el doctor se repone».

Mientras tanto, un ajetreo ocurría frente a la droguería Granada. El asesino se había resguardado allí, y ahora una muchedumbre enfurecida intentaba entrar en la droguería y sacarlo por la fuerza. Eran decenas de hombres que violentaban como pudieran las persianas metálicas: los emboladores lo intentaban a golpes sonoros de sus cajones de madera, mientras dos cargadores levantaban con furia sus zorras de hierro y las usaban como arietes. El resto se aferraba a la persiana como para arrancarla de cuajo. «¡Saquen al miserable!», bramó alguien, «¡que pague, que pague por lo que hizo!» La multitud se dejaba azuzar; Ricaurte pensó que aquel hombre, el que le había disparado a Gaitán, tenía los minutos contados si caía en manos de la masa iracunda. Y entonces, justo cuando la turba empezaba a tener éxito, vio que César Carballo era uno de ellos, pero que tenía una expresión absorta, como si algo más llamara su atención. «¡Ahí sale, ahí sale!», gritó alguien desde atrás, y alguien más gritó: «¡Que lo maten!» Entonces, con un escándalo de metales y de vidrios rotos, entre gritos de pavor, el atacante de Gaitán salió por la puerta de la droguería Granada, arrastrado por varios, arrancado a su refugio. «¡No me maten!», pedía, y a Ricaurte le pareció que había comenzado a llorar. Más de cerca, le pareció menos hombre que antes: ¿veintitrés, veinticuatro años? Su figura inspiraba odio y lástima al mismo tiempo (el traje carmelito manchado de aceite o de algo que parecía aceite, el pelo descuidado y sucio), pero había tratado de matar al Jefe, pensó Ricaurte, y merecía la venganza del pueblo. Un monstruo de violencia le llenó el pecho; dio un par de pasos hacia el hombrecito arrastrado, pero en ese momento vio a su yerno, que intentaba hacerse oír en medio de la ira: «¡No lo maten! ¡Éste nos sirve vivo!», decía. Pero era demasiado tarde: una zorra de hierro le había caído en la cabeza al tirador, y los emboladores lo golpeaban con sus cajones y el aire retumbaba con el sonido de los huesos al quebrarse, y alguien sacó una estilográfica y lo apuñaló varias veces en el cuello y en la cara. El tirador había dejado de quejarse: o bien estaba muerto ya, o bien había perdido la conciencia por los impactos o el miedo. Alguien propuso que lo metieran debajo del tranvía, y por un instante pareció que iban a hacerlo. Alguien más dijo: «¡A Palacio!» Y la consigna prendió en la turba enloquecida, que empezó a arrastrar el cuerpo del tirador hacia el sur. Ricaurte pensó en Gaitán, que a estas horas debía de estar luchando por su vida en una camilla, y se acercó a Carballo.

«Venga, mijo, usted no se meta en eso», le dijo, tomándolo del brazo. «Nosotros tenemos que estar es con el Jefe».

Pero Carballo se resistió. Tenía la atención en otra parte, como si estuviera borracho. «¿No lo vio, don Hernán?», decía. «Ahí estaba, ¿no lo vio?»

«¿A quién, mijo?»

«Al del vestido fino», decía Carballo. «Al tipo elegante».

A los que llevaban el cuerpo linchado del tirador les había salido una estela inesperada, y ya la séptima se llenaba de una ola furiosa que arrastraba a los que encontraba a su paso. Ricaurte hubiera podido escabullirse por el Pasaje Santafé y doblar por la carrera sexta para dirigirse a la clínica Central, pero en la mirada de su yerno había aparecido una suerte de convicción inédita, y le fue imposible no caminar con él: a Palacio, a llevar el cuerpo del atacante a Palacio, a dejarle el cuerpo al presidente para que supiera cómo reaccionaban los liberales. A lo lejos se oían ya los primeros disparos: ¿pero de quién, contra quién? «Mataron al Jefe», iba diciendo Carballo, y era la primera vez que Ricaurte le oía pronunciar las palabras. «No, no lo mataron, el Jefe es fuerte», le contestaba Ricaurte, aunque ni él mismo se lo creía: había visto de cerca las heridas, la sangre que le salía al Jefe por la boca y su mirada blanca y perdida, y sabía que de esas profundidades no se escapa nadie. Pero entonces Carballo dijo:

«Tenía un vestido elegante».

Y enseguida: «Todo esto ya pasó».

Ricaurte no entendió a qué se refería, pero César no dijo nada más, de manera que no insistió ni cuestionó ni pidió a su yerno que repitiera lo dicho. Iban avanzando en dirección a la plaza de Bolívar, en medio de una masa creciente y a unos treinta metros del cuerpo del tirador; veían las caras espantadas de la gente en las aceras, y desde esa distancia alcanzaban a ver también que algunos bajaban de la acera a la calzada para patear el cuerpo inerte, para dejarle caer un escupitajo, para gritarle una obscenidad. Al llegar a la calle 11, de la acera oriental bajó un alud de ruido y de furia. Lo encabezaba un hombre de sombrero de jipa que blandía un machete y anunciaba, entre hipos de llanto histérico y promesas de venganza, que Gaitán, el Jefe, acababa de morir.

«¡A Palacio!», gritaban los que lo seguían, uniéndose al grupo que arrastraba el cuerpo del tirador. Don Hernán Ricaurte se sentía montado en un tren enloquecido. Ahora el tren del horror se metía a la plaza de Bolívar, dirigiéndose al Capitolio donde estaban reunidos, a esta hora luctuosa, los líderes de la Conferencia Panamericana. Pero enseguida trazó un círculo y volvió a la carrera séptima, como si hubiera recordado de repente que su verdadero objetivo no era llevar a las escalinatas el cuerpo muerto de un asesino —porque ya para este momento el tirador era un asesino—, sino entrar en Palacio: entrar en Palacio y cobrar venganza, entrar en Palacio y hacerle al presidente Ospina lo mismo que le habían hecho al asesino de Jorge Eliécer Gaitán. Ricaurte se dio cuenta de que al girar en la plaza de Bolívar, el cuerpo del asesino había perdido el saco y la camisa como una serpiente cambiando de piel. Los que lo habían linchado recogían sus ropas: un hombre se había hecho un atado con la camisa y el saco, y después, al llegar a la calle novena, otro le había quitado el pantalón, de manera que el cuerpo que llegó a la calle octava llevaba tan sólo un calzoncillo rasgado por el roce con el pavimento. Desde la distancia, Ricaurte y Carballo miraban la escena con horror: los de adelante trataban de levantar al asesino y de usar sus propias prendas caídas para atarlo a la reja del Palacio, como un crucificado. Pero no tuvieron tiempo de sentir lástima, porque en ese momento salió de la puerta de Palacio una ráfaga de disparos, y la masa iracunda tuvo que huir de vuelta, dar un coletazo y volver a refugiarse o reagruparse en la plaza de Bolívar. Empezó a caer una llovizna tímida. La plaza se seguía llenando de gente armada; Bogotá se convertía minuto a minuto en una ciudad en guerra.

Hacia el sur, ya las llamas comenzaban a estallar en los comercios, y alguien había llegado a decir que el Palacio de San Carlos estaba ardiendo, y en la radio anunciaban que ya habían quemado *El Siglo*. Hombres listos para la pelea se unían a la masa desde todos los rincones: habían saqueado ferreterías y cuarteles, según se supo después, y llegaban con machetes y tubos pero también con fusiles Máuser y escopetas de gases lacrimógenos para unirse a la revolución. Entonces empezó a correr el rumor de que el batallón de Palacio había salido a recuperar la séptima, y en minutos se estaba armando una barricada entre las calles novena y décima, a la altura de las placas que conmemoran la muerte del general Uribe Uribe. Se sacaban sillas y escritorios y pequeños armarios del Capitolio, cuyos inquilinos habían escapado en carros oficiales por la puerta trasera, y tras la barricada se apostó una primera línea de hombres armados con armas que unos minutos antes habían pertenecido a la Policía. Eran poco más de las dos de la tarde cuando, al ver acercarse a la Guardia Presidencial, los atrincherados comenzaron a disparar.

La Guardia contestó. Ricaurte vio a una fila de soldados tomar posición, una rodilla al suelo, y abrir fuego. Desde atrás, protegido por los cuerpos vivos, vio a tres y luego a cuatro hombres caer muertos en la mitad de la calzada, pero no los reconoció: no eran gaitanistas de su barrio. «¡Resistan! ¡Resistan!», dijo una voz desde un costado de la barricada. Pero el fuego del ejército era más preciso, o la inexperiencia de los rebeldes demasiado manifiesta, porque los hombres seguían cayendo y los de atrás seguían pasando adelante, tercos y corajudos, como si la muerte no existiera. Entonces Ricaurte buscó a Carballo y lo vio levantar la cara: algo le había llamado la atención.

«Hay gente en la torre», dijo.

Era verdad. En la torre del colegio de San Bartolomé, sede de los jesuitas, varias siluetas disparaban contra la multitud. Pero entonces, mirando alrededor, Carballo y Ricaurte se dieron cuenta de que había francotiradores en todos los tejados, de manera que en cuestión de segundos se volvió imposible saber de dónde venían los tiros; se volvió imposible, también, protegerse de ellos. Estaban acorralados: del sur venía la Guardia y al norte se levantaba la torre del San Bartolomé, y desde los tejados de la calle novena otros francotiradores abrían fuego sin temor ni método. Lo extraño, diría después Ricaurte, es que nadie parecía considerar siquiera la posibilidad de huir: la masa entera, obnubilada por el deseo de venganza, se quedó donde estaba. Ricaurte se dio cuenta de que no tenían manera de salir del encierro. En ese segundo preciso, un tiro llegado de ninguna parte le rompió el pecho al vecino de fila, que cayó a tierra con un ruido seco y quedó acostado con una pierna doblada detrás de la otra.

«Échese, mijo», gritó entonces Ricaurte.

Pero Carballo no obedeció. Después, contando la historia de ese día a su hija y más tarde a su nieto, don Hernán Ricaurte hablaría de lo que ocurrió en la cara de su yerno, y trataría de describir trabajosamente, con sus pobres palabras de artesano, la luz ardua que vio en los ojos y en la frente de Carballo cuando lo oyó decir la última de sus frases incomprensibles:

«Mierda», dijo su yerno. «Es como si todo se repitiera».

Entonces llegó una ráfaga desde el norte, una ráfaga de francotiradores, y Ricaurte se echó al suelo. Cayó boca abajo sobre un muerto que no pudo reconocer; su cara encontró un espacio que le permitía esconderse y respirar al mismo tiempo. Sintió que a su lado se dejaba caer Car-

ballo: Ricaurte sintió su presencia (una presión en las piernas) pero no logró adivinar la posición de su cuerpo. Cerró
los ojos. Allí, en ese espacio singular, olía a sudor y a ropas
húmedas, y el mundo era más silencioso y menos aterrador
que afuera, donde las balas silbaban en el aire. Sólo había que
aguantar, y eso hizo Ricaurte: aguantó. No contó los minutos, pero no pasó demasiado tiempo antes del milagro. Había
empezado a llover.

Era un aguacero digno de su mes, con gotas gruesas que Ricaurte sentía en la nuca y en la espalda como los
dedos de alguien que lo llama en la calle. Pensó que Dios,
ese Dios en el que ya casi no creía, estaba de su lado, porque una lluvia semejante era lo único capaz de dispersar a
las partes de esta batalla. Increíblemente, tenía razón: los
tiros fueron amainando a medida que arreciaba el agua,
como acobardados ante el traqueteo de la lluvia sobre los
tejados, las ventanas del campanario, la piedra de las escalinatas. Ricaurte levantó la cara muy despacio y se mareó
al ponerse de pie, pero supo que ésta era su oportunidad.
Llamó a Carballo, cuyo peso sentía todavía en las piernas:
Carballo no contestó. Ricaurte se encontró solo encima
de tres cuerpos amontonados. Ninguno de ellos pertenecía a su yerno. Echó una mirada alrededor y entonces lo
vio: estaba tres o cuatro pasos más al sur, como si hubiera comenzado a caminar hacia la barricada, y no estaba
boca abajo, sino mirando al cielo con los ojos bien abiertos, con la cara bañada en lluvia y un rosetón de sangre
cubriéndole el centro del pecho. La sangre no era negra, como la de Gaitán, porque la lluvia la había desteñido:
era rosa, un rosa intenso, y parecía extenderse sobre la camisa blanca.

«Usted no sabe cuántas veces me contaron todo
eso», me dijo Carballo, el hijo de César, el nieto de don
Hernán Ricaurte. «No me acuerdo de cuándo me lo conta-

ron por primera vez, pero eso es la mejor prueba de que tuvieron que comenzar a contármelo cuando yo era muy chiquito. No me acuerdo de haber tenido que preguntar dónde estaba mi papá, ni nada parecido: creo que mamá comenzó a explicarme cosas mucho antes de que yo me hiciera la pregunta. Eso pienso ahora, claro, porque no recuerdo un momento de mi vida en que no viviera ya con lo que pasó el 9 de abril. Con esas imágenes que ahora conozco igual que si las hubiera visto. Con esos fantasmas, Vásquez, esos fantasmas que me acompañan y me rondan y hablan conmigo. Yo no sé si usted habla con muertos, pero yo sí. Con el tiempo me he acostumbrado. Antes hablaba sólo con papá, y a veces, no se lo voy a negar, hablaba con Gaitán. Le decía: papá sabía que lo iban a matar, Jefecito, ¿por qué no le paró bolas? En esas conversaciones, yo le digo Jefecito a Gaitán. Yo, que tenía meses de nacido cuando lo mataron, le hablo como seguramente le hablaba papá. Bueno, hay locos peores, ¿no? Hay locos más peligrosos».

Creo que fue en ese momento cuando comencé a entender ciertas cosas importantes (o que luego cobrarían su inédita importancia), pero todavía mi entendimiento era demasiado vago para ponerlo en palabras. Creo que también tuve en ese momento algunas intuiciones: pensé, por ejemplo, que Carballo esperaba de mí un libro que fuera como el *Quiénes son?* del crimen de Gaitán. Habíamos pasado horas hablando; el tiempo se había derretido o alargado, y no ayudaba el hecho de que las cortinas en el apartamento de Carballo, cerradas como si la nuestra fuera una reunión secreta o clandestina —una reunión de conspiradores—, hacían imposible saber con certeza si era de noche o de día. ¿Había anochecido ya? ¿Había anochecido y vuelto a amanecer? ¿Cuántas horas habíamos pasado allí, encerrados en el apartamento pequeño y oscuro y estrecho, en compañía de los fantasmas del pasado?

«¿Y dónde está enterrado su padre?», le pregunté a Carballo.

«Sí, eso», dijo Carballo. «Bueno, eso es parte del cuento, claro. Usted ha visto esas imágenes, me imagino: lo que pasó el 9 de abril a partir de las cuatro de la tarde más o menos. Los incendios, los saqueos, esta ciudad convertida en la ruina de un bombardeo. La muerte, Vásquez, la muerte se regó por la ciudad. Yo siempre he creído que el origen de todo fue ese grupo de gente llevando a Palacio el cuerpo muerto, no, el cuerpo linchado del asesino. Yo crecí sabiendo que ahí estaba papá. Que una de esas decenas de personas, decenas que luego fueron cientos, era papá. Y qué puedo hacer: eso le cambia a uno la manera de verlo todo. Yo no crecí oyendo hablar del 9 de abril como pudo crecer otra persona. Yo crecí oyendo hablar del día en que mataron a papá. Mejor dicho: de las razones por las que crecí huérfano. Y luego me fui enterando, muy poco a poco, de que ese día era lo que era. Es raro pasar por la niñez y luego volverse adulto pensando que lo importante del 9 de abril era la muerte de papá, no la del otro señor que a mí nada me decía, el señor que era político y al que mataron como han matado a tantos otros. Para mí lo esencial del 9 de abril era papá muerto, papá recibiendo un tiro y muriendo allí, encima de otros muertos, muriendo como un muerto más de los muchos, los muchísimos que para esa hora habían muerto ya en Bogotá. Un niño entiende estas cosas muy despacio. Yo fui entendiendo que papá no era el único muerto: que ese día y los tres días que siguieron murieron en Bogotá unas tres mil personas y que papá era sólo una de ellas».

«Una de las primeras, de todas formas».

«Sí, pero sólo una. Y luego, ya adolescente, comencé a entender mejor cómo había pasado todo. Empecé a entender que papá no habría muerto si antes no hubiera muerto ese señor llamado Gaitán. Empecé a entender que papá se había caído en las grietas de un terremoto, y que el epicentro del terremoto estaba frente al edificio Agustín

Nieto, carrera séptima antes de la avenida Jiménez, Bogotá, Colombia. Empecé a entender. A veces pienso que hubiera sido mejor no entender nada, no saber nada: haber crecido con una mentira, como que papá se había largado un buen día, o que se había ido a la guerra de Corea, qué sé yo. Sí, eso hubiera estado bien, ¿no? Pensar que papá era un héroe de la guerra de Corea, que se había ido con el Batallón Colombia y había muerto en la batalla de Monte Calvo, por ejemplo. Así se llama, ¿verdad?»

«Sí», le dije. «Así se llama esa batalla».

«Bueno, pues no fue así. Me lo contaron todo, el abuelo y mamá. Todo lo de ese día, todo lo de la vida de papá, todo lo que le acabo de contar. Todo lo que llevó a su muerte el 9 de abril. Y también todo lo que vino después».

«¿Después del 9 de abril?»

«No, el mismo día. El abuelo no podía contar eso sin que se le aguaran los ojos. Nunca, ni siquiera a mis veinte años, cuando ya parecía que el viejo ni se acordaba de las cosas, lo vi hablar de eso sin ponerse triste. Imagíneselo ahí, parado en medio de un montón de muertos frente a la plaza de Bolívar, en un momento mágico cuando se han suspendido un poco los tiroteos y parece que el mundo ya no se va a acabar. Pero sí se acabó de alguna manera, porque ahí está su yerno muerto. El abuelo lo quería, lo quería mucho. Gaitán también era una cosa de familia, ¿sabe? Las familias se unían alrededor de Gaitán, de las promesas que hacía Gaitán. Y ahí estaba el abuelo, teniendo que decidir en un instante qué hacer con el cuerpo de su yerno querido. Ya Bogotá era una ciudad en guerra, eso era evidente. El abuelo siempre me contó que pensó por un instante en llamar a un policía, como si la vida normal hubiera seguido andando, y luego pensó que no: que la vida normal había quedado suspendida hasta nueva orden. Levantó el cuerpo de papá, se lo echó a la espalda como un bulto de papa y arrancó a caminar hacia el norte, pensando en llegar al barrio. El abuelo no era fuerte, Vásquez, no era grande, pero alcanzó a levantar a papá y a pegarse a la pared de la Catedral para que no lo vieran. Caminó así, muerto de miedo, un par de cuadras. Se oían tiros a lo lejos, de vez en cuando uno que sonaba más cerca. Pero lo que más lo impresionó fue lo de las vitrinas: las vitrinas destrozadas de la séptima, las joyerías y los almacenes colmados de gente que sacaba cosas: neveras, radios, ropa a manos llenas. Vio a un tipo con machete parar a otro que llevaba un radio entre las manos. Le quitó el radio y lo despedazó contra el suelo. Le gritaba: "¡Aquí no estamos para robar! ¡Aquí estamos para vengar al Jefe!" Pero la mayoría de la gente no estaba de acuerdo, y al abuelo le dio lástima: lo que hubiera sido una oportunidad para la revolución, se había convertido en una fiesta de delincuentes. Robaban porque se podía robar, mataban porque se podía matar, y a ellos los mataban también sin ton ni son. Una vez el abuelo me lo resumió así: "Mataban por ver caer".

»Mientras tanto, el abuelo sólo pensaba que ojalá no se dieran cuenta de su presencia, que ojalá pudiera pasar desapercibido. Dos, tres cuadras con el peso de papá en la espalda. Luego cuatro. Luego cinco. Caminaba esquivando cadáveres, y a veces eran tantos que tenía que hacer un rodeo, porque con el peso de papá no podía pasar por encima: su cuerpo le pesaba tanto que no podía levantar los pies lo necesario para pasar por encima de algunos muertos. Eran hombres pero también mujeres, y algún niño también vio, claro. A veces tenía que pararse a descansar, dejaba el cuerpo de papá recostado junto a la pared y trataba de no mirarlo. Eso me dijo siempre: que trataba de no mirarlo, porque creía que si lo miraba no iba a ser capaz de seguir. Mientras tanto, la Policía sublevada seguía pegando tiros. La gente furiosa seguía incendiando, saqueando almacenes con nombres judíos, todas esas joyerías de la séptima. Si había una ferretería, la gente sacaba tubos, seguetas, martillos, hachas, lo que pudiera servir para ir a vengar al Jefe. Si había una licorería, la gente reventaba las vitrinas y salía con botellas o se las tomaba ahí mismo. Los que entraban al Ley de la calle 11 para resguardarse de las balas, se chocaban con los que salían con las manos llenas de ropa. El abuelo pasó por frente al café donde estaba antes, cuando mataron a Gaitán, y las mesas estaban destrozadas y estaban destrozadas las sillas, y la gente salía armada de esas patas y esos pedazos de madera. Pero a él ni lo veían. Era como si fuera invisible. En ésas, se cruzó con unos tanques militares que iban hacia el sur por la séptima. La gente les abría paso, y empezaba a caminar detrás de ellos, creyendo que eran militares sublevados y que iban a Palacio para derrocar al presidente. Luego se supo que al llegar a la calle 10 los tanques se pararon, le dieron vuelta a la ametralladora y empezaron a disparar. El abuelo no lo vio, pero lo sabría después, y me lo contaba como si lo hubiera visto. Al final, ya no sabía qué había visto y qué le habían contado. Así nos pasa a todos, me imagino.

»Cuando llegó a la Jiménez, ya no podía más. Había cargado con el cuerpo de papá cuatro o cinco calles y ya no tenía fuerzas. Recostó a papá y descansó unos minutos, y luego, con todas las fuerzas que le quedaban, lo levantó otra vez y trató de cruzar la calle. Pero entonces le llamó la atención una mujer que venía corriendo desde la Gobernación, y en el mismo instante oyó una ráfaga y la mujer cayó muerta en mitad de la calzada. El abuelo lo vio todo: vio a la mujer corriendo, luego cayendo como si le hubieran cortado las piernas, y luego otros dos cuerpos cayendo, y los gritos, y los llamados de auxilio. Si no hubieran sido los otros los muertos, habría sido él: porque los tiros venían de militares que se habían apostado en la boca del Pasaje Santafé y disparaban indiscriminadamente contra todo el que quisiera cruzar la calle. El abuelo esperó un buen rato agazapado en la esquina, pero los militares no dejaron de disparar. Había francotiradores en los techos allí también. El abuelo pensó que si alcanzaba a llegar hasta el hotel Granada, tal vez lo dejaran refugiarse allí, tal vez le ayudaran a encontrar una ambulancia para llevar el cuerpo de papá hasta la casa. Sacó fuerzas quién sabe de dónde para levantarlo la última vez y arrancó hacia el otro lado, caminando lo más rápido que podía, y ahí fue cuando sintió el quemón en un tobillo y luego el dolor, y se cayó con todo y cuerpo, y supo que todo se había jodido.

»Después, cuando yo era ya un muchacho, pongamos a mis dieciséis años, el abuelo empezó a hacer algo que no había hecho antes: pedirme perdón. Perdón por no haber podido llevar a papá a la casa, perdón por haberlo dejado en la Jiménez. Imagínese: me pedía perdón por no haber podido levantar a papá con el tobillo destrozado en medio de una balacera, y luego por no haber ido a buscarlo al día siguiente. Pero es que nadie podía salir de sus casas al día siguiente, usted sabe. El que violaba el toque de queda aparecía muerto. El abuelo me contaba cómo se quedaban encerrados en la casa oyendo radio, y cómo sintió vergüenza de lo que estaban haciendo los suyos, los liberales, en las emisoras que se habían tomado. Llamando al pueblo a matar conservadores, anunciando felices que habían quemado las casas de los oligarcas, diciéndole al pueblo que sacara sus machetes y derramara sangre azul como antes se había derramado sangre roja. No sé si usted conozca esas transmisiones, pero son espeluznantes».

«Las conozco, sí», dije, y era verdad: las conocemos, creo yo, todos los que hemos sufrido la obsesión del 9 de abril. Los agitadores se tomaron las ondas radiales muy poco después del crimen, y desde allí lanzaron sus arengas de terror a un pueblo desorientado y vulnerable que estaba demasiado dispuesto a aferrarse a los consuelos de la venganza: «La guerra es la menstruación de la humanidad», dice una de esas arengas. «Nosotros los colombianos hemos tenido cincuenta años de paz. No vamos a dar la sensación de ser los únicos cobardes del mundo». Esos discursos incendiarios llamaban a asesinar al presidente y reducirlo a cenizas, daban instrucciones para la fabricación del «claro coctel molotov» y exhortaban a tomarse «a sangre y fuego» las posiciones del gobierno. Pensé que Carballo se refería a ellos. Pero tal vez tenía otros ejemplos en su memoria, porque hubo muchas instancias vergonzosas en ese día que sacó lo peor de todos.

«Luego volvió a buscarlo», continuó Carballo. «Me contaba cómo el 11 de abril, con el tobillo roto y todo, se llevó a un par de tipos de La Perseverancia y se metió en el infierno del centro para buscar a papá. Pero no lo encontró. Ya los cadáveres comenzaban a acumularse en las galerías del centro, uno al lado del otro junto a ambas paredes, y eran como túneles de olor a muerto, y el olor se derramaba hacia fuera y llenaba las calles. La gente iba caminando por la mitad de esas galerías, tratando de no pisar muertos ajenos y buscando a los propios. El abuelo se las recorrió todas, todas, buscando el cuerpo de papá. Pero no lo encontró. Nunca lo encontró en los demás inventarios de cadáveres que se hicieron en los días siguientes. Y siempre se echó la culpa de que papá no tuviera una tumba que pudiéramos ir a visitar».

«Acabó en una fosa común», dije.

«Es posible, pero a mí nunca me hablaron de las fosas comunes. Ni de los camiones llenos de muertos que salían del centro hacia las fosas, ni de la posibilidad de que papá esté allí enterrado, en una de ellas. Digo que es posible, ¿pero qué otra posibilidad hay? No, yo me hice a la idea hace mucho tiempo: papá en una fosa común. Es rara, la necesidad de una tumba. Es raro lo mucho que una tumba tranquiliza. Yo nunca he tenido esa tranquilidad de saber dónde está ese cuerpo. Y no saber dónde están nuestros muertos es un tormento callado, un dolor por ahí metido, y jode mucho la vida. En realidad, lo que jode mucho es que no pase con nuestros muertos exactamente lo que queremos que pase. Es como si la muerte fuera el momento en que uno siente que ha perdido del todo el control sobre algo, porque claro, si pudiera evitar la muerte de un ser querido, siempre lo haría. La muerte nos quita control. Y luego queremos controlar hasta el último detalle de lo que pasa después de la muerte. El entierro, la cremación, hasta las putas flores, ¿verdad? Mamá no tuvo esa posibilidad, y eso la atormentó siempre. Por eso entiendo tan bien lo que pasó con el cuerpo de Gaitán. Usted sabe, supongo yo, lo que pasó con el cuerpo de Gaitán».

«No dejaron que lo enterraran en un cementerio», le dije. «Se lo llevaron para la casa».

Como a las cuatro de la madrugada del día 10, después de que bandas de borrachos hicieran dos intentos por entrar a la fuerza en la clínica Central y llevarse el cuerpo de Gaitán, doña Amparo, la mujer valiente que era su viuda, mandó buscar un ataúd para llevárselo. Las versiones son varias, como sucede con todo lo relacionado con aquel día: unos dicen que se trataba sólo de proteger ese cuerpo que ya, a tan pocas horas del crimen, se había convertido en una reliquia; para otros, la viuda de Gaitán no quería darles a sus enemigos del gobierno la posibilidad de lavarse las culpas con un funeral de Estado. Sea como fuere, la casa de Gaitán se llenó de gente en la madrugada del 10: allí, entre los gaitanistas de toda la ciudad, estuvieron los *empolvados* de La Perseverancia, tomando turnos de seis horas para velar al Jefe.

«El abuelo fue uno de ellos», dijo Carballo. «Hizo su turno y luego se fue a seguir buscando a papá. Luego se enteró de que a Gaitán lo habían enterrado ahí mismo, en el jardín. Todos los años, en la fecha del crimen, los de La Perseverancia se ponían ropa elegante y bajaban a visitar el lugar donde estaba enterrado el Jefe. No me acuerdo cuántos años tenía yo cuando me llevaron por primera vez, pero era un niño todavía: nueve años tendría, o diez, pero no más que eso. No, me parece que debía de tener nueve, sí, nueve años. Claro, visitar la tumba de Gaitán era lo que hacíamos en vez de visitar la tumba de papá. Íbamos a la casa de Gaitán y rezábamos en el jardín y dejábamos flores porque no podíamos rezar ni dejar flores en la tumba de papá. Pero viera usted lo que me demoré en entender esto, y, sobre todo, la naturalidad con la que lo hacía. A mí no me parecía raro ir a visitar a otro muerto y al mismo tiempo rezar por el mío. Sí, yo sabía que el enterrado no era papá, pero rezábamos primero por papá y luego por él. Es que un niño hace lo que le digan y se acostumbra a lo que le enseñen, ¿no? Bueno, pues nosotros íbamos en familia, bajábamos el cerro desde la casa hasta el barrio de Gaitán, era una caminata larga pero la hacíamos como un ritual, era parte del ritual. Nos íbamos caminando el abuelo, mamá y yo, y al principio también iban otros gaitanistas, pero con el tiempo dejaron de ir y nos quedamos nosotros: la familia. En esas caminatas, los dos me contaban cosas. A veces, si había plata, me compraban un helado y yo me lo iba comiendo por la calle, oyéndoles los cuentos. Siempre acabábamos hablando del 9 de abril. En un momento o en otro, generalmente a la vuelta pero a veces también a la ida, acababa yo diciendo: "Cuéntenme del día en que papá se fue al cielo". Y ellos contaban. Me contaban, imagino yo, lo que les parecía conveniente para un niño de mi edad. Luego fui creciendo, claro, y ellos fueron añadiendo detalles, y el 9 de abril ya no fue *el día en que papá se fue al cielo* sino *el día en que mataron a papá*. Y uno de esos nueves de abril, el abuelo me habló por primera vez de su teoría. Así le digo ahora, teoría, pero no es así que nos referíamos en mi familia a esto. Era simplemente *lo que piensa el abuelo*. Así era la frase, así eran las frases que usábamos. "Tú sabes lo que piensa el abuelo…" "Bueno, hablando de lo que piensa el abuelo…" "Lo que piensa el abuelo tiene que ver con esto…" Y no había que decir nada más, porque ya quedaba claro de qué estábamos hablando.

»El año era 1964. Yo iba a cumplir diecisiete y estaba a punto de terminar el colegio. Era el mejor de la clase, Vásquez, y ya me habían dado la noticia que toda la familia estaba esperando: la beca para la Nacional. Iba a estudiar Derecho, que era, según mi familia, lo que hubiera querido papá. Más importante, era lo que papá hubiera querido hacer *porque lo había hecho Gaitán*. Había comenzado a leer periódicos como si me fuera a morir al día siguiente. El abuelo me miraba y decía: "Igualito a su papá". También había comenzado a interesarme de verdad en la política. El abuelo se dio cuenta, supongo yo, porque de otra manera no hay mucha razón para que en ese momento me haya hablado de lo que pensaba. Ese día, 9 de abril de 1964, volvíamos a la casa caminando, y más o menos a la altura de la Caracas me lo soltó de sopetón: "Es que yo creo, mijo, que su papá supo". Yo pregunté: "¿Supo qué cosa?" Y él me miró como si yo fuera imbécil, con esas miradas humillantes que a veces lanzan los mayores. "¿Qué iba a ser?", me dijo. "Supo quién mató al Jefe".

»Y empezó a contarme de lo que había visto en la cara de mi padre ese día, de todas las frases raras que le oyó en cuestión de pocos minutos, de su reacción después de los tiros, que le parecía entre suicida y alienada. Empezó a contarme que papá había visto a alguien más, a un cómplice o un acompañante del asesino que llevaba una gabardina y no era como él: estaba vestido con elegancia. Me dijo que desde ahí, desde que lo vio, papá se había comenzado a comportar de manera rara: estaba raro en la séptima, mientras caminaba detrás del cuerpo de Roa Sierra, y estaba raro después, cuando habían armado la barricada. Me repitió varias veces la frase que le había oído a papá: "Es como si todo se repitiera". En ese momento, el abuelo no entendió nada. Eso fue lo último que dijo papá antes de que lo matara el disparo de un francotirador, pero el abuelo no entendió, no hubiera podido entender en ese momento. Así me lo dijo: "En ese momento no entendí. Pero luego he entendido, aunque me haya costado trabajo. Y ahora quiero, mijo, que usted entienda también".

»Y cuando llegamos a la casa supe que la cosa era en serio porque el abuelo me hizo seguir a su cuarto, y su cuarto era un lugar prohibido para mí. Me sentó en su cama (nunca me había dejado que me sentara en su cama) y luego se arrodilló en el suelo. Levantó el cubrelecho y sacó de debajo de la cama un cajón de madera, un cajón de algún mueble desaparecido, con su cerradura que ya no servía para nada porque no tenía mueble alrededor. El cajón estaba lleno de cosas: zapatos, papeles, pero sobre todo libros. "Mire, mijito, mire", me dijo. "Los libros de su papá". Me mostró un folleto: era el discurso que Gaitán dio en la tumba de Rafael Uribe Uribe. Tenía dieciséis años y el discurso era un encargo del Centro Nacional de la Juventud. "Para que vea, mijo querido, lo que el Jefe era capaz de hacer a su edad", me dijo el abuelo. Luego me mostró la tesis de grado de Gaitán, *Las ideas socialistas en Colombia,* pero me dijo: "Éste todavía no". Y luego me puso un libro en las piernas. Era *Quiénes son?,* de un tal Marco Tulio Anzola. Llevaba en la primera página la firma de papá, *C. Carballo,* y en la última página la fecha en que pasó por sus manos: 30.X.1945. "Éste sí, mijo. Vaya y se lo lee apenas pueda, y luego me dice si usted entiende lo mismo que entiendo yo".

»Eso me dijo el abuelo. Y sobra decir, me imagino, que así fue: que yo entendí lo mismo que entendió él. Tal vez no a la primera lectura, tal vez no a la primera conversación, pero lo fui entendiendo con el tiempo. Esa tarde de 1964, el 9 de abril en que el abuelo me regaló el libro que había sido de papá, comencé a leerlo con una sola misión: encontrar ahí, en esas trescientas páginas, todo lo que papá hubiera podido recordar en el momento en que mataron a Gaitán. Claro, yo tenía dieciséis años, y era muy poco lo que hubiera podido entender en ese momento. Pero entendí con los meses y los años: entendí que en el libro de Anzola, en un libro feo y pesado publicado en 1917, estaban las claves de lo que papá había pensado en sus últimas horas de vida, el 9 de abril de 1948. Semejante idea no es fácil de aceptar, pero yo le trabajé duro. Leí el libro dos, tres veces, luego cinco, luego diez, y con cada lectura salían a la superficie algunas escenas, algunas frases sueltas. Leí ese libro, ese libro maldito, y lo supe: supe lo mismo que papá había sabido unos minutos antes de morir. Fue como estar en su cabeza, como ver el mundo a través de sus ojos, como ser él minutos antes de que le pegaran un tiro. Y eso es un conocimiento que no le deseo a nadie. Es una fortuna y un privilegio, claro que sí, pero es una carga, una carga dura de llevar. Es lo que me ha tocado en suerte, y a eso me he dedicado toda la vida: a cargar con lo que papá entendió en los últimos minutos de su vida, con lo que mi abuelo creyó entender después, con ese entendimiento que me han heredado».

Entonces dije las únicas palabras que hubiera podido decir en ese momento y en ese lugar. Tenían forma de pregunta, una pregunta de la cual quizás me arrepentiría, pero callarla hubiera sido una forma de la cobardía y acaso de la ceguera.

«¿Y qué entendimiento es ése, Carlos? ¿Qué fue lo que entendió su papá y ahora entiende usted?»

«Que el hombre elegante de la droguería Granada no es distinto del hombre elegante de la calle novena. Que ese hombre de traje de tres piezas y modales de duque británico, tal como lo describió García Márquez, no es distinto del hombre de botines de charol y pantalón de listas, tal como lo describió la testigo Mercedes Grau, y no es distinto del hombre que el testigo desaparecido Alfredo García vio en la carpintería del asesino Galarza, y no es distinto tampoco del hombre del cubilete que Anzola no quiso nombrar en el juicio. Que ese hombre elegante, el que azuzó a la multitud enardecida hasta lograr que lincharan a Juan Roa Sierra, no es distinto del que le preguntó a uno de los asesinos de Uribe: "Qué hubo, ¿lo mataste?" Papá entendió que ese cura que le deseaba el infierno a Uribe en 1914 no es distinto del otro cura, muy famoso, que antes del crimen de Gaitán llamó a la defenestración de los rojos. Papá entendió que los rumores y las notas anónimas que recorrieron Bogotá antes del 9 de abril no son distintos de los rumores y las notas anónimas que recorrieron Bogotá antes del 15 de octubre. Entendió que toda esa gente convencida de que a Gaitán lo iban a matar no era distinta de los que oyeron, con cuarenta días de anticipación, que iban a matar a Uribe. Entendió eso, Vásquez, entendió eso tan terrible: que los mató la misma gente. Por supuesto que no hablo de los mismos individuos con las mismas manos, no. Hablo de un monstruo, un monstruo inmortal, el monstruo de muchas caras y muchos nombres que tantas veces ha matado y matará otra vez, porque aquí nada ha cambiado en siglos de existencia y no va a cambiar jamás, porque este triste país nuestro es como un ratón corriendo en un carrusel».

Hay dos maneras de ver o contemplar eso que llamamos historia: una es la visión accidental, para la cual la historia es el producto azaroso de una infinita cadena de actos irracionales, contingencias imprevisibles y hechos aleatorios (la vida como un caos sin remisión que los seres humanos tratamos desesperadamente de ordenar); y la otra es la visión conspirativa, un escenario de sombras y manos invisibles y ojos que espían y voces que susurran en las esquinas, un teatro en el cual todo ocurre por una razón, los accidentes no existen y mucho menos las coincidencias, y donde las causas de lo sucedido se silencian por razones que nunca nadie conoce. «En política, nada pasa por accidente», dijo una vez Franklin Delano Roosevelt. «Si sucede, es porque así se planeó». La frase, que no he podido encontrar citada en ninguna fuente confiable, les encanta a los adeptos de las teorías conspirativas, tal vez por venir de un hombre que tanto decidió a lo largo de tanto tiempo (es decir, que tan poco espacio dejó a la casualidad o al azar). Pero lo que hay en ella, si uno se asoma con cuidado a su pozo maloliente, es suficiente para sobrecoger al más bravo, pues la frase echa por tierra una de las mínimas certezas sobre las que fundamos nuestras vidas: que las desgracias, los horrores, el dolor y el sufrimiento son imprevisibles e inevitables, pero si alguien los puede prever o conocer, hará lo posible por evitarlos. Es tan aterradora la idea de que otros sepan ahora mismo que sucederá algo malo y no hagan nada para evitar el daño, es tan espeluznante incluso para quienes ya hemos perdido toda inocencia y hemos dejado atrás toda ilusión con respecto a la moralidad humana, que solemos tomar esa visión de los hechos como un juego, un pasatiempo para desocupados o crédulos, una estrategia inveterada para mejor lidiar con el caos de la historia y la revelación, ya mil veces probada, de que somos sus peones o sus marionetas. A la visión conspirativa respondemos entonces con nuestro bien entrenado escepticismo y con un punto de ironía, repitiendo que de las conspiraciones no hay pruebas, y los creyentes nos dirán que el objetivo principal de toda conspiración es esconder su propia existencia, y que el hecho de no verla es la mejor prueba de que ahí está.

Ese viernes 28 de febrero de 2014, casi cien años después de uno de los crímenes y casi sesenta y seis después del otro, yo vivía en un mundo así, irónico y escéptico, un mundo regido por el azar, el caos, los accidentes y las coincidencias. Y lo que me pedía Carlos Carballo era salir durante un instante y vivir en otro mundo, y luego volver al mío para contar lo que había visto. Me lo pedía para que esa visión de su padre no se perdiera. Recordé sus palabras sobre las verdades que no ocurren en lugares visibles, las verdades que no ocurren en el mundo de lo que pueden contar un periodista o un historiador, esas verdades pequeñas o frágiles que se hunden en el olvido porque los encargados de contar la historia no llegan nunca a verlas ni a enterarse de su modesta existencia. Y pensé que el deseo de Carballo no era sólo salvar del olvido una verdad que nunca había nacido en el mundo de las cosas históricas, sino también darle a su padre una existencia que no había tenido nunca hasta ahora. No tendría una tumba, tal vez, ni sus huesos tendrían una lápida con su nombre, pero tendría un lugar donde existir con ese nombre y su memoria. Es decir, con su vida: sus hechos y amores y trabajos y entusiasmos, su filiación y su descendencia, sus ideas y emociones, sus proyectos y sus ilusiones y sus planes para el futuro. No, Carballo no quería que yo escribiera un *Quiénes son?* para el crimen de Gaitán; quería que yo hiciera un mausoleo de palabras para que en él habitara su padre, y quería también que las últimas dos horas de su padre quedaran documentadas tal como él las entendía, porque así su padre no sólo tendría un lugar en el mundo, sino que habría jugado un papel en la historia.

Entendí esto y tuve una idea. Le dije:

«Lo voy a escribir, Carlos».

Él levantó la cara, se irguió apenas perceptiblemente, y me di cuenta de que había en sus ojos un leve rastro de lágrimas. O tal vez estaba sólo cansado, tanto como lo estaba yo después de veinticuatro horas (o quizás eran más: imposible saberlo a estas alturas) de conversación sin descanso y de recuerdos arduos. Ya no debía de ser 28 de febrero cuando le dije esto: tanto tiempo habría pasado en ese encierro, que para ese momento ya debíamos de estar plenamente instalados en el primer día de marzo.

«¿Lo va a escribir?», dijo.

«Sí. Pero para hacerlo, necesito confiar en usted. Necesito saber que me está diciendo la verdad. Le voy a preguntar una cosa, y lo voy a hacer una sola vez: ¿usted tiene la vértebra? ¿Usted sacó la vértebra de Gaitán del cajón de Francisco Benavides?»

No me contestó nada.

«Déjeme que se lo ponga de otra manera, Carlos», insistí. «Yo necesito llevarme la vértebra de Gaitán y la calota de Uribe Uribe. Necesito devolvérselos a Francisco, que es el heredero legítimo de esos huesos. Si me los llevo, escribo el libro. Si no me los llevo, no lo escribo. Así de simple».

«Pero él no es el heredero legítimo», dijo Carballo. «La calota me la dio a mí el maestro».

«¿Y la vértebra? ¿También se la dio a usted?»

«Francisco quiere renunciar a ellos», dijo.

«No quiere renunciar. Quiere que estén en un museo, que la gente los pueda ver. Mire, Carlos, esos huesos no le pertenecen a él ni a usted tampoco: esos huesos son de todo el mundo, porque el pasado que contienen es de todos. Yo quiero poder ir a verlos cuando me dé la gana. Yo quiero que mis hijas puedan ir a verlos también. Es más: yo quiero llevar a mis hijas a un lugar público y acercarme a una vitrina y mostrarles los huesos y explicarles todo lo que los huesos cuentan».

«Pero es que son pruebas», dijo Carballo. «Son evidencias de algo que no vemos, pero que puede estar ahí. En la calota puede haber el rastro de una manopla. En la vértebra puede...»

«Eso es pura mierda», lo interrumpí. «No me hable mierda. ¿Qué hay en la vértebra? ¿Una bala de un segundo tirador? Usted ya sabe que no es así, y si no lo recuerda, le digo una vez más lo que su maestro descubrió en la autopsia de 1960: que no hubo segundo tirador. Así que en esa vértebra no hay nada. Y en cuanto a la famosa manopla, nada de eso es visible en este pedazo de hueso. La manopla vive en la teoría de Anzola, pero no en este hueso. Estos huesos no son pruebas forenses desde hace mucho tiempo. No son evidencias, no son nada de eso. Son simplemente restos, ruinas humanas, sí, las ruinas de unos hombres nobles».

Cuando salí a la mañana bogotana —esa mañana de sábado, esa mañana de marzo—, llevaba en mi morral negro las pertenencias de Francisco Benavides. Las puse a mi lado en el carro, sobre el asiento del copiloto, y me di cuenta, avanzando hacia mi casa y mi vida presente con una cierta sensación de irrealidad, de que de vez en cuando me ocurría echarles una mirada mientras manejaba, como para confirmar que todo lo que había pasado en las horas previas no era un producto de mi imaginación enfermiza. Las ruinas de unos hombres nobles: el verso de *Julio César* me había asaltado (o quizá debería decir: había acudido en mi rescate) como tantas otras veces me ha ocurrido con el viejo Will, cuyas palabras me ayudan a dar forma y orden a la caótica experiencia. En esa escena, Julio César acaba de morir en el Capitolio, acuchillado veintitrés veces por las armas de los conspiradores, desangrado bajo la estatua de Pompeyo, y Antonio, su amigo y protegido, se queda solo junto al cuerpo muerto. «Perdóname, trozo de ensangrentada tierra», le dice Antonio, «por mostrarme dócil ante estos carniceros. Eres las ruinas del hombre más noble que jamás vivió en el curso del tiempo». Yo no sé si Uribe Uribe y Gaitán fueron los hombres más nobles de su tiempo, pero sus ruinas, acompañándome en el viaje de regreso a casa, tenían esa nobleza. Esas ruinas humanas eran memorandos de nuestros errores pasados, y en algún momento fueron también profecías. Yo recordaba, por ejemplo, la declaración de uno de los abogados de la acusación particular en el crimen de Uribe. Después de descartar la participación de nadie distinto de los asesinos y de calificar el crimen de político-anarquista, terminaba diciendo: «Por fortuna el caso del general Uribe Uribe ha sido y ha de ser, *Deo volente*, único en Colombia». Se equivocaba, y a mi lado estaban los testimonios materiales de ese error, pero lo importante para mí no era esa memoria de los huesos, sino lo que el contacto con ellos había causado en las vidas de estos hombres: Carlos Carballo, Francisco Benavides y su padre ya muerto. Y en la mía, desde luego. También en la mía.

Como era sábado, juzgué que podía presentarme sin avisar en casa del doctor Benavides. Me abrió con las gafas de lectura todavía puestas y con un libro en la mano; de adentro, como del fondo de la casa, brotaba un chelo triste. No tuve que explicarle el motivo de mi visita. Me hizo seguir arriba, al cuarto de sus tesoros donde todo había comenzado casi nueve años atrás, y recibió sus reliquias. Hablamos: le hablé de las últimas horas, omitiendo mucho, resumiendo groseramente lo que había descubierto, pues contarlo todo me pareció en ese momento una deslealtad, la violación de un secreto, o tal vez porque las revelaciones de Carballo me tenían a mí como destinatario o guardaban un solo propósito, que era el de vivir en mi libro futuro. Le hablé a Benavides del acuerdo que había hecho con Carballo. Fue un trato de última hora, cuando, ya despidiéndome, ya los dos de pie en el umbral de su puerta, me dijo: «¿Y cómo sé yo que usted va a cumplir su parte? Usted ahora se lleva estas cosas y Francisco las va a devolver, como dicen ustedes, las va a donar a un museo o lo que sea. ¿Cómo sé yo que después todavía va usted a escribir esto?» Le propuse entonces convencer a Benavides de que las sacara al mundo sólo cuando mi libro, el libro de Carballo, hubiera sido publicado: cuando estuviera viviendo ya en el mundo real, llenándolo con las historias que me había contado y en particular con una de ellas. Allí, en casa de Benavides, se lo dije, y él aceptó; pero noté en sus maneras que su relación con Carlos Carballo, el amigo de toda la vida, el discípulo de su padre, se había estropeado para siempre. Y lo sentí como si hubiera sido yo quien perdiera a un viejo amigo.

Unos días después viajé a Bélgica para pasar una temporada que estaba entre mis planes desde mucho tiempo atrás. A principios del año anterior, cuando andaba todavía escribiendo mi novela sobre la guerra de Corea, una fundación belga me había ofrecido pasar cuatro semanas en su residencia para escritores; en ese momento, la idea de encerrarme en un apartamento del centro de Bruselas para convivir de día y de noche con mis personajes ficticios y sus destinos inventados, sin la obligación de ver a nadie ni de hablar con nadie ni de pasar al teléfono para atender ninguna llamada, me hubiera parecido imposible de rechazar incluso si en Bélgica no tuviera amigos que quiero y que me gusta visitar cada vez que puedo, pues algunos ya tienen edad suficiente como para que yo me pregunte, tras cada nueva visita, si volveré a verlos con vida la próxima vez. Así que no me costó nada aceptar esa invitación que al mismo tiempo me permitiría visitar a los amigos y concentrarme en mi novela incipiente. Pero ahora que el viaje se me había venido encima, mis circunstancias habían cambiado: ya no serían los personajes ficticios de aquella novela los que ocuparían mi tiempo de soledad, sino una historia verdadera que a cada paso me demostraba lo poco que había entendido hasta este momento del pasado de mi país, que se burlaba de mí en mi propia cara, como haciéndome sentir la pequeñez de mis recursos de narrador ante el desorden de lo ocurrido tantos años atrás. Ya no serían los conflictos de personajes cuya existencia dependía de mi voluntad, sino mis intentos por entender, de verdad y para siempre, lo que Carlos Carballo me había revelado a lo largo de varios encuentros que ahora se confundían en mi memoria.

Y eso hice durante treinta días con sus noches. El apartamento de la Place du Vieux Marché aux Grains tenía un estudio que daba a la calle adoquinada; junto a la pared, entre las dos ventanas altas por donde entraba la fría luz del norte, había un escritorio (con tapa de cuero negro y cajones llenos de lápices desgastados y sobres de correspondencia de usuarios anteriores), pero nunca llegué a usarlo, pues al entrar por primera vez me encontré con un salón cuyo perímetro estaba marcado por una serie de armarios blancos de un metro de altura, y a la mañana siguiente aquella superficie casi continua había quedado cubierta por todos los papeles que me acompañaron en el viaje —las copias de viejos periódicos, las fotos, los libros y las libretas de notas— y la mesa cuadrada del comedor se había convertido en mi lugar de trabajo. Sobre todas esas superficies, y también sobre la repisa de mármol de la chimenea apagada, cambiaban de posición los documentos; poco a poco, en los días de una primavera prematura, una versión posible del relato de Carballo iba saliendo a la luz; y en las noches de insomnio leía y volvía a leer las notas furiosas que había tomado, hasta que los hechos que allí se dejaban ver, unidos a mi soledad y mi agotamiento, me provocaban algo parecido a la paranoia. Cuando salía a dar una vuelta me encontraba con una ciudad cuyos museos, cuyas librerías, cuyas paredes cubiertas de anuncios estaban volcados en la memoria de la *Grande Guerre,* y yo miraba esas imágenes que he visto mil veces, esas alambradas, esos soldados de casco metidos en trincheras, esas caras cubiertas de barro, esas troneras abiertas en la tierra a golpes de obús. Y se me ocurría que a dos horas de tren habían matado a Jean Jaurès (y por qué no coger ese tren) y que a unas tres horas de carro había muerto el soldado Hernando de Bengoechea (y por qué no alquilar ese carro), pero nunca llegaba a hacer esos viajes: me apresuraba para regresar a mi calle adoquinada y a mi estudio, porque me daba cuenta de que no podía dejar de pensar en mis crímenes colombianos, y me daba cuenta también de que nada en aquella ciudad memoriosa, ni en los posibles viajes al pasado que la región me ofrecía, me interesaba tanto como seguir recordando por escrito mis conversaciones con el hombre que creía en teorías de la conspiración. Otras cosas me pasaron en esos días, otras cosas pensé y descubrí. Por ejemplo, conocí a un hombre que había sido amante en Sarajevo de la escritora Senka Marnikovic. Pero esas anécdotas no pueden formar parte de este libro.

Sí debo mencionar, en cambio, lo que me ocurrió en el viaje de regreso. Lo hice a través de Nueva York, por ser esa conexión más barata que otras y también por razones menos prácticas que no vienen al caso, y acabé pasando en esa ciudad dos días en lugar de las pocas horas que había previsto. Hubiera podido perder el tiempo en librerías de segunda mano o teatros de cine, pero la obsesión por los hechos y los personajes de mi libro todavía embrionario no me dejaba ni un instante de libertad, y acabé dedicando una mañana a alimentarla: a buscar los lugares por donde pasó Rafael Uribe Uribe cuando llegó a la ciudad a comienzos de 1901, en plena guerra de los Mil Días. No tuve suerte: mis pesquisas no llevaron a ninguna parte. Pero entonces recordé la teoría de Carballo que, partiendo de un libro titulado *Secretos de la ruleta y sus trampas técnicas,* llegaba a la conclusión de que Marco Tulio Anzola había escapado hacia Estados Unidos después del juicio, y probablemente lo había hecho con la ayuda o la complicidad de Carlos Adolfo Urueta, el yerno de Uribe, que era por ese entonces diplomático en Washington. Si Anzola había venido a Nueva York en esos años, pensé, su registro habría quedado en los archivos de Ellis Island, que están abiertos al público. El ocio es creador: una mañana soleada, antes de ir al aeropuerto para volar a Bogotá, subí al ferry que lleva a los turistas y a otros desocupados a la isla por donde entraban todos los inmigrantes al país, y empecé a investigar. No tuve que dedicar más de una hora a la búsqueda: ahí, en la pantalla del computador, estaba la ficha de entrada de Anzola. Su barco, el Brighton, había zarpado del puerto colombiano de Santa Marta. La fecha de entrada a Nueva York era el 3 de enero de 1919; entre sus acompañantes estaba Carlos Adolfo Urueta. La ficha también consignaba los veintiocho años de su edad, el color de sus ojos —marrón oscuro—, sus señas personales —un lunar en la mejilla izquierda— y su estado civil: casado. ¿Qué hizo Anzola en Nueva York? ¿Cuánto tiempo se quedó en Estados Unidos? ¿Por qué fue capaz de escribir un libro de tahúres? Ocho años después de ese libro, Gaitán caía asesinado en Bogotá. ¿Se habría enterado Anzola del crimen? ¿Qué teoría de la conspiración habría diseñado o considerado entonces? Tomé unas fotos descuidadas y sentí que acababa de presenciar la aparición de un fantasma. Sentí, también, que Anzola no había terminado de salir de mi vida. Las obsesiones de verdad no se van tan fácilmente.

Regresé a Bogotá en los primeros días de abril. Y fue entonces, una de las primeras noches tras mi regreso, cuando me encontré con aquel noticiero nocturno y con la imagen de Carballo en el momento de su arresto, subiendo a la furgoneta policial con cara de pícaro sorprendido. Tenía las manos esposadas detrás de la espalda pero se veía relajado; tenía la cabeza metida entre los hombros, pero no por esconderse, sino por no golpearse con la carrocería de la furgoneta. La noticia lo acusaba de haber intentado robar el traje de paño de Jorge Eliécer Gaitán, pero yo sabía que no era así. Cuando el periodista describió lo sucedido, cuando contó que Carballo había roto con una manopla la vitrina donde se exhibía el traje de Gaitán, cuando explicó con detalle que el vigilante del museo lo había detenido en el momento en que Carballo ponía una mano en el hombro del vestido, sólo yo supe que su intención no era robarlo, sino sentir con la palma de su mano el mismo paño que había tocado la mano de su padre aquel día fatal. Las reliquias son también eso, pensé frente al televisor, una manera de comunicarnos con nuestros muertos, y en ese momento me di cuenta de que mi esposa se había dormido a mi lado y no podría comentar todo el asunto con ella. Y entonces me levanté de la cama y fui al cuarto de mis hijas, que también dormían, y cerré la puerta y me senté en su silla verde adornada de pájaros y me quedé así, en la oscuridad de la habitación pacífica, viendo con envidia el sosiego de sus cuerpos largos, dejándome sorprender por lo mucho que han cambiado desde su nacimiento difícil, jugando a oír su respiración callada entre los ruidos de la ciudad: esa ciudad que comenzaba del otro lado de la ventana y que puede ser tan cruel en este país enfermo de odio, esa ciudad y ese país cuyo pasado heredarán mis hijas como lo he heredado yo: con su cordura y sus desmesuras, sus aciertos y sus errores, su inocencia y sus crímenes.

Agradecimientos

Durante los tres años de escritura de esta novela, muchos parientes, amigos y conocidos me prestaron su tiempo, sus espacios, sus conocimientos, sus consejos o una ayuda puntual para resolver un problema, y aquí quiero dejar constancia de mi gratitud. Son: Alfredo Vásquez, la Fundación Passa Porta de Bruselas, la Agencia Casanovas & Lynch (Mercedes Casanovas, Nuria Muñoz, Sandra Pareja, Ilse Font y Nathalie Eden), Inés García y Carlos Rovira, Rafael Dezcallar y Karmele Miranda, Javier Cercas, Tatiana de Germán Ribón, Catalina Gómez, Enrique de Hériz, Camilo Hoyos y el Instituto Caro y Cuervo, Gabriel Iriarte, Álvaro Jaramillo y Clarita Pérez de Jaramillo, Mario Jursich, Alberto Manguel, Patricia Martínez, Jorge Orlando Melo, Hernán Montoya y Socorro de Montoya, Carolina Reoyo, Elkin Rivera, Ana Roda, Mónica Sarmiento y Alejandro Moreno Sarmiento, Andrés Enrique Sarmiento y Fanny Velandia. Pero mi deuda mayor es con Mariana, primera destinataria de estas páginas, cuya presencia visible o invisible da a este libro (y a la vida de su autor) algo misteriosamente parecido a la armonía.

J.G.V.
Bogotá, septiembre de 2015

Índice

Este libro se terminó
de imprimir en
Móstoles (Madrid),
en el mes de
diciembre de 2015